***ACCESO GRATIS** a la Lectura en la Nube*

Para visualizar el libro electrónico en la nube de lectura envíe junto a su nombre y apellidos una fotografía del código de barras situado en la contraportada del libro y otra del ticket de compra a la dirección:

ebooktirant@tirant.com

En un máximo de 72 horas laborables le enviaremos el código de acceso con sus instrucciones.

La visualización del libro en **NUBE DE LECTURA** excluye los usos bibliotecarios y públicos que puedan poner el archivo electrónico a disposición de una comunidad de lectores. Se permite tan solo un uso individual y privado.

LA LEGALIDAD DE LAS SANCIONES DE LA UNIÓN EUROPEA

La revolución discreta de la jurisprudencia del Tribunal de Justicia de la Unión Europea en materia de medidas restrictivas

LA LEGALIDAD DE LAS SANCIONES DE LA UNIÓN EUROPEA

La revolución discreta de la jurisprudencia del Tribunal de Justicia de la Unión Europea en materia de medidas restrictivas

ANA HERNÁNDEZ SIERRA

tirant lo blanch
Valencia, 2026

En caso de erratas y actualizaciones, la Editorial Tirant lo Blanch publicará la pertinente corrección en la página web www.tirant.com.

La aceptación de la presente obra ha tenido en consideración la evaluación y calificación otorgada por los expertos componentes del tribunal calificador de la tesis doctoral en la que se basa, cumpliendo con el criterio correspondiente de los revisores externos y ofreciendo la calidad debida a la presente edición.

© TIRANT LO BLANCH
EDITA: TIRANT LO BLANCH
C/ Artes Gráficas, 14 - 46010 - Valencia
TELFS.: 96/361 00 48 - 50
FAX: 96/369 41 51
Email: tlb@tirant.com
www.tirant.com
Librería virtual: www.tirant.es
DEPÓSITO LEGAL: V-823-2026
ISBN: 979-13-7021-613-9

Si tiene alguna queja o sugerencia, envíenos un mail a: *atencioncliente@tirant.com*. En caso de no ser atendida su sugerencia, por favor, lea en *www.tirant.net/index.php/empresa/politicas-de-empresa* nuestro procedimiento de quejas.

Responsabilidad Social Corporativa: http://www.tirant.net/Docs/RSCTirant.pdf

A Fernando y Flavia

«Cuando tratamos de hacer algo de lo que racionalmente podemos dudar si es bueno o malo, justo o injusto, entonces es procedente la duda y debemos usar de la consulta, para no tener que lamentarnos de haber hecho temerariamente alguna cosa, antes de haber averiguado y hallado si es lícita o no. Y de esta suerte son cosas que, como muchos géneros de contratos, ventas y otros negocios, según se las mire, tienen aspectos buenos y malos».

Francisco de Vitoria

Relecciones sobre los Indios y el Derecho de Guerra

Índice

II. LA LEGITIMACIÓN ACTIVA Y EL ACTO ATACABLE EN EL CONTENCIOSO DE LAS MEDIDAS RESTRICTIVAS: UNA PROFUNDIZACIÓN DE LA ACTITUD PRAGMÁTICA DEL TJUE

III. SINGULARIDADES DEL CONTENCIOSO DE LAS MEDIDAS RESTRICTIVAS: EL VALOR DE LA INTERPRETACIÓN JUDICIAL EN EL AJUSTE DE LAS REGLAS GENERALES

SEGUNDA PARTE
EL DESARROLLO DE LA JURISPRUDENCIA SOBRE LA NATURALEZA Y VALIDEZ DE LAS MEDIDAS RESTRICTIVAS

III. SOBRE LOS ELEMENTOS MATERIALES DE LAS MEDIDAS RESTRICTIVAS: LA LEGALIDAD INTERNA

ANEJOS

LISTA DE ABREVIATURAS Y SIGLAS

Art.	Artículo
CDFUE	Carta de los Derechos Fundamentales de la Unión Europea
CEDH	Convenio Europeo para la Protección de los Derechos Humanos y de las Libertades Fundamentales
Cf.	Compárese (*confer)*
CNU	Carta de las Naciones Unidas
Coord.	Coordinador / coordinadora
Coords.	Coordinadores
COREPER	Comité de Representantes Permanentes
CSNU	Consejo de Seguridad de Naciones Unidas
Dir.	Director / directores
DOUE	Diario Oficial de la Unión Europea
DUDH	Declaración Universal de los Derechos Humanos
ECLI	Identificador Europeo de Jurisprudencia (*European Case Law Identifier*)
Ed.	Editor
Ed.	Edición (como continuación a un número ordinal)
Eds.	Editores
ELSJ	Espacio de Libertad, Seguridad y Justicia
ETJUE	Estatuto del Tribunal de Justicia de la Unión Europea
Et. al.	Y otros *(et alii)*
Ibid.	En el mismo lugar *(ibidem)*
Id.	El mismo (*idem*)
Loc. cit.	En el lugar citado *(loco citato)*
Nº	Número
ONG	Organización No Gubernamental (ONGs en plural)
ONU	Organización de las Naciones Unidas
Op. cit.	En la obra citada *(opere citato)*
P.	Página
PCSD	Política Común de Seguridad y Defensa
PESC	Política Exterior y de Seguridad Común
Pp.	Páginas

RPTG	Reglas de procedimiento del Tribunal General
RPTJ	Reglas de procedimiento del Tribunal de Justicia
SEAE	Servicio Europeo de Acción Exterior
Ss.	Siguientes
TCE	Tratado constitutivo de la Comunidad Económica Europea
TEDH	Tribunal Europeo de Derechos Humanos
TFUE	Tratado de Funcionamiento de la Unión Europea
TG	Tribunal General
TJ	Tribunal de Justicia
TJUE	Tribunal de Justicia de la Unión Europea
TPI	Tribunal de Primera Instancia
TUE	Tratado de la Unión Europea
UE	Unión Europea
Vid. supra	Véase arriba (*vide supra*)
Vol.	Volumen

PRÓLOGO

La relevancia jurídica que han adquirido en los últimos tiempos las llamadas "medidas restrictivas" está fuera de discusión. En realidad, poco tiene de novedoso la utilización internacional de las sanciones. Antes al contrario, resultan consustanciales a las relaciones internacionales en supuestos en los que concurran comportamientos ilícitos en cuanto instrumento típico en manos de los sujetos de Derecho internacional para ejercer así presión frente a terceros, sean estos otros sujetos de Derecho internacional o se trate de personas físicas o jurídicas. La verdadera novedad radica, sin embargo, tanto en su creciente utilización en las últimas décadas, como sobre todo en su plasmación en actos jurídicos susceptibles de control judicial, muy en particular en el ámbito de la UE.

En efecto, tras la entrada en vigor del Tratado de Lisboa, la UE ha desarrollado con profusión varias decenas de regímenes de sanciones de variada naturaleza y alcance. Algunos traen causa directa de una resolución del Consejo de Seguridad de Naciones Unidas que se aplica directamente. Otros, la mayoría, son regímenes autónomos de la UE adoptados en el marco de la PESC. Y existen también regímenes de naturaleza mixta, cuya peculiaridad reside en la adopción de medidas por la UE junto a las ya decididas por el Consejo de Seguridad. Cada uno de ellos está, a su vez, revestido de sus propias singularidades jurídicas.

En este marco, el TJUE ha ido construyendo en los últimos años una rica jurisprudencia en materia de medidas restrictivas. Tanto por su dimensión cuantitativa como, sobre todo, por su relevancia cualitativa se trata de una cuestión de la máxima importancia. Piénsese, desde la perspectiva de la primera de las dimensiones mencionadas, que en estos momentos los asuntos en materia de medidas restrictivas se colocan a la cabeza de los tratados por el Tribunal General. Así, de los 282 recursos de anulación introducidos en 2024, 63 fueron en esta materia, esto es, por encima de los referidos al Derecho institucional (59 asuntos), la política económica y monetaria (33 asuntos) o el acceso a los documentos (29 asuntos); y muy por delante de materias clásicas como las ayudas de Estado (23 asuntos), la agricultura

(18 asuntos) o el Derecho de la competencia (10 asuntos). Es además una tendencia constante, como demuestran las cifras de asuntos presentados (entrada de 63 asuntos en 2023 y 103 en 2022). En este mismo sentido, si nos detenemos en los asuntos resueltos en 2024, 88 fueron en materia de medidas restrictivas. Igualmente, en el Tribunal de Justicia también se constata, en el marco de competencias diferentes (casación en el caso de las sentencias dictadas por el Tribunal General), una creciente ocupación en materia PESC (4 asuntos en 2022, 14 en 2023 y 48 en 2024). Ello parece lógico si consideramos que tan sólo en relación con Rusia se han adoptado, tras la invasión de Ucrania, 18 paquetes de medidas; y es tan solo uno los alrededor de 50 regímenes existentes.

No obstante, la verdadera relevancia de la cuestión deriva sobre todo de la importancia y singularidad de la materia tratada. Pese a las importantes limitaciones impuestas por los tratados constitutivos a la competencia del TJUE para el control judicial de las medidas restrictivas, el necesario mantenimiento de las garantías del procedimiento para preservar el respeto del principio de tutela judicial efectiva, en particular la exigencia de prueba suficiente, ha conducido a la construcción de un vasto cuerpo jurisprudencial que reclama la máxima atención jurídica. Se trata, no obstante, de una jurisprudencia que, como consecuencia de las peculiaridades derivadas del intricado régimen jurídico previsto por los tratados constitutivos, presenta también un elevado grado de complejidad y sofisticación.

*****

Los tratados constitutivos, como pone de manifiesto el artículo 24. 1 TUE, establecen un régimen propio en materia PESC con reglas diferentes a las del método comunitario que rigen para el resto de competencias atribuidas a la Unión. Nos encontramos, pues, ante un ámbito revestido a priori de una naturaleza preeminentemente política. De ahí que el principio general previsto en el apartado primero del artículo 275 TFUE establezca, con carácter general y en un tono bastante taxativo, que el TJUE "no será competente para pronunciarse sobre las disposiciones relativas a la política exterior y de seguridad común ni sobre los actos adoptados sobre la base de éstas". Es decir, la PESC queda, como regla general, fuera del control judicial del TJUE.

Ahora bien, las medidas restrictivas adoptadas en el marco de la PESC revisten a la vez una indudable dimensión jurídica. Ésta se plasma, en primer término, en la adopción de actos jurídicos sobre la base de los artículos 29 TUE (decisiones PESC que definen el enfoque) y 215 TFUE (disposiciones concretas en materia de garantías jurídicas fundadas en el método comunitario). También implica, en segundo término, que el principio general de ausencia de control judicial recién mencionado se vea modulado en el apartado segundo del artículo 275 TFUE —a título de excepción en materia PESC— por la exigencia de un cierto control de legalidad de las medidas restrictivas. Ello resulta en nuestra opinión del todo punto razonable si tenemos en cuenta que dichos actos jurídicos son susceptibles de afectar de manera muy importante la esfera jurídica de los particulares, incluidos derechos fundamentales básicos. El instrumento judicial típico para el acceso a la jurisdicción de la UE será, por tanto, un recurso de anulación, fundado en el apartado cuarto del artículo 263 TFUE e interpuesto ante el Tribunal General por personas físicas o jurídicas directa e individualmente afectadas por los actos adoptados por la Unión en esta materia. Igualmente, cabe la presentación, con apoyo en el artículo 277 TFUE, de una excepción de ilegalidad frente a una decisión PESC o un reglamento ex artículo 215 TFUE que incluya una atribución de competencia para adoptar medidas restrictivas individuales de las que pudiera ser destinatario el recurrente.

A mayor abundamiento, sobre la base del principio de tutela judicial efectiva enunciado por el artículo 47 de la Carta de Derechos Fundamentales de la Unión, así como de los valores básicos del ordenamiento de la UE reflejados en el artículo 2 TUE, el TJUE ha ido modulando su interpretación del artículo 275 TFUE. Ha aceptado, por ejemplo, su competencia para examinar también cuestiones prejudiciales en materia de medidas restrictivas, tanto de validez (sentencia del TJ de 28 de marzo de 2017, Rosneft, C-72/15, EU:C:2017:236, apdo. 81) como de interpretación (sentencia del TJ de 10 de septiembre de 2024, Neves 77 Solutions, C-351/22, EU:C:2024:723, apdo. 53); también ha aceptado la interposición de acciones de compensación por daños (sentencia del TJ de 6 de octubre de 2020, Bank Refah Kargaran/Consejo, C-134/19P, EU:C:2020:793, apdo. 44). De esta manera, se está produciendo una suerte de juridificación progresiva de este ámbito que tiende probablemente a colmar el déficit judicial del que ha hablado un sector de la doctrina.

Comparto a este respecto la opinión de quienes consideran que precisamente en las circunstancias más críticas es cuando más relevante resulta mantener las reglas del Estado de Derecho. Particularmente en situaciones difíciles de combate del terrorismo o de agresiones territoriales es importante mantener el respeto al Derecho. En nuestra opinión, el acatamiento de las exigencias del Estado de Derecho reclama una atención singular en el caso de sanciones impuestas por la UE contra individuos. Ello no quiere en absoluto decir que el TJUE pueda actuar como si no existiera el párrafo primero del artículo 275 TFUE. Los tratados constitutivos han impuesto un límite a su actuación que no puede ser obviado, so pena de actuación *ultra vires*. Parece, pues, capital que el TJUE sea particularmente deferente. Es precisamente en este marco en el que se sitúa, por ejemplo, la discusión doctrinal acerca de la pertinencia de extender el control judicial ejercido por el TJUE en esta materia a los recursos de incumplimiento (arts. 258 y 259 TFUE), en el caso de que la Comisión hiciera en algún momento uso del mismo, o de omisión ante eventuales inacciones de las instituciones de la UE (art. 265 TFUE). Igualmente, es quizá la singularidad de este cuadro jurídico la que explica que hasta el momento ninguna sentencia del Tribunal General haya constatado la ilegalidad de un criterio de inscripción; o que se haya reconocido un amplio margen de apreciación en manos del Consejo; o que en el sistema de doble nivel las medidas en cuestión se basen en ocasiones en pruebas recabadas por autoridades no comunitarias; o incluso el polémico juego de las presunciones aceptadas en esta materia por el TJUE.

Me parece, empero, de justicia reconocer que el TJUE ha sido particularmente cuidadoso en cuestiones básicas, como la exigencia de motivación suficiente, el control de la proporcionalidad, la prohibición de la desviación de poder, el examen exhaustivo de las pruebas presentadas por el Consejo, la fijación de un estándar de prueba basado en la existencia de un conjunto de indicios suficientemente específicos, precisos y consistentes, el respeto del derecho de la defensa y, en particular, el acceso al expediente o el derecho a ser oído. Igualmente, la obligación de un reexamen periódico efectivo es escrutada con regularidad por el Tribunal General. Incluso en el caso del problemático juego de las presunciones, siempre por supuesto de naturaleza *iuris tantum*, no puede en absoluto seguir afirmándose la imposibilidad material de revertirlas en la práctica. Baste recordar, como bien muestra la obra que aquí prologamos, que hasta la delicada presunción de vinculación con el régimen sirio de los hombres relevantes de negocios que ejercen (¿ejercían?) su actividad en Siria ha sido revertida en algún caso por el Tribunal General (sentencia del TG de 16 de marzo de 2022, Sabra/Consejo, T-249/20, EU:T:2022:140, apdo. 186). Igualmente, en el marco del régimen ruso el Tribunal General revirtió la presunción de vínculo con el régimen y anuló la decisión del Consejo de inscribir a la madre del fundador del grupo Wagner por el mero hecho de existir un lazo familiar (sentencia del TG de 8 de marzo de 2023, Violetta Prigozhina/ Consejo, T-212/22, EU:T:2023:14, apdos. 104 y 105).

De cualquier manera, como ya he tenido ocasión de afirmar en otra sede con ocasión de un estudio más completo de la cuestión, creo que en el ámbito de la Unión “se ha establecido un régimen de control de legalidad de las medidas restrictivas muy robusto y, en todo caso, acorde con las particularidades previstas por los tratados constitutivos, tanto en relación con el carácter híbrido de dichas medidas (político y jurídico) como del control limitado por parte del TJUE”. Y sigo pensando que “[e]l reto principal al que se enfrenta ahora la jurisprudencia del TJUE probablemente radique en buscar un adecuado equilibrio final entre la exigencia de efectividad de la PESC, concebida en términos generales como un ámbito de naturaleza política inmune al control judicial, y la correlativa exigencia ineludible de legalidad, derivada del principio del Estado de derecho, de unas medidas que acarrean consecuencias directas para la esfera de los particulares”. Efectividad y legalidad no son, pues, términos incompatibles. Las medidas han de poder cumplir el fin (político) que les es propio; pero, a la vez, han de respetar las exigencias (jurídicas) del infranqueable principio del Estado de Derecho.

*****

En un complejo y delicado contexto como el descrito, la monografía que tienen en sus manos constituye, en mi opinión, la más completa y valiosa contribución sobre la jurisprudencia del TJUE en materia de medidas restrictivas. Colma, en realidad, un llamativo vacío existente hasta ahora. Obviamente se han publicado contribuciones importantes sobre aspectos concretos relativos al control judicial ejercido por el TJUE. Pero faltaba, sin duda, una visión de conjunto; que sepamos, nadie había realizado hasta el momento un estudio sistemático e integral de la jurisprudencia del TJUE en esta materia. Nos encontramos, por tanto, ante una obra de consulta obligada por quien a partir de ahora desee acercarse a esta materia.

La autora ha realizado con brillantez y meticulosidad un titánico análisis de los más de cinco centenares de sentencias emanadas de las dos jurisdicciones del TJUE, muy en particular, del Tribunal General. Ha separado concienzudamente el polvo de la paja, brindándonos un estudio sistemático y completo de esta jurisprudencia. El libro ha sido, además, escrito de manera clara, lo que no es sencillo de encontrar en un trabajo científico que se debe al rigor y a la precisión jurídica. En verdad, no puede sorprender demasiado la solvencia jurídica del resultado, ya que la autora acredita un profundo conocimiento teórico y práctico de la materia. El primero responde a los largos años consagrados al estudio paciente y minucioso de la doctrina y, sobre todo, de la jurisprudencia existentes. Y el segundo trae causa de su rica experiencia profesional en este ámbito. Su interesante trayectoria profesional, primero en el Servicio Europeo de Acción Exterior bajo el cobijo del brillante diplomático español Enrique Mora, y después en Madrid como subdirectora general de PESC en el Ministerio de Asuntos Exteriores, Unión Europea y Cooperación, le han aportado un profundo conocimiento de los entresijos de las salas de máquinas en que se "cocinan" las medidas restrictivas. Ello la coloca, lógicamente, en una posición inmejorable para afrontar un análisis bien fundamentado sobre la cuestión. Podrán compartirse o no las críticas que vierte esta monografía sobre la materia, pero desde luego nadie podrá decir que la autora hable de oídas.

Me complace además reconocer que su paso por mi gabinete para realizar una estancia de investigación, además de acaso contribuir a facilitarle un conocimiento práctico del funcionamiento interno del Tribunal General, fue sobre todo una ocasión para incentivar interesantes y apasionantes debates jurídicos internos que enriquecieron nuestro acercamiento a la materia. Sin duda, la autora es una de esas personas —aplicadas, competentes y ambiciosas a la par que afables y generosas— que dejan huella. Mis colaboradores siguen recordando con placer intelectual las discusiones académicas tenidas sobre la materia en nuestras reuniones internas semanales de los lunes.

A decir verdad, no son muchas las tesis doctorales que he tenido ocasión de dirigir a lo largo de mi carrera académica. Pero lo cierto es que me siento muy orgulloso de todas ellas. Sus autores han mostrado sin excepción una aptitud y una actitud inmejorables que no han podido dar mayor satisfacción académica a quien firma este prólogo. Han versado, además, sobre temas que, como es el caso de la cooperación reforzada o el diálogo judicial, han acreditado un interesante recorrido doctrinal y práctico a lo largo del tiempo. Y creo que el caso de la tesis doctoral elaborada por Ana Hernández no será tampoco una excepción.

Les deseo, pues, a Vds. una agradable (y fructífera) lectura y me permito invitarles a enriquecer con contribuciones futuras el debate jurídico sobre una materia cuya jurisprudencia está lejos de estar definitivamente cerrada. Existen no pocas cuestiones (materiales y procedimentales) que invitan al debate. La mirada crítica de la doctrina a la jurisprudencia que intentamos construir en el TJUE nos resulta absolutamente imprescindible para transitar con coherencia y efectividad por la intricada senda jurídica establecida por los tratados constitutivos en materia de medidas restrictivas. Este libro ofrece, por cierto, un buen puñado de pistas de interés con las que comenzar.

José Martín y Pérez de Nanclares
Juez y abogado general del Tribunal General de la Unión Europea y catedrático de Derecho Internacional Público de la Universidad de Salamanca

AGRADECIMIENTOS

Esta monografía es el resultado condensado de un trabajo de investigación que ha conformado mi tesis doctoral defendida en la Universidad de Salamanca. Es difícil reducir a unas líneas los agradecimientos que debo a todas las personas que me han ayudado, por lo que pido disculpas por aquellas omisiones involuntarias en las que pueda incurrir.

Ante todo, este proyecto no habría sido viable, si no hubiera sido por la inestimable guía, buen consejo y apoyo de mi director de tesis, el Profesor Doctor Martín y Pérez de Nanclares. Sus excepcionales y vastísimos conocimientos jurídicos, su afilado instinto profesional y su generosa flexibilidad y comprensión han sido la clave para que hoy haya llegado hasta aquí. También es de justicia incidir en la oportunidad que me brindó para poder desarrollar un período de investigación y prácticas en su equipo en el Tribunal General, una experiencia para mí inolvidable que me ha llevado a profesar una admiración mayor, si cabe, por su trabajo y por la labor que desempeñan día tras día, de manera discreta y dedicada, todos los juristas que trabajan en esa institución.

Igualmente, solo puedo tener palabras de gratitud hacia el Profesor Doctor Armin Von Bogdandy por haberme acogido en el prestigioso *Max Planck Institut für Ausländisches Öffentliches Recht und Völkerrecht* de Heidelberg y hacia el Profesor Doctor Jan Wouters y a la Universidad Católica de Lovaina por haberme dado la oportunidad de realizar una estancia en el *Centre for Global Governance Studies.*

Me gustaría también resaltar la hospitalidad de la Universidad de Salamanca y de todo el equipo del área de Derecho internacional público, así como del personal del servicio de bibliotecas y del Centro de Documentación Europea. Este camino, no exento de dificultades, también me ha brindado la oportunidad única de conocer a dedicados académicos en España y fuera de nuestras fronteras. La Profesora Doctora Clara Portela, siendo una referencia en el mundo de las sanciones ocupa, sin duda, un lugar destacado.

Por otro lado, tampoco puedo olvidarme de mis compañeros de trabajo que, en realidad, son una segunda familia, en especial a Enrique Mora, María del Mar García Benasach, Luis Tarín, entre tantos otros, y de apoyos excepcionales como el de Martín. La lista es muy larga, es un privilegio trabajar en un entorno que acumula mentes tan brillantes.

Asimismo, agradezco a mis padres y a mi hermana sus lecciones de esfuerzo, disciplina y constancia y, sobre todo, a mi marido, Carlos, y a mis hijos, Fernando y Flavia, por la fuerza que me han dado y por el tiempo que —con gran comprensión por vuestra parte— habéis tenido que compartir con este proyecto. Espero que un día pueda y sepa compensaros.

INTRODUCCIÓN

La UE, en calidad de actor internacional con un creciente protagonismo en un contexto global de extraordinaria complejidad, vive actualmente un momento de plena expansión y desarrollo de la PESC, como ilustra GONZÁLEZ ALONSO[1]. En este contexto, la UE ha sabido percatarse de la utilidad de las medidas restrictivas[2], dentro del abanico existente de formas en las que se materializa la Política Exterior[3]. Con este objetivo, las utiliza y adapta continuamente. Asimismo, la UE, junto con sus Estados miembros, en virtud del art. 25 de la CNU, está obligada a observar y aplicar las sanciones adoptadas por el CSNU[4].

La adopción de sanciones es congénita a la existencia misma de las relaciones internacionales entre comunidades políticas[5], aunque

---

1 Resulta extremadamente interesante remitirse a los análisis realizados por el autor sobre la reacción de la UE, a través de los instrumentos PESC, a la guerra de agresión de la Federación de Rusia contra Ucrania iniciada el 24 de enero de 2022; *cf.* GONZÁLEZ ALONSO, L. N. (2022). La Unión Europea, su futuro y el de Ucrania: ¿un destino en adelante compartido? En F. Aldecoa y L. N. González (eds.). *La Unión Europea frente a la agresión a Ucrania* (pp. 247-257). Madrid: Catarata; y GONZÁLEZ ALONSO, L. N. (2023). La Unión Europea frente al desafío de la guerra en Ucrania: ¿la ansiada *epifanía* de su política exterior y de seguridad común? *Revista de Derecho Comunitario Europeo,* 75, 35-68.

2 En este trabajo se utilizarán los términos medidas restrictivas y sanciones como equivalentes, teniendo en cuenta que, en la jerga de la UE, el término utilizado con mayor frecuencia por su precisión jurídica es el de medidas restrictivas. Esta terminología es la que utiliza el TFUE en su art. 215.

3 Un campo interesante de estudio es cómo las diferentes herramientas de Política Exterior, especialmente cuando se incluyen las sanciones, han de estar bien coordinadas para poder lograr los objetivos perseguidos. En el ámbito de la ONU, por ejemplo, véase el estudio sobre el caso libio: PORTELA, C. y ROMANET PERRUX, J. L. (2022). UN Security Council Sanctions and Mediation in Libya: Synergy or Obstruction? *Global Governance,* 28, 228-250.

4 CALLEJA CRESPO, D. (2023). La adopción de sanciones contra Rusia por la guerra de Ucrania: la perspectiva de la Comisión Europea. *Revista de Derecho Comunitario Europeo,* 75, p. 74.

5 Se toma como referencia histórica de las primeras sanciones conocidas al Decreto Megarense, adoptado por los atenienses en el año 433 a.C. Lo relata Tucídides en el capítulo XVI de la *Guerra del Peloponeso*: «Reclamado por los lacedemonios a los atenienses y por éstos a aquéllos que purgasen de una parte y

en el último siglo —con mucha mayor intensidad en los últimos años— se ha producido un incremento del recurso a las mismas. Esto se debe, en parte, a las propias limitaciones del uso de la fuerza que impone la CNU (las sanciones sirven, en parte, como modo coercitivo de hacer valer la legalidad internacional), a una reducción paulatina del apetito por las intervenciones armadas internacionales[6] y, sobre todo, a la propia evolución que han venido experimentando las relaciones internacionales y las herramientas diplomáticas en el final del siglo XX y principios del XXI[7].

Las sanciones son decisiones de Política Exterior que se plasman en actos jurídicos[8], pero definirlas y clasificarlas, desde el punto de

---

de otra las ofensas y los sacrilegios a los dioses, [...]; y sobre todo les declararon que comenzarían la guerra contra ellos, si no revocaban el decreto que habían hecho contra los de Mégara, por el cual se les prohibía desembarcar en puertos de los atenienses, acudir a sus ferias y comerciar con ellos. A todas estas demandas y principalmente a la de revocar el decreto, los atenienses determinaron no obedecer, [...]». *Cf.* TUCÍDIDES (1991). *Historia de la guerra del Peloponeso* (Libros III y IV) (traducción de J. J. Torres Esbarranch). Madrid: Gredos, p. 80.

6 Incluso cuando el recurso al uso de la fuerza cumpliera con los criterios legales, como apunta TAYLOR. Siguiendo las palabras de este autor: «*While armed conflict remains a very real prospect in this environment, the human and financial costs of bringing military forms of coercion to bear in the face of these developments are becoming ever more prohibitive. Both as an alternative to armed force, and, conversely, the often cumbersome diplomatic solutions on offer, the salience of sanctions to international security politics is increasingly apparent*». *Cf.* TAYLOR, B. (2010). *Sanctions as Grand Strategy*. Oxon: Routledge, p. 9.

7 Así lo refleja HUFBAUER en un estudio sobre las sanciones de naturaleza económica: «*Sanctions are part and parcel of internacional diplomacy, a tool for coercing target governments into particular avenues of response. In most cases, the use of sanctions presupposes the sender country's willingness to interfere in the decision making process of another sovereign government, but in a measured way that supplements diplomatic reproach without the immediate introduction of military force*». *Cf.* HUFBAUER, G. C. *et al.* (2009). *Economic Sanctions Reconsidered* (3ª ed.). Washington D. C.: Peterson Institute for International Economics, p. 5.

8 El marco de los Tratados post-Lisboa, en lo que respecta a las medidas restrictivas, las dota por primera vez de una base jurídica robusta y específica. En el TCE no existía una base ad hoc y esta debía elegirse dependiendo de cómo se materializaría la sanción. Aun con las mejoras aportadas por el Tratado de Maastricht, el TJUE advirtió claros problemas de suficiencia y adecuación de las posibles bases jurídicas existentes. Las medidas restrictivas actualmente reposan sobre una decisión del art. 29 TUE y sobre un reglamento del art. 215 TFUE. Es la solución a la que se llegó para conciliar su naturaleza como decisión política

vista del Derecho internacional público, no es ni sencillo, ni evidente. A efectos de este trabajo, podríamos afirmar que las medidas restrictivas de la UE son una herramienta de la PESC, con origen generalmente en un ilícito internacional previo o en un acto hostil, que tiene como objetivo presionar a otro actor de la comunidad internacional (sean Estados o, como fruto de su individualización, referidas a personas físicas o jurídicas) para corregir o adoptar un comportamiento determinado y ajustarse a la legalidad internacional, proteger los propios intereses, y/o contribuir al alcance y defensa de unos principios y valores que defiende el ordenamiento jurídico sancionador, en este caso, el de la UE, en el ámbito internacional.

En este contexto, la UE mantiene actualmente[9] 55 regímenes de sanciones de los cuales 8 son una aplicación directa de los establecidos en virtud de una resolución del CSNU, 36 son autónomos, es decir, provienen directamente de una decisión del Consejo, que ejerce su competencia en esta materia dentro de la PESC, y 11 son complementarios o mixtos, esto es, existen medidas decididas por la UE a mayores de las establecidas por el CSNU.

La UE, por lo tanto, se ha ido erigiendo en un actor internacional que busca utilizar de la manera más eficaz las herramientas a su alcance. No obstante, esta no se olvida de su fundamento como comunidad de Derecho, basada en unos principios y con un entramado de garantías jurídicas en permanente perfeccionamiento desde su nacimiento. Este proceso también se ha dado en el ámbito de la Política Exterior, cuyos mecanismos de control y supervisión, podemos afirmar sin ambages, están menos depurados que el de otras políticas (al igual que también sucede a nivel nacional). Por ello, la UE ha establecido mecanismos para garantizar que las medidas adoptadas que afectan directamente a personas físicas y jurídicas sean sometidas a un escrutinio jurisdiccional eficaz. Es, en definitiva, la búsque-

---

pura de la PESC con las implicaciones materiales propias del TFUE. También pueden estar desarrolladas en forma de decisiones de ejecución (art. art. 31.2, guion tercero del TUE) y reglamentos de ejecución (art. 291 TFUE).

9 La última revisión se ha realizado con fecha de 6 de agosto de 2025.

da del difícil «equilibrio entre efectividad y legalidad», en palabras de MARTÍN Y PÉREZ DE NANCLARES[10].

Así, la entrada en vigor del Tratado de Lisboa ha supuesto un paso muy destacable en este sentido. Por un lado, el art. 275 TFUE consolida una cláusula de exclusión de competencia o «*carve-out*», mediante la cual se excluye la competencia del TJUE[11] sobre las disposiciones de la PESC y sobre los actos adoptados en virtud de las mismas. Esta limitación responde a la voluntad de los Estados miembros de que las actuaciones que se adopten en el incipiente —pero en pleno desarrollo— ámbito de la PESC sigan manteniendo una cierta excepcionalidad o particularismo. También tiene como objetivo la preservación, por parte del Consejo, de un control prácticamente absoluto sobre las medidas adoptadas en dicho ámbito concreto al tratarse de la expresión de una de las políticas más ligadas a la esencia soberana de los Estados: la Política Exterior y la de Defensa.

Con todo, por otro lado, el art. 275 TFUE establece una excepción a esta exclusión en el ámbito de la competencia general del TJUE al admitirla «sobre los recursos interpuestos en las condiciones contempladas en el párrafo cuarto del art. 263 del presente Tratado y relativos al control de la legalidad de las decisiones adoptadas por el Consejo en virtud del capítulo 2 del título V del TUE por las que se establezcan medidas restrictivas frente a las personas físicas o jurídicas». Esto es, se recupera una parte de la competencia jurisdiccional para poder examinar la validez de las medidas adoptadas contra personas físicas o jurídicas en el ámbito de la PESC, consolidando lo que se ha denominado una cláusula «*claw-back*».

Como explica PUETTER, aunque el Tratado de Lisboa no ha cambiado la esencia intergubernamental de la PESC ni la forma en que se adoptan las decisiones, este sí que viene a enmendar con nuevas

---

10 MARTÍN Y PÉREZ DE NANCLARES, J. (2023). El control jurisdiccional del TJUE en materia de medidas restrictivas adoptadas en el ámbito de la PESC: el equilibrio entre *efectividad* y *legalidad*. *Revista de Derecho Comunitario Europeo,* 75, 91-129.

11 En este trabajo nos referiremos al TJUE como la institución de la UE integrada, a su vez, por dos órganos jurisdiccionales, el TJ (Tribunal de Justicia) y el TG (Tribunal General).

disposiciones algunos de sus aspectos más disfuncionales[12]. El hecho de que exista ya una mayor y mejor regulación sobre las medidas restrictivas y una atribución de competencia explícita para que el TJUE pueda realizar el control de su legalidad supone, sin duda, una evolución en la normalización de la PESC.

Asimismo, fruto del control de legalidad de las medidas restrictivas que puede realizar el TJUE, se está acumulando una rica jurisprudencia que destaca por su multidimensionalidad y relativa dinamicidad. Contamos con pronunciamientos del TJUE sobre un número creciente de cuestiones tanto de carácter procesal-formal como de contenido material y la previsión es que esta jurisprudencia siga evolucionando e incluso adentrándose progresivamente en nuevos aspectos, hasta ahora no explorados.

Como resultado de esta intensa actividad jurisdiccional, es cada vez más patente también el impacto que el trabajo del TJUE tiene sobre la toma de decisiones y diseño de la PESC, que recae esencialmente en manos del Consejo. Ello pone de nuevo en evidencia, como ha sucedido con otras políticas tradicionalmente «comunitarias», el papel esencial del TJUE como institución moldeadora e impulsora de la integración europea[13], esta vez, en un nuevo ámbito[14], con desarrollo que nos gusta caracterizar como *«revolución discreta»*.

En lo que se refiere al *status questionis* de esta materia en la ciencia jurídica y en el ámbito de los estudios del Derecho de la UE, hasta

---

12 PUETTER, U. (2012). The Latest Attempt at Institutional Engineering: The Treaty of Lisbon and Deliberative Intergovernmentalism in EU Foreign and Security Policy Coordination. En P. J. CARDWELL (ed.). *EU External Relations Law and Policy in the Post-Lisbon Era* (pp. 17-34). La Haya: T.M.C. Asser Press, p. 21.

13 SAURUGGER y TERPAN se preguntan incluso sobre la contribución del TJUE a una progresiva «estatalización». *Cf.* SAURUGGER, S. y TERPAN, F. (2017). *The Court of Justice of the European Union and the Politics of Law.* Hampshire: Palgrave MacMillan, p. 211.

14 Para profundizar en el análisis sobre el crecimiento progresivo de las competencias del TJUE y su papel en la integración europea, véase, por ejemplo, ALTER, K. J. (2009). *The European Court's Political Power: Selected Essays*, Oxford: Oxford University Press, pp. 92-136; o el análisis que sobre trabajos previos de autores consolidados se hace desde la perspectiva de la ciencia política en SCHMIDT, S. K. (2018). *The European Court of Justice and the Policy Process.* Oxford: Oxford University Press. A esta cuestión está especialmente dedicado el capítulo dos que versa sobre *«the European Court of Justice as a political actor»*.

la fecha, los trabajos que se habían desarrollado sobre las medidas restrictivas de la UE se basaban fundamentalmente en la llamada jurisprudencia *Kadi*[15], que, sin duda, ha constituido un hito en la interpretación del TJUE sobre el posicionamiento del ordenamiento jurídico europeo en relación con el ordenamiento jurídico internacional. La doctrina, al hilo de dicha jurisprudencia, también ha producido interesantes trabajos sobre las medidas restrictivas y la lucha contra el terrorismo[16]. Igualmente, con el tiempo, ha ido creciendo la atención dedicada a esta materia y se han ido añadiendo a la doctrina jurídica otros estudios, si bien un tanto fragmentarios al versar de manera específica sobre algunas de las decisiones jurisprudenciales más relevantes[17].

---

15 La «saga *Kadi*» está formada por las siguientes sentencias: Sentencia del Tribunal de Primera Instancia de 21 de septiembre de 2005, Ahmed Ali Yusuf y Al Barakaat International Foundation/Consejo y Comisión, T-306/01, ECLI: EU:T:2005:331 y la sentencia del Tribunal de Primera Instancia de 21 de septiembre de 2005, Yassin Abdullah Kadi/Consejo y Comisión, T-315/01, ECLI:EU:T:2005:332, que fueron anuladas en casación por la sentencia del Tribunal de Justicia (Gran Sala) de 3 de septiembre de 2008, Yassin Abdullah Kadi y Al Barakaat International Foundation/Consejo *(Kadi I)*, asuntos acumulados C-402/05 P y C-415/05 P, ECLI:EU:C:2008:461. Posteriormente, se volvió a dirimir la legalidad de estas medidas en la sentencia del Tribunal General de 30 de septiembre de 2010, Yassin Abdullah Kadi/Comisión, T-85/09, ECLI:EU:T:2010:418 (estimatoria para las pretensiones del señor Kadi), que fue llevada a casación por la Comisión Europea y por el Reino Unido de Gran Bretaña e Irlanda del Norte, resuelta en sentencia del Tribunal de Justicia (Gran Sala) de 18 de julio de 2013, Comisión Europea y otros contra Yassin Abdullah Kadi (*Kadi II*), asuntos acumulados C-584/10 P, C-593/10 P y C-595/10 P, ECLI:EU:C:2013:518, que confirmó lo dicho por el Tribunal General tres años antes.

16 Nos podemos remitir en este sentido a los excelentes trabajos, fruto de sendas tesis doctorales, de ECKES, C. (2009). *EU Counter-Terrorist Policies and Fundamental Rights: The Case of Individual Sanctions.* Oxford: Oxford University Press; y, más recientemente, de GARRIDO MUÑOZ, A. (2013). *Garantías judiciales y sanciones antiterroristas del Consejo de Seguridad de Naciones Unidas: de la técnica jurídica a los valores.* Valencia: Tirant lo Blanch. También cabe referirse a una reflexión resultado de una conferencia en torno a la CDFUE en FRAGOSO MARTINS, P. (2018). Restrictive Measures and the Fight against Terrorism in the European Union: Recent Lessons from the Court of Justice of the EU. *Revista Electrónica de Direito Público,* 5 (2), 42-51. Disponible en: http://scielo.pt/scielo.php?script=sci_arttext&pid=S2183-184X2018000200004&lng=en&tlng=en.

17 Como la jurisprudencia *Rosneft*, que ampara la posibilidad de utilizar la cuestión prejudicial por parte de los tribunales nacionales en el ámbito de las me-

Sin embargo, en los últimos años, el auge del uso de las sanciones por parte de la UE —y de otros actores— ha venido acompañado de

didas restrictivas Sentencia del Tribunal de Justicia (Gran Sala) de 28 de marzo de 2017, PJSC Rosneft Oil Company/ Her Majesty's Treasury *et al.*, C-72/15, ECLI:EU:C:2017:236; (véase, por ejemplo, MARTÍNEZ CAPDEVILA, C. (2018). La sentencia en el asunto Rosneft: el TJUE maximiza su jurisdicción en la PESC (a costa de la coherencia con su propia jurisprudencia). *Revista Española de Derecho Europeo,* 67, 95-110; o POLI, S. (2017). The Common Foreign Security Policy after *Rosneft*: Still imperfect but gradually subject to the rule of law. *Common Market Law Review,* 54 (6), 1799-1834); el asunto *Bank Refah Kargaran*(Sentencia del Tribunal de Justicia (Gran Sala) de 6 de octubre de 2020, Bank Refah Kargaran/Consejo, C-134/19 P, ECLI:EU:C:2020:793), que reconoce la competencia del TJUE para conocer del recurso por daños causado por una decisión del Consejo (Acerca de esta jurisprudencia, encontramos especialmente relevantes los siguientes trabajos: MARTÍNEZ CAPDEVILA, C. (2021). El TJUE proclama su competencia para conocer de los recursos de indemnización vinculados con medidas restrictivas PESC (STJ de 6.10.2020, As. Bank Refah Kargaran, C-134/19 P): ¿Maximización o extralimitación de su jurisdicción? *Revista General de Derecho Europeo,* 53, 209-226; SANTOS VARA, J. (2021). El control judicial de la Política Exterior: hacia la normalización de la PESC en el ordenamiento jurídico de la Unión Europea (a propósito del asunto *Bank Refah Kargaran*). *Revista de Derecho Comunitario Europeo,* 68, 159-184; y VAN ELSUWEGE, P. y DE CONINCK, J. (2020). Action for damages in relation to CFSP decisions pertaining to restrictive measures: a revolutionary move by the Court of Justice in Bank Refah Kargaran? *EU Law Analysis Blogspot* [blog], 9-10-2020. Disponible en: http://eulawanalysis.blogspot.com/2020/10/action-for-damages-in-relation-to-cfsp.html); la interpretación de las reglas de *locus standi* (Véase, por ejemplo, el trabajo de VÁZQUEZ RODRÍGUEZ, B. (2021). El *locus standi* de terceros Estados para interponer recurso de anulación contra medidas restrictivas de la Unión Europea: el asunto C-872/19 P, «Venezuela/Consejo». *Revista de Derecho Comunitario Europeo,* 25 (70), 1037-1060; o LONARDO, L. y RUIZ CAIRÓ, E. (2022). The European Court of Justice allows third countries to challenge European Union restrictive measures. Case C-872/19 P, *Venezuela v Council. European Constitutional Law Review,* 18 (1), 114-131), tras la sentencia *República Bolivariana de Venezuela* (sentencia del Tribunal de Justicia (Gran Sala) de 22 de junio de 2021, República Bolivariana de Venezuela/Consejo, C-872/19 P, ECLI:EU:C:2021:507); o sobre las sentencias *KS y KD* (sentencia del Tribunal de Justicia (Gran Sala) de 10 de septiembre de 2024, KS y KD/Consejo, Comisión y SEAE y Comisión/KS y KD, Consejo y SEAE (*KS y KD*), asuntos acumulados C-29/22 P y C-44/22 P, ECLI:EU:C:2024:725) y *Neves 77 Solutions* (sentencia del Tribunal de Justicia (Gran Sala) de 10 de septiembre de 2024, Neves 77 Solutions SRL y Agenția Națională de Administrare Fiscală—Direcţia Generală Antifraudă Fiscală, C-351/22, ECLI:EU:C:2024:723) que tendremos oportunidad de analizar en su debido momento.

una explosión de interés más extendido y comprehensivo en el estudio las medidas restrictivas de la UE. Con todo, hasta donde sabemos, no hay otros trabajos jurídicos que se centren de manera holística y sistemática en el ejercicio de la competencia jurisdiccional sobre la legalidad de las medidas restrictivas, su posicionamiento sobre los diferentes elementos que conforman las sanciones como norma, así como el análisis del impacto que esta jurisprudencia tiene sobre la actividad del Consejo y, más allá, sobre el desarrollo y la normalización de la PESC.

Un estudio de estas características pretende, por lo tanto, colmar no solo un vacío de la doctrina jurídica, sino también atender a una necesidad de profundización y especialización en el conocimiento de esta área por parte de los actores que contribuyen a la creación y a la aplicación de las medidas restrictivas, los llamados *practitioners*. Si el uso de las sanciones cada vez es más recurrente en nuestro ordenamiento jurídico, es indispensable profundizar en su comprensión y estudio[18]. En conclusión, con esta monografía queremos profundizar en el contenido, el valor y la influencia de las decisiones del TJUE en materia de medidas restrictivas como elemento dinamizador del desarrollo y maduración de la PESC. Asimismo, se tratará de demostrar el diálogo existente entre el TJUE y la revolución discreta de su jurisprudencia, y el Consejo[19], como institución principal responsable del diseño de la Política Exterior.

---

18 Ilustrativa de esta idea es la reflexión de GIUMELLI: «*The centrality of sanctions in foreign policy has been acknowledged by a rich debate among political scientists, historians, policy makers and members of the social civil society that has lasted for centuries. (...). However, the length of the debate does not always match the level of understanding of the topic at the centre of the discussion, and this is definitely the case for international sanctions. The lack of certainties arising from the debate (...) is telling about how little we understand of sanctions*». *Cf.* GIUMELLI, F. (2011). *Coercing, Constraining and Signalling: Explaining UN and EU Sanctions after the Cold War.* Colchester: ECPR Press, Colchester, p. 10.

19 Se habla de diálogo porque es una comunicación bidireccional ya que, no solo es el TJUE quien va marcando los límites que impone el sistema de Derecho de la UE al diseño, adopción, desarrollo y aplicación de las medidas restrictivas, sino que también el Consejo va dando forma a un instrumento que está regulado solo en grandes líneas en los Tratados, expandiendo la PESC, y, a la sazón, creando nuevos espacios para la jurisdicción del TJUE.

En un primer lugar, se abordará la cuestión de la competencia jurisdiccional del TJUE para conocer de la materia PESC, y de la legalidad de las medidas restrictivas en concreto, así como de otras cuestiones incidentales relacionadas con las mismas. Seguidamente, resulta necesario adentrarse en la cuestión de la admisibilidad relacionada con el *locus standi* de los recurrentes y con el objeto del recurso como elemento indispensable para que los jueces de Luxemburgo puedan pronunciarse sobre el fondo.

Una vez presentados los aspectos procesales del control del TJUE sobre las medidas restrictivas, en la segunda parte de este trabajo se recogerán los resultados del estudio del desarrollo cronológico de la jurisprudencia sobre la naturaleza y validez de las medidas restrictivas. Esta parte se articula, en un primer lugar, en torno a los límites y limitaciones de la actividad jurisdiccional del TJUE. A continuación, se aborda el control del TJUE sobre la legalidad externa de las medidas restrictivas, muy vinculado a aspectos centrales de la actividad jurisdiccional como es velar por la garantía de los derechos de defensa y de tutela judicial efectiva. Finalmente, se cierra esta última parte explicando la labor jurisdiccional en el control de la legalidad interna de las medidas, deteniéndonos especialmente en las cuestiones relacionadas con la prueba, así como en la incidencia de las medidas restrictivas en los derechos fundamentales de carácter material y la posición del TJUE en el análisis de la proporcionalidad.

Por último, no quedaría sino completar la presentación de los resultados de esta investigación con la revelación ordenada de las conclusiones del estudio, fruto de estos años de trabajo y reflexión.

PRIMERA PARTE

EL RECONOCIMIENTO DE LA COMPETENCIA Y EL PROCESO DEL CONTROL JUDICIAL DE LAS MEDIDAS RESTRICTIVAS POR PARTE DEL TJUE

«Be you never so high, the Law is above you»[20].

---

[20] En BIONDI, A, EECKHOUT, P. y RIPLEY, S. (eds.) (2012). *EU Law after Lisbon, op. cit.*, nota al pie 2: FULLER, *Gnomologia: Adagies and Proverbs* (1733), frase nº 94.

INTRODUCCIÓN

El marco institucional y normativo existente para las medidas restrictivas reserva un papel fundamental para el TJUE, como institución encargada de garantizar «el respeto del Derecho en la interpretación y aplicación de los Tratados»[21]. El hecho de que el poder judicial pueda entrar en el control de la validez jurídica de decisiones de Política Exterior, gracias a las modificaciones traídas por el Tratado de Lisboa, es una novedad que constituye un paso decidido en la profundización y perfeccionamiento del Estado de Derecho.

El avance no es pleno ni perfecto, pero se puede afirmar sin objeciones que esto ha posicionado a la UE a la vanguardia de los sistemas jurídicos en lo que se refiere al control del respeto de la legalidad de sus sanciones y de la supervisión del respeto de los derechos fundamentales de sus destinatarios, como reafirman CALLEJA CRESPO y ROLLNERT PELLICER[22].

A la hora de abordar la relevante cuestión de la competencia del TJUE en el ámbito PESC, es importante, *prima facie*, partir de la idea que la competencia del TJUE se rige por el principio de atribución como elemento esencial de organización del sistema jurídico-constitucional de la UE[23]. Este principio implica que el TJUE solo conocerá de los asuntos que caigan bajo materias para las cuales los Tratados han reconocido esta competencia, y lo hará, en su caso, a través de las vías de recurso contempladas en los mismos.

Una vez reconocida la competencia, otro aspecto esencial es determinar quién puede acceder a los tribunales para hacer valer sus derechos y bajo qué circunstancias, esto es, quién goza de *locus standi* para recurrir la validez de las medidas restrictivas. La consagración del derecho fundamental de la tutela judicial efectiva y el especial ce-

---

21 Art. 19.1 TUE.

22 CALLEJA CRESPO, D. y ROLLNERT PELLICER, B. (2025). Las medidas restrictivas de la Unión Europea: un instrumento en evolución. *Revista Española de Derecho Europeo*, 94, p. 20.

23 BARENTS, R. (2010). The Court of Justice after the Treaty of Lisbon. *Common Market Law Review*, 47 (3), p. 716.

lo que han de guardar los sistemas regidos por el Estado de Derecho como la UE han caracterizado una búsqueda constante para cubrir las fisuras que puedan existir en el respeto de la misma.

Más allá de lo establecido en el Derecho positivo tras los transcendentales cambios que en este ámbito de las medidas restrictivas trajo consigo la entrada en vigor del Tratado de Lisboa, la jurisprudencia ha jugado y sigue jugando un papel determinante para interpretar y dar forma a las disposiciones de los Tratados.

En esta primera parte de la presente monografía, se analizará la competencia atribuida al TJUE en el ámbito de la PESC y, más concretamente, en el campo de las medidas restrictivas, y sus dificultades de delimitación por parte de los Tratados (I.A), para continuar con el estudio de la labor interpretativa del TJUE sobre esta competencia y las vías de recurso reconocidas (I.B) junto con un análisis prospectivo de otras potenciales vías de recurso (I.C). A continuación, se estudiará la segunda condición necesaria para la existencia del proceso: el *locus standi,* muy relacionado con la medida que puede ser objeto de recurso. Para ello, la práctica jurisprudencial ha hecho evolucionar la interpretación de quién era sujeto activo (II.A), así como la delimitación del acto atacable y la obligatoria relación que se establece con el sujeto legitimado para la acción (II.B) expandiendo, por lo tanto, los poderes del TJUE en el ámbito de estudio de las medidas restrictivas. Finalmente, se completará esta parte dedicada a las cuestiones procesales con un estudio de la aplicación judicial de aspectos generales del proceso adaptándolos a la idiosincrasia del contencioso de las medidas restrictivas como son la adaptación de la demanda vinculada al cómputo de los plazos (III.A) y las particularidades de la sentencia, como son sus efectos en el tiempo, la ejecución de la misma y el tratamiento del principio de la fuerza de cosa juzgada (III.B).

I. LA COMPETENCIA DEL TJUE EN EL ÁMBITO PESC: PERFECCIONANDO LA LEX IMPERFECTA

La competencia judicial en el ámbito de la PESC es un asunto complejo. La Política Exterior ha sido un ámbito tradicionalmente escurridizo al control judicial por múltiples razones: un *domaine réservé.*

Una de estas razones es la naturaleza esencialmente discrecional que llevan a cabo los poderes ejecutivos en este ámbito, dando respuesta a una necesidad de actuación unívoca y firme *ad extra*[24]. En los casos más articulados, la supervisión de esta política ha estado sometida al escrutinio del legislativo, habitualmente a través de las preguntas parlamentarias y las sesiones de control al gobierno. El abogado general HOGAN hacía hincapié en esta razón cuando explicaba que «no es infrecuente que las decisiones relativas a estos asuntos impliquen el ejercicio de discrecionalidad política por parte de los gobiernos de los Estados miembros, respecto al cual es importante que no existan discrepancias entre los poderes ejecutivo y judicial»[25].

Otra causa puede ser la naturaleza de las medidas en las que se materializan esas decisiones de Política Exterior que no suelen ser de naturaleza normativa, sino más bien declarativa o directamente de actuación concreta por vía de hecho, lo cual, de nuevo, hace más difícil el control judicial. Además, la adopción de estas medidas responde normalmente a una decisión discrecional de los ejecutivos que no se ve reflejada en un soporte normativo.

Asimismo, otra de las razones puede tener que ver con la falta directa y concreta de los destinatarios afectados por la toma de esas de-

---

24 KUIJPER, P. J. (2014). The Case Law of the Court of Justice of the EU and the Allocation of External Relations Powers. En M. CREMONA y A. THIES, A. (ed.) (2014). *The European Court of Justice and External Relations Law: Constitutional Challenges* (pp. 95-114). Oxford y Portland: Hart Publishing.

25 Conclusiones del abogado general Hogan, Bank Refah Kargaran/Consejo, C-134/19 P, ECLI:EU:C:2020:396, apartado 47.

cisiones de Política Exterior. Si lo analizamos, hay pocas medidas de Política Exterior que tengan como destinatario directo un individuo afectado que pudiera recurrirlas ante un tribunal[26]. Como indicaba el abogado general WAHL en las conclusiones del asunto *H contra Consejo y Comisión*, «no se prevé que la Unión adopte, en materia de PESC, actos por los que se establecen normas generales y abstractas de las que nacen derechos y obligaciones para las personas»[27] e indicaba en nota al pie que era esta la razón por la que entendía la exclusión de los actos legislativos del ámbito PESC *ex* art. 24.1 TUE[28].

Por último, otra explicación por la que la competencia en materia de Política Exterior es compleja responde al hecho de que las actuaciones en este ámbito son realizadas con carácter general con respecto a otros Estados, que gozan de la inmunidad de jurisdicción como principio general ante jurisdicciones ajenas (*par in parem non habet jurisdictionem*), y, por ello, tradicionalmente no se ha planteado la necesidad de prever vías de recurso.

En la PESC se daba algo similar; simplemente el antiguo art. 177 TCE[29] no hacía referencia a la posibilidad de llevar decisiones del

---

26 En este caso, una excepción podría ser la reacción de un individuo ante la negativa del Estado a ejercer la protección diplomática con respecto a su persona o, por supuesto, las sanciones individuales objeto de este estudio. Sobre ello, cabe reseñar el trabajo que aporta una perspectiva actual de GARRIDO MUÑOZ, A. (2019). Droit de l'Etat vs droit de l'individu dans l'excercice de la protection diplomatique: la réparation des violations des droits de l'homme et du droit international humanitaire. En M. KAMTO y Y. TYAGI (eds.). *The Access of Individuals to International Justice / L'accès de l'individu à la justice international* (pp. 177-207). Leiden: Brill-Nijhoff Publishers.

27 Conclusiones del abogado general Wahl, H/Consejo y Comisión, C-455/14 P, ECLI:EU:C:2016:212, apartado 37.

28 Como se ha razonado en este trabajo de investigación, otra interpretación de dicha exclusión de los actos legislativos responde a que los actos PESC no se rigen por el procedimiento legislativo. Aunque lo que defiende el abogado general en principio se ajusta a la realidad de la mayor parte de las decisiones en materia de Política Exterior, los propios tratados lo desmienten cuando amparan la adopción de medidas restrictivas de las que sí «nacen derechos y obligaciones para las personas». Asimismo, el art. 29 TUE exige que «los Estados miembros velarán por la conformidad de sus políticas nacionales con las posiciones de la Unión», por lo que se está estableciendo expresamente en materia PESC la creación de una obligación de resultado.

29 Numeración consolidada tras la entrada en vigor del Tratado de Maastricht.

ámbito PESC ante el TJUE. Ha habido que esperar hasta la entrada en vigor del Tratado de Lisboa para que se haya hecho una referencia expresa de exclusión de la competencia, reconociendo a su vez excepciones a la exclusión. Como señalaron KUNOY y DAWES en un análisis inicial de las reformas del Tratado de Lisboa, veníamos de una jurisprudencia previa, en la que se repetía frecuentemente el mantra de que los Tratados «habían establecido un sistema completo de remedios legales y procesales que aseguran que todos los actos de sus instituciones están sujetos al control judicial»[30], la PESC continuaba —y continúa— ajena de alguna manera a ese sistema, era —es— una *lex imperfecta*[31].

El abogado general WAHL, en el asunto en casación *H contra Consejo y Comisión*, se refiere al concepto *lex imperfecta* como «un término antiguo que deriva del Derecho romano, generalmente utilizado en referencia a una ley que impone una obligación o prohíbe un comportamiento, pero que no prevé sanción alguna en caso de infracción»[32]. Asimismo, el abogado general[33] argumenta dos razones para explicar dicha imperfección. Por un lado, se refiere a la naturaleza *sui generis* del antiguo segundo pilar que creaba un «sistema híbrido» entre el Derecho comunitario de la época y el Derecho internacional público, al crearse como una política intergubernamental donde no se daba un «mecanismo vinculante para la resolución de controversias de naturaleza judicial». Por otro lado, se ampara en

---

30 KUNOY, B. y DAWES, A. (2009). Plate tectonics in Luxembourg: the *ménage à trois* between EC Law, International Law and the European Convention on Human Rights following the UN Sanctions Cases. *Common Market Law Review,* 46 (1), 73-104.

31 Podemos señalar algunos trabajos de la doctrina que utilizan este concepto: WESSEL, R. A. (2016). *Lex Imperfecta*: Law and Integration in European Foreign and Security Policy. *European Papers,* 1 (2), 439-468. Disponible en: https://www.europeanpapers.eu/en/e-journal/lex-imperfecta-law-and-integration-european-foreign-and-security-policy; POLI, S. (2017). The Common Foreign Security Policy after *Rosneft*: Still imperfect but gradually subject to the rule of law, *op. cit.*; o ANDRÉS SÁENZ DE SANTA MARÍA, P. (2017). Mejorando la *lex imperfecta*: tutela judicial efectiva y cuestión prejudicial en la PESC (a propósito del asunto *Rosneft*). *Revista de Derecho Comunitario Europeo,* 58, 871-903.

32 Conclusiones del abogado general Wahl, H/Consejo y Comisión, C-455/14 P, ya citadas, apartado 38, y nota al pie 16.

33 *Ibid.*, apartado 45.

la idea que veníamos explicando de limitación tradicional en los sistemas jurisdiccionales nacionales para «enjuiciar los actos del Estado en materia de política exterior».

Esta idea redunda en la falta de tradición en las jurisdicciones nacionales —y supranacionales en el caso de la UE— de concebir las decisiones tomadas en el ámbito de la Política Exterior como objeto susceptible del control judicial. Como afirma POLI[34]:

> «*Decisions in the area of the Common Foreign and Security Policy (CFSP) are of a political nature, and the principle of the separation of powers imposes limits on the judicial control of conduct of the executive. This is the rationale at the basis of the restrictions imposed in the Treaties on the jurisdiction of the ECJ in this particular sector of EU law*».

La entrada en vigor del Tratado de Lisboa trajo importantes novedades con respecto a la competencia judicial en materia PESC.

A. EL RECONOCIMIENTO POSITIVO DE UNA VENTANA DE COMPETENCIA: LA DEFINICIÓN DE SUS CONTORNOS A TRAVÉS DE LA JURISPRUDENCIA

Para analizar la naturaleza de los cambios que trajo consigo el Tratado de Lisboa, es necesario preguntarse cuáles fueron las razones que los promovieron. Esto se debió, sin duda, a diferentes factores.

Por un lado, los últimos decenios del siglo XX se corresponden con un mayor desarrollo de los derechos humanos (si utilizamos la terminología iusinternacionalista) o de los derechos fundamentales (si recurrimos a la terminología constitucional) que se reconocen con independencia de la nacionalidad del afectado y responsable de la violación o comportamiento reprochable al que se vincula la sanción[35].

---

34 POLI, S. (2017). The Common Foreign Security Policy after *Rosneft*: Still imperfect but gradually subject to the rule of law, *op. cit.*, p. 1799.

35 El avance de este reconocimiento de los derechos humanos y ampliación en su protección ha venido dado en gran parte gracias al impulso de tribunales e instituciones internacionales o regionales. Véase, por ejemplo, MERON, T. (2006). *The Humanization of International Law.* Leiden: Martinus Nijhoff Publishers, capítulos 6 y 7.

Asimismo, este período también ha sido testigo de un curioso fenómeno de progresiva «individualización» del Derecho internacional como rama del Derecho tradicionalmente llamada a regular esas relaciones entre Estados que son las afectadas esencialmente por las decisiones de Política Exterior.

Además, esta conjunción ha sido posible debido también a una mantenida evolución, desde los años 90, hacia una nueva técnica para adoptar sanciones: las sanciones inteligentes o *smart sanctions* dirigidas contra individuos, lo que permite establecer más fácilmente quién está directamente afectado por las medidas y, por lo tanto, quién ha de gozar de la capacidad procesal para recurrir su legalidad[36].

Igualmente, existe una progresiva expansión e intensificación de control de los poderes públicos y de las instituciones. El *domaine réservé* pierde espacio por presión de una opinión pública cada vez más formada e interesada en asuntos tradicionalmente del dominio de la *high politics*, un proceso que acompaña al de consolidación y concienciación de la esencia del Estado de Derecho[37].

Es, por lo tanto, en el marco de estos fenómenos complejos, donde hay que entender que, por primera vez con el Tratado de Lisboa, se decidiera abrir una ventana al control judicial de una parte de la PESC. La única existente. Esto completa el sistema y lo alinea con las exigencias derivadas del Estado de Derecho. Como concluyen MARTÍNEZ CAPDEVILA y BLÁZQUEZ NAVARRO, «las competencias del tribunal se han ampliado para asegurar una mejor protección de los derechos fundamentales y para preservar el principio de legalidad»[38].

Para analizar y entender el reconocimiento de la competencia en el ámbito PESC, hay que sumergirse en las disposiciones relevantes del TUE y TFUE.

---

36 A la cuestión de la capacidad procesal para recurrir las medidas restrictivas individuales se le dedicará un análisis por separado en esta Primera Parte, apartado II.

37 KOUTRAKOS, P. (2018). Judicial review in the EU's Common Foreign and Security Policy. *International and Comparative Law Quarterly*, 67 (1), p. 2.

38 MARTÍNEZ CAPDEVILA, C. y BLÁZQUEZ NAVARRO, I. (2013). La incidencia del artículo 40 TUE en la Acción exterior de la UE, *Revista Jurídica de la Universidad Autónoma de Madrid*, 28 (II), p. 205.

1. Las disposiciones de los Tratados: lagunas e interrogantes abiertos por un enfoque incompleto

El primer artículo al que hay que remitirse es el art. 19.3 TUE[39] que establece el marco general de competencia del Tribunal. En este artículo no hay referencia alguna a la competencia en materia PESC.

También en el TUE, pero ya dentro del Título V dedicado particularmente a las «disposiciones generales relativas a la Acción exterior de la Unión y disposiciones específicas relativas a la Política Exterior y de Seguridad Común», dentro del Capítulo 2 «disposiciones específicas sobre la Política Exterior y de Seguridad Común», en el art. 24.1 *in fine* nos encontramos con la mención concreta a la cuestión que nos ocupa. En él se determina que el TJUE no tiene competencia con respecto a las disposiciones PESC, «con la salvedad de su competencia para controlar el respeto» del art. 40 TUE y «para controlar la legalidad de determinadas decisiones contempladas» en el art. 275.2 TFUE.

Nos encontramos, por lo tanto, en primer lugar, ante una cláusula de naturaleza *"carve-out"* según la cual se excluye la competencia sobre las disposiciones a las que se refiere el artículo (ámbito PESC). Como lo describe el abogado general WHATELET en las conclusiones del asunto *Rosneft,* el Tratado establece la «inmunidad jurisdiccional de algunos actos adoptados en el marco de la PESC»[40].

Sin embargo, en segundo lugar, se abre una doble grieta en este bloque de exclusión general de la competencia judicial. Decimos bien grieta, puesto que, como se verá, al igual que en un proceso de

---

39 Dentro de la descripción general de las instituciones de la UE que se extiende entre los arts. 13 a 19 TUE, el art. 19.3 TUE establece:
«3. El Tribunal de Justicia de la Unión Europea se pronunciará, de conformidad con los Tratados:
a) sobre los recursos interpuestos por un Estado miembro, por una institución o por personas físicas o jurídicas;
b) con carácter prejudicial, a petición de los órganos jurisdiccionales nacionales, sobre la interpretación del Derecho de la Unión o sobre la validez de los actos adoptados por las instituciones;
c) en los demás casos previstos por los Tratados».

40 Conclusiones del abogado general Wathelet, PJSC Rosneft Oil Company/ Her Majesty's Treasury *et al.*, C-72/15, ECLI:EU:C:2016:381, apartado 38.

fuerzas y contrafuerzas geológicas, puede expandirse —o contraerse— a través del progresivo avance de la jurisprudencia. Esta admisión de la competencia, o excepción del principio general, se conoce como cláusula *"claw-back"*, ya que reconoce, también en palabras del abogado general WHATELET, un «control jurisdiccional limitado sobre los actos PESC»[41] con respecto al control del respeto del artículo 40 TUE y con respecto al artículo 275.2 TFUE.

El abogado general en las mismas conclusiones profundiza, asimismo, en una interpretación más concreta de la cláusula *"carve-out"* y da una definición más nítida que el Tratado de los límites de la extensión de lo que se podría derivar de una interpretación literal de los Tratados. En el apartado 49 de las mencionadas conclusiones, restringe la inmunidad jurisdiccional a aquellos actos que tengan como base jurídica los arts. 23 a 46 del TUE, y se añade que, además, para beneficiarse de esta inmunidad de jurisdicción, ha de concurrir en los mismos que la materia afectada sea propia de la PESC. Este es un detalle esencial puesto que los jueces han tenido que dirimir ante casos prácticos que no todos los actos derivados de la PESC afectan a materia protegida por esta inmunidad jurisdiccional.

Antes de ello, procederemos con una exégesis de cómo lo presentan los Tratados. Por un lado, si nos centramos en el análisis del art. 275 TFUE[42], veremos que, en su primera parte, repite la cláusula *"carve-out"* en los mismos términos que el art. 24.1 *in fine* y especifica que esta derogación no solo afecta a las disposiciones PESC (como hacía el primer artículo), sino que también alcanza a los actos adoptados en virtud de las mismas. Esta apreciación, si bien lógica, puede

---

41 *Ibid.*, apartado 50.

42 El art. 275 TFUE establece literalmente:
«El Tribunal de Justicia de la Unión Europea no será competente para pronunciarse sobre las disposiciones relativas a la política exterior y de seguridad común ni sobre los actos adoptados sobre la base de éstas.
No obstante, el Tribunal de Justicia será competente para controlar el respeto del artículo 40 del Tratado de la Unión Europea y para pronunciarse sobre los recursos interpuestos en las condiciones contempladas en el párrafo cuarto del artículo 263 del presente Tratado y relativos al control de la legalidad de las decisiones adoptadas por el Consejo en virtud del capítulo 2 del título V del Tratado de la Unión Europea por las que se establezcan medidas restrictivas frente a personas físicas o jurídicas».

ser redundante ya que es la base jurídica de un acto la que determina el procedimiento que le va a ser aplicable, su posición dentro del ordenamiento y, por supuesto también, la competencia judicial que es el tema que nos ocupa.

En la segunda parte del art. 275 TFUE se vuelve a recoger la cláusula *"claw-back"* al hacer referencia a la afirmación de una doble competencia. El primer caso será el de controlar el respeto del art. 40 y, en el segundo caso, abre la puerta competencial a los recursos del art. 263.4 TFUE «relativos al control de la legalidad de las decisiones adoptadas por el Consejo en virtud del capítulo 2 del título V del TUE [arts. 23 a 46 TUE] por las que se establezcan medidas restrictivas frente a personas físicas o jurídicas».

Nos podemos preguntar por la particularidad de dejar expresamente excluidos de este control los arts. 21 (principios y fines de la Acción Exterior de la UE) y 22 TUE (que versa sobre las competencias del Consejo Europeo en su primera parte y sobre la capacidad de iniciativa del Alto Representante y de la Comisión en su segunda parte). Hasta la fecha, nadie —que se haya podido identificar en esta investigación— ha incidido en esta cuestión que hace que estos artículos queden fuera del escrutinio de Luxemburgo. En el caso del art. 21 TUE puede deberse a que tiene un contenido de naturaleza programática más que material. Sin embargo, el art. 22[43] contiene una referencia clara a potestades de las instituciones y del Alto Represen-

---

43 Para referencia, el artículo 22 TUE recoge los siguientes puntos:
«1. Basándose en los principios y objetivos enumerados en el artículo 21, el Consejo Europeo determinará los intereses y objetivos estratégicos de la Unión. Las decisiones del Consejo Europeo sobre los intereses y objetivos estratégicos de la Unión tratarán de la política exterior y de seguridad común y de otros ámbitos de la acción exterior de la Unión. Podrán referirse a las relaciones de la Unión con un país o una región, o tener un planteamiento temático. Definirán su duración y los medios que deberán facilitar la Unión y los Estados miembros. El Consejo Europeo se pronunciará por unanimidad, basándose en una recomendación del Consejo adoptada por éste según las modalidades previstas para cada ámbito. Las decisiones del Consejo Europeo se ejecutarán con arreglo a los procedimientos establecidos en los Tratados.
2. El Alto Representante de la Unión para Asuntos Exteriores y Política de Seguridad, en el ámbito de la política exterior y de seguridad común, y la Comisión, en los demás ámbitos de la acción exterior, podrán presentar propuestas conjuntas al Consejo».

tante y, aunque no se hayan utilizado de base jurídica para ningún acto, es una pieza esencial de la determinación para la conformación de la PESC. De nuevo, esta decisión nos lleva a concluir que, cuando se redactó el Tratado, el reconocimiento de la competencia estaba claramente dirigido y pensado al control de medidas restrictivas sin querer contemplar otras formas u otros actos en los que se pueden materializar la toma de decisiones en el ámbito de la PESC.

Mientras que la competencia reconocida para el control del art. 40 TUE en principio no ha planteado por el momento grandes discrepancias, el reenvío al art. 263.4, base para el contencioso de medidas restrictivas, crea muchas más dudas —legítimas— de interpretación.

En resumen, siguiendo a VAN ELSUWEGE, los *Herren der Verträge* en el 275.1 TFUE han querido establecer una derogación de la competencia general que el art. 19 TUE reconoce al TJUE para «asegurar que en la interpretación y en aplicación de los Tratados se cumple el Derecho» —de la UE—y, por lo tanto, le han dado un carácter excepcional al control jurisdiccional sobre la PESC. Esta excepción ha sido interpretada de manera restrictiva por parte del TJUE. A continuación, la excepción de la excepción que se establece en el 275.2 hace que, en palabras del mismo autor, el Tribunal no se vea completamente falto de autoridad (*powerless*) en este ámbito[44]. Esta es precisamente la base de una rica jurisprudencia.

Por otro lado, en referencia al art. 40, aunque no sea un aspecto objeto de este estudio, resulta pertinente explicar cómo la reforma de los Tratados llevada a cabo por el Tratado de Lisboa modifica también esta cuestión.

Tanto el art. 24.1 *in fine* TUE y el art. 275 TFUE, como hemos visto, reconocen la competencia del TJUE para controlar el respeto del art. 40 TUE[45], que también se encuentra recogido dentro de Capítulo 2

---

44 VAN ELSUWEGE, P. (2017). Upholding the Rule of Law in the Common Foreign and Security Policy: H v Council. *Common Market Law Review*, 54 (3), p. 842.

45 El art. 40 TUE reconoce este principio de «no injerencia» de la siguiente forma: «La ejecución de la política exterior y de seguridad común no afectará a la aplicación de los procedimientos y al alcance respectivo de las atribuciones de las instituciones establecidos en los Tratados para el ejercicio de las competencias de la Unión mencionadas en los artículos 3 a 6 del Tratado de Funcionamiento de la Unión Europea.

«disposiciones específicas sobre la Política Exterior y de Seguridad Común», del Título V del TUE al que nos referíamos anteriormente.

Ya en jurisprudencia previa al Tratado de Lisboa, el TJUE reconocía la indiscutible competencia[46] para conocer de cualquier posible infracción del *ex* art. 47, con base a la atribución explícita de competencia recogida en el entonces art. 46, letra f.

Sin embargo, el reconocimiento de competencia que se hace para controlar el respeto del art. 40 TUE es, en parte también, una innovación. A diferencia de la situación previa a Lisboa, el nuevo art. 40 crea un mecanismo para proteger a la PESC de interferencias provenientes de políticas comunes. En la versión anterior solo se contemplaba la protección en una dirección, esto es se protegía al «método comunitario»[47] únicamente. Se crea, en definitiva, gracias a la nueva redacción, una igualdad en las esferas de «no injerencia» entre políticas y se le dota al Tribunal de la competencia para «supervisar y controlar la frontera entre la PESC y otras competencias de la UE»[48].

Esto, no obstante, puede contribuir a continuar con la idea de la PESC como un compartimento estanco dentro de la lista de políticas desarrolladas por la UE[49]. Asimismo, el hecho de que el TJUE haya dejado claro en su jurisprudencia[50] que es imposible remitirse a dos

---

Asimismo, la ejecución de las políticas mencionadas en dichos artículos no afectará a la aplicación de los procedimientos y al alcance respectivo de las atribuciones de las instituciones establecidos en los Tratados para el ejercicio de las competencias de la Unión en virtud del presente capítulo».

46 Sentencia del Tribunal de Justicia (Gran Sala) de 20 de mayo de 2008, Comisión/Consejo, ECOWAS, C-91/05, ECLI:EU:C:2008:288, apartados 29-34.

47 KUIJPER, P. J., WOUTERS, J. *et al.* (2015). *The Law of EU External Relations: Cases, Materials, and Commentary on the EU as an International Legal Actor,* (2ª ed.). Oxford: Oxford University Press, p. 655.

48 MARTÍNEZ CAPDEVILA, C. y BLÁZQUEZ NAVARRO, I. (2013). La incidencia del artículo 40 TUE en la Acción exterior de la UE, *op. cit.*, p. 205.

49 Uno de los motivos del recurso planteado el pasado 19 de diciembre de 2024 por el Parlamento Europeo contra Consejo en materia de medidas restrictivas es el incumplimiento del art. 40 TUE. Esperamos pues, al pronunciamiento del Tribunal de Justicia puesto que podría suponer un elemento más para entender la aplicación de esta disposición. *Cf.* Recurso interpuesto el 19 de diciembre de 2024, Parlamento Europeo/Consejo, C-883/24.

50 Sentencia del Tribunal de Justicia (Gran Sala) de 19 de julio de 2012, Parlamento Europeo/Consejo, C-130/10, ECLI:EU:C:2012:472.

bases jurídicas diferentes, en este caso por una incompatibilidad entre su naturaleza y procedimientos, profundiza en este «aislamiento» de la PESC.

Al margen del debate que aún genera y generará el art. 40 y que excede al objeto de este trabajo, nos centraremos de nuevo en el art. 275 TFUE. Como se anunciaba, muchos más problemas interpretativos ha generado la remisión o renvío que el art. 275 TFUE realiza al art. 263.4 TFUE, en el que se establece lo siguiente de forma literal:

> «Toda persona física o jurídica podrá interponer recurso, en las condiciones previstas en los párrafos primero y segundo, contra los actos de los que sea destinataria o que la afecten directa e individualmente y contra los actos reglamentarios que la afecten directamente y que no incluyan medidas de ejecución»[51].

En otras palabras, el art. 263.4 se refiere a los recursos de anulación y, en el ámbito PESC solo pueden referirse —teniendo en cuenta la realidad actual de la PESC— a las medidas restrictivas ya que son las únicas medidas que tienen destinatario o sujetos de derecho a las que pueden afectar directa o individualmente y actos reglamentarios que la afectan directamente, no incluyendo medidas de ejecución[52].

En definitiva, en el ámbito de las medidas restrictivas, son objeto de recurso las medidas (actos reglamentarios) del art. 215 TFUE y las decisiones adoptadas sobre la base jurídica del art. 29 TUE, siempre que el recurrente sea su destinatario o le afecten directa o individualmente.

En este punto se hace necesario llamar la atención sobre el juego que crean entre ellos los artículos concernidos. Mientras que el art. 24.1 TUE, que se sitúa dentro de los artículos dedicados a la PESC, enuncia las dos excepciones poniéndolas en pie de igualdad, esto es, el art. 40 y el art. 275 TFUE, el propio art. 275 vuelve a hacer una re-

---

51 Sobre el contenido del resto del art., el párrafo 263.1 TFUE se refiere a las instituciones de las que pueden emanar dichos actos recurribles y a la naturaleza de dichos actos. El párrafo 263.2 TFUE recoge, por otro lado, las patologías de las que han de adolecer dichos actos para poder reclamar su anulación.

52 Estas distinciones se analizarán en mayor profundidad cuando nos refiramos a la disyuntiva sobre el contenido de los actos PESC como medidas de alcance general y/o de alcance particular en páginas ulteriores.

iteración de la excepción del art. 40 y un reenvío al art. 263.4. Desde el punto de vista de la técnica legislativa y de la comprensión global de ambos Tratados, esta distinción puede llevar a cierta confusión y puede que esta cuestión no esté libre de tener consecuencias sobre la interpretación del TJUE acerca de las vías abiertas en el contencioso de las medidas restrictivas.

La probable explicación *a priori* de esa diferencia de tratamiento es que el art. 275 mediante ese renvío permite la «normalización» de la excepción puesto que se remite ya al articulado general sobre los recursos posibles ante el TJUE. El art. 275 TFUE se encuentra dentro de la sección 5ª, dedicada al TJUE (dentro del capítulo 1 dedicado a «instituciones» del Título I, de la Sexta Parte) al igual que el art. 263.4. Sin embargo, del art. 258 a 273 se realiza una exposición de los tipos de recursos existentes y, a continuación, se enuncian en tres artículos consecutivos cuestiones de competencia: el 274 sobre competencia de las jurisdicciones nacionales, el 275 —que estamos examinando— sobre competencia en materia PESC y el 276 sobre competencia en el área del ELSJ.

Ante esta situación, nos podríamos preguntar: ¿qué prevalece, la redacción del art. 24 TUE o la del art. 275? Así lo plantea el abogado general WHATELET en las conclusiones presentadas en el asunto *Rosneft*[53] y también lo ha recogido la doctrina. Como afirma MARTÍNEZ CAPDEVILA[54], el art. 24.1 «habla en general del control de legalidad de tales decisiones, sin especificar la vía para su ejercicio», algo que sí hace el art. 275.2 al reenviar al art. 263 puesto que limita el abanico de recursos al de anulación, que es el específicamente recogido en este art. 263.

Por ello, frente a esta diferencia de redacción, algunos apuntan a que el art. 275 quizá se refiere más a las condiciones de planteamien-

53 Conclusiones del abogado general Wathelet, PJSC Rosneft Oil Company/ Her Majesty's Treasury *et al.*, C-72/15, ya citadas, apartados 61 y 62.

54 MARTÍNEZ CAPDEVILA, C. (2018). La sentencia en el asunto Rosneft: el TJUE maximiza su jurisdicción en la PESC (a costa de la coherencia con su propia jurisprudencia), *op. cit.*, p. 97.

to del recurso (*locus standi*), donde da información precisa y detallada, más que a la naturaleza del tipo de recurso[55].

Y así, ¿es el 263.4 una descripción de la materia que puede ser objeto de recurso y una determinación de quién tiene el *locus standi* o también compromete el tipo del recurso y la vía procesal por la que ha de hacerlo? Pronto, la riqueza de las diferentes situaciones reales ha hecho que el Tribunal se lo tenga que plantear.

Si nos centramos, de nuevo, en la idea de que quizá el art. 275 lo que hace es volver a enunciar la cláusula *"claw-back"* y las condiciones de *locus standi* al hacer el juego con el art. 263 («en las condiciones previstas en el art. 263», dice el art. 275) y la voluntad real no es la de restringir todo tipo de contencioso a una sola vía procesal, podemos llegar a pensar, como hacen algunos autores[56], que con esa interpretación, se puede admitir el resto de recursos que contemplan las normas procesales del TJUE.

Lamentablemente, es imposible determinar cuál era la voluntad exacta de los redactores a través de los comentarios de los *travaux préparatoires* accesibles de la elaboración de los textos del actual Tratado de Lisboa, pero sí podemos orientarnos por los de la Convención Intergubernamental para negociar el Tratado por el que se establece una Constitución para Europa, que en este punto tienen idéntica redacción. En ellos, sí se ve que algunos de los participantes en el Círculo de debate (I) sobre el TJUE pusieron sobre la mesa la posibilidad de abrir diferentes tipos de vías procesales para el recurso de las medidas restrictivas[57]. Se centraban sobre todo en las medidas

---

55 JURET, J. (2017). L'arrêt *Rosneft* (C-72/15): vers une normalisation ou une complexification du contrôle juridictionnel de la Politique étrangère et de sécurité commune? *Case Note - College of Europe*, 3/2017. Disponible en: https://www.coleurope.eu/sites/default/files/research-paper/case_note_3_2017_julien_juret_0.pdf, p. 4.

56 HILLION, C. (2014). A Powerless Court? The European Court of Justice and the Common Foreign and Security Policy. En M. CREMONA, M. y A. THIES, A. (ed.). *The European Court of Justice and External Relations Law: Constitutional Challenges* (pp. 47-70). Oxford y Portland: Hart Publishing, p. 54.

57 Véase, por ejemplo, documento de trabajo 10 de la Convención para la redacción del Tratado por el que se establece una Constitución para Europa (2003). *Le contrôle juridictionnel portant sur la politique étrangère et de sécurité commune, Círculo I*, Bruselas, 12-03-2003; o documento de trabajo 18 de la Convención para

de carácter individual cuya referencia expresa era una novedad en dicho texto. Sin embargo, es difícil determinar por qué al final se limitó la referencia al recurso de anulación creando una limitación *a priori* poco comprensible[58].

En nuestra opinión, hubiera sido más coherente haber reconocido la competencia sobre la naturaleza de las disposiciones sobre cuya validez —e interpretación— el TJUE tendría competencia para pronunciarse sin restringir las vías procesales.

Habiendo, por lo tanto, ya analizado la delimitación positiva de lo que sí recae bajo la competencia del TJUE a través de esta cláusula de *"claw-back"*, entenderíamos que, de forma negativa, el resto de cuestiones PESC no estaría dentro de esta competencia. Y esto es así, en principio. Decimos bien en principio ya que la realidad ha ido planteando cuestiones que, perteneciendo al dominio PESC, tenían una naturaleza que las abocaba a caer bajo la supervisión de los jueces de Luxemburgo y que también han ido favoreciendo la expansión de esa grieta competencial.

2. *Los difusos contornos materiales de la PESC ante el reconocimiento de la jurisdicción: la labor interpretativa del TJUE*

De acuerdo con lo que se ha expuesto hasta ahora, de los Tratados se infiere que en el ámbito de la PESC solo las cuestiones sobre medidas restrictivas recaen bajo la jurisdicción del TJUE. No obstante, hay materias que, perteneciendo *prima facie* al ámbito de la PESC, sí

---

la redacción del Tratado por el que se establece una Constitución para Europa (2003). *Contribution of Mr Andrew Nicholas Duff, member of the Convention and Ms Maria Berger, Elena Paciotti, Mr Reinhard Rack and Mr Joachim Würmeling, alternate members of the Convention*, Bruselas, 14-03-2003.

58 MARTÍNEZ CAPDEVILA también entra en esta cuestión de los *travaux préparatoires* incidiendo en la forma en la que estaba redactada la versión del artículo III-376 del Tratado por el que se establece una Constitución para Europa. No obstante, sigue sin conocerse si en los debates de redacción del mismo se hizo explícita la voluntad de limitarlo exclusivamente al recurso de nulidad o, si al menos, se consideraron las consecuencias de dicha exclusión. *Cf.* MARTÍNEZ CAPDEVILA, C. (2020). The jurisdiction of the ECJ to give preliminary rulings on the validity of CFSP Decisions: The Rosneft Judgment. *MPILux Research Paper Series*, 2, p. 98.

tienen incidencia sobre otras cuestiones que son objeto de recurso y sobre las que el Tribunal ha declarado su competencia por no considerarlas dentro de esta excepción de la jurisdicción. Es útil en este punto recordar el art. 24.1 TUE cuando declara que la competencia de la Unión en materia PESC abarca todos los ámbitos de la política exterior y todas las cuestiones relativas a la seguridad de la Unión. Ni más, ni menos.

Como analiza KOUTRAKOS[59], los actos de la PESC que pueden caer bajo la jurisdicción del TJUE responden a dos tipos diferentes dependiendo de su naturaleza. Por un lado, un tipo de actos de carácter procedimental en el ámbito de la conclusión de acuerdos internacionales que aborden materia PESC. Por otro lado, un tipo de carácter sustantivo, cuando recaen sobre ámbitos propios de la PESC, como son las misiones y operaciones PCSD, en lo que se refieren a cuestiones relativas al presupuesto, a cuestiones de personal[60], y, en general, a actos y omisiones no directamente relacionados con decisiones políticas y estratégica, según la jurisprudencia más reciente[61]. Todo ello sin perjuicio de que, en el futuro, el TJUE se enfrente a nuevos casos en los que su interpretación le lleve a seguir extendiendo su propia competencia.

---

59 KOUTRAKOS, P. (2018). Judicial review in the EU's Common Foreign and Security Policy, *op. cit.*, pp. 8 y ss.

60 Véase la sentencia del Tribunal de Justicia de 12 de noviembre de 2015, Elitaliana SpA/EULEX Kosovo, C-439/13 P, ECLI:EU:C:2015:753 y la sentencia del Tribunal de Justicia (Gran Sala) de 19 de julio de 2016, H/Consejo *et al.*, C-455/14 P, ECLI:EU:C:2016:569 y se ha reiterado en la sentencia del Tribunal General de 25 de octubre de 2018, KF/Centro de Satélites de la Unión Europea (CSUE), T-286/15, ECLI:EU:T:2018:718.

61 Sentencia del Tribunal de Justicia (Gran Sala) de 10 de septiembre de 2024, KS y KD/Consejo, Comisión y SEAE y Comisión/KS y KD, Consejo y SEAE (*KS y KD*), asuntos acumulados C-29/22 P y C-44/22 P, ya citada. En la sentencia *H*, se deduce que la Comisión defiende la voluntad de establecer una línea divisoria en lo que se refiere a la competencia en la *summa divisio* clásica en materia de inmunidad entre actos *de iure imperii* y los actos *de iuri gestionis*, mientras que el abogado general WAHL lo ve de manera diferente por el tenor de los artículos que reflejan la voluntad de los «señores de los tratados». Así también lo ve KOUTRAKOS; *ibid.*, pp. 12 y 13. Con esta reciente jurisprudencia, se consagra este enfoque de diferenciar los actos *de iure imperii* y los actos *de iuri gestionis* a la hora de determinar la materia que queda ajena a la competencia del TJUE, a ojos de esta autora.

En la esfera de los acuerdos internacionales, la jurisprudencia de referencia han sido los casos relativos a los *Acuerdos UE-Mauricio*[62] y *UE-Tanzania*[63]. Así, el TJUE dice explícitamente «[...] el procedimiento contemplado en el art. 218 TFUE tiene alcance general y, en consecuencia, está destinado a aplicarse, en principio, a todos los acuerdos internacionales negociados y celebrados por la Unión en todos los ámbitos de actuación de ésta, incluida la PESC que, a diferencia de otros ámbitos, no está sujeta a ningún procedimiento especial»[64], descartando que se aplique la excepción a la competencia del TJUE[65].

El abogado general BOT también lo entiende así claramente y expresa que, aunque un acto sea desde un punto de vista material materia PESC «en el sentido del art. 275.1», ello no quiere decir que «el Tribunal deba declarar su falta de competencia para controlar el respeto por parte del Consejo de una medida procedimental, como la prevista en el art. 218 TFUE, apartado 10, que resulta aplicable a todos los acuerdos internacionales y cuya aplicación a acuerdos internacionales celebrados en materia de PESC no ha sido expresamente excluida»[66].

En el asunto sobre el *Acuerdo UE-Tanzania* que llega al TJUE, tres años más tarde, la Gran Sala ni siquiera entra a estudiar el asunto de la competencia, algo que sí hace en sus conclusiones previas la abogada general KOKOTT. La abogada general responde a una cuestión que plantea una de las partes coadyuvantes a la demanda, en concreto, República Checa y dice de manera contundente: «el Tribunal

---

62 Sentencia del Tribunal de Justicia (Gran Sala) de 24 de junio de 2014, Parlamento Europeo/Consejo (*Acuerdo UE-Mauricio sobre entrega de sospechosos de piratería*), C-658/11, ECLI:EU:C:2014:2025.

63 Sentencia del Tribunal de Justicia (Gran Sala) de 14 de junio de 2016, Parlamento Europeo/Consejo (*Acuerdo UE-Tanzania sobre entrega de sospechosos de piratería*), C-263/14, ECLI:EU:C:2016:435.

64 Sentencia del Tribunal de Justicia (Gran Sala) de 24 de junio de 2014, Parlamento Europeo/Consejo (*Acuerdo UE-Mauricio sobre entrega de sospechosos de piratería*), C-658/11, ya citada, apartado 70.

65 *Ibid.*, apartado 71.

66 Conclusiones del abogado general Bot, Parlamento Europeo/Consejo (*Acuerdo UE-Mauricio sobre entrega de sospechosos de piratería*), C-658/11, ECLI:EU:C:2014:41, apartado 138.

de Justicia o tiene la competencia o no la tiene. Las excepciones a su competencia requieren una disposición expresa y se han de interpretar restrictivamente»[67].

Por otro lado, hemos de remitirnos al segundo tipo de dominio, esta vez de carácter sustantivo, que son aquellos actos que inciden sobre materia PESC, véase las operaciones y misiones PCSD o incluso la actividad de agencias, pero que se refieren a cuestiones no específicas de la PESC como son los aspectos de contratación o de función pública.

El primer caso que se presenta es el de *Elitaliana SpA/EULEX Kosovo*[68]. El objeto del litigio es un procedimiento de licitación restringido para un contrato de servicio de puesta a disposición de un helicóptero. En este caso, el TJUE en casación recuerda que el examen de la competencia es una cuestión de orden público por lo que el Tribunal puede realizarla de oficio y en cualquier momento del procedimiento[69]. Además, declara «no puede considerarse que el alcance de la limitación que representa la excepción a la competencia del TJUE establecida en el art. 24.1 TUE *in fine*, y en el art. 275 TFUE llegue hasta el extremo de excluir la competencia del TJUE para interpretar y aplicar las disposiciones del Reglamento financiero en materia de adjudicación de contratos públicos»[70], por lo que deja claro que una cuestión referida a un procedimiento de licitación en relación con una misión PCSD no puede subsumirse dentro de la exclusión de competencia establecida por los Tratados en materia PESC.

El segundo caso se refiere a un tema de personal. En el asunto *H*[71], la Comisión sostiene que el art. 24.1 TUE *in fine* y el art. 275.1 TFUE «no significan que todo acto adoptado en el contexto de la PESC quede fuera automáticamente de la competencia del juez de la

67 Conclusiones de la abogada general Kokott, Parlamento Europeo/Consejo (*Acuerdo UE-Tanzania sobre entrega de sospechosos de piratería*), C-263/14, ECLI:EU:C:2015:729, apartado 47.

68 Sentencia del Tribunal de Justicia de 12 de noviembre de 2015, Elitaliana SpA/EULEX Kosovo, C-439/13 P, ya citada.

69 *Ibid.*, apartado 37.

70 *Ibid.*, apartado 49.

71 Sentencia del Tribunal de Justicia (Gran Sala) de 19 de julio de 2016, H/Consejo *et al.*, C-455/14 P, ya citada.

Unión»[72], mientras que el Consejo[73] defiende que una aparente decisión administrativa no puede ser separada de los elementos operativos de una misión PCSD (que goza de inmunidad de jurisdicción).

El TJUE sentencia que los actos recurridos en este caso sobre el cambio de destino de la demandante son actos de gestión del personal que tienen por objeto el despliegue de los miembros de la Misión en la zona de operaciones y que «aunque fueran adoptadas en el contexto de la PESC», no quedan cubiertos por la exclusión de competencia de los arts. citados[74].

Resulta interesante referirnos, en esta revisión cronológica de la jurisprudencia del TJUE en materia de competencia sobre la PESC al asunto *Jenkinson*. Se trata de un asunto en relación con los tribunales competentes para conocer de los contratos laborales de personal al servicio de misiones PCSD. Este recurso se planteó en virtud del art. 272 TFUE (cláusula "compromisoria") por parte del nacional irlandés L. Jenkinson, quien trabajó de manera sucesiva mediante contratos de duración determinada en diferentes misiones civiles durante veinte años[75]. En ningún caso se planteó ni por las partes del litigio, ni por los jueces, ni por el abogado general[76] que dicho asunto no cayera bajo jurisdicción del TJUE por tratarse de un asunto relacionado con la PESC. Los problemas de competencia tuvieron que ver con las estipulaciones incluidas en los contratos sobre los que versaba el asunto. Sin embargo, nos resulta importante reflejar este asunto ya que pone de manifiesto que las controversias relacionadas con los asuntos PESC pueden presentar una multitud de formas, particu-

---

72 *Ibid.*, apartado 31.

73 *Ibid.*, apartados 37 y 38.

74 *Ibid.*, apartado 59.

75 En primer momento, el Tribunal General emitió un auto (Auto del Tribunal General de 9 de noviembre de 2016, Liam Jenkinson/Consejo *et al.*, T-602/15, ECLI:EU:T:2016:660) descartando su competencia. Posteriormente, el afectado planteó un recurso contra el auto ante el Tribunal de Justicia (sentencia del Tribunal de Justicia de 5 de julio de 2018, Liam Jenkinson/Consejo *et al.*, C-43/17 P, ECLI:EU:C:2018:531), que admitió su competencia y devolvió el asunto al Tribunal General.

76 Conclusiones del abogado general Szpunar, Liam Jenkinson/Consejo *et al.*, C-43/17 P, ECLI:EU:C:2018:231.

laridades —e incluso vías de recurso— sobre las que no operaría la inmunidad de jurisdicción.

En el asunto *Centro de Satélites de la Unión Europea (CSUE) contra KF*, se vuelve a plantear la admisibilidad de una demanda en relación con cuestiones de personal[77]. Es cierto que las cuestiones en las que se centran los jueces superan la problemática de la competencia, que se admite desde el tratamiento por parte del TG[78] así como en casación. No obstante, el abogado general BOBEK[79] realiza con detenimiento un extenso análisis del «alcance de la excepción de la PESC» en materia de competencia para concluir en este caso que, efectivamente, el asunto planteado cae plenamente bajo la competencia del Tribunal.

Esta concepción de la competencia ha ido calando progresivamente y, además, esta visión se ha extendido a otro tipo de procedimientos más allá del recurso de anulación.

Por primera vez en una cuestión prejudicial, referida concretamente a una cuestión de personal en el contexto de la operación PCSD *EULEX Kosovo*[80], el abogado general TANCHEV, hace un estudio sobre la competencia del TJUE[81] de oficio ya que ninguna de las partes ponía en duda la competencia del TJUE. En él, reafirma una vez más que, independientemente de que se trate de un tema PESC, no opera la limitación de jurisdicción de los arts. 24 TUE y 275 TFUE. Como afirman KÜBEK y LONARDO, «el Tribunal de Justicia consideraba su jurisdicción en este caso concreto tan obvia que ni

---

77 Sentencia del Tribunal de Justicia de 25 de junio de 2020, Centro de Satélites de la Unión Europea (CSUE)/KF, C-14/19 P, ECLI:EU:C:2020:492.

78 Sentencia del Tribunal General de 25 de octubre de 2018, KF/Centro de Satélites de la Unión Europea (CSUE), T-286/15, ya citada.

79 Conclusiones del abogado general Bobek, Centro de Satélites de la Unión Europea (CSUE)/KF, C-14/19 P, ECLI:EU:C:2020:220.

80 Sentencia del Tribunal de Justicia de 24 de febrero de 2022, CO *et al.*/MJ, Comisión, SEAE, Consejo, EULEX Kosovo (*EULEX Kosovo*), C-283/20, ECLI:EU:C:2022:126.

81 Conclusiones del abogado general Tanchev, CO, ME, GC *et al.*/MJ, Comisión, SEAE, Consejo, EULEX Kosovo (*EULEX Kosovo*), C-283/20, ECLI:EU:C:2021:781, apartados 42-51.

siquiera menciona las limitaciones establecidas en los arts. 24 TUE y 275 TFUE»[82].

De esta jurisprudencia, podemos deducir que ambas categorías de actos (un procedimiento de licitación y decisiones de personal) comparten la característica de que son aspectos incidentales y que podrían surgir con respecto a cualquier otra política de la Unión. Llegar a que, por el hecho de darse en el contexto de la PESC, se sustraiga de la competencia del TJUE llevaría a generar una negación de justicia. La excepción a la competencia, como excepción que es, ha de ser interpretada restrictivamente[83].

Nos encontramos, por lo tanto, en nuestra opinión, frente a una construcción típica que ya se ha dado en Derecho internacional público entre actos *de iure imperium* y *de iure gestionis*, salvando las distancias, o con base en la *political question doctrine* elaborada por el Tribunal Supremo de los Estados Unidos de América, que algunos autores como LONARDO[84] o CELLERINO[85] han defendido por ser apropiada para abordar las cuestiones de competencia del TJUE en el ámbito PESC.

Sin embargo, esta construcción la rechazaba, por ejemplo, el abogado general WAHL en sus conclusiones del caso *H*, afirmando «no encuentro base alguna en los Tratados para establecer una distinción entre diferentes categorías de actos de la PESC, dependiendo de si, en función de su naturaleza o contenido, se incluyen o no en el ám-

---

82 KÜBEK, G. y LONARDO, L. (2022). Op.-Ed.: Revisiting the question of responsibility of EU CSDP missions: Case C-283/20, Eulex-Kosovo. *EU Law Live* [blog], 15-03-22. Disponible en: https://eulawlive.com/op-ed-revisiting-the-question-of-responsibility-of-eu-csdp-missions-case-c-283-20-eulex-kosovo-by-gesa-kubek-and-luigi-lonardo/. Traducción de la autora.

83 Sentencia del Tribunal de Justicia (Gran Sala) de 24 de junio de 2014, Parlamento Europeo/Consejo (*Acuerdo UE-Mauricio sobre entrega de sospechosos de piratería*), C-658/11, ya citada, apartado 70.

84 LONARDO, L. (2017). The Political Question Doctrine as Applied to Common Foreign and Security Policy. *European Foreign Affairs Review*, 22 (4), 571-587. También merece la pena señalar otro trabajo sobre esta cuestión elaborado por BUTLER. *Cf.* BUTLER, G. (2018). In Search of the Political Question Doctrine in EU Law. *Legal Issues of Economic Integration*, 45 (4), 329-354.

85 CELLERINO, C. (2017). EU External Action and the Rule of Law: Ensuring the Judicial Protection of Human Rights beyond the Right of Access to Judicial Protection. *Il diritto dell'Unione Europea*, 4, p. 676.

bito de competencia del TJUE»[86]. Nos permitimos discrepar en este punto, la realidad es que la naturaleza del acto es esencial independientemente de su base jurídica. Esta distinción entre actos con significado material y actos casi de apoyo y de pura gestión administrativa, que son comunes, por otro lado, a otras políticas, no puede obviarse. Aun con sus dificultades, entendemos que el problema de los contornos de la limitación de las inmunidades de jurisdicción, en este caso preciso, se ha podido resolver de manera bastante satisfactoria.

Ha habido que esperar hasta finales de 2024 para que esta visión sobre la diferenciación en la naturaleza del acto concreto haya quedado recogida —en otros términos— de manera explícita en sentencia emitida por la Gran Sala del TJUE[87]. No obstante, frente a aquellos voluntaristas que quieren ver en este pronunciamiento el final de toda discrepancia en materia de la delimitación de la exclusión de competencia en materia PESC, a nuestros ojos, nuevas dificultades se abren paso como consecuencia de la misma.

En el asunto *KS y KD*, el TJ en Gran Sala concluye que «si los actos y omisiones en cuestión no están directamente relacionados con esas elecciones políticas o estratégicas, el Tribunal de Justicia de la Unión Europea es competente para examinar la legalidad de esos actos u omisiones o para interpretarlos. En cambio, si están directamente relacionados con dichas elecciones políticas o estratégicas, debe declararse incompetente»[88]. Continúa afirmando que, el TJUE en virtud de los arts. 24.1 TUE *in fine* y 275.1 TFUE «carece de competencia para examinar la legalidad o interpretar actos u omisiones directamente relacionados con la realización, la definición y la aplicación de la PESC, y en particular de la PCSD, esto es, concretamente, la identificación de los intereses estratégicos de la Unión y la definición tanto de las acciones que deben llevarse a cabo y de las posiciones

---

86 Conclusiones del abogado general Wahl, H/Consejo y Comisión, C-455/14 P, ya citadas, apartado 72.

87 Sentencia del Tribunal de Justicia (Gran Sala) de 10 de septiembre de 2024, KS y KD/Consejo, Comisión y SEAE y Comisión/KS y KD, Consejo y SEAE (*KS y KD*), asuntos acumulados C-29/22 P y C-44/22 P, ya citada.

88 *Ibid.*, apartado 117.

que debe adoptar la Unión como de las orientaciones generales de la PESC [...]»[89].

Por lo tanto, queda por determinar a partir de ahora qué son elecciones políticas y estratégicas, lo que posiblemente se convertirá en el centro de la nueva cuestión jurídica abierta[90] ya que no queda claro cómo ha de llevarse a cabo ese test[91]. De hecho, en relación con el caso concreto, los jueces entienden que, por ejemplo, la inexistencia de disposiciones que contemplen la asistencia jurídica gratuita tiene «una naturaleza estrictamente procedimental no están relacionadas de manera directa con las elecciones políticas o estratégicas efectuadas en el marco de la PESC»[92]. Sin embargo, un poco antes, habían manifestado que «los medios puestos a disposición de una misión de la PESC, y en particular de una misión de la PCSD [...] están directamente relacionados con las elecciones políticas o estratégicas efectuadas en el marco de la PESC»[93]. En efecto, el presupuesto aprobado por el Consejo destinado a una misión civil PCSD es un elemento con gran carga política y, en el caso concreto, la posibilidad de brindar asistencia jurídica gratuita no puede sino venir garantizada por el presupuesto.

Al establecer esta distinción, para esta autora, se está llevando un elemento de carácter formal, como es el de la admisibilidad vinculado a la competencia, al ámbito material y que exigirá, en la mayor parte de los casos, entrar en el fondo de la cuestión ya que se necesitará un análisis con cierto detalle de la medida en cuestión para determinar si se trata de una decisión política o estratégica en cuyo caso habría que declinar la competencia.

---

89 *Ibid.*, apartado 118.

90 IGLESIAS SÁNCHEZ, S. (2025). The Jurisdiction of European Courts in the CFSP: Between Exceptionalism and Consistency of Legal Remedies in a Union based on the Rule of Law. *EU Law Live Weekend Edition* [blog], nº 229, 10-5-2025. Disponible en: https://eulawlive.com/weekend-edition/weekend-edition-no229/, p. 10.

91 EDITORIAL COMMENTS (2024). From Opinion 2/13 to KS and KD: Confronting a legacy of constitutional tensions. *Common Market Law Review,* 61 (6), p. 1461.

92 *Ibid.*, apartado 130.

93 *Ibid.*, apartado 126.

Para algunos juristas, esta sentencia constituye una interpretación forzada de los Tratados. Por ejemplo, GARCÍA ANDRADE lo cataloga de «un evidente "golpe de timón" que no resulta fácil de encajar en dicha jurisprudencia, ni vincular con la intención de los autores de los Tratados»[94]. VERELLEN[95] se pregunta sobre la compatibilidad de la decisión del TJUE con el principio de atribución que limita la competencia para conocer de asuntos PESC. Para otros, esta sentencia sí «encuentra un justo equilibrio entre el principio de atribución y de equilibrio institucional por un lado y el principio de tutela judicial efectiva por el otro»[96] aunque, juzga LONARDO, de una manera un tanto acrobática[97], mientras que para IGLESIAS la sentencia sí es sensible al principio de atribución y de equilibrio institucional[98].

Al margen del grado de aceptación por parte de la doctrina, especialmente interesante a nuestros ojos es el énfasis que pone la abogada general ĆAPETA en la sujeción de la PESC a los principios constitucionales que rigen el resto de políticas de la UE, como son el Estado de Derecho, la tutela judicial efectiva o la protección de los derechos humanos[99]. De hecho, la base de la competencia para ella estriba precisamente en la necesidad de que se garantice la existen-

---

94 GARCÍA ANDRADE, P. (2025). El control judicial de la PESC tras los asuntos Neves 77 Solutions y KS y KD: los principios constitucionales del derecho de la UE como fundamento y límite de la jurisdicción del TJUE. *Revista de Derecho Comunitario Europeo*, 80, p. 78.

95 VERELLEN, T. (2024). A Political Question Doctrine for the CFSP. *Verfassungsblog* [blog], 24-09-2024. Disponible en: https://verfassungsblog.de/political-question-doctrine/, p. 4.

96 LONARDO, L. (2024). How the Court Tries to Deliver Justice in Common Foreign and Security Policy, where the Need for Judicial Protection Clashes with the Principles of Conferral and Institutional Balance. Joined Cases C-29/22 P and C-44/22 P *KS and KD*. *European Papers*, 9 (2), 830-844. Disponible en: https://www.europeanpapers.eu/europeanforum/how-court-tries-deliver-justice-common-foreign-security-policy-where-need-judicial-protection-clashes-principles-conferral-institutional-balance-joined-cases-ks-kd, p. 836.

97 *Ibid.*, p. 837.

98 IGLESIAS SÁNCHEZ, S. (2025). The Jurisdiction of European Courts in the CFSP: Between Exceptionalism and Consistency of Legal Remedies in a Union based on the Rule of Law, *op. cit.*, p. 14.

99 Conclusiones de la abogada general Ćapeta, KS y KD/Consejo, Comisión y SEAE y Comisión/KS y KD, Consejo y SEAE (*KS y KD*), asuntos acumulados C-29/22 P y C-44/22 P, ECLI:EU:C:2023:901, apartados 71-90.

cia de un juez competente para conocer de una posible violación de derechos fundamentales independientemente de que se trate de un acto perteneciente a la PESC[100]. No obstante, la abogada general quizá se aventura por caminos ciertamente espinosos y un tanto oscuros al tratar de aventurar qué quedaría excluido de la competencia del TJUE en materia PESC, en un ejercicio más dogmático que necesario de cara a aportar su opinión en calidad de abogada general[101].

3. *La adhesión pendiente al CEDH: la PESC el obstáculo persistente*

Por último, toda esta labor interpretativa del TJUE sobre los límites difusos de la materia PESC que queda fuera de la competencia tiene una vinculación directa con una cuestión de máxima relevancia como es la adhesión de la Unión al CEDH.

Recordemos que la adhesión al CEDH es un mandato directo del art. 6.2 TUE[102]. Sin embargo, el sometimiento del control judicial de las normas europeas desde la perspectiva de los derechos humanos al tribunal de Estrasburgo se encuentra, superadas otras tantas dificultades, con un escollo fundamental que es la falta de competencia del TJUE sobre la PESC.

Como fruto del primer intento frustrado para cerrar la adhesión de la UE al CEDH, contamos con el controvertido *Dictamen 2/2013*[103], donde ya se hicieron relevantes referencias al alcance de la limitación y de la excepción a la limitación de la competencia reconocida

---

100 *Ibid.*, apartado 89.

101 *Ibid.*, apartados 121-124.

102 Merece la pena recordar la redacción exacta del art. 6.2 TUE: «La Unión se adherirá al Convenio Europeo para la Protección de los Derechos Humanos y de las Libertades Fundamentales. Esta adhesión no modificará las competencias de la Unión que se definen en los Tratados». Posiblemente en la literalidad encontramos el potencial oxímoron. Por un lado, hay una obligación y, por otro, una limitación, ya que las cuestiones de competencia —en sentido amplio— han de ser respetadas.

103 Dictamen del Tribunal de Justicia de 18 de diciembre de 2014 (Pleno), sobre la Adhesión de la Unión Europea al Convenio Europeo para la Protección de los Derechos Humanos y de las Libertades Fundamentales, dictamen 2/2013, ECLI:EU:C:2014:2454.

al TJUE cuando se trata de materia PESC[104]. El dictamen 2/13 demostró una vez más que las interpretaciones sobre la competencia en materia PESC estaban —y siguen estando— lejos de ser uniformes[105].

Sin posibilidad de extendernos y entrar en profundidad sobre lo que significó el dictamen 2/13 acerca de la compatibilidad del Proyecto de Acuerdo de adhesión de la UE al CEDH con los Tratados[106],

104 El Consejo de JAI celebrado el 7 y 8 de octubre de 2019 acordó nuevas directivas de negociación para relanzar el proceso de adhesión al CEDH teniendo en cuenta el dictamen 2/2013. *Cf.* Resultados del Consejo de Justicia y Asuntos de Interior, nº 3717, Luxemburgo, 7/8-10-2019, doc. 12837/19. En el momento de culminar este estudio de investigación, el trabajo continúa para poder cumplir con el mandato del art. 6.2 TUE para adherirse y la cuestión de la competencia en el ámbito PESC es una de las materias esenciales de las que se están ocupando. En concreto, los trabajos del Grupo Negociador *ad hoc* 46+1 están muy avanzados y en marzo de 2023 se acordó un nuevo borrador de acuerdo de adhesión. A fecha de cierre de este trabajo, es posible que próximamente se vuelva a solicitar un nuevo dictamen al TJUE. Para más detalle acerca de este proceso, véase, MARTINELLI, T. (2023). The Limited Jurisdiction of the Court of Justice of the EU over CFSP and EU Accession to the ECHR: A Hard Nut About to Be Cracked? *EU Law Live Weekend Edition* [blog], nº 160, 28-10-2023. Disponible en: https://eulawlive.com/weekend-edition/weekend-edition-no160/.

105 Dictamen del Tribunal de Justicia de 18 de diciembre de 2014 (Pleno), sobre la Adhesión de la Unión Europea al Convenio Europeo para la Protección de los Derechos Humanos y de las Libertades Fundamentales, dictamen 2/2013, ya citado, apartados 94-100 y 129-135. En ellos se resumen las posturas de la Comisión, del Consejo y de diferentes Estados miembros divergentes entre sí.

106 El dictamen 2/13 ha sido probablemente una de los dictámenes del TJUE que más reacciones ha tenido por parte de la doctrina. Destacamos aquí algunos de los artículos más reseñables: MARTÍN Y PÉREZ NANCLARES, J. (2015). El TJUE pierde el rumbo en el Dictamen 2/13: ¿merece todavía la pena la adhesión de la UE al CEDH? *Revista de Derecho Comunitario Europeo,* 52, 825-869; CORTÉS MARTÍN, J. M. (2015). Autonomía *versus* sumisión a un control externo en materia de derechos fundamentales: consideraciones sobre el Dictamen TJUE nº 2 /13 relativo a la adhesión al CEDH. *Revista General de Derecho Europeo,* 37, pp. 1-45; JACQUÉ, J. P. (2014). L'avis 2/13 CJUE. Non à l'adhésion à la Convention européenne des droits de l'homme? *FREE Group* [Blog]. Disponible en: https://free-group.eu/2014/12/26/j-p-jacque-lavis-213-cjue-non-a-ladhesion-a-la-convention-europeenne-des-droits-de-lhomme/; o LÓPEZ ESCUDERO, M. (2015). Contrôle externe et confiance mutuelle: deux élements clés du raisonnement de la CJUE dans l'avis 2/13. *Revue des Affaires Européennes,* 1, 93-107. Más centrado en las perspectivas de cómo podría resolverse la problemática jurídica de la adhesión, véase, TACIK, P. (2017). After the Dust Has Settled: How to Construct the New Accession Agreement after Opinion 2/13 of the

destacaremos algunos elementos importantes en lo que concierne a la competencia jurisdiccional en materia PESC, ya que, a pesar del paso del tiempo, sigue siendo un texto de gran importancia[107].

El pleno del TJ estimó que «en el estado actual del Derecho de la Unión, hay determinados actos adoptados en el marco de la PESC que escapan al control jurisdiccional del TJ»[108] y reconocer la competencia del TEDH llevaría a que el TEDH estuviera «facultado para pronunciarse sobre la conformidad con el CEDH de ciertos actos, acciones u omisiones que se producen en el marco de la PESC, y en particular, de aquellos cuya legalidad desde el punto de vista de los derechos fundamentales escapa a la competencia del Tribunal de Justicia»[109] y, por lo tanto, se encomendaría el control jurisdiccional de los mismos en exclusiva a un órgano externo a la Unión[110].

Por su parte, la abogada general KOKOTT[111] recoge en su análisis la «problemática de la tutela judicial en la PESC»[112]. Desde ese punto, la abogada general hace una construcción impecable (a nuestros ojos) al explicar que la tutela judicial en la Unión, siguiendo el art. 19 TUE, recae sobre los órganos jurisdiccionales de la Unión, así como sobre los órganos jurisdiccionales nacionales[113].

CJEU. *German Law Journal*, 18 (4), 919-968; o HALBERSTAM, D. (2015). It's the Autonomy, Stupid!: A Modest Defense of *Opinion 2/13* on EU Accession to the ECHR, and the Way Forward. *German Law Journal*, 16 (1), 105-146. Gran interés por la visión en profundidad que ofrece de la cuestión es la monografía publicada en España CORTÉS MARTÍN, J. M. (2018). *Avatares del proceso de adhesión de la Unión Europea al Convenio Europeo de Derechos Humanos*. Madrid: Reus S. A.

107 EDITORIAL COMMENTS (2024). From Opinion 2/13 to KS and KD: Confronting a legacy of constitutional tensions, *op. cit.* p. 1455.

108 Dictamen del Tribunal de Justicia de 18 de diciembre de 2014 (Pleno), sobre la Adhesión de la Unión Europea al Convenio Europeo para la Protección de los Derechos Humanos y de las Libertades Fundamentales, dictamen 2/2013, ya citado, apartado 252.

109 *Ibid.*, apartado 254.

110 *Ibid.*, apartado 258.

111 Conclusiones de la abogada general Kokott, en procedimiento de dictamen sobre la Adhesión de la Unión Europea al Convenio Europeo para la Protección de los Derechos Humanos y de las Libertades Fundamentales, dictamen 2/2013, ECLI:EU:C:2014:2475.

112 *Ibid.*, apartado 60.

113 Cuando el juez nacional se pone la toga azul para interpretar y aplicar el derecho de la Unión. El papel de los jueces nacionales radica en el reconocimiento

Esto lleva a concluir a la abogada general KOKOTT, a diferencia de lo que decidió el plenario, que «por lo que se refiere a la PESC se puede mantener el criterio de que la adhesión de la Unión al CEDH que ahora se plantea podrá completarse sin dotar al Tribunal de Justicia de la Unión Europea de competencias nuevas, porque la tutela judicial efectiva de los particulares sí queda garantizada en materia de PESC, correspondiendo en parte a los tribunales de la Unión (275 TFUE, párrafo segundo) y en parte a los tribunales nacionales (arts. 19 TUE, apartado 1, párrafo segundo, y 274 TFUE)»[114].

Deducimos, por lo tanto, que el pleno, en el dictamen final, entendió que, a pesar del hecho de que los tribunales nacionales sí se puedan pronunciar sobre cuestiones PESC, los tribunales nacionales no serían órganos de la Unión según esta línea argumental. Por ello, el pleno llega a la conclusión de que reconocer la competencia del TEDH llevaría a que ciertas cuestiones solo fueran controladas por un órgano externo. Como también diría la abogada general en este asunto concreto relativo a la adhesión al CEDH, «el hecho de que dentro de la Unión no se hayan adoptado medidas suficientes (las cuales serían las únicas que podrían proteger la autonomía del Derecho de la UE) difícilmente puede esgrimirse para oponerse al reconocimiento de la jurisdicción del órgano judicial de una organización internacional»[115].

Así lo entiende MARTÍN Y PÉREZ DE NANCLARES, mostrando una comprensible decepción por la poca argumentación con la que el TJ declara incompatible la limitación de su competencia en materia PESC con el reconocimiento de la jurisdicción del TEDH —que, recordemos, no admite reservas— expresando que «aun reconociendo las dificultades incontestables en la materia, existía base argumental suficiente para haber salvado este importante escollo derivado de las propias peculiaridades de la PESC»[116]. Ante este planteamiento

---

que les da el art. 19.1 *in fine* del TUE: «Los Estados miembros establecerán las vías de recurso necesarias para garantizar la tutela judicial efectiva en los ámbitos cubiertos por el Derecho de la Unión».

114 *Ibid.*, apartado 103.

115 *Ibid.*, apartado 193.

116 MARTÍN Y PÉREZ NANCLARES, J. (2015). El TJUE pierde el rumbo en el Dictamen 2/13: ¿merece todavía la pena la adhesión de la UE al CEDH?, *op. cit.*, p.

tan tajante del TJ, quizá cabe preguntarse si el mensaje que está lanzando el propio Tribunal a los Estados miembros es que, teniendo el mandato en el art. 6.2, si quieren que esto sea posible, ellos mismos deberían eliminar las limitaciones en la competencia judicial en materia PESC o, como mínimo, facilitar una vía que haga compatibles ambas jurisdicciones[117].

Algunos querrían ver en la jurisprudencia más reciente, especialmente en *KS y KD*, la base para solventar los obstáculos que prevalecen en el camino hacia la adhesión al CEDH[118]. En nuestra opinión, seguimos defendiendo que continúan existiendo importantes escollos que habría que solventar[119]. BUTLER defiende la solución más radical al abogar por la única salida de una modificación de los Tratados y llevando la responsabilidad para solventar el verdadero problema derivado de la exclusión/limitación de la competencia en materia PESC a los propios Estados miembros[120].

847.

117 Si no es posible plantearse una modificación de los Tratados como apunta VERELLEN o GROSSIO entre otros. *Cf.* VERELLEN, T. (2016). H v. Council: Strengthening the Rule of Law in the Sphere of the CFSP, One Step at a Time. *European Papers*, 1 (3), 1041-1053. Disponible en: https://www.europeanpapers.eu/en/europeanforum/h-v-council-strengthening-the-rule-of-law-in-the-sphere-of-the-cfsp; GROSSIO, L. (2024). Ai confini del sistema completo di rimedi: le attuali vie di tutela giurisdizionale nell'ambito della PESC e l'opportunità di una loro revisione. *Quaderni AISDUE,* fasciscolo speciale 3/2024. Disponible en: https://www.aisdue.eu/lorenzo-grossio-ai-confini-del-sistema-completo-di-rimedi-le-attuali-vie-di-tutela-giurisdizionale-nellambito-della-pesc-e-lopportunita-di-una-loro-revisione/, p. 24.

118 GROSSIO, L. (2024). One step too far, one step too close. The Rocky road towards defining the scope of judicial review in Common Foreign Security Policy matters in light of *KS and KD v. Council and others* and *Neves77 Solutions. Review of European Litigation,* 3. Disponible en: https://europeanlitigation.eu/en/2024/12/06/one-step-too-far-one-step-too-close-the-rocky-road-towards-defining-the-scope-of-judicial-review-in-cfsp-matters-in-light-of-ks-and-kd-v-council-and-others-and-neves77-solutions-2/, pp. 28 y 29.

119 También así lo consideran otros autores que han escrito sobre esta cuestión. Véase, por ejemplo, JOHANSEN, S. O. (2024). The (Im)possibility of a Common Foreign and Security Policy «Internal Solution». *European Papers,* 9 (2), 783-800. Disponible en: https://www.europeanpapers.eu/en/system/files/pdf_version/EP_eJ_2024_2_SS2_10_Stian_Obi_Johansen_00783.pdf, p. 797.

120 BUTLER, G. (2023). Op-Ed: Jurisdiction of the EU Courts in the Common Foreign and Security Policy: Reflections on the Opinions of AG Ćapeta in KS and

En resumen, al referirnos a la jurisprudencia del TJUE que ha servido para interpretar los difusos contornos de la competencia en materia PESC, los casos estudiados adolecen de un carácter cuasi-constitucional, como han apuntado BUTLER[121] o más recientemente IGLESIAS[122]. A través de esta jurisprudencia, el Tribunal está haciendo ejercicio de su *kompetenz-kompetenz* (dentro de los límites establecido por el principio de atribución), frente a la indeterminación de lo marcado por el legislador-constituyente en este ámbito tan especial de la PESC.

Por eso, la introducción progresiva de la idea de hacer primar los principios constitucionales del ordenamiento europeo sobre las limitaciones PESC se está iniciando como una nueva vía para una interpretación jurisprudencial extensiva. Parafraseando al abogado general BOBEK, estos principios (él se refería a la tutela judicial efectiva del art. 47 CEDH) «no permite[n] al TJUE reescribir los Tratados, pero sí le exige[n] que interprete[n] las disposiciones existentes de manera que puedan alcanzar su máximo potencial de protección para todo aquel que se vea afectado por los actos de las instituciones y órganos de la Unión»[123].

Solo una mayor madurez —y claridad— de la jurisprudencia sobre el examen de la competencia judicial en materia PESC o una mayor elocuencia de los Tratados —tras una hipotética reforma— nos podrán llevar a responder de forma definitiva a esta pregunta.

KD, and Neves 77 Solutions. *EU Law Live* [blog], 29-11-2023. Disponible en: https://eulawlive.com/op-ed-jurisdiction-of-the-eu-courts-in-the-common-foreign-and-security-policy-reflections-on-the-opinions-of-ag-capeta-in-ks-and-kd-and-neves-77-solutions-by-graham-butler/.

121 BUTLER, G. (2017). The Coming of Age of the Court's Jurisdiction in the Common Foreign and Security Policy. *European Constitutional Law Review*, 13 (4), p. 676. Un enfoque muy similar al de BUTLER se aprecia en un artículo anterior de ECKES donde se defiende cómo la jurisprudencia del TJUE contribuye al establecimiento de un marco constitucional más sólido para la PESC; *cf.* ECKES, C. (2016). Common Foreign and Security Policy: The Consequences of the Court's Extended Jurisdiction. *European Law Journal*, 22 (4), 492-518.

122 IGLESIAS SÁNCHEZ, S. (2025). The Jurisdiction of European Courts in the CFSP: Between Exceptionalism and Consistency of Legal Remedies in a Union based on the Rule of Law, *op. cit.*, p. 15.

123 Conclusiones del abogado general Bobek, Centro de Satélites de la Unión Europea (CSUE)/KF, C-14/19 P, ya citadas, apartado 69.

B. LA PROPIA INTERPRETACIÓN DE SU COMPETENCIA EN REFERENCIA A LAS VÍAS PROCESALES: MÁS ALLÁ DEL RECURSO DE ANULACIÓN EN EL CONTENCIOSO DE LAS MEDIDAS RESTRICTIVAS

Una vez analizadas las dificultades interpretativas acerca de las limitaciones de la competencia judicial en el ámbito PESC, nuestro análisis pasa a poner el foco ya plenamente sobre las medidas restrictivas. En este caso, no habiendo dudas acerca de la competencia, lo que genera muchas más dificultades de delimitación son las vías procesales a través de las cuales se puede canalizar el contencioso que versa sobre dichas medidas restrictivas.

Una lectura inicial y literal de los Tratados ha llevado a defender que la vía prevista y natural para poder conocer de la legalidad de las decisiones adoptadas por el Consejo en materia PESC por las que se establecen medidas restrictivas era exclusiva y únicamente a través del recurso de anulación del art. 263 TFUE. Sin embargo, como consecuencia del avance de la jurisprudencia, el TJUE ha reconocido también otras vías.

En concreto, en los últimos años la jurisprudencia ha admitido, no sin cierta controversia, la competencia del TJUE para conocer sobre la cuestión prejudicial de validez, más recientemente, sobre la cuestión prejudicial de interpretación, y de la competencia para conocer de la demanda por daños por responsabilidad extracontractual de la Unión referente a las decisiones por las que se establecen medidas restrictivas. Asimismo, el TJUE ha admitido la excepción de ilegalidad del art. 277 TFUE como una extensión natural del recurso de nulidad.

1. *La cuestión prejudicial de validez: «la revolución Rosneft»*[124]

Cuando el abogado general WAHL presentó sus conclusiones en el asunto *H contra Consejo y Comisión*, este ya dio la clave de un problema que tarde o temprano se presentaría acerca del papel de los tribu-

[124] Sentencia del Tribunal de Justicia (Gran Sala) de 28 de marzo de 2017, PJSC Rosneft Oil Company/ Her Majesty's Treasury *et al.*, C-72/15, ya citada.

nales nacionales. Lo planteaba de manera muy clara: «[...], recuerdo a esos órganos jurisdiccionales que son libres —y, en ocasiones, tienen la obligación— de presentar una petición de decisión prejudicial ante el Tribunal de Justicia con arreglo al art. 267 TFUE. En tal caso, el Tribunal de Justicia podrá incluso colaborar con dichos órganos jurisdiccionales para resolver el asunto de que conozcan, sin por ello rebasar los límites de su competencia impuestos por los arts. 24 TUE, apartado 1, y 275 TFUE. Considero que las peticiones de decisión prejudicial deben ser recibidas favorablemente, por cuanto ofrecen dos ventajas inmediatamente apreciables. [...]»[125].

Estos apartados eran casi premonitorios, puesto que meses después se fallaba el asunto *Rosneft*, en el que, en un acto de valentía —se podría calificar— del TJ (en concordancia con las conclusiones presentadas por el abogado general en este asunto[126]), se abrió la opción de las cuestiones prejudiciales de validez en el ámbito de la PESC en lo que concierne al contencioso de las medidas restrictivas, generando una oleada importante de reacciones por parte de la doctrina.

Para ser más específicos, hay sectores de la doctrina contrarios a esta interpretación que defienden que se ha ido en contra de la literalidad del Tratado e incluso parcialmente contra su propia jurisprudencia[127]. Sin embargo, hay otros sectores que defienden que no

---

125 Conclusiones del abogado general Wahl, H/Consejo y Comisión, C-455/14 P, ya citadas, apartado 91.

126 Conclusiones del abogado general Wathelet, PJSC Rosneft Oil Company/ Her Majesty's Treasury *et al.*, C-72/15, ya citadas.

127 Destacamos, entre otros, los trabajos de MARTÍNEZ CAPDEVILA, C. (2018). La sentencia en el asunto Rosneft: el TJUE maximiza su jurisdicción en la PESC (a costa de la coherencia con su propia jurisprudencia), *op. cit.*; o KUISMA, M., (2018). Jurisdiction, Rule of Law, and Unity of EU law in *Rosneft, Yearbook of European Law*, 37 (1), 3-26; LONARDO, L. (2018). Law and Foreign Policy before the Court: Some Hidden Perils of *Rosneft. European Papers*, 3 (2), 547-561. Disponible en: https://www.europeanpapers.eu/en/e-journal/law-and-foreign-policy-hidden-perils-rosneft; o JURET, J. (2017). L'arrêt *Rosneft* (C-72/15): vers une normalisation ou une complexification du contrôle juridictionnel de la Politique étrangère et de sécurité commune?, *op. cit.* Una crítica especialmente con la calidad de la sentencia y no tanto con el resultado la encontramos en BEAUCILLON, C. (2018). Opening Up the Horizon: the ECJ's New Take on Country Sanctions. *Common Market Law Review*, 55 (2), 387-415. También más equidistante es el análisis de BOSSE-PLATIÈRE, I. (2017). Le juge de l'Union, artisan de la cohérence du système de contrôle juridictionnel au sein de l'Union

haberlo hecho habría mantenido las vías de recurso en una absurda e inoperante limitación[128]. En cualquier caso, nadie duda de la importancia constitucional de esta sentencia[129].

La petición de decisión prejudicial planteada por un tribunal británico interrogaba al TJUE sobre la validez de ciertas disposiciones de la Decisión 2014/512/PESC del Consejo, de 31 de julio de 2014, relativa a medidas restrictivas motivadas por acciones de Rusia que desestabilizan la situación en Ucrania[130], y sobre la validez e interpretación del Reglamento (UE) nº 833/2014 del Consejo, de 31 de julio de 2014, relativo a medidas restrictivas motivadas por acciones de Rusia que desestabilizan la situación en Ucrania[131].

El asunto judicial había comenzado cuando la empresa *Rosneft* recurrió la validez de las medidas que le afectaban ante el TG y, asimismo, recurrió la normativa que permitía la aplicación de estas medidas en el Reino Unido por lo que el juzgado remitente entendía que también se estaba planteando la validez de la Decisión y del

---

européenne, y compris en matière de PESC. *Revue Trimestrielle de droit européen,* 3, 555-563.

128 Véase, por ejemplo, ANDRÉS SÁENZ DE SANTA MARÍA, P. (2017). Mejorando la *lex imperfecta*: tutela judicial efectiva y cuestión prejudicial en la PESC (a propósito del asunto *Rosneft*), *op. cit.*; POLI, S. (2017). The Common Foreign Security Policy after *Rosneft*: Still imperfect but gradually subject to the rule of law, *op. cit.*; BUTLER, G. (2017). A Question of Jurisdiction: Art. 267 TFEU Preliminary References of a CFSP Nature. *European Papers,* 2 (1), 201-208. Disponible en: https://www.europeanpapers.eu/en/europeanforum/a-question-of-jurisdiction-art-267-tfeu-preliminary-references-of-a-cfsp-nature; o un matizado LONARDO, quien, tras haber sido bastante crítico con el gran flanco de incertidumbre que generaba *Rosneft*, habla más recientemente en su favor debido a la mejora que esta interpretación conlleva en la protección de los derechos de los individuos, LONARDO, L. (2023). *EU Common Foreign and Security Policy after Lisbon: between Law and Geopolitics,* Cham: Springer, p. 88. También le ve más aspectos positivos VAN ELSUWEGE, P. (2017). Judicial Review of the EU's Common Foreign and Security Policy: Lessons from the Rosneft Case. *Verfassungsblog* [blog], 6-04-2017. Disponible en: https://verfassungsblog.de/judicial-review-of-the-eus-common-foreign-and-security-policy-lessons-from-the-rosneft-case/.

129 MARTÍNEZ CAPDEVILA, C. (2020). The jurisdiction of the ECJ to give preliminary rulings on the validity of CFSP Decisions: The Rosneft Judgment, *op. cit.*, p. 95; o BUTLER, G. (2017). A Question of Jurisdiction: Art. 267 TFEU Preliminary References of a CFSP Nature, *vid. supra,* p. 201.

130 DO L 229 de 31.7.2014, pp. 13-17.

131 DO L 229 de 31.7.2014, pp. 1-11.

Reglamento del Consejo ya mencionados[132], basándose en la jurisprudencia *Foto-Frost*[133].

En primer lugar, para analizar el significado de esta jurisprudencia, conviene comenzar con los argumentos de por qué se admitió el recurso. Como apuntaba el tribunal remitente[134], el art. 19 TUE exige que en todos los ámbitos del Derecho de la Unión se garantice la tutela judicial efectiva. Este art. 19 TUE opera como *lex generalis,* en nuestra opinión, frente a una *lex specialis* que es la exclusión de la competencia en el ámbito PESC con las particularidades que ya han sido explicadas. No obstante, en el ámbito de las medidas restrictivas precisamente, sí se reconoce una competencia judicial, lo cual podríamos entender que hace de nuevo operativo al art. 19 TUE que expresa que los tribunales nacionales también cumplen un papel en la garantía de la tutela judicial efectiva en lo que respecta al Derecho de la UE[135]. Esta es precisamente la postura que reconoce el TJ en el apartado 71 de la sentencia.

Igualmente, en favor de la admisión de la cuestión prejudicial, nos podríamos preguntar si al final el recurso de anulación y la cuestión prejudicial no son dos caras de la misma moneda. Cuando la legalidad de una medida basada en Derecho de la UE es recurrida en el ámbito nacional, los tribunales nacionales, como parte de un

---

132 Sentencia del Tribunal de Justicia (Gran Sala) de 28 de marzo de 2017, PJSC Rosneft Oil Company/ Her Majesty's Treasury *et al.*, C-72/15, ya citada, apartados 32 y 33.

133 Sentencia del Tribunal de Justicia de 22 de octubre de 1987, Foto-Frost/Hauptzollamt Lübeck-Ost, C-314/85, ECLI:EU:C:1987:452. En resumen, la jurisprudencia *Foto-frost* establece en este sentido que el juez nacional no puede declarar la invalidez de un acto de Derecho de la UE, por lo que, en caso de duda sobre su validez, está obligado *praeter legem* a plantear una cuestión prejudicial ante el TJ.

134 Sentencia del Tribunal de Justicia (Gran Sala) de 28 de marzo de 2017, PJSC Rosneft Oil Company/ Her Majesty's Treasury *et al.*, C-72/15, ya citada, apartado 54.

135 Podríamos llegar a plantearnos si la obligación que marca el art. 19 TUE con respecto a las jurisdicciones nacionales no les obligaría a pronunciarse en todos los ámbitos, incluidos la PESC. Como ya se ha indicado, la literalidad del artículo habla de «garantizar la tutela judicial efectiva en los *ámbitos cubiertos por el Derecho de la Unión*». Destacamos bien la expresión resaltada en cursiva ya que el art. 19 no restringe el papel de los tribunales nacionales a ámbitos cubiertos por la jurisdicción del TJUE.

todo, no pueden inaplicar directamente la medida si consideran que es incompatible con el derecho primario, sino que se ven obligados a plantear una cuestión prejudicial al TJUE.

En segundo lugar, como dejaba entender el abogado general WAHL en la idea expresada anteriormente, tiene la ventaja de permitir expresarse al TJUE sobre si la materia en cuestión entra dentro de su competencia[136]. Más que de su competencia, podríamos decir si se trata de un acto y materia concreta sobre la que los Tratados han aceptado el ejercicio de la competencia.

En tercer lugar, admitir la cuestión prejudicial es la única forma de eliminar las discrepancias en cuanto a la interpretación en la aplicación por los Estados miembros y las dudas de validez del acto como también expresa el TJ en el apartado 78 de la sentencia indicando que «la necesaria coherencia del sistema de protección judicial exige que la facultad de declarar la nulidad de los actos de las instituciones de la Unión, si se plantea ante un órgano jurisdiccional nacional, esté reservada al Tribunal de Justicia en el marco del artículo 267 TFUE» y precisamente en el ámbito de las medidas restrictivas sí es claro que el TJUE puede realizar dicha función de control de validez. También así lo veía el abogado general en las citadas conclusiones del asunto *H contra Consejo y Comisión*[137]. De no admitirse la cuestión prejudicial,

---

136 Conclusiones del abogado general Wahl, H/Consejo y Comisión, C-455/14 P, ya citadas, apartado 91: «[...] En primer lugar, permiten al Tribunal de Justicia determinar si, en el contexto de un procedimiento prejudicial, es competente para interpretar el acto que ha sido impugnado ante el órgano jurisdiccional nacional o las disposiciones pertinentes relativas a la PESC invocadas por la parte recurrente. En efecto, es posible que el órgano jurisdiccional nacional no tenga claro si el acto o las disposiciones de la Unión en cuestión en el procedimiento principal se excluyen de la competencia del Tribunal de Justicia con arreglo a la norma general establecida en los artículos 24 TUE, apartado 1, y 275 TFUE, o, por el contrario, pueden estar comprendidos en alguna de las excepciones a dicha norma (por ejemplo, en caso de que el artículo 40 TUE sea aplicable) [...]».

137 Conclusiones del abogado general Wahl, H/Consejo y Comisión, C-455/14 P, ya citadas, apartado 91: «[...]En segundo lugar, y lo que es más importante, permiten que el Tribunal de Justicia interprete disposiciones de la Unión de carácter horizontal (de fondo o de forma) o principios generales del Derecho de la Unión (como el principio de cooperación leal o el deber de diligencia) que también pueden ser aplicables en el procedimiento principal. En particular, el Tribunal de Justicia puede aclarar los límites de la autonomía procesal nacional,

se dejaría en manos de los tribunales nacionales el control sobre disposiciones PESC, sin posibilidad de recurrir al TJ para que se pronunciara como máximo intérprete[138].

A fin de cuentas, la cuestión prejudicial es una vía complementaria al recurso de anulación (del cual solo se puede conocer desde Luxemburgo) y así lo reconoce el mismo TJ en el apartado 67 de la sentencia *Rosneft sub examine*.

Como, además, han venido sosteniendo los especialistas del Derecho de la UE durante todo el proceso de integración y cimentación jurídica de la Unión, la cuestión prejudicial junto al recurso de incumplimiento son las dos principales formas de hacer valer el ordenamiento jurídico de la UE y de interpretarlo de manera uniforme sin que haya menoscabo en la fuerza con la que se aplica por parte de las entidades encargadas de la ejecución que, en este caso, son los Estados miembros[139].

Si a los tribunales nacionales se les priva de la posibilidad de plantear una cuestión prejudicial cuando tienen dudas acerca de la vali-

---

exponiendo las consecuencias jurídicas que se desprenden de la obligación del órgano jurisdiccional nacional de establecer, de conformidad con el artículo 19 TUE, apartado 1, las vías de recurso necesarias para garantizar la tutela judicial efectiva de las personas [...]».

138 BUTLER, G. (2017). The Coming of Age of the Court's Jurisdiction in the Common Foreign and Security Policy, *op. cit.*, p. 694.

139 Véase, por ejemplo, los análisis de IGLESIAS y ORÓ quienes defienden que la cuestión prejudicial «se ha convertido a lo largo de la historia de la integración europea en el buque insignia de la función jurisdiccional europea e instrumento esencial de la cooperación entre el Tribunal de Justicia y los órganos jurisdiccionales nacionales», se trata de «un diálogo de juez a juez». *Cf.* IGLESIAS SÁNCHEZ, S. y ORÓ MARTÍNEZ, C. (2019). La cuestión prejudicial (I). Elementos esenciales de la jurisprudencia del Tribunal de Justicia. En J. I. SIGNES DE MESA (dir.). *Derecho Procesal Europeo* (pp. 135-167). Madrid: Iustel, p. 136. También, véase, en este sentido, LÓPEZ ESCUDERO, cuando defiende y recalca que el juez nacional es el primer juez llamado a aplicar el Derecho de la UE, debido a que el sistema judicial de la UE se basa en una descentralización siendo los tribunales nacionales los que se encuentran en la base de la pirámide de los órganos judiciales llamados a aplicar y a velar por la aplicación del Derecho de la UE. *Cf.* LÓPEZ ESCUDERO, M. (2019). El juez nacional como juez de la Unión y la aplicación del Derecho de la UE en los Derechos internos. En J. I. SIGNES DE MESA (dir.). *Derecho Procesal Europeo* (pp. 69-102). Madrid: Iustel, pp. 69 y 70.

dez y de la interpretación de derecho emanado de las instituciones, estando obligados por el art. 19 TUE a «establecer las vías de recurso necesarias para garantizar la tutela judicial efectiva en los ámbitos cubiertos por el Derecho de la Unión», llegaríamos a una situación profundamente anómala y disruptiva en la aplicación del Derecho de la Unión y, a mayores, en un área especialmente sensible. En este sentido, el juego que se produce con la cuestión prejudicial permite colmar posibles lagunas jurídicas en un ámbito en el que, *ratione materiae,* sí se reconoce la jurisdicción del TJUE[140].

En cuarto lugar, casi como corolario de los argumentos anteriores, la admisión de la posibilidad de plantear una cuestión prejudicial evita la denegación de justicia hasta cierto punto garantizando la tutela judicial efectiva de los individuos. Si los tribunales nacionales no son competentes para declarar que una norma de Derecho de la Unión es inválida, ante una duda legítima del tribunal nacional, ha de ser el máximo intérprete del Derecho de la Unión quien pueda pronunciarse. El Tribunal pone énfasis en la garantía de la tutela judicial efectiva en varios puntos[141]. No obstante, la solución a la que se llega en *Rosneft* sorprende un poco si se compara con la interpretación más restrictiva que hizo el mismo Tribunal con la jurisprudencia *Unión de Pequeños Agricultores*[142] al limitar el alcance del *locus standi* para recurrir a la jurisdicción europea y dejar en manos de los tribunales nacionales la garantía de la tutela judicial efectiva[143].

Y esta cuestión de la denegación de justicia nos hace reflexionar, una vez más, sobre la «artificiosa» separación que existe entre los dos actos jurídicos que han de servir de base para la adopción de las medidas restrictivas. Dichas medidas se basan en una decisión con base

---

140 CELLERINO, C. (2017). EU External Action and the Rule of Law: Ensuring the Judicial Protection of Human Rights beyond the Right of Access to Judicial Protection, *op. cit.*, p. 681.

141 Sentencia del Tribunal de Justicia (Gran Sala) de 28 de marzo de 2017, PJSC Rosneft Oil Company/ Her Majesty's Treasury *et al.*, C-72/15, ya citada, apartados 71-76.

142 Sentencia del Tribunal de Justicia de 25 de julio de 2002, Unión de Pequeños Agricultores/Consejo, C-50/00 P, ECLI:EU:C:2002:462.

143 MARTÍNEZ CAPDEVILA, C. (2020). The jurisdiction of the ECJ to give preliminary rulings on the validity of CFSP Decisions: The Rosneft Judgment, *op. cit.*, p. 100.

en el art. 29 TUE (materia PESC) y un reglamento sobre la base del art. 215 TFUE. Como también se ha indicado, gran parte del texto es prácticamente paralelo y, además, el propio art. 215 TFUE hace depender la validez de los actos que en virtud de él se adopten de la decisión adoptada en el ámbito PESC. Por ello, si el planteamiento de cuestiones prejudiciales sobre la validez —e interpretación de reglamentos por los que se establecen medidas restrictivas— no habían planteado ninguna duda de admisibilidad hasta la fecha[144], ¿no nos llevaría a un resultado absurdo el no poder hacerlo sobre la decisión?

En definitiva, como apunta JURET, se trata de un enfoque del TJUE teleológico de los Tratados y con una «concepción centralizada del control jurisdiccional del Derecho de la Unión»[145], al mismo tiempo que se dota de *effet utile* al art. 19 TUE reconociendo el valor de los tribunales nacionales en esta materia[146].

Si nos centramos ahora en las reacciones más negativas ante la admisión de la cuestión prejudicial, la crítica más repetida tiene que ver con la interpretación extensiva de las disposiciones del Tratado relevantes. Subrayan que esta interpretación del TJ va más allá quizá de lo deseado inicialmente en la redacción de los Tratados, para la

---

144 Véase por ejemplo la sentencia del Tribunal de Justicia (Gran Sala) de 29 de junio de 2010, E y F, C-550/09, ECLI:EU:C:2010:382, en la que se dirimía una cuestión prejudicial planteada en virtud del artículo 267 TFUE por el *Oberlandesgericht Düsseldorf* sobre la validez de la inclusión de una entidad en el Reglamento nº 2580/2001 y la interpretación de algunas disposiciones del mismo y sin operar, en este caso, la limitación de la jurisprudencia *TWD Textilwerke Deggendorf*, a la que nos referiremos en las siguientes páginas. Otra cuestión prejudicial similar es la dirimida en la sentencia del Tribunal de Justicia de 21 de diciembre de 2011, Mohsen Afrasiabi *et al.*, C-72/11, ECLI:EU:C:2011:874. Más recientemente un tribunal húngaro planteaba una cuestión prejudicial referida a la interpretación de ciertas disposiciones del Reglamento nº 204/2011 en el ámbito de las medidas restrictivas habida cuenta de la situación en Libia; *cf.* sentencia del Tribunal de Justicia de 17 de enero de 2019, SH/TG, C-168/17, ECLI:EU:C:2019:36.

145 JURET, J. (2017). L'arrêt *Rosneft* (C-72/15): vers une normalisation ou une complexification du contrôle juridictionnel de la Politique étrangère et de sécurité commune?, *op. cit.*, p. 4.

146 CELLERINO, C. (2017). EU External Action and the Rule of Law: Ensuring the Judicial Protection of Human Rights beyond the Right of Access to Judicial Protection, *op. cit.*, p. 681.

cual, como apunta BUTLER[147], se hizo todo lo posible por restringir la competencia en materia PESC, —como también hemos visto—. Esto podría producir problemas desde el punto de vista de legitimidad democrática de crear una nueva competencia a través de lo que GARBEN ha denominado «integración negativa»[148].

Esta tesis queda reforzada, sin duda, si tenemos en cuenta que, de los Estados miembros coadyuvantes en el proceso, cinco de seis se posicionan en contra de admitir la admisibilidad de la cuestión prejudicial planteada en *Rosneft*. Ante esta idea, sería necesario recordar que, aunque los Estados fueran los últimos encargados de aprobar la redacción, es cierto que no tienen por qué estar alineadas las posiciones de los «constituyentes» en un momento determinado de la historia de la integración con una reacción concreta de algunos Estados miembros ante un caso determinado. Además, la forma de aplicar los Tratados no se remite a una interpretación auténtica de sus redactores, sino que este papel le corresponde a la institución dotada de esta competencia, o sea, el TJUE.

Otro grupo de críticas va dirigido a las condiciones en las que se puede plantear la cuestión prejudicial. Ello se debe a que en *Rosneft* se exige una limitación adicional para poder plantear una cuestión prejudicial. Esta limitación trae su causa de la jurisprudencia *TWD Textilwerke Deggendorf GmbH*[149] que exige que, en paralelo al proceso nacional, se haya planteado el recurso de anulación ante el TG dentro de plazo, siempre que hubiera posibilidad de hacerlo de acuerdo con las reglas de legitimación activa. Por ello, parte de la doctrina[150], insiste en que la sentencia debería haber hecho una mención explícita a esta cuestión con el objetivo de ser más didáctico.

---

147 BUTLER, G. (2017). A Question of Jurisdiction: Art. 267 TFEU Preliminary References of a CFSP Nature, *op. cit.*, p. 207.

148 GARBEN, S. (2019). Competence Creep Revisited, *op. cit.*, pp. 215 y 216.

149 Sentencia del Tribunal de Justicia de 9 de marzo de 1994, *TWD* Textilwerke Deggendorf GmbH/República Federal Alemana (*TWD*), C-188/92, ECLI:EU:C:1994:90.

150 MARTÍNEZ CAPDEVILA, C. (2020). The jurisdiction of the ECJ to give preliminary rulings on the validity of CFSP Decisions: The Rosneft Judgment, *op. cit.*, p. 102.

Para algunos, esta limitación tendría una inmediata consecuencia negativa ya que limita la posibilidad de que el tribunal nacional pueda plantear la cuestión prejudicial si el demandante no ha planteado el recurso de anulación en tiempo. Esta limitación tiene una explicación lógica y hasta posiblemente convincente. Si se admite la cuestión prejudicial de validez sin esta exigencia adicional, esta vía podría convertirse en una forma de «puerta trasera» para poder en cualquier momento invocar la invalidez de un acto. Esto iría en detrimento de la seguridad jurídica y daría lugar a una suerte de, siempre indeseable, *forum shopping*[151]. Al mismo tiempo, se sigue reservando la posibilidad de hacerlo a aquellos que no estuvieran cualificados para plantear el recurso de anulación ante el TJUE.

Por ejemplo, en el ámbito de las medidas restrictivas adoptadas en el marco de la lucha contra el terrorismo, apenas dos semanas antes de la publicación de la sentencia *Rosneft* que nos ocupa, el TJ reunido en Gran Sala[152] declaró que no resulta aplicable la jurisprudencia *TWD* en una cuestión prejudicial planteada por un tribunal neerlandés en relación a una causa traída por una serie de individuos sospechosos de haber recaudado fondos para la organización terrorista listada LTTE, por lo que estaría justificado que interpusieran un recurso de anulación ante un tribunal nacional instando a plantear una cuestión prejudicial.

Por lo que la limitación adicional en los casos en los que sí opera la jurisprudencia *TWD* reduce el posible número de situaciones en las que los tribunales nacionales puedan recurrir a la cuestión prejudicial con respecto a aquellos recurrentes que sí tendrían *locus standi* ante el TG[153]. Esta exigencia impide que haya una discrepancia entre

---

151 Aunque en opinión de BUTLER, en parte, reconocer la competencia en cuestión prejudicial ya abre un abanico susceptible al *forum shopping*, en nuestra opinión, en el momento en que aplica la condición *TWD* exigiendo que se haya planteado también recurso de anulación ante el TG, este riesgo queda desactivado. *Cf.* BUTLER, G. (2017). A Question of Jurisdiction: Art. 267 TFEU Preliminary References of a CFSP Nature, *op. cit.*, p. 208.

152 Sentencia del Tribunal de Justicia (Gran Sala) de 14 de marzo de 2017, A *et al.*, C-158/14, ECLI:EU:C:2017:202.

153 MARTÍNEZ CAPDEVILA, C. (2020). The jurisdiction of the ECJ to give preliminary rulings on the validity of CFSP Decisions: The Rosneft Judgment, *op. cit.*, p. 102.

el estatus relativo a la capacidad para invocar la anulación de una medida restrictiva y las condiciones de admisibilidad de la cuestión prejudicial.

Como explica LONARDO[154], el Tribunal homogeniza las condiciones de admisibilidad de la cuestión prejudicial con las del *locus standi* de manera confusa. Las condiciones de *locus standi* fijadas en el art. 263.4 TFUE y por el derecho procesal ante el TJUE pueden no ser coincidentes con las establecidas para un procedimiento en el ámbito nacional. Es más, lo normal es que no coincidan dependiendo del tipo de procedimiento y de la situación jurídica en virtud de la cual un sujeto decide interponer un recurso ante un tribunal nacional.

Por eso, hay que dar una lectura conjunta a las dos sentencias *Rosneft* y *A et al.* La «homogenización» a la que apunta LONARDO solo se da en los casos en los que el recurrente nacional hubiera tenido *locus standi* ante el TG, como decíamos, y no hubiera hecho uso de su derecho al recurso de nulidad en plazo. En el caso en el que el recurrente no tuviera *locus standi* ante el TG y planteara, en cualquier momento temporal, un recurso nacional, el juez nacional podría estimar necesario plantear una cuestión prejudicial y esta, en principio, sería admitida. Solo en ese caso, podríamos decir que se hubiera creado una segunda categoría de sujetos jurídicos cualificados para acceder de manera indirecta a través de la cuestión prejudicial al TJUE e invocar la nulidad de las normas por las que se establecen unas medidas restrictivas.

La jurisprudencia *Rosneft* ha sido un paso decisivo para dar un primer paso en la ampliación de las vías de recurso en materia de medidas restrictivas. Sin embargo, esta apertura no ha sido revolucionaria desde la óptica del número de cuestiones elevadas y, vaya por delante, que, como esgrimía el abogado general JACOBS en las conclusiones presentadas en el caso *Unión de Pequeños Agricultores*, el recurso de anulación en virtud del hoy art. 263 TFUE «es, en general, más apropiado para resolver las cuestiones de validez que los

---

154 LONARDO, L. (2018). Law and Foreign Policy before the Court: Some Hidden Perils of *Rosneft*, *op. cit.*, p. 554.

procedimientos prejudiciales»[155]. Esto se debe a que el recurso de anulación es un recurso directo y el propio procedimiento favorece un estudio en mayor profundidad puesto que la institución parte del recurso está vinculada desde el inicio del mismo.

En definitiva, como afirma KOUTRAKOS, *Rosneft* hace un equilibrio entre principio y pragmatismo[156] y parece que esta es la tónica de los pronunciamientos del TJ en referencia a su competencia, aunque a este resultado se llegue desde análisis poco homogéneos

2. La cuestión prejudicial de interpretación: una extensión lógica reconocida en Neves 77 Solutions

En el asunto *Rosneft*, el abogado general WHATELET, ya apuntó que sería lógico pensar que «quien puede lo más, puede lo menos»[157], esto es, si se admitía la cuestión prejudicial de validez sobre decisiones por las que se establecen medidas restrictivas, no sería difícil sostener argumentos para hacer lo propio con la cuestión prejudicial de interpretación y así lo entendió también la doctrina especializada[158]. En este sentido, no hay que olvidarse que uno de los principales terrenos donde surgen conflictos en relación con las medidas restrictivas es en el ámbito de su aplicación y ejecución, que se lleva a cabo

---

155 Conclusiones del abogado general Jacobs, Unión de Pequeños Agricultores/ Consejo, C-50/00 P, ECLI:EU:C:2002:197, apartados 45-48,

156 KOUTRAKOS, P. (2018). Judicial review in the EU's Common Foreign and Security Policy. *International and Comparative Law Quarterly*, 67 (1), *op. cit.*, p. 26.

157 Conclusiones del abogado general Wathelet, PJSC Rosneft Oil Company/ Her Majesty's Treasury *et al.*, C-72/15, ya citadas, apartado 75: «por estos motivos, considero que si los órganos jurisdiccionales de la Unión pueden lo más, esto es, controlar la legalidad de una decisión que establezca medidas frente a personas físicas o jurídicas adoptadas por el Consejo en virtud del capítulo 2 del título V del TUE, no cabe duda de que pueden lo menos, en este caso, interpretar los términos de estas decisiones, concretamente, para evitar que el Tribunal de Justicia anule o declare inválido un acto PESC que podría preservar imponiendo otra interpretación».

158 Véase, por ejemplo, POLI, S. (2017). The Common Foreign Security Policy after *Rosneft*: Still imperfect but gradually subject to the rule of law, *op. cit.*, p. 1806; o recientemente GROSSIO, L. (2024). Ai confini del sistema completo di rimedi: le attuali vie di tutela giurisdizionale nell'ambito della PESC e l'opportunità di una loro revisione, *op. cit.*, p. 8.

a nivel nacional y que parece que es donde pueden surgir dudas de interpretación.

El reconocimiento por parte del TJUE de su competencia para conocer de las cuestiones prejudiciales de interpretación ha llegado en la primera oportunidad en la que ha sido planteada por un juez nacional, en concreto, un tribunal rumano, en el conocido como asunto *Neves 77 Solutions*[159]. Sin embargo, la lógica aplicada en la *ratio decidenci* sobre la competencia del TJUE ha roto con la base establecida, o al menos intuida, en *Rosneft* y, los jueces, en esta ocasión han preferido priorizar otros argumentos.

En este asunto que nos ocupa, un tribunal rumano buscaba el parecer del TJ sobre la interpretación de varias disposiciones de la Decisión 2014/512/PESC del Consejo, relativa a medidas restrictivas motivadas por acciones de Rusia que desestabilizan la situación en Ucrania[160]. Neves 77 Solutions es una empresa intermediaria en una operación de compra-venta de emisoras de radio, que, de acuerdo con la autoridad fiscal rumana, estaba comprendida dentro de la lista de bienes de doble uso a los que se refiere la Decisión y, por ello, la declaró objeto de una sanción administrativa (pago de una multa e incautación del cobro ya realizado). Sin embargo, la empresa recurrió la decisión administrativa ante el Tribunal del Distrito de Bucarest que es quien plantea una cuestión prejudicial de interpretación con tres preguntas concretas.

Al margen de los detalles de fondo del asunto, es de interés analizar los argumentos en los que el TJ basa su competencia. Como sabemos, las medidas restrictivas de la UE se basan en dos instrumentos jurídicos: una decisión adoptada sobre la base del art. 29 TUE (base jurídica PESC) y un reglamento adoptado sobre la base del art. 215 TFUE (base jurídica de «políticas comunes» sobre la que no existe ninguna limitación de competencia del TJUE). Con ello en mente, el TJ se pregunta si tendría competencia «para interpretar una me-

---

159 Sentencia del Tribunal de Justicia (Gran Sala) de 10 de septiembre de 2024, Neves 77 Solutions SRL y Agenția Națională de Administrare Fiscală—Direcția Generală Antifraudă Fiscală, C-351/22, ya citada.

160 Decisión 2014/512/PESC del Consejo, de 31 de julio de 2014, relativa a medidas restrictivas motivadas por acciones de Rusia que desestabilizan la situación en Ucrania, ya citada.

dida restrictiva de alcance general, [...], que sirve de base a medidas nacionales sancionadoras impuestas a una persona física o jurídica, se debiera haber ejecutado en un reglamento en virtud del artículo 215 TFUE, con el fin de garantizar una aplicación uniforme de dicha medida a escala de la Unión»[161].

Esto es, TJ vincula la competencia para conocer de la cuestión prejudicial a si esa materia hubiera tenido que ser desarrollada en el reglamento, donde no cabría duda alguna para determinar la competencia del TJUE con respecto a todo procedimiento iniciado con base en la panoplia de diferentes recursos prevista por los Tratados. El TJ afirma que toda interrupción o reducción de las relaciones económicas y comerciales con un país ha de ser objeto de un reglamento *ex* art. 215 TFUE y esto constituye por lo tanto, una competencia reglada para el Consejo[162] y una obligación de actuar para este mediante la adopción de un reglamento[163]. Para reforzar la determinación de esta supuesta falta de actuación por parte del Consejo, el TJ se refiere a su competencia expresa sí reconocida en el tratado de hacer valer el art. 40 TUE, una disposición a la que en general el TJUE ha tenido bastante reparo en acudir como indica GARCÍA ANDRADE[164].

Por lo tanto, actuando sobre su papel para determinar la correcta aplicación del art. 40 TUE, el TJ procede a afirmar que el hecho de que el Consejo no haya actuado en virtud de su competencia reglada para recoger las disposiciones necesarias en un reglamento no puede impedir que se haga uso de la cuestión prejudicial para garantizar la aplicación uniforme del derecho de la UE[165]. Sobre ello, el TJ añade

---

161 Sentencia del Tribunal de Justicia (Gran Sala) de 10 de septiembre de 2024, Neves 77 Solutions SRL y Agenția Națională de Administrare Fiscală—Direcţia Generală Antifraudă Fiscală, C-351/22, ya citada, apartado 42.

162 *Ibid.*, apartado 46.

163 Resulta llamativo el hecho de que se hable solamente de una obligación de actuar del Consejo. Es cierto que el reglamento adoptado *ex* art. 215 TFUE es aprobado por el Consejo, sin embargo, la iniciativa ha de provenir de la Alta Representante y la Comisión conjuntamente que son quienes elevan el borrador del texto jurídico para negociación y aprobación del Consejo.

164 GARCÍA ANDRADE, P. (2025). El control judicial de la PESC tras los asuntos Neves 77 Solutions y KS y KD: los principios constitucionales del derecho de la UE como fundamento y límite de la jurisdicción del TJUE, *op. cit.*, p. 77.

165 *Ibid.*, apartados 48 y 49.

que este reconocimiento de la competencia «permite garantizar la necesaria coherencia del sistema de tutela judicial», uno de cuyos elementos es «control jurisdiccional efectivo destinado a garantizar el cumplimiento de las disposiciones del Derecho de la Unión es inherente a la existencia del Estado de Derecho»[166]. Argumentos estos últimos ya sí reconocibles en la jurisprudencia clásica del TJUE y, en particular, en *Rosneft*.

Igualmente, merece subrayarse la afirmación del TJ de que «en lo que atañe a los actos de la Unión que producen efectos jurídicos frente a terceros, el control jurisdiccional conferido al Tribunal de Justicia por los Tratados no está limitado por la calificación, la naturaleza o la forma de esos actos». Y el TJ continúa «por lo que respecta al recurso de anulación [...], dado que dicho recurso pretende garantizar el respeto del Derecho en la interpretación y aplicación de los Tratados, puede interponerse frente a todas las disposiciones que adopten las instituciones, los órganos y los organismos de la Unión, cualesquiera que sean su naturaleza o su forma, destinadas a producir efectos jurídicos obligatorios»[167].

Parece que, aunque no es esta la razón que lleva a retener para justificar su competencia *in concreto*, el TJ aprovecha la oportunidad para dejar patente, por un lado, la diferencia teórica y práctica entre la competencia sobre el recurso de anulación y el resto de vías procesales y, por otro lado, que el control jurisdiccional no debe estar fraccionado dependiendo de la calificación, naturaleza o forma de los actos.

Por ello, se hubiera esperado que hubiera elaborado más el asunto sobre estas premisas y se hubiera detenido en la afectación individual del recurrente en el tribunal nacional, como se hizo en *Rosneft*, aunque este no esté identificado en la decisión y/o en el reglamento *eo nomine*. A nuestros ojos hubiera sido más deseable que se hubiera enfrentado directamente a la cuestión de si los Tratados le permiten conocer de una cuestión prejudicial de interpretación sobre una decisión PESC, al margen de otras cuestiones específicas a este asunto que no podrán extrapolarse posiblemente en caso de que se vuelva a

---

166 *Ibid.*, apartado 51.
167 *Ibid.*, apartado 47.

presentar otra situación en la que un tribunal nacional presente una cuestión prejudicial de interpretación de una decisión PESC.

El hecho de adentrarse en el complicado terreno de si se hubiera requerido que esa disposición hubiera estado desarrollada en el reglamento abre un capítulo más complejo en el que la abogada general ĆAPETA[168] se sumerge, con ánimo de sistematizar pero sin excesiva fortuna, apuntando a algunas generalidades[169] que solo ponen, una vez más de manifiesto, que el sistema de basar las medidas restrictivas en dos actos jurídicos diferentes es la vía de actuar recogida en los tratados, pero que aún está por definir —con cierta exactitud— cuál es materia reservada a decisión del art. 29 TUE y cuál a reglamento del art. 215 TFUE. Ni los Estados miembros, ni la Comisión ni el Consejo coinciden o defienden siempre la misma respuesta. Prueba de ello es que, en un momento inicial, la medida objeto de interpretación solo estuvo recogida por la decisión y, posteriormente, sí se incorporó en el reglamento[170], justificando el Consejo este hecho con una explicación que ni siquiera para la propia abogada general «parece convincente»[171].

Otro ejemplo de discrepancia a la hora de determinar la materia reservada a la decisión y al reglamento son las prohibiciones de entrada a las que la abogada general ĆAPETA hace referencia en sus conclusiones[172]. En la actualidad, estas solo se recogen en la decisión, pero así lo es por defensa de los Estados miembros y no es un asunto ajeno a los intentos permanentes de la Comisión para incorporarlo en los reglamentos.

Tampoco podemos obviar que, los diferentes tipos de medidas en las que se concretan las sanciones no son un *numerus clausus*; la evolución de las mismas puede llevar a materializarse bajo diferente tipo de competencias y esto lleve a que hayan de estar reguladas únicamente en la decisión, en el reglamento o en ambos. Por ello,

---

168 Conclusiones de la abogada general Ćapeta, Neves 77 Solutions SRL y Agenția Națională de Administrare Fiscală - Direcţia Generală Antifraudă Fiscală, C-351/22, ECLI:EU:C:2023:907.

169 *Ibid.*, apartados 27-30.

170 *Ibid.*, apartados 33-40.

171 *Ibid.*, apartado 40.

172 *Ibid.*, apartado 28.

que el TJ base la determinación de la competencia en la necesidad de que dicha disposición tenga que estar recogida en el reglamento solo lleva a esquivar el verdadero problema de forma muy temporal posiblemente.

Por su lado, aunque su postura no es retenida por el TJUE, la abogada general ĆAPETA rechaza la competencia e introduce una nueva dimensión al análisis del contenido de la PESC y el significado de la exclusión de competencia del TJUE sobre este contenido. Así establece una distinción entre dos tipos de competencia del TJUE, por un lado, la apreciación de legalidad, por otro lado, la labor interpretativa. Ella entiende que la exclusión de competencia en materia PESC impide al TJUE determinar cuál es el significado que el Consejo le ha querido dar a una norma[173] a pesar de que esta limitación conlleve «un sacrificio de la uniformidad del Derecho en el ámbito de la PESC»[174]. Sin embargo, la apreciación de legalidad supone un control para determinar si una norma es conforme con los derechos y principios fundamentales de la Unión[175], y eso, según ella, es una obligación que queda por encima de la restricción de competencia de los arts. 24.1 TUE y 275 TFUE. Rompe, por lo tanto, con la lógica de *a maiore ad minus*, en lo que se refiere a la admisibilidad de la cuestión prejudicial, en un enfoque desde luego original, incluso radical, en palabras de BUTLER[176], pero coherente con el argumentario expresado en sus conclusiones, ya vistas, en el asunto *KS y KD*.

A pesar de que caminos muy diferentes hayan llevado al TJUE al reconocimiento de la posibilidad de plantear una cuestión prejudicial, inicialmente de validez y posteriormente de interpretación, este es un paso positivo en aras de la normalización e integración de la PESC[177]. Asimismo, podemos afirmar que se trata de una pequeña re-

---

173 *Ibid.*, apartado 76.

174 *Ibid.*, apartado 77.

175 *Ibid.*, apartado 75.

176 BUTLER, G. (2023). Op-Ed: Jurisdiction of the EU Courts in the Common Foreign and Security Policy: Reflections on the Opinions of AG Ćapeta in KS and KD, and Neves 77 Solutions", *op. cit.*

177 BUTLER, G. (2017). A Question of Jurisdiction: Art. 267 TFEU Preliminary References of a CFSP Nature, *op. cit.*, p. 208; o, más recientemente, en relación con la cuestión prejudicial de interpretación, SARMIENTO, D. y IGLESIAS, S. (2024). Insight: KS and Neves 77: Paving the Way to the EU's Accession to the

volución en la arquitectura jurídica de la Unión y de las capacidades del ejercicio jurisdiccional del TJUE, clave de bóveda de un Estado de Derecho.

3. La demanda por responsabilidad extracontractual de la Unión: el asunto Bank Refah Kargaran

Otra vía procesal que se ha abierto gracias a la interpretación de la jurisprudencia en el contencioso de las medidas restrictivas es la demanda por daños como consecuencia de la responsabilidad extracontractual de la UE. Aunque varios años antes de la entrada en vigor del Tratado de Lisboa ya pudo pronunciarse el TJUE sobre esta cuestión sin establecer una jurisprudencia homogénea, tras la modificación de los Tratados y la evolución de las medidas restrictivas, el recurso por daños se ha extendido y se plantea hoy en día con relativa frecuencia. En este ámbito, de nuevo, la jurisprudencia reciente ha aportado importantes novedades.

Como se defenderá, el hecho de poder reclamar ante el TJUE la responsabilidad extracontractual del Consejo por los daños y perjuicios derivados de una medida restrictiva tiene dos efectos. Por un lado, ayuda a normalizar este tipo de actos puesto que los equipara al resto de los que son aprobados por las instituciones y, por otro, ayuda a la consagración y aceptación de otras vías procesales más allá del recurso de anulación. No obstante, este segundo punto debe ser matizado, teniendo en cuenta la propia naturaleza de subordinación del recurso por daños consecuencia de responsabilidad extracontractual dentro de la panoplia de remedios jurídicos que ofrece el ordenamiento.

Si nos remitimos a la jurisprudencia «pre-Lisboa», en los casos *Segi*[178] y *Gestoras Pro Amnistía*[179] ya se planteó en casación la inadmisión del TPI —en aquel momento— para poder estudiar una acción por

---

ECHR. *EU Law Live* [blog], 12-09-2024. Disponible en: https://eulawlive.com/insight-ks-and-neves-77-paving-the-way-to-the-eus-accession-to-the-echr/.

178 Sentencia del Tribunal de Justicia (Gran Sala) de 27 de febrero de 2007, Segi *et al.*/Consejo, C-355/04 P, ECLI:EU:C:2007:116.

179 Sentencia del Tribunal de Justicia (Gran Sala) de 27 de febrero de 2007, Gestoras Pro Amnistía *et al.*/Consejo, C-354/04 P, ECLI:EU:C:2007:115.

daños. Es un caso en el que confluía el segundo y el tercer pilar de alguna manera ya que la base jurídica de la que emanaba el acto controvertido —Posición Común 2001/931— es doble y se encuentra en el art. 15 (dentro del Título V que recogía las disposiciones relativas a la PESC) y en el art. 34 (dentro del Título VI dedicado a la cooperación policial y judicial en materia penal) de la versión de Maastricht del TUE. En casación, el TJ respaldó lo dictado en primera instancia, indicando que el art. 35 no permite interpretar que se pueda admitir una acción por daños, reconociendo que los medios de impugnación ante el TJUE son aun menores en el Título V dedicado a la PESC. No obstante, si se atiende al propio texto del acto controvertido, en su art. 6, se dice que «cualquier error en cuanto a las personas, grupos o entidades mencionados dará derecho a la parte perjudicada a solicitar una indemnización ante los tribunales». Ante esta posición del TJ, solo nos quedaría pensar en los tribunales nacionales, lo cual no hace sino añadir un grado más de complicación incomprensible al triángulo jurídico que uniría los vértices formados por la institución responsable del acto controvertido, el tribunal que podría conocer de la legalidad de la medida y el tribunal que examinaría una posible responsabilidad extracontractual.

Siguiendo a SANTOS VARA, estos dos asuntos pusieron claramente de manifiesto las «lagunas que presenta[ba] la tutela judicial efectiva» en el marco del segundo y del tercer pilar de la UE[180]. También en este sentido se pronuncia ECKES[181] cuando se lamentaba de que el TPI no hubiera buscado dar las garantías jurídicas necesarias para cumplir con los estándares de un Estado de Derecho.

Asimismo, el tratamiento de los jueces en Luxemburgo no era uniforme. En un momento previo todavía también a la entrada en

---

180 SANTOS VARA, J. (2008). El control judicial de la ejecución de las sanciones antiterroristas del Consejo de Seguridad en la Unión Europea. *Revista Electrónica de Estudios Internacionales*, 15, 1-23. Disponible en: http://www.reei.org/en/index.php/journal/num15/articles/control-judicial-ejecucion-sanciones-antiterroristas-consejo-seguridad-union-europea, p. 6.

181 ECKES, C. (2006). How *Not* Being Sanctioned by a Community Instrument Infringes a Person's Fundamental Rights: The Case of *Segi*. *King's Law Journal*, 17 (1), pp. 153 y 154.

vigor de Lisboa, en el primer asunto *José María Sisón*[182], el TPI entra a conocer de lleno en la demanda de daños planteada por el recurrente sin detenerse a examinar un posible problema de competencia. Tampoco se entra en esta jurisprudencia temprana a examinar si la competencia para conocer de este tipo de acción tenía alguna diferencia si se trataban de daños producidos por la decisión o por el reglamento.

Sin embargo, como se recoge en las sentencias *Segi* y *Gestoras Pro Amnistía*, «corresponde a los Estados miembros, [...], reformar el sistema actualmente en vigor»[183].

Los Estados miembros, en efecto, reformaron parcialmente las disposiciones en relación con la competencia judicial sobre la PESC con el Tratado de Lisboa, pero nada se cambió expresamente en los Tratados sobre el recurso por indemnización. Ha sido la práctica judicial la que ha superado la lógica anterior[184] mucho más restrictiva.

No obstante, la diferencia entre la competencia para conocer si los daños son en virtud de la decisión o del reglamento marcará durante una década al menos la jurisprudencia al respecto tras la entrada en vigor del Tratado de Lisboa.

Mientras que los asuntos en los que los demandantes planteaban junto al recurso de anulación un recurso de indemnización (con base en los daños producidos siempre por parte del reglamento controvertido[185]) han sido relativamente frecuentes, el posicionamiento so-

---

182 Sentencia del Tribunal de Primera Instancia de 11 de julio de 2007, José María Sisón/Consejo *(Sisón I)*, T-47/03, ECLI:EU:T:2007:207, apartados 228-251.

183 Sentencias del Tribunal de Justicia (Gran Sala) de 27 de febrero de 2007, Segi *et al.*/Consejo, C-355/04 y Gestoras Pro Amnistía y otros/Consejo, C-354/04 P, ya nombradas, apartado 50.

184 SANTOS VARA, J. (2008). El control judicial de la ejecución de las sanciones antiterroristas del Consejo de Seguridad en la Unión Europea, *op. cit.*, p. 178.

185 Sirvan como ejemplos, la sentencia del Tribunal General de 7 de diciembre de 2010, Sofiane Fahas/Consejo, T-49/07, ECLI:EU:T:2010:499; la sentencia del Tribunal General de 26 de febrero de 2015, Bassam Sabbagh/Consejo, T-652/11, ECLI:EU:T:2015:112; la sentencia del Tribunal General de 14 de abril de 2016, Mehdi Ben Tijani Ben Haj Hamda Ben Haj Hassen Ben Ali/ Consejo (*Mehdi Ben Ali II*), T-200/14, ECLI:EU:T:2016:216; o la sentencia del Tribunal General de 5 de junio de 2019, Bank Saderat plc/Consejo, T-433/15, ECLI:EU:T:2019:374.

bre la posibilidad de conocer por los daños derivados de la decisión no ha sido dirimido hasta hace muy poco.

En el asunto *Jannatian*, el TG expresó claramente su interpretación de que, en virtud del art. 275 TFUE, este carece de competencia para conocer de las indemnizaciones por daños derivadas de un acto PESC[186]. Así también se reitera, por ejemplo, en el asunto *Islamic Republic of Iran Shipping Lines*[187] o en *Post Bank Iran*[188].

Con el segundo asunto *José María Sisón*[189], el TG aprovecha para fijar los requisitos necesarios para generar responsabilidad extracontractual derivada de una medida restrictiva.

Los requisitos se han ido reiterando en toda la jurisprudencia posterior que, por otro lado, no se diferencian de los requisitos generales que se exigen con cualquier otro tipo de acto lesivo. Así, el TG ha repetido que es necesario que concurra cumulativamente la existencia de una infracción suficientemente caracterizada de una norma jurídica que tenga por objeto conferir derechos a los particulares, la realidad del daño y la existencia de una relación de causalidad entre el incumplimiento de la obligación que incumbe al autor del acto y el daño sufrido por los perjudicados[190].

El primer criterio es el que mayor controversia podría generar en el ámbito del contencioso de las medidas restrictivas. No obstante, se ha venido repitiendo una visión uniforme que consiste en que la mera declaración de ilegalidad de un acto jurídico no es suficiente

---

186 Sentencia del Tribunal General de 18 de febrero de 2016, Mahmoud Jannatian/Consejo, T-328/14, ECLI:EU:T:2016:86, apartados 28-33.

187 Sentencia del Tribunal General de 8 de mayo de 2019, Islamic Republic of Iran Shipping Lines/Consejo, T-434/15, ECLI:EU:T:2019:307, apartados 28-33.

188 Sentencia del Tribunal General de 13 diciembre de 2018, Post Bank Iran/Consejo, Post Bank Iran/Consejo, T-559/15, ECLI:EU:T:2018:948, apartado 57.

189 Sentencia del Tribunal General de 23 de noviembre de 2011, José María Sisón/Consejo *(Sisón II)*, T-341/07, ECLI:EU:T:2011:687.

190 Se exponen estos motivos reiteradamente y no hay cambios con respecto a la consideración de los mismos. Véase, por ejemplo, la sentencia del Tribunal General de 18 de septiembre de 2014, Aguy Clement Georgias *et al.*/Consejo, T-168/12, ECLI:EU:T:2014:781, apartados 24-26, o la jurisprudencia más reciente en la sentencia del Tribunal de Justicia (Gran Sala) de 10 de septiembre de 2019, HTTS Hanseatic Trade Trust & Shipping GmbH/Consejo, C-123/18 P, ECLI:EU:C:2019:694, apartado 32.

para demostrar la existencia de una violación suficientemente caracterizada. No es este el punto para extenderse en esta cuestión pero, tal y como se afirma, esta violación dependerá también del margen de apreciación de la institución a la que se le imputa el daño causado[191]. En definitiva, como han reiterado los jueces, se requiere la «comprobación de una irregularidad que, en circunstancias análogas, no habría cometido una administración normalmente prudente y diligente»[192].

Siguiendo estos criterios, ha sido muy difícil demostrar hasta la fecha daños causados en virtud de la imposición de medidas restrictivas[193]. En otros casos, el TG ha entendido que el mero reconocimiento de la ilegalidad del acto impugnado puede servir como reparación de un perjuicio moral (de ahí que se reconozca el interés en ejercitar una acción de nulidad, aunque el acto ya no esté en vigor)[194].

---

191 Se desarrolla toda esta construcción de manera extensa en la sentencia del Tribunal de Primera Instancia de 23 de noviembre de 2011, José María Sisón/Consejo *(Sisón II)*, T-341/07, ya citada, apartados 31-82. La misma jurisprudencia se reitera en múltiples sentencias. Por ejemplo, en la Sentencia del Tribunal General de 30 de junio de 2016, CW/Consejo (*CWI*), T-516/13, ECLI:EU:T:2016:377, apartado 225: «*À cet égard, il importe de rappeler que la Court a déjà précisé à maintes reprises que, pour que la condition de l'engagement de la responsabilité non contractuelle de l'Union s'agissant de l'illegalité du comportement reproché aux institutions soit remplie, il faut que soit établie une violation suffisamment caractérisée d'une règle de droit ayant pour objet de conférer desd droits aux particuliers, à savoir une méconnaissance manifeste et grave, par l'instituion concernée, des limites que s'imposent à son pouvoir d'appréciation [...]*».

192 Sentencia del Tribunal de Primera Instancia de 23 de noviembre de 2011, José María Sisón/Consejo *(Sisón II)*, T-341/07, *vid. supra*, apartado 39 y sentencia del Tribunal General de 25 de noviembre de 2014, Safa Nicu Sepahan Co./Consejo, T-384/11, ECLI:EU:T:2014:986, apartado 54.

193 Ya lo afirmaba MESSINA en un trabajo que versaba sobre esta cuestión en 2016, sin que haya cambiado demasiado la situación hasta la fecha en lo que se refiere a la constatación efectiva de una responsabilidad extracontractual del Consejo por la adopción de una medida, posteriormente declarada ilegal. *Cf.* MESSINA, M. (2016). Il controllo giurisdizionale delle misure restrittive antiterrorismo ed il risarcimento del danno da «listing» nel diritto dell'Unione Europea. *Il diritto dell'Unione Europea*, 3, p. 618.

194 Sentencia del Tribunal de Justicia (Gran Sala) de 28 de mayo de 2013, Abdulbasit Abdulrahim/Consejo y Comisión, C-239/12 P, ECLI:EU:C:2013:331, apartado 72.

Sin embargo, en algunos casos, la anulación no se ha tomado como reparación suficiente. Destaca la indemnización de 50.000 € reconocida a la sociedad *Safa Nicu Sepahan Co.* en concepto de daños morales[195], siendo refrendada la posición del TG en casación[196]. Más recientemente, en dos sentencias que versan únicamente sobre una acción por daños, la entidad iraní *Fulmen* también se ve reconocida con una indemnización de 50.000 € en concepto de daño inmaterial[197] así como el dueño de la sociedad, también objeto de medidas restrictivas, Fereydoun Mahmoudian, con una indemnización de 71.000 € en concepto de daños morales[198] tras haber sido dichas inscripciones anuladas[199].

En lo que se refiere al aspecto de la competencia del TG, como ya se ha anunciado, hasta recientemente solo se había reconocido la posibilidad de presentar una demanda por daños contra el reglamento cuya base jurídica era el art. 215 TFUE y, por lo tanto, era ajeno a la materia PESC. Por jurisprudencia recurrente se entendía que la decisión quedaba protegida por la cláusula *"carve-out"*. Sin embargo, en el asunto *Bank Refah Kargaran*, resuelto en casación del 6 de octubre de 2020 por la Gran Sala[200], el TJ revierte la decisión del TG que estimaba que no tenía competencia para conocer de un recurso de indemnización derivado de una decisión adoptada en virtud del art. 29 TUE (decisión PESC) por la que se imponían medidas restrictivas contra un banco iraní. En la misma línea se situaban las interesantes conclusiones del abogado general HOGAN[201], quien «abogó por una

---

195 Sentencia del Tribunal General de 25 de noviembre de 2014, Safa Nicu Sepahan Co./Consejo, T-384/11, ya citada, apartado 149

196 Sentencia del Tribunal de Justicia (Gran Sala) de 30 de mayo de 2017, Safa Nicu Sepahan Co./Consejo, C-45/15 P, ECLI:EU:C:2017:402.

197 Sentencia del Tribunal General de 2 de julio de 2019, Fulmen/Consejo, T-405/15, ECLI:EU:T:2019:469.

198 Sentencia del Tribunal General de 2 de julio de 2019, Fereydoun Mahmoudian/Consejo, T-406/15, ECLI:EU:T:2019:468.

199 Sentencia del Tribunal General de 21 de marzo de 2012, Fulmen y Fereydoun Mahmoudian/Consejo, asuntos acumulados T-439/10 y T-440/10, ECLI:EU:T:2012:142.

200 Sentencia del Tribunal de Justicia (Gran Sala) de 6 de octubre de 2020, Bank Refah Kargaran/Consejo, C-134/19 P, ya citada.

201 Conclusiones del abogado general Hogan, Bank Refah Kargaran/Consejo, C-134/19 P, ya citadas.

interpretación armónica y coherente de los Tratados»[202], como indica SANTOS VARA.

Los argumentos esgrimidos por el TJ son variados. En primer lugar, destaca el utilizado repetidamente en toda la jurisprudencia estudiada respecto a la competencia en materia PESC. Dicho argumento se centra en justificar la necesidad de hacer una interpretación restrictiva de las disposiciones *"carve-out"* recogidas en el art. 24.1 TUE y 275 TFUE, que no hacen mención en ningún caso a la acción por daños[203]. Por otro lado, el TJ esgrime que esta acción constituye una vía de recurso autónoma que juega un papel específico dentro de la arquitectura de los recursos del derecho que sirven para dotar de contenido real a la tutela judicial efectiva[204]. Por último, recurre al argumento de la necesaria coherencia y la necesidad de colmar las lagunas de la protección jurisdiccional[205] que, en nuestra opinión, es la razón de mayor peso que hace bascular sobre esta interpretación extensiva del Tratado.

De esta forma, la pregunta que subyace en el razonamiento del TJ es la siguiente: si un destinatario de medidas restrictivas en virtud de una decisión y de un reglamento puede reclamar los daños derivados de la aplicación del reglamento, ¿cómo se explicaría que no lo hiciera sobre la base de una decisión de la cual trae causa y que en muchas de las disposiciones son idénticas? Además, ¿quedarían fuera de la protección de la tutela judicial efectiva aquellas limitaciones a las libertades fundamentales que estuvieran en la decisión, pero no en el reglamento, y los daños que estas pudieran generar?

En resumen, ante esta situación tan poco consistente o coherente a la que se llegaba o de «anomalías inaceptables que serían imposibles de justificar»[206], el TJ se pronuncia claramente y reconoce

---

202 SANTOS VARA, J. (2021). El control judicial de la Política Exterior: hacia la normalización de la PESC en el ordenamiento jurídico de la Unión Europea (a propósito del asunto *Bank Refah Kargaran*), *op. cit.*, p. 174.

203 Sentencia del Tribunal de Justicia (Gran Sala) de 6 de octubre de 2020, Bank Refah Kargaran/Consejo, C-134/19 P, ya citada, apartado 32.

204 *Ibid.*, apartados 33-36.

205 *Ibid.*, apartados 38-43.

206 Conclusiones del abogado general Hogan, Bank Refah Kargaran/Consejo, C-134/19 P, ya citadas, apartado 63.

la posibilidad de admitir los recursos de indemnización dirigidos a obtener reparación por los daños causados por medidas restrictivas adoptadas en virtud de una decisión del Consejo como consecuencia de la aplicación del principio de tutela judicial efectiva, rector en un Estado de Derecho como es la Unión. También merece subrayar que declara superada la jurisprudencia *Segi* y *Gestoras Pro Amnistía,* que se explicaba anteriormente, por el mero cambio constitucional e institucional que afecta a la propia naturaleza de la UE tras el Tratado de Lisboa[207].

Reconocida la competencia para conocer del recurso, otra cuestión es que el Tribunal aprecie que concurren los requisitos necesarios para determinar que la UE ha incurrido en responsabilidad con respecto a la demandante. Como se ha ido viendo a través de la jurisprudencia, la posibilidad de que concurran las tres condiciones necesarias para reconocer la responsabilidad extracontractual de la Unión en materia de medidas restrictivas es escasa.

La recepción de la doctrina ha sido cauta y no cuesta establecer rápidamente paralelismo con muchos de los argumentos que se esgrimieron tras el asunto *Rosneft* en referencia a la audacia interpretativa del TJUE. En uno de los primeros estudios publicados, MARTÍNEZ CAPDEVILA se planteaba directamente si el TJUE «maximiza o se extralimita» en la interpretación de su jurisdicción[208], de nuevo argumentando que el TJ «está muy próximo aquí al límite de la creación del Derecho, si es que no lo rebasa»[209]. También parte de la doctrina se sorprende ante la facilidad con la que se llega a la conclusión del reconocimiento de la competencia, «sin plantear muchas dudas»[210].

---

207 Sentencia del Tribunal de Justicia (Gran Sala) de 6 de octubre de 2020, Bank Refah Kargaran/Consejo, C-134/19 P, ya citada, apartados 45-48.

208 MARTÍNEZ CAPDEVILA, C. (2021). El TJUE proclama su competencia para conocer de los recursos de indemnización vinculados con medidas restrictivas PESC (STJ de 6.10.2020, As. Bank Refah Kargaran, C-134/19 P): ¿Maximización o extralimitación de su jurisdicción?, *op. cit.*

209 *Ibid.,* p. 222.

210 BUTLER, G. (2020) Op.-Ed.: Non-contractual liability and actions for damages regarding restrictive measures through CFSP Decisions: Jurisdictions of the CJEU confirmed. *EU Law Live* [blog], 7-10-2020. Disponible en: https://eulawlive.com/op-ed-non-contractual-liability-and-actions-for-damages-regarding-res-

Otros, como BESTAGNO[211] y BUTLER[212], inciden en el valor que tiene esta sentencia para precisar el alcance de la competencia del TJUE en materia PESC, lo que puede facilitar las cuestiones de cara a la adhesión de la UE al CEDH. También coinciden en el valor positivo de que esta sentencia sigue profundizando en la «constitucionalización de la PESC, en la protección de los individuos afectados y de sus derechos fundamentales»[213] y se le reconocen las «profundas implicaciones constitucionales para el ordenamiento jurídico de la UE, ya que viene a confirmar que el rol del TJUE en la PESC no es tan limitado como aparentan los Tratados»[214]. Otros también coinciden en que asimila cada vez más la PESC a otro tipo de políticas donde no hay limitación a poder plantear la acción por daños[215] y, en definitiva, la hace menos imperfecta[216]. Asimismo, hay autores como DÍEZ-HOCHLEITNER[217] que, con acierto, inciden en la necesidad de que el Tribunal sea capaz de encontrar un equilibrio entre el principio de atribución (que restringe la competencia jurisdiccional del

trictive-measures-through-cfsp-decisions-jurisdiction-of-the-cjeu-confirmed-by-graham-butler/, p. 2.

211 BESTAGNO, F. (2020). Danni derivanti da misure restrittive in ambito PESC e azioni di responsabilità contro l'UE. *Rivista Eurojus*, 4, p. 287.

212 BUTLER, G. (2020) Op.-Ed.: Non-contractual liability and actions for damages regarding restrictive measures through CFSP Decisions: Jurisdictions of the CJEU confirmed, *op. cit.*, p. 5.

213 ECKES, C. (2020). The ECJ accepts jurisdiction over claims for damages under the Common Foreign and Security Policy (CFSP). *Verfassungsblog* [blog], 18-10-2020. Disponible en: https://verfassungsblog.de/constitutionalising-the-eu-foreign-and-security-policy/.

214 SANTOS VARA, J. (2021). El control judicial de la Política Exterior: hacia la normalización de la PESC en el ordenamiento jurídico de la Unión Europea (a propósito del asunto *Bank Refah Kargaran*), *op. cit.*, p. 159.

215 VAN ELSUWEGE, P. y DE CONINCK, J. (2020). Action for damages in relation to CFSP decisions pertaining to restrictive measures: a revolutionary move by the Court of Justice in Bank Refah Kargaran?, *op. cit.*

216 MARTÍNEZ CAPDEVILA, C. (2021). El TJUE proclama su competencia para conocer de los recursos de indemnización vinculados con medidas restrictivas PESC (STJ de 6.10.2020, As. Bank Refah Kargaran, C-134/19 P): ¿Maximización o extralimitación de su jurisdicción?, *op. cit.*, p. 226.

217 DÍEZ-HOCHLEITNER, J. (2023). A vueltas con la responsabilidad extracontractual de la Unión Europea en el ámbito de la PESC. *Revista General de Derecho Europeo*, 61.

TJUE) con el art. 41.3 CDFUE, que recoge el derecho a reparación por la Unión de los daños causados por sus instituciones o agentes.

No obstante, ante este avance de la jurisprudencia[218], nos surgen algunas dudas ulteriores. La primera de ellas tiene que ver con el encaje del recurso de anulación y la acción por daños. El plazo para plantear un recurso de anulación es de dos meses, mientras que las acciones en materia de responsabilidad extracontractual prescriben a los cinco años desde el momento en el que concurren «todos los requisitos a los que está supeditada la obligación de reparación y, en particular, cuando se concrete el perjuicio que debe indemnizarse»[219]. ¿Sería posible una vez pasado el plazo de los dos meses del recurso de anulación que el Tribunal se vea obligado a examinarlo al plantearse una acción por daños? Podría parecer que sí es posible puesto que el recurso indemnizatorio es una vía autónoma y en tal proceso lo primero que se debería dirimir sería la validez de la medida posiblemente por vía de una excepción de ilegalidad.

La segunda pregunta tiene que ver con quién está reconocido para plantear la acción por daños. Los potenciales perjudicados por medidas restrictivas no se limitan estrictamente a sus destinatarios. Como analizaremos en el siguiente apartado de nuestra investigación, la cuestión del *locus standi* en el recurso de anulación ha sido fijada en una jurisprudencia razonablemente estable. Sin embargo, ¿podría plantear recurso de indemnización por daños alguien que no sea destinatario especialmente e individualmente designado? En principio, creemos que nada impediría que así fuera puesto que las normas de legitimación del recurso de indemnización son más amplias. De esta forma, podríamos encontrarnos ante una situación donde un individuo o entidad pueda llevar ante el Tribunal la validez

---

218 También BUTLER incide en el significado constitucional de esta sentencia. *Cf.* BUTLER, G. (2020) Op.-Ed.: Non-contractual liability and actions for damages regarding restrictive measures through CFSP Decisions: Jurisdictions of the CJEU confirmed, *op. cit.*, p. 1.

219 Las cuestiones de los plazos se encuentran en el Estatuto del Tribunal de Justicia. Podemos señalar algunos casos en los que los plazos para interponer el recurso de indemnización por daños han sido tratados de manera incidental en jurisprudencia relativa a materias restrictivas. Véase, por ejemplo, la sentencia del Tribunal General de 18 de septiembre de 2014, Aguy Clement Georgias y otros/Consejo, T-168/12, ya citada, apartados 29 y 30.

de ciertas medidas restrictivas sin ser su destinario de manera directa e individualmente gracias a la excepción de ilegalidad dentro del marco de un recurso de indemnización.

En definitiva, con el reconocimiento de la vía del recurso de indemnización en materia de medidas restrictivas, se continúa cerrando el círculo de la tutela judicial efectiva en la PESC a través de la posibilidad de reconocer daños producidos en virtud de esas medidas[220]. Como afirma el abogado general PITRUZELLA en el asunto *HTTS Hanseatic Trade Trust & Shipping GmbH*, «una Unión de Derecho realmente completa exige que cuando el Consejo adopte medidas restrictivas en el ámbito de la PESC no sea inmune a la posibilidad de generar responsabilidad»[221].

4. *La excepción de ilegalidad: una vía incidental para el control de legalidad de las medidas restrictivas*

El art. 277 TFUE[222] permite que se pueda plantear ante el TJUE la legalidad de un acto de alcance general de manera incidental (aunque haya expirado el plazo previsto del recurso de anulación) en el marco de un procedimiento principal en el que se dirime la legalidad de una disposición de carácter general —con una vinculación directa entre ambas—, siempre y cuando se pueda determinar que la dispo-

---

220 Como ya se ha visto, en otro ámbito PESC diferente al de las medidas restrictivas, el TJUE en el asunto *KS y KD* ha reconocido más recientemente también la competencia para conocer de un recurso de indemnización por daños en relación con una decisión por la que se establece una misión PCSD. En este momento, el recurso original está pendiente de resolución por parte del TG en lo que se refiere al fondo de la reclamación. *Cf.* Sentencia del Tribunal de Justicia (Gran Sala) de 10 de septiembre de 2024, KS y KD/Consejo, Comisión y SEAE y Comisión/KS y KD, Consejo y SEAE (*KS y KD*), asuntos acumulados C-29/22 P y C-44/22 P, ya citada.

221 Conclusiones del abogado general Pitruzzella, HTTS Hanseatic Trade Trust & Shipping GmbH/Consejo, C-123/18 P, ECLI:EU:C:2019:173, apartado 18.

222 El art. 277 TFUE establece lo siguiente: «Aunque haya expirado el plazo previsto en el párrafo sexto del artículo 263, cualquiera de las partes de un litigio en el que se cuestione un acto de alcance general adoptado por una institución, órgano u organismo de la Unión podrá recurrir al Tribunal de Justicia de la Unión Europea alegando la inaplicabilidad de dicho acto por los motivos previstos en el párrafo segundo del artículo 263».

sición tenga un problema de incompetencia de la institución, órgano u organismo de la Unión para adoptarlo, adolezca de vicios substanciales de forma, incurra en violación de los Tratados o de cualquier norma jurídica relativa a su ejecución o desviación de poder.

En el contencioso de las medidas restrictivas, la práctica jurisprudencial ha reconocido la admisibilidad de la excepción de ilegalidad en el contexto de un recurso de anulación. Siguiendo esta misma línea, cabe plantearse si se podría dar, aunque no haya sido el caso hasta la fecha, en el marco de un recurso de indemnización por daños, como nos referíamos unas líneas más arriba.

En primer lugar, hemos de analizar la excepción de ilegalidad en el marco del recurso de anulación en relación con medidas restrictivas. El TG admite que «[el art. 275 TFUE] no excluye la posibilidad de impugnar, por medio de una excepción, la legalidad de una disposición de alcance general, en apoyo de un recurso de anulación interpuesto contra una medida restrictiva individual»[223], incluyendo las disposiciones adoptadas en virtud del Título V del TUE, esto es, las decisiones con base en el art. 29 TUE o las decisiones de ejecución en base al art. 31 TUE, si fuera el caso. Todo esto sin perjuicio de que se plantee en el escrito de demanda o en una adaptación posterior de las pretensiones[224].

Hemos de recordar en este punto que, mientras que el art. 277 TFUE habla de actos de alcance general, las medidas restrictivas son normas un tanto especiales, ya que siendo ciertamente disposiciones de alcance general (puesto que su cumplimiento obliga a todos sus destinatarios) tienen, al menos en lo que se refiere a las «*targeted*», afectados individuales que son a los únicos a los que el art. 263.4 TFUE reconoce la legitimación activa en el recurso de anulación[225].

---

223 Sentencia del Tribunal General de 15 de septiembre de 2016, Viktor Fedorovych Yanukovych/Consejo, T-346/14, ECLI:EU:T:2016:497, apartado 57; que sigue lo que ya se había dicho en la sentencia del Tribunal General de 16 de julio de 2014, National Iranian Oil Company/Consejo, T-578/12, ECLI:EU:T:2014:678, apartado 93.

224 Sentencia del Tribunal General de 28 de enero de 2016, Mykola Yanovych Azarov (*Azarov I*)/Consejo, T-331/14, ECLI:EU:T:2016:49, apartado 62.

225 Asumamos esta afirmación en líneas generales puesto que, como se explicará más adelante, el *locus standi* también está siendo objetivo de una progresiva interpretación extensiva por parte de los jueces de Luxemburgo.

La jurisprudencia analizada nos muestra que los casos en los que se ha planteado la excepción de ilegalidad (desestimada en todos ellos) han tenido como objetivo la legalidad del criterio de designación[226]. Los criterios de designación son disposiciones de alcance general. Asimismo, las medidas restrictivas sectoriales (aunque posteriormente sean individualizables en algunos casos) pensamos que cabrían bajo la categoría de disposiciones de alcance general, a la espera de que la jurisprudencia pueda analizarlo y confirmarlo sobre un caso concreto en relación con el planteamiento de una excepción de ilegalidad.

Por otro lado, podríamos plantearnos si la excepción de ilegalidad no podría tener otra potencial aplicación en el contexto de las medidas restrictivas. Precisamente, una de las virtudes que se le ha reconocido a la excepción de ilegalidad con respecto al recurso de anulación es que tiene una concepción más laxa de la legitimación activa, como analiza MARTÍNEZ CAPDEVILA[227]. Aunque la cuestión del *locus standi* en el ámbito de las medidas restrictivas será tratada *in extenso* más adelante, la exigencia establecida por el art. 263.4 TFUE de que solo los destinatarios o aquellos afectados directa e individualmente por un acto pueden plantearlo, restringe la posibilidad de recurrir en anulación una medida restrictiva a los designados. Sin embargo, las sanciones generan sin duda también efectos frente a terceros.

Ante esta situación, debemos plantearnos si la excepción de ilegalidad abre una ventana de oportunidad a que las medidas restrictivas puedan ser legalmente recurridas por terceros. En nuestra opinión, no podría darse esta situación en el marco de un recurso de anulación, ya que al ser la excepción de ilegalidad un recurso de natura-

---

226 El TG de manera muy didáctica recoge los principios del control jurisdiccionales de las medidas de alcance general, en concreto, de los criterios de designación, recurridas mediante una excepción de ilegalidad en alguna jurisprudencia reseñable. *Cf.*, por ejemplo, Sentencia del Tribunal General de 12 de febrero de 2020, Gabriel Amisi Kumba/Consejo, T-163/18, ECLI:EU:T:2020:57, apartados 142-161; o en la sentencia del Tribunal General de 12 de febrero de 2020, Ilunga Kampete/Consejo, T-164/18, ECLI:EU:T:2020:54, apartados 115-134.

227 MARTÍNEZ CAPDEVILA, C. (2021). Plea of illegality: Court of Justice of the European Union (CJEU). *Max Planck Encyclopedia of International Law.* Oxford: Oxford University Press, apartado 24.

leza accesoria, solo pueden plantearlo aquellos que pueden recurrir en anulación[228].

En segundo lugar, la excepción de ilegalidad también se podría admitir en el marco de una demanda por daños. No obstante, hasta la fecha no existe ninguna sentencia estimatoria con respecto a una excepción de legalidad en este contexto.

Sin embargo, sí se podría plantear que la demanda por daños sirviera como recurso principal de una excepción de ilegalidad en el caso de aquellos que quisieran recurrir medidas restrictivas sin ser directa e individualmente afectados, ya que una demanda por daños generados tiene una legitimación activa más amplia que el recurso de anulación. En este caso, un recurrente, que no tuviera *locus standi* para plantear un recurso del art. 263.4 TFUE, podría plantear una excepción de ilegalidad. No obstante, como sabemos, el fallo de una excepción de ilegalidad solo tiene efectos *inter partes* por lo que el directamente designado no vería *a priori* su situación modificada. Sí es cierto que, como consecuencia de un fallo estimatorio, lo habitual es que el Consejo voluntariamente actuara para evitar que se pudieran plantear otras excepciones de ilegalidad sobre ese mismo acto o actos similares en el futuro.

C. OTRAS VÍAS PROCESALES POSIBLES AÚN NO EXPLORADAS: LOS LÍMITES DE LA ELASTICIDAD DE LAS DISPOSICIONES DE LOS TRATADOS

Los jueces, a través de una interpretación extensiva de los Tratados, han sido los principales impulsores de la expansión de la competencia judicial en materia PESC y, específicamente, en el ámbito de las medidas restrictivas. Esto nos lleva directamente a preguntarnos si, llegado el momento y presentado un asunto adecuado, las disposiciones de los Tratados no puedan seguir demostrando una cierta elasticidad para dar cobertura a otras vías procesales no utilizadas

---

228 Aunque se trate de un análisis ya antiguo, sus principales conclusiones siguen plenamente vigentes, *cf.* MARTÍNEZ CAPDEVILA, C. (2005). El recurso de anulación, la cuestión prejudicial de validez y la excepción de ilegalidad: ¿vías complementarias o alternativas? *Revista de Derecho Comunitario Europeo*, 20, 135-176.

hasta el presente. En concreto, cabe analizar si sería plausible ver en el futuro recursos de incumplimiento o recursos por inacción planteados en referencia a la materia de estudio.

1. El recurso de incumplimiento: una limitación real de los Tratados o timidez de la Comisión

Hablar en este ámbito del recurso de incumplimiento tiene casi categoría de anatema ya que es un recurso típicamente característico de las políticas comunes, pero ¿cuánto le queda a la PESC de *lex imperfecta*?

Con todos los avances que se han producido en la arquitectura institucional tras la entrada en vigor del Tratado de Lisboa, cabría pensar si la admisión de un recurso de incumplimiento puede llegar a darse en un momento no muy lejano en el tiempo. La comprobada actitud de apertura del TJUE puede también ser interpretada como un signo positivo en este sentido.

Por ello, centrándonos en la cuestión que nos ocupa, que es el análisis objetivo de la competencia del TJUE, se podría argumentar que no hay *a priori* disposiciones que la restrinjan, teniendo en cuenta, además, que la interpretación del TJUE sobre su propia competencia ha seguido una tendencia extensiva.

Procede efectuar el análisis en dos pasos. Como se ha explicado, las medidas restrictivas conforman un paquete normativo con base en una decisión del art. 29 TUE (o art. 31 si es una decisión de ejecución) y con base en un reglamento del art. 215 TFUE (o en base al art. 291 si es un reglamento de ejecución).

En primer lugar, el reglamento con base jurídica en el art. 215 TFUE es una norma propia de las «políticas comunes» y que sigue un procedimiento de adopción determinado: se adopta por mayoría cualificada del Consejo a propuesta del Alto Representante y de la Comisión y se informa al Parlamento Europeo y corresponde su ejecución a los Estados miembros. El art. 17 TUE indica claramente las funciones de la Comisión Europea entre las que destacamos la obligación de velar «por que se apliquen los Tratados y las medidas adoptadas por las instituciones en virtud de éstos» así como el papel de supervisión de «la aplicación del Derecho de la Unión bajo el control del Tribunal de Justicia de la Unión Europea». Asimismo, como la propia Comisión indica en este ámbito de las medidas restrictivas: «*in its role as guardian of the treaties the Commission has an essential role in overseeing sanctions implementation by Member States*»[229].

Igualmente, en una comunicación de la Comisión Europea sobre el sistema económico y financiero europeo[230] de 2021, esta vuelve a reafirmar su posición garantizada por los Tratados: «como garante de los Tratados, la Comisión supervisa la aplicación de las sanciones por parte de los Estados miembros con arreglo al TFUE»[231] o «como garante de los Tratados, la Comisión hace un seguimiento y recopila información acerca de las posibles infracciones del Derecho de la UE por parte de los Estados miembros»[232].

Es esta facultad de ser garante de los Tratados la que permite que se haga esta supervisión, se abran procedimientos de infracción en su caso y, en último extremo, se pueda llegar a plantear un recurso por incumplimiento ante el TJ. A pesar de ello, cabe recordar que, al menos hasta este momento, en materia de medidas restrictivas no se ha abierto ningún procedimiento de infracción. Sin embargo, la determinación de la Comisión crecientemente patente a través de manifestaciones como la recogida en la comunicación mencionada, hace pensar que se va a aumentar el celo en el seguimiento de la ejecución de las medidas restrictivas. Es cierto que los recursos de incumplimiento son una *ultima ratio* a la que raramente se llega y, en todo caso, depende de una potestad discrecional de esta institución.

En segundo lugar, nos debemos plantear qué sucede con respecto a la supervisión del (in)cumplimiento de las medidas concretas que se encuentran solo contempladas en la decisión PESC adoptada en base al art. 29 TUE. *A priori*, no hay ninguna disposición en el tratado

---

229 Información extraída de la página web de la Comisión Europea: https://ec.europa.eu/info/business-economy-euro/banking-and-finance/international-relations/restrictive-measures-sanctions_en.

230 Comunicación de la Comisión al Parlamento Europeo, al Consejo, al Banco Central Europeo, al Comité Económico y Social y al Comité de las Regiones (2021). *Sistema económico y financiero europeo: fomentar la apertura, la fortaleza y la resiliencia*, 19-01-2021, COM/2021/32 final.

231 *Ibid.*, punto 5, p. 18.

232 *Ibid.*, punto 5, p. 20.

que excluya esta función de supervisión de la Comisión en el ámbito PESC por muchas lecturas distintas que se le pueda dar al Título V del TUE y al resto de los dos Tratados globalmente.

Resulta significativa la expresión incorporada en una de las frases traídas a colación anteriormente de la comunicación (que, no olvidemos, no tiene valor jurídico vinculante) en el que se dice «la Comisión supervisa la aplicación de las sanciones por parte de los Estados miembros *con arreglo al TFUE*»[233]. No se especifica si, con arreglo al TFUE, se lleva a cabo la supervisión de la aplicación de las normas o si son las sanciones las que han de ser adoptadas con arreglo al TFUE. La primera opción podría ser perfectamente válida ya que las disposiciones relativas a la ejecución del Derecho de la UE se encuentran recogidas en el TFUE, esencialmente en el art. 291 TFUE. La segunda opción es que solo se limitará a llevar a cabo la supervisión de las sanciones cuya base jurídica se encuentra en el TFUE, es decir, los reglamentos. Si esta segunda opción fuera el significado real de la frase, podemos volver a preguntarnos de dónde trae causa esa lectura limitativa de las competencias de la Comisión.

Hay autores, como GESTRI, que apoyan esta interpretación de que la Comisión sí está llamada a poder plantear un procedimiento de incumplimiento, llegado el caso. Asimismo, explican que, aunque dicho procedimiento constituye una *extrema ratio*, la Comisión ya está realizando ciertas actividades de supervisión a través de un «diálogo constante con las autoridades nacionales responsables», así como a través de la publicación de guías y listas de preguntas frecuentes para los operadores económicos[234].

Sin embargo, hay otras voces de la doctrina como BUTLER[235] que defienden esta limitación de que no se pueda abrir un procedimiento de incumplimiento en relación a disposiciones que se incluyan en las decisiones. Para apoyarlo, defienden que el art. 260.3 TFUE —en referencia al recurso de incumplimiento— restringe esta facultad a los actos legislativos y la PESC excluye expresamente la adopción de

---

233 Cursiva añadida por la autora

234 GESTRI, M., (2016). Sanctions Imposed by the European Union: Legal and Institutional Aspects, *op. cit.*, pp. 94 y 95.

235 BUTLER, G. (2017). The Coming of Age of the Court's Jurisdiction in the Common Foreign and Security Policy, *op. cit.*, p. 699.

los actos legislativos por lo que una decisión sobre la base jurídica del art. 29 TUE no es un acto legislativo (aunque sí una norma de Derecho de la UE).

Sin embargo, opinamos que es una lectura un tanto particular del art. 260.3 TFUE[236], ya que, si nos limitásemos a entender la facultad de la Comisión como guardián de los Tratados solo sobre la base de esta disposición, la Comisión solo podría supervisar —y llegar al punto máximo de la facultad de la supervisión que es la facultad de presentar un recurso de infracción— con respecto a las directivas. Además, no podemos olvidar que el art. 259 TFUE también permite que sean los propios Estados miembros los que puedan plantearlo. No tendría sentido limitar el ámbito de dicho poder a la Comisión con respecto a materia PESC, pero seguir permitiéndoselo a los Estados miembros individualmente que, por definición, no son los primeros llamados a cumplir con esa función de velar por la aplicación de las medidas adoptadas por las instituciones en virtud de los Tratados, así como supervisar el Derecho de la Unión.

Otra razón que esgrime BUTLER[237] para defender que las medidas restrictivas (y entendemos que aquí se limita a defender el caso de las disposiciones contenidas en la decisión PESC) quedan fuera del control de la Comisión a través de los procedimientos de infracción es la lectura que el autor da al art. 24.3 TUE[238]. En este se contempla que el Consejo y el Alto Representante han de velar por que

---

236 El art. 260.3 TFUE estipula en su primera parte lo siguiente:
«Cuando la Comisión presente un recurso ante el Tribunal de Justicia de la Unión Europea en virtud del artículo 258 por considerar que el Estado miembro afectado ha incumplido la obligación de informar sobre las medidas de transposición de una directiva adoptada con arreglo a un procedimiento legislativo, podrá, si lo considera oportuno, indicar el importe de la suma a tanto alzado o de la multa coercitiva que deba ser pagada por dicho Estado y que considere adaptado a las circunstancias».

237 BUTLER, G. (2017). The Coming of Age of the Court's Jurisdiction in the Common Foreign and Security Policy, *op. cit.*, p. 699.

238 El artículo 24.3 TUE dispone lo siguiente:
«Los Estados miembros apoyarán activamente y sin reservas la política exterior y de seguridad de la Unión, con espíritu de lealtad y solidaridad mutua y respetarán la acción de la Unión en este ámbito.
Los Estados miembros trabajarán conjuntamente para intensificar y desarrollar su solidaridad política mutua. Se abstendrán de toda acción contraria a los inte-

se respeten los principios de cooperación leal y de no obstrucción en el ámbito PESC. BUTLER entiende que si no se nombra a la Comisión o al Consejo es porque quedan excluidos en esta parte de la PESC de las funciones generales.

Sin embargo, frente a estos argumentos, podríamos decir que el hecho de que el art. 24.3 TUE añada un peso especial sobre la labor del Consejo, no es excluyente con respecto a las funciones generales que le corresponden al resto de instituciones.

Es más, cuando en el ámbito PESC se han querido derogar las reglas generales, el legislador lo ha hecho de manera expresa y patente como es el caso de la limitación de la competencia jurisdiccional. Además, la redacción del artículo en cuestión es sumamente general y con base en principios programáticos y en ningún punto hace referencia de forma explícita a la ejecución de las medidas adoptadas dentro del ámbito de esta política.

Otra razón que puede llegar a esgrimirse para entender por qué no se reconocería la posibilidad de un recurso por incumplimiento en el ámbito de una decisión PESC es precisamente porque exigiría una labor interpretativa muy extensiva de los Tratados. En ninguno de los artículos que versan sobre competencia, se puede entender que las cláusulas *"carve-out"* den cabida al recurso por incumplimiento. Como decíamos, este procedimiento por incumplimiento tiene dos fases. Mientras que la segunda es la fase ante el TJUE, la primera es de carácter administrativo. Si la Comisión, dentro del ejercicio de una potestad facultativa para abrir un procedimiento de infracción, entiende que la fase judicial no va a ser admitida, no tendría sentido llevar a cabo la primera en relación con la falta o incorrecta ejecución de disposiciones contenidas dentro de una decisión PESC. Parece que LENAERTS defiende esta postura de la exclusión de la materia PESC del ámbito del recurso por incumplimiento debido a que, desde la lectura que realiza, la letra del art. 275 TFUE solo se

---

reses de la Unión o que pueda perjudicar su eficacia como fuerza de cohesión en las relaciones internacionales.

El Consejo y el Alto Representante velarán por que se respeten estos principios».

refiere al art. 263 que recoge el recurso de anulación. No obstante, añade un significativo y evocador «*as things stand now*»[239].

Además, podría reforzar este razonamiento sobre la interpretación de los Tratados de exclusión del recurso por incumplimiento, el hecho de que cuando la competencia ha sido reconocida de manera extensiva, como sucedió con la cuestión prejudicial o con la acción por daños, se ha hecho en aras de garantizar una mejor tutela judicial efectiva de los particulares, considerado derecho fundamental, consagrado en el art. 47 CDFUE. Este no sería el caso en relación con el recurso por incumplimiento en el ámbito de las medidas restrictivas.

No obstante, en nuestra opinión, sean decisiones o reglamentos, ambas disposiciones son Derecho de la UE y, como ya hemos argumentado en puntos anteriores, en gran parte son incluso coincidentes en lo que se refiere al contenido. Asimismo, el reglamento ha de traer causa obligatoriamente de una decisión para el establecimiento de medidas restrictivas por lo que una diferenciación del tratamiento con respecto a las disposiciones contenidas en el mismo incurriría en una incoherencia del propio sistema jurídico completo que es el Derecho de la Unión. Esta separación, hasta cierto punto artificial, de las esferas a las que pertenece la decisión y el reglamento llevan a esta lectura extrema de que dependiendo de la medida en concreto que esté en ejecución, las consecuencias jurídicas pudieran ser diferentes.

El hecho de que hasta ahora los jueces de Luxemburgo no hayan tenido que enfrentarse a esta pregunta sobre su competencia tiene que ver con que la Comisión no haya querido utilizar su potestad facultativa o un Estado miembro[240] tampoco lo haya hecho por diversas

239 LENAERTS, K., MASELIS, I. y GUTMAN, K. (2015). *EU Procedural Law.* Oxford: Oxford University Press, punto 5.05, p. 162.

240 Como recuerda DE WITTE, el TJUE siempre ha contado con unas peculiaridades que lo hacen clave de bóveda de un control jurisdiccional de un sistema que se independiza de las reglas del Derecho internacional. En el caso de incumplimiento por una de las partes, no se permite utilizar la regla general de *inadimplenti non est adimplendum*, sino que el resto continúa estando vinculado por sus obligaciones. Quizá por ello se permite que sean los propios Estados miembros los que también puedan reaccionar ante un incumplimiento de uno de ellos. *Cf.* DE WITTE, B. (2012). The European Union as an international legal experiment. En G. DE BÚRCA, G. y J. H. H. WEILER (eds.). *The Worlds of*

razones que nos sitúan en otra esfera del análisis fuera de este estudio[241]. Estará por ver si, llegado el asunto adecuado, el TJUE estima que los límites de su competencia fijados por los Tratados todavía permiten cierta elasticidad.

2. *El recurso por omisión: posibles actuaciones ante la falta de actuación de las instituciones*

Al examinar otros recursos posibles por los que se podría articular un contencioso referido a las medidas restrictivas, hemos de plantearnos aquellas hipótesis o situaciones donde un recurso por omisión podría llegar a ser una vía a explorar.

La omisión o la inacción en el ámbito del Derecho de la UE se entiende como el defecto de una obligación de pronunciarse. Los particulares tienen la legitimación activa para plantear esta acción en virtud del art. 265.3 TFUE «por no haberle dirigido una de las instituciones, o uno de los órganos y organismos de la Unión un acto distinto de una recomendación o un dictamen».

En un análisis de la jurisprudencia, hemos podido observar que, al menos, una recurrente ha incluido en su escrito de demanda una reclamación por la vía del art. 265 por haberse abstenido el Consejo de forma ilegal de notificar a la demandante los actos controvertidos en el momento de su adopción[242]. El TG estimó el recurso por la vía del art. 263 que también estaba planteado por lo que no vio necesario pronunciarse sobre la admisibilidad y contenido de la demanda

---

European Constitutionalism (pp. 19-56). Cambridge: Cambridge University Press, p. 39.

241 El art. 258 TFUE establece que la Comisión puede recurrir al TJUE «si estimare que un Estado miembro ha incumplido una de las obligaciones que le incumben en virtud de los Tratados». Por su lado, el art. 259 TFUE dispone que: «cualquier Estado miembros podrá recurrir al Tribunal de Justicia de la Unión Europea, si estimare que otro Estado miembro ha incumplido una de las obligaciones que le incumben en virtud de los Tratados». No obstante, es cierto que es la Comisión la que ha ejercido mayoritariamente esta potestad y no los Estados miembros frente a los incumplimientos de sus pares.

242 Sentencia del Tribunal General de 21 de abril de 2021, Aisha Muammer Mohamed El-Qaddafi/Consejo (*Aisha El-Qaddafi II*), T-322/19, ECLI:EU:T:2021:206, presentación de las pretensiones.

en base al art. 265[243]. Por ello, no podemos saber en este momento cuál sería la posición del TJUE. No obstante, siguiendo este mismo ejemplo real, podría darse el caso de que se recurra la falta de notificación sin recurrir forzosamente la nulidad del acto. Asimismo, la extrema complejidad que están adoptando las medidas restrictivas no nos hace descartar que, en un futuro, el TJUE tenga que entrar a definir posición sobre la relación entre el recurso de inacción en el ámbito PESC.

En definitiva, en lo que se refiere a las vías procesales ante el TJUE, hemos visto que de la «pequeña ventana de competencia» existente en materia PESC, en concreto, en el ámbito de las medidas restrictivas, el propio TJUE ha ido haciendo una interpretación extensiva de su propia competencia. Por otro lado, nos hemos planteado la posibilidad de que en un futuro próximo se puedan abrir otras vías procesales y hasta qué punto podría ser compatible con la tendencia jurisprudencial que entiende que la remisión del art. 275 TFUE al 263.4 no ha de limitarse a conducir el contencioso de las medidas restrictivas únicamente por la vía del recurso de anulación.

Hemos evaluado la plausibilidad de que al menos otras dos vías procesales adicionales pudieran ser contempladas en el contencioso de las medidas restrictivas. Curiosamente, como llama la atención KOUTRAKOS[244], en el controvertido dictamen 2/2013 sobre la adhesión de la UE al CEDH, se utilizó la expresión: «en el estado actual del Derecho de la UE, algunos actos adoptados en el ámbito de la PESC quedan fuera de la competencia del TJUE»[245]. Posiblemente, se puede entender la referencia a que ciertos cambios ya solo pueden depender de modificaciones en los Tratados a través del mecanismo contemplado en el art. 48 TUE, ya que el TJUE no se mostró en dicho dictamen favorable a una interpretación más amplia del Derecho de la UE

---

243 *Ibid.*, apartado 117.

244 KOUTRAKOS, P. (2018). Judicial review in the EU's Common Foreign and Security Policy, *op. cit.*, p. 2.

245 Dictamen del Tribunal de Justicia de 18 de diciembre de 2014 (Pleno), sobre la Adhesión de la Unión Europea al Convenio Europeo para la Protección de los Derechos Humanos y de las Libertades Fundamentales, dictamen 2/2013, ya citado, apartado 252.

Pese a las limitaciones de competencia que los Tratados quisieron establecer con respecto a la PESC, cuando nos enfrentamos a las medidas restrictivas que imponen una gran carga sobre el disfrute de los derechos fundamentales de las personas, el sistema jurisdiccional de la UE se ve llamado a poder velar sobre la garantía de esos derechos. Así lo refleja el antiguo juez del TJUE ROSAS[246] cuando afirma: «*as national courts are prevented from declaring EU legal acts invalid, there is no judicial instance other than the Union Courts which can perform this task*»[247].

La ausencia de mecanismos para hacer una revisión imparcial de dichas medidas nos llevaría a generar una gran laguna dentro del Estado de Derecho. De ahí, la importante labor del TJUE para interpretar su competencia y para actuar, en consecuencia, a través de las vías procesales reconocidas para poder satisfacer el derecho a la tutela judicial efectiva de los particulares afectados. Cumplir, en definitiva, con la doctrina del asunto *Les Verts* que reconocía que «el Tratado establece un sistema completo de vías de recurso y de procedimientos destinado a confiar al Tribunal de Justicia el control de la legalidad de los actos de las instituciones». A esta legalidad, se puede vincular también la protección de la tutela judicial efectiva[248].

La relación con las sanciones que derivan de una resolución del CSNU continúa siendo una cuestión abierta puesto que una sentencia del TJUE no vincula a dicho órgano. Por ello, sigue constituyendo un elemento de preocupación para los especialistas en esta materia. Como subraya ECKES, el trabajo en este sentido está incompleto[249].

---

246 ROSAS, A. (2016). Restrictive Measures against Third States: Value Imperialism, Futile Gesture Politics or Extravaganza of Judicial Control? *Il diritto dell'Unione europea*, 4, p. 645.

247 También se refería el juez ROSAS a las situaciones en las que las sanciones, proviniendo de RCSNU, tampoco podía remitirse su control de legalidad, sino es a los tribunales de la UE.

248 Sentencia del Tribunal de Justicia de 23 de abril de 1986, Parti écologiste Les Verts/ Parlamento Europeo (*Les Verts*), C-294/83, ECLI:EU:C:1986:166, apartado 23.

249 En palabras de ECKES: «*There are further good reasons for judicial review of all sanctions measures. Courts have been central in improving the system of protection. Most UN sanctions regimes do not offer any form of review and even the UN Ombudsperson with all her achievements is part of the flawed UN system that works along the logics of politics, rather than the rule of law. Only an obligation to justify targeted restrictive measures in a*

No obstante, esta situación trasciende a la capacidad de solución que puede aportar el TJUE o incluso de lo que se podría llegar a solventar mediante una modificación de los Tratados. La única opción sigue siendo la de la colaboración constructiva entre jurisdicciones «sancionadoras» para tratar de alinear la adopción de dichas medidas con las máximas garantías de los derechos fundamentales. La UE ha sido punta de lanza en este proceso y esto no hace sino reforzar la idea de la robustez de su ordenamiento jurídico que responde a los más altos estándares del Estado de Derecho.

Asimismo, en ningún caso, una ausencia de competencia puede llevar a una negación del control del respeto de los derechos fundamentales y la especificidad de las cuestiones PESC no deroga este principio general como no podría entenderse de otra manera[250]. Como subraya SANTOS VARA, «los actos de la PESC han de ser interpretados en el marco de la estructura general de los Tratados, incluyendo el sistema general de recursos de la UE»[251].

Finalmente, en nuestra opinión, siendo deseable que la jurisdicción se consolide e incluso se amplíe por las vías que se han identificado, la labor jurisdiccional no puede convertirse en una finta o teatro. Aunque el alcance y la labor de revisión son modulables[252], no cabe olvidar que la credibilidad de un sistema judicial se sustenta

---

judicial context brings them into the realm of human rights. Courts have been able to take the perspective of those targeted, rather than the perspective of high politics, where those targeted remain necessarily pawns within a bigger chess game. They have exercised considerable reform pressure». *Cf.* ECKES, C. (2014). EU Restrictive Measures against Natural and Legal Persons: From Counterterrorism to Third Country Sanctions. *Common Market Law Review*, 51 (3), p. 892.

250 HILLION, C. (2016). Decentralised Integration? Fundamental Rights Protection in the EU Common Foreign and Security Policy. *European Papers*, 1 (1), 55-66. Disponible en: https://www.europeanpapers.eu/it/system/files/pdf_version/EP_eJ_2016_1_6_Article_Christophe_Hillion_00005.pdf, p. 57.

251 SANTOS VARA, J. (2021). El control judicial de la Política Exterior: hacia la normalización de la PESC en el ordenamiento jurídico de la Unión Europea (a propósito del asunto *Bank Refah Kargaran*), *op. cit.*, p. 160.

252 Siguiendo a MARTÍNEZ CAPDEVILA y a BLÁZQUEZ NAVARRO, los jueces modulan la intensidad del control judicial «en atención a la naturaleza política de las cuestiones planteadas» desarrollando «sus propios mecanismos de autocontrol judicial». *Cf.* MARTÍNEZ CAPDEVILA, C. y BLÁZQUEZ NAVARRO, I. (2013). La incidencia del artículo 40 TUE en la Acción exterior de la UE, *op. cit.*, p. 203.

en que vaya más allá de una simple comprobación de ciertos aspectos formales sin ejercer una función de control profundo de la legalidad. Algo que no tiene por qué chocar con el margen de discrecionalidad existente por parte de la institución competente a la hora de adoptar una medida.

En definitiva, se trata de avanzar en el perfeccionamiento progresivo de la *lex imperfecta* que, en cualquier caso, como afirmaría el abogado general BOBEK, «*lex imperfecta* no es lo mismo que *absentia legis*»[253].

[253] Conclusiones del abogado general Bobek, Centro de Satélites de la Unión Europea (CSUE)/KF, C-14/19 P, ya citadas, apartado 66.

II. LA LEGITIMACIÓN ACTIVA Y EL ACTO ATACABLE EN EL CONTENCIOSO DE LAS MEDIDAS RESTRICTIVAS: UNA PROFUNDIZACIÓN DE LA ACTITUD PRAGMÁTICA DEL TJUE

Más allá de la competencia, el segundo elemento esencial que se plantea de entrada en el contencioso de las medidas restrictivas es el de la legitimación activa para interponer, en principio, el recurso de anulación, así como la determinación de qué actos y cuestiones jurídicas pueden ser objeto del mismo.

La cuestión de la admisibilidad y, dentro de ella, del *locus standi* es esencial para materializar esa tutela judicial efectiva que se ha reconocido a los afectados por medidas restrictivas en el ámbito de la UE. También materializa el principio de acceso a un recurso efectivo, puesto que, solo reconociendo una legitimación activa al recurrente, se le permite a este hacer valer sus derechos.

Este derecho a recurrir una actuación propia de la Política Exterior, recordemos, no es algo que tradicionalmente haya existido y se haya garantizado. Por ello, si el primer paso para permitir que pueda haber un control judicial de una medida de Política Exterior es reconocer la competencia, el segundo, sin duda, es determinar quiénes pueden reclamar la necesidad de ese control judicial y qué puede ser objeto de dicho recurso.

Por otro lado, ampliar la legitimación activa da lugar a un potencial aumento de la litigiosidad (de los recursos planteados) y de las oportunidades que, por lo tanto, tienen los jueces de la Unión para realizar un control de legalidad de las disposiciones relativas a medidas restrictivas. En otras palabras, aumenta el control de los actos PESC referidos a medidas restrictivas.

También, a través de la determinación de la legitimación para interponer un recurso, se lleva a reconocer quién se considera «afectado» por las decisiones políticas del Consejo, en este caso. Por ello, la forma de entender la legitimación activa por parte del TJUE en el ámbito de las medidas restrictivas tiene importantísimas consecuencias. Estas consecuencias se reflejan no solo en el aspecto más evidente que es la protección de la tutela judicial efectiva, sino que tienen, sin duda, una dimensión política y afectarán, por lo tanto, a la forma de sancionar del Consejo en situaciones posteriores.

Para hacer un análisis de las cuestiones de admisibilidad, optaremos por centrarnos en el recurso de anulación ya que es la vía natural y más habitual concebida en el ámbito de las medidas restrictivas. No obstante, como ya se ha adelantado en puntos anteriores de este trabajo, hay otras vías de recurso —marginales, pero no por ello menos significativas— reconocidas en el ámbito de las medidas restrictivas.

Si recorremos de manera sistemática el art. 263 TFUE referido al recurso de nulidad, nos encontraremos, en primer lugar, que el apartado 1 contempla que pueden ser objeto de recurso de nulidad, entre otros[254], «los actos del Consejo [...] que no sean recomendaciones o dictámenes». La parte demandada en el ámbito de las medidas restrictivas siempre va a ser, por lo tanto, el Consejo ya que los actos por los que se adoptan las mismas corresponden al Consejo[255].

A continuación, en el apartado 2, se enumeran las razones por las que un acto puede ser declarado nulo y son las siguientes: «recursos por incompetencia, vicios sustanciales de forma, violación de los Tratados o de cualquier norma jurídica relativa a su ejecución, o desviación de poder (...)»[256].

---

254 También, *ex* art. 263 TFUE, tiene competencia para controlar la legalidad de los actos legislativos. Sin embargo, como ya se ha detallado, la decisión sobre la base del art. 29 TUE no es un acto legislativo. Sí caería bajo la definición de acto legislativo el reglamento adoptado en base al art. 215 TFUE.

255 Tanto la decisión con base en el art. 29 TUE como el reglamento del art. 215 TFUE son actos del Consejo, aunque el reglamento con base en el artículo 215 TFUE haya de ser a propuesta del Alto Representante de la Unión para Asuntos Exteriores y Política de Seguridad y de la Comisión conjuntamente. Asimismo, en el caso de las decisiones de ejecución —poco frecuentes— que se utilizan en este ámbito y de los reglamentos de ejecución nos encontramos igualmente ante actos del Consejo.

256 En la Segunda Parte de este trabajo nos centraremos en el análisis de fondo que hace el TJUE sobre las cuestiones de nulidad que se han valorado a lo largo de estos años de jurisprudencia y que han ido determinando si el Consejo actuaba en conformidad con el marco legal establecido.

El apartado 3 está dedicado a los recurrentes semiprivilegiados y en el apartado 4 nos encontramos con el aspecto mollar al que se enfrenta la admisibilidad de las causas relacionadas con medidas restrictivas. Quién puede recurrir y contra qué actos son preguntas que quedan irremediablemente entrelazadas. Trataremos de hacer una exposición separada de ambas cuestiones para poder analizarlas en profundidad sin perjuicio de que son mutuamente dependientes como se entenderá a continuación.

A. EL SUJETO ACTIVO: EL LOCUS STANDI EN EL RECURSO DE ANULACIÓN REFERIDO A MEDIDAS RESTRICTIVAS

Es necesario recordar que el art. 24.1 TUE, mediante la cláusula "*claw-back*", reconoce la competencia del TJUE según queda determinada en el art. 275.2 TFUE. Tanto el art. 275.2 TFUE como el art. 263.4 TFUE, al que el primero se refiere, hablan de personas físicas y jurídicas. Dicha disposición permite que las personas físicas o jurídicas interpongan recurso «contra los actos de los que sea destinataria o que la afecten directa e individualmente y contra los actos reglamentarios que la afecten directamente y que no incluyan medidas de ejecución».

Si se estudia el art. 263 TFUE en su conjunto, observamos que el 263.4 TFUE solo se refiere a los demandantes no privilegiados. En el resto del artículo, de general aplicación a los recursos de anulación, se reconocen además demandantes privilegiados (Estados miembros, Parlamento, Consejo y Comisión) y semiprivilegiados, puesto que solo pueden plantear un recurso para salvaguardar sus propias prerrogativas (Tribunal de Cuentas, Banco Central Europeo y Comité de las Regiones).

Por lo tanto, con la limitación de competencia que se hace en el caso de las medidas restrictivas, solo las personas físicas y jurídicas directa e individualmente afectadas pueden plantear un recurso o aquellas afectadas directamente por un acto reglamentario que no incluya medidas de ejecución.

Esta diferenciación y limitación en el texto del Tratado no se puede explicar, sino asumiendo que es una restricción más que el Tratado impone sobre el control de los actos por los que se establecen medidas restrictivas y que impediría, *a priori*, que, por ejemplo, una institución diferente al Consejo pudiera ejercer un *droit de regard* sobre cuestiones PESC.

No obstante, entendemos que la redacción del art. 24.1 TUE y del art. 275 TFUE y su reenvío al art. 263.4 TFUE, determinando quiénes son los demandantes no privilegiados, no impediría que otra institución pueda recurrir en anulación un acto por el que se establecen medidas restrictivas cuando se observe que puede haber una causa que vicie de nulidad un acto. Tenemos el ejemplo del asunto *Parlamento contra Consejo*[257] en el que se dirimía la correcta utilización de la base jurídica para un acto por el que se establecían medidas restrictivas. Aparte del Parlamento Europeo, se podría pensar quizá también que la Comisión podría en algún momento recurrir una decisión o un reglamento si estimara que concurren alguna de las causas de nulidad establecidas en el 263.2 TFUE.

Más difícil sería pensar que pudieran utilizar su legitimación activa los Estados miembros. La razón es que, mientras exista la exigencia de unanimidad para adoptar la decisión del art. 29 TUE, recurrirla luego en nulidad iría en contra del principio básico de la doctrina de los actos propios, en nuestra opinión. No obstante, como se ha visto, el reglamento del art. 215 TFUE se adopta por mayoría cualificada, así como las decisiones y los reglamentos de ejecución[258] que son, en ocasiones, utilizados para las medidas restrictivas. En consecuencia, sería improbable, pero no imposible, que en ciertos casos un Estado miembro hiciera uso de su legitimación activa.

1. Particularidades del concepto de persona jurídica: la adecuación a la naturaleza de los designados

El art. 263.4 TFUE habla literalmente de personas físicas y jurídicas. También el art. 275.2 TFUE se refiere a medidas restrictivas contra personas físicas o jurídicas. Mientras que con respecto a las

---

257 Sentencia del Tribunal de Justicia (Gran Sala) de 19 de julio de 2012, Parlamento Europeo/Consejo, C-130/10, ya citada.

258 Adoptados respectivamente en virtud del art. 291 TFUE para los reglamentos de ejecución y en virtud del art. 31.2, guion tercero como base para las decisiones de ejecución.

personas físicas no surgirían problemas de determinación, el caso de las personas jurídicas o entidades genera mayores dificultades.

A pesar de que los Tratados en su literalidad se refieren a persona jurídica *stricto sensu*, el concepto de personalidad jurídica que se maneja en el ámbito de las medidas restrictivas es bastante amplio.

En principio, no hay una definición y lista de características unívocas dentro del Derecho de la Unión que determine quiénes son personas jurídicas. Esta determinación se basa en primer lugar en el reconocimiento que hagan los derechos nacionales de los Estados miembros de la personalidad. En principio, el TJUE se enfrenta con casos derivados de situaciones cuyo origen se encuentra en la aplicación del Derecho dentro de la UE y solo excepcionalmente con situaciones en las que se aplica derecho de terceros Estados. No obstante, en el caso de las medidas restrictivas, lo más habitual es que las personas jurídicas o entidades afectadas no procedan de un Estado miembro.

Debido a la naturaleza de las medidas restrictivas, los propios actos jurídicos ya hablan de entidades, organismos y similares, como formas jurídicas de agrupaciones a las que se les atribuye cierta personalidad en Derecho. En la práctica, encontramos entre los designados entidades muy particulares tales como grupos terroristas[259], milicias[260], prisiones[261], etc.

---

259 En las listas creadas a partir de la Posición Común 931 de 2001, son numerosos los grupos terroristas que han sido listados bajo la categoría de «entidades». *Cf.* Posición común 2001/931/PESC del Consejo, de 27 de diciembre de 2001, sobre la aplicación de medidas específicas de lucha contra el terrorismo (DO L 344 de 28.12.2001, pp. 93-96), y sus sucesivas modificaciones y actualizaciones.

260 Dentro del régimen horizontal dedicado a las violaciones graves de derechos humanos, se incluyó por ejemplo a la milicia libia Kaniyat por la Decisión 2021/481/PESC del Consejo de 22 de marzo de 2021 por la que se modifica la Decisión 2020/1999/PESC relativa a medidas restrictivas contra violaciones y abusos graves de los derechos humanos (DO L 99I, 22.3.2021, pp. 25-36) y por el Reglamento (UE) 2020/1998 del Consejo de 7 de diciembre de 2020 relativo a medidas restrictivas contra violaciones y abusos graves de los derechos humanos (DO L 410I, 7.12.2020, pp. 1-12). Para un análisis de este régimen horizontal de medidas restrictivas, resulta de interés la lectura de HERNÁNDEZ SIERRA, A. (2021). El nuevo régimen global de sanciones de la Unión Europea en materia de derechos humanos: una aproximación normativa. *Revista General de Derecho Europeo,* 54, 255-282.

261 En el régimen de medidas restrictivas por violación de derechos humanos en Irán se incluyen, por ejemplo, la prisión de Evin, la prisión Fashafouyeh y la

Solo una pequeña parte de los destinatarios de sanciones recurre su designación por lo que no hemos tenido la ocasión de ver el razonamiento del Tribunal para examinar la personalidad jurídica de muchos de estos tipos de designados. Hay, empero, algunos casos relevantes en este ámbito que merecen un estudio detallado.

En estos casos que sí han llegado a Luxemburgo, el TJUE ha adoptado una postura pragmática con respecto a la legitimación de las personas jurídicas al asimilar a estas a entidades y organismos que puede que no tengan jurídicamente reconocida una personalidad. Como base del análisis, en el momento en que una persona jurídica (por ejemplo, una empresa, una entidad o un organismo) ha sido objeto de una designación, el TJUE le ha reconocido la legitimación para actuar ante él[262].

No obstante, han surgido algunas dificultades con respecto a las personas jurídicas que son emanaciones del Estado. Asimismo, se ha dado una situación en la que a «entidades» no designadas se les ha reconocido la legitimación activa para presentar un recurso de anulación, en concreto, un Estado.

Este reconocimiento pone de manifiesto, de nuevo, un enfoque pragmático del Tribunal con respecto a la determinación de la personalidad jurídica del Tribunal y su consideración a efectos de legitimación activa.

---

prisión de Rajaee Shahr. Fueron incluidas por la Decisión de ejecución (PESC) 2021/585 del Consejo de 12 de abril de 2021 por la que se aplica la Decisión 2011/235/PESC relativa a medidas restrictivas dirigidas contra determinadas personas y entidades habida cuenta de la situación en Irán (DO L 124I, 12.4.2021, pp. 7-11) y por el Reglamento de ejecución (UE) 2021/584 del Consejo de 12 de abril de 2021 que ejecuta el Reglamento (UE) n° 359/2011 relativo a las medidas restrictivas dirigidas contra determinadas personas, entidades y organismos habida cuenta de la situación en Irán (DO L 124I, 12.4.2021, pp. 1-6).

262 Consagrándose el paso de «objeto/destinatario de medidas restrictivas» a «sujeto de derecho» para interponer recurso. En este sentido, puede verse el estudio que de esta cuestión hace POLI en relación con actores no estatales. *Cf.* POLI, S. (2017). The turning of non-state entities from objects to subjects of EU restrictive measures. En S. BARDUTZKY, S. y E. FAHEY, E. (eds.). *Framing the Subjects and Objects of Contemporary EU law* (pp. 158-181). Cheltenham: Edward Elgar Publishing Limited, pp. 158-181.

Centrándonos en el primer ejemplo de este pragmatismo interpretativo, el Tribunal ha creado un derecho inmediato de legitimación unido a la calidad de designado. En el asunto *PKK*, el TJUE reconocía «las disposiciones del Estatuto del TJ, en particular su art. 21, del RPTJ, en particular su art. 38, y del Reglamento de Procedimiento del TPI, en particular su art. 44, no se elaboraron considerando la interposición de recursos por parte de organizaciones sin personalidad jurídica, como el PKK. En esta situación excepcional, las normas procesales que regulan la admisibilidad de un recurso de anulación deben aplicarse adaptándose en la medida necesaria a las circunstancias del caso. Como acertadamente señaló el TPI en el apartado 28 del auto recurrido, se trata de evitar un formalismo excesivo que equivaldría a negar toda posibilidad de interponer un recurso de anulación, cuando precisamente la entidad en cuestión ha sido objeto de medidas comunitarias restrictivas»[263].

En el asunto inicial ante el TPI[264], el Sr. Ocalan, en representación del PKK y el Sr. Vanly, en representación del KNK, recurrieron en anulación las medidas restrictivas adoptadas contra el PKK. El TPI anunció que las reglas de admisibilidad se tienen que adaptar al contexto de la situación, especialmente en aquellas situaciones de grupos o entidades que no existen legalmente o que no cumplen con las normas jurídicas que se aplican normalmente a las personas jurídicas. Añade el TPI otro punto interesante al decir que se trata de evitar un formalismo excesivo que equivaldría a negar toda posibilidad de interponer un recurso de anulación, cuando precisamente la entidad en cuestión ha sido objeto de medidas comunitarias restrictivas[265]. No obstante, finalmente declaró inadmisible el recurso, mediante auto, debido a que el Sr. Ocalan no podía demostrar que tenía una representación válida del PKK —puesto que había cesado

263 Sentencia del Tribunal de Justicia de 18 de enero de 2007, Osman Ocalan, en nombre del Partido de los Trabajadores del Kurdistan (PKK) y Serif Vanly, en nombre del Congreso Nacional del Kurdistan (KNK)/Consejo, Reino Unido de Gran Bretaña e Irlanda del Norte y Comisión, C-229/05 P, ECLI:EU:C:2007:32, apartado 114.

264 Auto del Tribunal de Primera Instancia de 15 de febrero de 2005, Kurdistan Workers' Party (PKK) y Kurdistan National Congress (KNK)/Consejo, T-229/02, EU:T:2005:48.

265 *Ibid.*, apartado 28.

de existir en abril de 2002 en un momento previo a la presentación de la demanda—[266] y el KNK por falta de afectación individual[267] a pesar de ser una asociación paraguas que incluía, hasta su extinción, al PKK.

Al llegar a casación, el TJ vuelve a partir del mismo principio de necesidad de flexibilidad y adaptación a las características del contexto en aras de evitar una denegación de justicia y claudica diciendo que «si mediante la Decisión 2002/460 el legislador comunitario estimó que el PKK sigue teniendo una existencia suficiente para ser objeto de las medidas restrictivas previstas por el Reglamento nº 2580/2001, la coherencia y la justicia imponen que se reconozca que esta entidad continúa disfrutando de una existencia suficiente para impugnar esta medida. Cualquier otra conclusión tendría como resultado que una organización pudiera ser incluida en la lista controvertida sin poder recurrir contra esta inclusión»[268].

Destacable es la alusión directa que se hace al concepto de justicia como principio general. Es cierto que parece de la lógica más prosaica que si alguien tiene entidad y existe suficientemente para ser designado directamente, debería tenerla igualmente para poder recurrir su designación, como CUYVERS expresa bajo un claro «*listed ergo sum*»[269].

Sin embargo, a una conclusión divergente llega el TJ en el asunto *Al-Bashir Mohammed Al-Faqih et al*[270]. con respecto a la sociedad Sanabel Relief Agency Ltd. En nuestra opinión, el TJ le impone mayores cargas y mayor exigencia para reconocer su legitimación activa, precisamente por haberse tratado de una persona jurídica constitui-

---

266 *Ibid.*, apartados 37-38.

267 *Ibid.*, apartado 56.

268 Sentencia del Tribunal de Justicia de 18 de enero de 2007, Osman Ocalan, en nombre del Partido de los Trabajadores del Kurdistan (PKK) y Serif Vanly, en nombre del Congreso Nacional del Kurdistan (KNK)/Consejo, Reino Unido de Gran Bretaña e Irlanda del Norte y Comisión, C-229/05 P, ya citada, apartados 112 y 114.

269 CUYVERS, A. (2008) Case C-229/05 P, *PKK & KNK* v. *Council*, Judgment of the Court of Justice (First Chamber) of 18 January 2007, [2007] ECR I-439. *Common Market Law Review*, 45 (5), p. 1487.

270 Sentencia del Tribunal de Justicia de 15 de junio de 2017, Al Bashir Mohammed Al-Faqih *et al.*/Consejo, C-19/16 P, ECLI:EU:C:2017:466.

da formalmente de acuerdo con el Derecho nacional de un Estado miembro. El TJ[271] corrobora la posición adoptada previamente por el TG, de que queda acreditado que dicha persona jurídica ya no existe y que, en consecuencia, carece de capacidad procesal. Asimismo, a pesar de que la jurisprudencia del Tribunal reconoce el interés en la acción, aunque ya haya sido eliminado de la lista o no exista como tal, el TJ exige que, en el supuesto de una persona jurídica de Derecho privado, cuando se extinga, el recurso debe ser interpuesto por sus derechohabientes[272].

2. *Las personas jurídicas de carácter público como destinatarias de medidas restrictivas: el reconocimiento facilitador de su legitimación activa*

Una vez vistas las dificultades generales para delimitar conceptualmente a las personas jurídicas en el ámbito de las medidas restrictivas, se torna necesario analizar también la interpretación que viene haciendo el TJUE sobre las personas jurídicas de carácter público

---

271 *Ibid.*, apartados 30-43.

272 En el caso del fallecimiento de las personas físicas, cabe indicar que los herederos están legitimados para continuar con la acción siempre que prueben su estatus de heredero. Nos podemos preguntar si se admitiría en caso de que el fallecimiento sea previo a la interposición del recurso. Entendemos que sería admisible si se cumplen los requisitos de plazo y de representación. En cualquier caso, lo más habitual es que se procedan a eliminar las medidas restrictivas contra el designado fallecido en un plazo relativamente corto puesto que no se pueden alcanzar ya los objetivos fijados con la imposición las mismas. No obstante, no hay que olvidar que los efectos de una derogación no sean equiparables a los de una anulación y los herederos puedan mantener un interés en una posible anulación. Un caso concreto de esta situación se ve, por ejemplo, en la sentencia del Tribunal General de 15 de septiembre de 2021, Tareg Ghaoud/ Consejo, T-700/19, ECLI:EU:T:2021:576, en la que Tareg Ghaoud es hijo y heredero del designado Abdel Majid Al-Goud que falleció durante la fase ya de deliberaciones y se tuvo, por ello, que reabrir la fase oral para dar oportunidad a sus herederos de pronunciarse sobre su interés en continuar con el proceso. También podemos encontrar otro ejemplo en la sentencia del Tribunal General de 6 de abril de 2022, Gamal Mohamed Hosni Elsayed Mubarak y otros/Consejo, T-335/18, T-338/18 y T-327/19, ECLI:EU:T:2022:226. Tras el fallecimiento de uno de los demandantes, Mohamed Mubarak, su hijo —también designado y demandante— decidió continuar la acción referida a la designación de su padre.

por su singularidad en este ámbito. La clave se encuentra en determinar si prevalece un enfoque puro del Derecho internacional en el que ciertas personas jurídicas de carácter público pudieran quedar asimiladas dentro del régimen jurídico que se le aplica a los Estados.

Aunque en los últimos años no se han vuelto a dar reseñables discordancias, hubo una serie de casos concretos en los que el Consejo, sin éxito, trató de argumentar una falta de legitimación activa de las mismas para poder declarar la inadmisibilidad de la demanda. En estas argumentaciones del Consejo subyacía la idea de que los terceros Estados (y otras personas jurídicas públicas dependientes del Estado) no tenían legitimación activa en el TJUE. Sin embargo, la jurisprudencia ha reconocido tanto el *locus standi* de personas jurídicas de carácter público como incluso de terceros Estados.

En varios asuntos, el TG lo ha dejado claro. En el asunto *Bank Mellat*[273], el TG, frente a las alegaciones de inadmisibilidad esgrimidas por el Consejo y la Comisión —como parte coadyuvante—, sostiene que «no existe en el Derecho de la Unión una norma que impida a las personas jurídicas que son emanaciones de los Estados [miembros][274] invocar en su favor la protección y las garantías vinculadas a los derechos fundamentales. Por lo tanto, esos mismos derechos pueden ser invocados por las citadas personas ante el juez de la Unión siempre que sean compatibles con su condición de persona jurídica»[275].

---

273 Sentencia del Tribunal General de 5 de febrero de 2013, Bank Saderat Iran/ Consejo, T-494/10, ECLI:EU:T:2013:59.

274 El TG habla en este punto de los Estados «miembros» puesto que está tomando como referencia alegaciones realizadas por el Consejo y la Comisión en relación con jurisprudencia derivada del TEDH. De hecho, la abogada general SHARPSTON en sus conclusiones durante el asunto en casación señala «las personas jurídicas que son emanaciones de países no miembros pueden invocar las garantías y la tutela vinculadas a los derechos fundamentales, siempre que tales derechos sean compatibles con su condición de personas jurídicas». *Cf.* Conclusiones de la abogada general Sharpston, Consejo/Bank Mellat, C-176/13 P y Consejo/Bank Saderat Iran, C-200/13 P, ECLI:EU:C:2015:130, apartado 34.

275 Sentencia del Tribunal General de 5 de febrero de 2013, Bank Saderat Iran/ Consejo, T-494/10, ya citada, apartado 39.

En fase de casación, aunque el punto que se dirime no es la cuestión de la admisibilidad, la abogada general SHARPSTON hace referencia a algunos puntos interesantes al respecto[276].

Por un lado, la abogada general subraya que las personas jurídicas públicas sí pueden invocar las garantías y la tutela referida a derechos fundamentales, como hace el TG. Esto nos remite a la idea de que la fuerza motriz que hace que el TG tenga una posición expansiva sobre su competencia y reglas de legitimación activa en el ámbito de las medidas restrictivas es el principio de la tutela judicial efectiva muy vinculada a la protección esencial de los derechos fundamentales.

Asimismo, al igual que el TG[277], la abogada general se desmarca de la aplicación del principio contenido en el art. 34 del CEDH sobre demandas individuales que reconoce el *locus standi* solo de personas físicas, organizaciones no gubernamentales y grupos de particulares, por ser solo aplicable en el contexto procesal del TEDH, y esgrime que la protección del art. 47 CDFUE que se refiere al derecho a la tutela judicial efectiva y a un juez imparcial es más amplia que en el CEDH.

También se detiene en la cuestión de la naturaleza de las empresas públicas, remitiéndose tanto al Derecho internacional como a la propia jurisprudencia del TJUE[278]. De acuerdo con esta, se señala que se podría entender dentro del concepto de Estado a las empresas públicas si cumplen con una serie de condiciones. No obstante, en este caso, ni siquiera se demostró que dicho banco fuera una emanación del Estado iraní.

---

276 Conclusiones de la abogada general Sharpston, Consejo/Bank Mellat, C-176/13 P y Consejo/Bank Saderat Iran, C-200/13 P, ya citadas, apartados 34-47.

277 Sentencia del Tribunal General de 5 de febrero de 2013, Bank Saderat Iran/ Consejo, T-494/10, ya citada, apartado 36.

278 En el asunto *Stardust*, el TJUE se refiere a una serie de indicios que sirven como referencia para dirimir si una empresa tiene la consideración de «pública». Entre ellos, se refieren a la integración de la empresa dentro de la estructura de la Administración Pública, la forma jurídica de la empresa, el estatuto jurídico que rige su funcionamiento, la intensidad de la tutela de las autoridades públicas sobre su gestión, entre otros. *Cf.* Sentencia del Tribunal de Justicia de 16 de mayo de 2002, Francia/Comisión (*Stardust*), C-482/99, ECLI:EU:C:2002:294, apartados 55-57.

En el asunto *Kala Naft*[279], se plantea el mismo problema incluso de manera más evidente. En casación, la Comisión, en apoyo del Consejo, llega a alegar que «los Estados no pueden ser titulares de derechos fundamentales, aun cuando pueden invocar derechos procesales y derechos que resultan del Derecho internacional»[280]. De nuevo, tanto el TG[281] como el TJ en casación reiteran el *locus standi* de dicha persona jurídica independientemente de su naturaleza de empresa pública. Como indica el abogado general BOT[282], «cuando las medidas restrictivas persiguen presionar a un Estado tercero, como ocurre en el caso de autos, una acción de este tipo puede englobar medidas de congelación de fondos pertenecientes a personas o a entidades que colaboran con el régimen del Estado tercero de que se trata». Asimismo, incide en que esta situación referida a su naturaleza no les puede rebajar las garantías jurídicas con respecto a otras personas jurídicas que no estén vinculadas al Estado. Por último, también se refiere a la exigencia que hace el art. 215 TFUE sobre la necesidad de respetar los derechos fundamentales de los afectados por las medidas restrictivas, sin referirse a la naturaleza de dichas personas físicas o jurídicas. Es decir, se centra en la naturaleza de «afectados».

Igualmente ha surgido esta cuestión cuando directamente se trata de ministerios, por ejemplo, en el asunto *Ministry of Energy of Iran*[283]. En este asunto, el TG se remite a la jurisprudencia *PKK*, previamente estudiada, y reitera que, si el «demandante tiene existencia suficiente para ser objeto de medidas restrictivas, la coherencia y la justicia impon[en] que se reconociese que disfrutaba de una existencia suficiente para impugnar esa medida»[284]. Unos meses antes, basándose

---

279 Sentencia del Tribunal de Justicia de 28 de noviembre de 2013, Consejo/ Manufacturing Support & Procurement Kala Naft Co., Tehran, C-348/12 P, ECLI:EU:C:2013:776.

280 *Ibid.*, apartado 49.

281 Sentencia del Tribunal General de 25 de abril de 2012, Manufacturing Support & Procurement Kala Naft Co., Tehran/Consejo (*Kala Naft*), T-509/10, ECLI:EU:T:2012:201.

282 Conclusiones del abogado general Bot, Consejo/Manufacturing Support & Procurement Kala Naft Co., Tehran, C-348/12 P, ECLI:EU:C:2013:470, apartado 67.

283 Sentencia del Tribunal General de 8 de septiembre de 2015, Ministry of Energy of Iran/Consejo, T-564/12, ECLI:EU:T:2015:599.

284 *Ibid.*, apartado 23.

en la jurisprudencia *Kala Naft* antes referida, también se admitió la demanda interpuesta por el *Bank of Industry and Mine*[285] de Irán. En fechas próximas a los asuntos anteriores, el Consejo, una vez más, intenta persuadir al Tribunal para que declare la inadmisibilidad de un recurso planteado por el *Central Bank of Iran*[286], sin éxito.

De nuevo en la cuestión de las reglas de legitimación activa, al igual que sucedió en el caso de la competencia, se prueba que la compleja realidad de las medidas restrictivas y su contencioso ha superado la imaginación de los redactores de los Tratados. El Tribunal ha hecho, a veces, sin ni siquiera planteárselo, una interpretación mucho más cercana a la realidad de lo que los *Herren der Verträge* reflejaron en la redacción de las disposiciones concernidas.

B. EL ACTO ATACABLE: LA DEPENDENCIA ENTRE EL OBJETO Y EL SUJETO LEGITIMADO PARA EL RECURSO

A pesar de la complejidad de la redacción del art. 263.4 TFUE, en el caso de las medidas restrictivas, la interpretación en cuanto al objeto del recurso no ha generado problemas con carácter general. Como se ha reiterado, las medidas restrictivas se ven adoptadas en forma de decisiones del Consejo, decisiones de ejecución del Consejo, reglamentos del Consejo y reglamentos de ejecución del Consejo. Todos ellos actos recurribles.

Si profundizamos en este análisis, en principio, la lógica nos llevaría a pensar que solo se pueden recurrir actos en vigor. Sin embargo, las particularidades del contencioso de las medidas restrictivas han llevado a que el TJUE lo haya tenido que matizar. Este ha entendido que los destinatarios de las medidas restrictivas conservan un interés para continuar con la acción a pesar de que el acto que les afecte ya no esté en vigor o a pesar de que el acto recurrido haya sido derogado o sustituido por otro posterior.

---

285 Sentencia del Tribunal General de 29 de abril de 2015, Bank of Industry and Mine/Consejo, T-10/13, ECLI:EU:T:2015:235.

286 Sentencia del Tribunal General de 25 de marzo de 2015, Central Bank of Iran/Consejo, T-563/12, ECLI:EU:T:2015:187, apartado 39.

Nos podríamos preguntar si este razonamiento también llevaría a admitir un recurso si, estando dentro del plazo de dos meses desde su adopción, este hubiera sido derogado entretanto y no hubiese sido sustituido por otro. No se han dado casos hasta la fecha que hayamos identificado pero, probablemente, la lógica seguida por el Tribunal que reconoce que se conserva el interés del demandante en plantear su recurso de anulación, aunque ese acto en concreto no siga en vigor, nos llevaría a pensar que también sería admitido. Los efectos de una anulación no equivalen a los de una derogación, de ahí la importancia de conservar el derecho a ejercitar la acción.

Igualmente conviene detenerse en la singularidad de la disposición recurrible en nulidad en el ámbito de las medidas restrictivas. La técnica normativa de los actos legales referidos a medidas restrictivas adolece de destacables particularidades con respecto a otros tipos de actos normativos en el ámbito de la UE. La parte principal, tanto de la decisión como del reglamento, describe cómo se materializan las medidas restrictivas en concreto, esto es, en qué consisten esas medidas restrictivas que se adoptan (con un abanico amplio, por ejemplo, prohibición de ciertas actividades comerciales, importaciones, exportaciones, congelaciones de activos, prohibiciones de entrada, etc. que ya han sido descritas en este trabajo). En el caso de las medidas individuales, se incluyen también los llamados criterios de designación que son disposiciones donde recoge la descripción de la situación, el comportamiento o la condición identificadas como hecho reprobable. Es, por lo tanto, el criterio sobre la base del cual se pueden realizar las designaciones. Si nos encontráramos en el ámbito del Derecho penal, hablaríamos de supuesto de hecho.

Asimismo, en el caso de las medidas individuales dirigidas (*targeted*) contra una persona física o jurídica, estos destinatarios identificados de las medidas restringidas se incluyen en una serie de anejos. No obstante, la separación en anejos es una decisión de la institución responsable por una cuestión de ordenación de la norma. Los anejos son parte del cuerpo de la norma al igual que el articulado. Como consecuencia de esta especial técnica jurídica, nos encontramos en estas normas con una configuración de disposiciones de alcance o validez general que constituyen medidas de alcance particular con respecto a las entidades o personas afectadas, como ha repetido el TJUE en numerosas ocasiones[287].

No obstante, en cuestiones de admisibilidad —hasta este momento— nos encontramos con que, en realidad, la disposición objeto de recurso está vinculada a los sujetos legitimados. Es decir, solo son recurribles aquellas disposiciones que puedan individualizarse, que sean *ad hominem*[288]. Por ello, hasta ahora no ha prosperado la posibilidad de atacar los criterios de designación como tales[289] ya que, según el TG, las medidas restrictivas son «medidas de alcance general porque se aplican a situaciones objetivamente determinadas y a una categoría de personas consideradas de manera general y abstracta, como las personas, entidades y organismos relacionados. [...] Para ser aplicada, esta disposición precisa la adopción de una medida ejecutiva o, en otras palabras, de un acto de carácter individual consistente, [...] en la inclusión o, tras su revisión, en el mantenimiento de la inclusión del nombre de la persona, entidad u organismo mencionado en el anexo [...]»[290].

Por todo ello y debido a la complejidad normativa de las medidas restrictivas, es necesario, para dirimir si la persona física o jurídica tiene legitimación activa, analizar las implicaciones del art. 263.4 TFUE. ¿Qué se entiende por actos de los que sea destinataria o que le afecten directa o individualmente?[291]

---

[287] Sentencia del Tribunal de Justicia de 21 de abril de 2015, Issam Anbouba/Consejo (*Anbouba I*), C-605/13 P, ECLI:EU:C:2015:248, apartado 45.

[288] Sentencia del Tribunal de Justicia de 31 de enero de 2019, Islamic Republic of Iran Shipping Lines y otros/Consejo, C-225/17 P, ECLI:EU:C:2019:82, apartado 86.

[289] Excepto a través de la excepción de ilegalidad como recurso subsidiario (como se explicó en esta Segunda Parte, apartado I.B.3), aunque tampoco se haya logrado obtener la anulación de un criterio de designación hasta el momento.

[290] Sentencia del Tribunal General de 17 de febrero de 2017, Islamic Republic of Iran Shipping Lines/Consejo, T-14/14 y T-87/14, ECLI:EU:T:2017:102, apartado 49.

[291] Es importante distinguir quiénes son los afectados por la decisión y/o el reglamento por el que se establecen medidas restrictivas (y gozarían de legitimación activa para recurrir en nulidad) de quiénes son los obligados a cumplir y a ejecutar las disposiciones de la norma, así como de vigilar su cumplimiento. Para ello, recordemos, de acuerdo con lo establecido en el art. 288 TFUE, el reglamento tiene un alcance general y se aplica, por lo tanto, de manera abs-

1. Las opciones del artículo 263.4 TFUE con respecto a la legitimación activa

Recordemos que el art. 263.4 TFUE reconoce la legitimación activa a toda persona física o jurídica «contra los actos de los que sea destinataria», en segundo lugar, «contra los actos que la afecten directa e individualmente» y, en tercer lugar, «contra los actos reglamentarios que la afecten directamente y que no incluyan medidas de ejecución».

En lo que se refiere a la primera posibilidad de reconocimiento de la legitimación activa a los destinatarios de los actos, la solución parece clara a primera vista. Como se ha explicado, a pesar de que las medidas restrictivas son actos de alcance general, su aplicación con respecto a las personas físicas o jurídicas contra quienes se dirigen, es particular.

En términos prácticos, se podría determinar que una persona física o jurídica es destinataria de los actos cuando está identificada *eo nomine* claramente en los actos por los que se establecen las medidas restrictivas, normalmente, dentro de los anejos.

Es precisamente la naturaleza individual de esos actos la que da, con arreglo a lo dispuesto en los arts. 275 TFUE, párrafo segundo, y 263 TFUE, párrafo cuarto, acceso al juez de la Unión. Como ha aclarado el TJUE, «hay que tener en cuenta que cualquier inclusión en una lista de personas o entidades sujetas a medidas restrictivas

---

tracta a todas las personas que entran en su ámbito de aplicación. Por su parte, también según el art. 288 TFUE, la decisión es obligatoria en todos sus elementos y, cuando designe destinatarios, será obligatoria para estos. Analizando las decisiones PESC, por su contenido, podemos afirmar que están destinadas a los Estados miembros de manera general. Por lo tanto, los vinculados jurídicamente y obligados a cumplir dichas medidas son los Estados miembros (control de una prohibición de entrada), así como los operadores económicos, financieros (congelación de activos) o personas físicas o jurídicas (prohibición de puesta a disposición de fondos) de los Estados miembros, por dar algunos ejemplos. Sin olvidar que los Estados miembros tienen la obligación de supervisar el cumplimiento de la norma por parte de sus operadores económicos, sean personas físicas o jurídicas.

permite a esta persona o entidad tener acceso a los tribunales de la UE [...]»[292].

En el caso de las medidas restrictivas, la cuestión referida a los destinatarios se funde fácilmente con el segundo criterio de legitimación activa, es decir, los afectados directa e individualmente. No obstante, la segunda categoría es más amplia que la primera en el sentido de que la evolución de la jurisprudencia ha llevado a admitir el *locus standi* de sujetos que no estaban explícitamente nombrados en la norma, pero sobre los que concurrían las condiciones de ser directa e individualmente afectados.

Por ello, ahora, nos podemos preguntar qué sucede si hay personas con interés en recurrir los actos, aunque no estén dirigidos claramente contra ellos, por no aparecer de forma individualizada en la norma. En ese caso, el art. 263.4 TFUE ofrece una posibilidad ulterior para determinar la legitimación activa. Esto es, personas afectadas directa e individualmente por los actos.

En el caso de las medidas restrictivas, resulta de crucial importancia la jurisprudencia establecida por el TG que tuvo que enfrentarse a esta cuestión en los asuntos *PAO Rosneft Oil Company et al*[293]., *Sberbank of Russia*[294], *VTB Bank*[295], *Gazprom Neft PAO*[296], *Vnesheconombank*[297], *Prominvestbank*[298] y *DenizBank*[299]. Todos de 13 de septiembre de 2018.

---

292 Sentencia del Tribunal General de 13 de septiembre de 2018, PAO Rosneft Oil Company *et al.*/Consejo, T-715/14, ECLI:EU:T:2018:544, apartado 73.

293 Sentencia del Tribunal General de 13 de septiembre de 2018, PAO Rosneft Oil Company *et al.*/Consejo, T-715/14, *vid. supra.*

294 Sentencia del Tribunal General de 13 de septiembre de 2018, Sberbank of Russia OAO/Consejo, T-732/14, ECLI:EU:T:2018:541.

295 Sentencia del Tribunal General de 13 de septiembre de 2018, VTB Bank PAO/Consejo, T-734/14, ECLI:EU:T:2018:542.

296 Sentencia del Tribunal General de 13 de septiembre de 2018, Gazprom Neft PAO/Consejo, T-735/14 y T-799/14, ECLI:EU:T:2018:548.

297 Sentencia del Tribunal General de 13 de septiembre de 2018, Bank for Development and Foreign Economic Affairs (Vnesheconombank)/Consejo, T-737/14, ECLI:EU:T:2018:543.

298 Sentencia del Tribunal General de 13 de septiembre de 2018, PSC Prominvestbank, Joint-Stock Commercial Industrial & Investment Bank/Consejo, T-739/14, ECLI:EU:T:2018:547.

299 Sentencia del Tribunal General de 13 de septiembre de 2018, DenizBank A. Ş./Consejo, T-798/14, ECLI:EU:T:2018:546.

En estos asuntos, aunque las medidas restrictivas adoptadas respecto de acciones que menoscaban o amenazan la integridad territorial, la soberanía y la independencia de Ucrania no incluían, entre los designados, a estas empresas, la aplicación de las disposiciones de la decisión y del reglamento llevaban a que estas se vieran directa e individualmente afectadas por ellas.

En estos asuntos, el TG hace un primer análisis con respecto a las medidas sobre el acceso a los mercados de capitales. En lo que se refiere a la afectación directa, el requisito que establece la jurisprudencia del TJ para llegar a esta conclusión exige que el acto sea «capaz de afectar el interés del demandante por haber creado un cambio evidente en su posición jurídica»[300] y que «no dej[e] margen de discrecionalidad a sus destinatarios, encargados de la labor de hacerlos cumplir y de su ejecución, aunque dicha ejecución sea puramente automática y resulte de la aplicación directa de normas de la UE sin necesidad de otras normas intermedias»[301].

En este asunto en concreto, la afectación directa implica que no puedan tener acceso al mercado de capitales europeos y es indistinto a estos efectos el que sí puedan tenerlo fuera de la Unión[302].

En un segundo paso del análisis del TG, en relación con la afectación individual, la descripción que hace la norma es de carácter fáctico. Esto es, se le aplica la medida a aquellas empresas que estén controladas en más de un 50% por una empresa designada por la propia norma. En este caso, las empresas recurrentes son propiedad en más de un 50% por Rosneft que es una empresa designada en el anejo III de la decisión y en el anejo IV del reglamento, que son las disposiciones recurridas[303].

---

300 Sentencia del Tribunal de Justicia (Gran Sala) de 12 de septiembre de 2006, R. J. Reynolds Tobacco Holdings, Inc. *et al.*/Comisión, C-131/03 P, ECLI:EU:C:2006:541, apartado 51.

301 Sentencia del Tribunal de Justicia de 13 de marzo de 2008, Comisión/Infront WM, C-125/06 P, ECLI:EU:C:2008:159, apartado 47. Traducción al español de la autora.

302 Sentencia del Tribunal General de 13 de septiembre de 2018, PAO Rosneft Oil Company *et al.*/Consejo, T-715/14, ya citada, apartados 66 y 67.

303 *Ibid.*, apartados 72-76.

Continúa el TG con una observación muy significativa. El TG viene a decir que la «individualización» se da tanto cuando la medida afecta a un grupo de sujetos identificados como cuando estos son identificables «de acuerdo con los criterios específicos de los miembros del grupo y que forman parte de un conjunto limitado»[304].

A nuestro parecer, la cuestión de la potencial «identificabilidad» es muy apropiada en el marco de este asunto. No obstante, esta lectura solo resulta útil cuando se trata de medidas sectoriales, como una prohibición de acceso a financiación. En una situación de medidas individuales, como una congelación de activos o una prohibición de entrada, la «identificabilidad» no podría servirnos como guía para determinar su legitimación activa, a pesar de que esa persona en concreto pudiera caer potencialmente bajo los criterios de designación generales. Esto es así debido a que las medidas individuales solo se aplican de manera efectiva cuando el Consejo ha adoptado una norma que recoja expresamente la aplicación de ese tipo de medidas contra una persona concreta e identificada, *ad hominem* y *eo nomine*.

Pensemos en una hipótesis: el hecho de que en un régimen determinado pueda existir un criterio que determine que pueden ser designados, por ejemplo, los miembros de un gobierno. Esto, según la evolución de la jurisprudencia actual, no llevaría a que todos los ministros de ese país tengan legitimación activa para recurrir ese acto en nulidad. Solo la tendrían en el caso de que sí haya habido una designación expresa e individualizada en la norma de referencia (decisión y reglamento).

Por lo tanto, la lectura de los criterios de legitimación activa puede variar dependiendo de si se trata de medidas sectoriales o medidas individuales, pudiendo acogerse en el caso de estos últimos, solo aquellos contra los que están dirigidos expresamente los actos.

En definitiva, volviendo a esta vía para reconocer la legitimación activa, el TJUE concluye que estas empresas cumplen claramente con los criterios establecidos en los actos jurídicos por los que se adoptan dichas medidas restrictivas con el objetivo de determinarlas e identificarlas, su posición jurídica se ve negativamente afectada y las au-

---

[304] *Ibid.*, apartado 75 y sentencia del Tribunal de Justicia de 13 de marzo de 2008, Comisión/Infront WM, C-125/06 P, ya citada, apartado 71.

toridades encargadas de la ejecución y vigilancia del cumplimiento de los actos no tienen margen discrecional para llevar a cabo una interpretación. Por lo tanto, se les reconoce la legitimación activa para interponer un recurso de anulación.

La tercera de las posibilidades del art. 263.4 se refiere a la legitimación activa para recurrir aquellos actos reglamentarios que la afecten directamente y que no incluyan medidas de ejecución.

Esta opción es una novedad tras la entrada en vigor del Tratado de Lisboa puesto que, en el equivalente art. 230 TCE (versión Ámsterdam), solo se permitía la legitimación activa en dos casos: las decisiones de las que sea destinataria o «contra las decisiones de las que sea destinataria y contra las decisiones que, aunque revistan la forma de un reglamento o de una decisión dirigida a otra persona, le afecten directa e individualmente».

No nos detendremos en las interesantes interpretaciones que explican este cambio en los Tratados puesto que trasciende al objetivo de nuestro análisis[305]. Nos limitaremos a explicar sus fundamentos para ver cómo puede leerse dentro del contencioso de las medidas restrictivas que sí es el tema que nos ocupa.

En primer lugar, esta vía crea una limitación a los actos que son recurribles puesto que solo se podría utilizar contra los reglamentos. Como ya se ha repetido en múltiples ocasiones, las medidas restrictivas se construyen sobre una decisión y un reglamento y gran parte de las disposiciones coinciden en la práctica. Bajo este supuesto, entendemos que solo se podría utilizar para recurrir en nulidad las disposiciones del reglamento adoptado en virtud del art. 215 TFUE. No

---

305 Para adentrarse en esta cuestión, véase, por ejemplo: BALTHASAR, S. (2010). *Locus standi* Rules for Challenges to Regulatory Acts by Private Applicants: The New Art. 263 (4) TFEU. *European Law Review*, 35 (4), 542-550; BARENTS, R. (2010). The Court of Justice after the Treaty of Lisbon, *op. cit.*, pp. 724-725 (aunque su interpretación sobre lo que se consideraría acto reglamentario ha quedado superada); BUCHANAN, C. y BOLZONELLO, L (2015). Towards a Definition of «Implementing Measures» under Article 263, Paragraph 4, TFEU. *European Journal of Risk Regulation*, 6 (4), 671-676; o WATHELET, M. (2015). L'article 263, alinéa 4, du Traité sur le Fonctionnement de l'Union Européenne: bilan après cinq ans d'application. En A. TIZZANO *et al.* (dir.). *La Cour de Justice de l'Union européenne sous la présidence de Vassilios Skouris (2013-2015), liber amicorum Vassilios Skouris* (pp. 741-754). Bruselas: Bruyland.

obstante, la riqueza de las medidas restrictivas y una jurisprudencia en pleno desarrollo y expansión hace que no podamos descartar que puedan surgir cuestiones interpretativas más complejas en un futuro sobre qué se entiende por disposiciones reglamentarias[306].

Además, esta vía para demostrar la legitimación activa añade una doble condición puesto que hay que demostrar la afectación directa y la ausencia de medidas de ejecución.

Con respecto al examen de la afectación directa sería el mismo que el descrito en el supuesto inmediatamente anterior. En este caso, basta con hacer el análisis de la afectación directa mientras que no habría que hacer el de la afectación individual, puesto que no es requerido.

En un segundo paso para ver si se cumple con los requisitos establecidos en esta vía, hay que demostrar que el acto reglamentario no exige medidas de ejecución. Esto se explica porque si un acto exige medidas de ejecución, estas son adoptadas por los responsables de la ejecución del Derecho de la UE, o sea, los Estados miembros. En ese caso, la medida de ejecución es nacional y, por lo tanto, recurrible ante los tribunales nacionales, no europeos.

De nuevo, en el asunto ya mencionado, *PAO Rosneft Oil Company et al*[307]. y *Gazprom Neft PAO*[308], el TG hizo un examen a continuación de las condiciones de la legitimación activa con respecto a las disposiciones que se refieren a las restricciones a la exportación.

En primer lugar, estas disposiciones referidas a las restricciones de exportación solo se encuentran contempladas dentro del reglamento. En segundo lugar, con respecto a la afectación directa, ya se ha hecho un análisis previamente. En tercer lugar, el TG tuvo que determinar si el acto reglamentario en cuestión exigía medidas de ejecución.

---

306 Pensemos, por ejemplo, en la importancia del análisis desarrollado con respecto al concepto de actos reglamentarios llevado a cabo en la sentencia del Tribunal de Justicia (Gran Sala) de 3 de octubre de 2013, Inuit Tapiriit Kanatami *et al.*/Parlamento y Consejo, C-583/11 P, ECLI:EU:C:2013:625.

307 Sentencia del Tribunal General de 13 de septiembre de 2018, PAO Rosneft Oil Company *et al.*/Consejo, T-715/14, ya citada.

308 Sentencia del Tribunal General de 13 de septiembre de 2018, Gazprom Neft PAO/Consejo, T-735/14 y T-799/14, ya citada.

En este caso, llega a la conclusión de que dichas disposiciones no exigen medidas ulteriores de ejecución, a pesar de que y sin perjuicio de que, de acuerdo con algunos sistemas nacionales y dependiendo de los productos y servicios concernidos, se pueda tener que solicitar una autorización administrativa. Si el tipo de exportación recae bajo las disposiciones del reglamento de medidas restrictivas, la autoridad nacional solo podría denegarla. Por ello, el TG entiende que «sería artificial o excesivo pedir a un operador que solicite una medida de ejecución simplemente para poder recurrirla en los tribunales nacionales, cuando está claro que tal petición sería necesariamente rechazada y, por lo tanto, no se habría hecho dentro de la gestión común de un negocio»[309].

Por ello, en el análisis sobre la necesidad de adoptar o no medidas de ejecución, entra de nuevo en juego el margen de maniobra que tienen las autoridades nacionales a la hora de ejecutar el contenido del reglamento para poder considerar si verdaderamente nos encontramos o no ante verdaderas medidas de ejecución. La interpretación de esta cuestión que, en muchas ocasiones, puede tener contornos difusos puede marcar la diferencia entre tener o no acceso a los jueces de Luxemburgo mediante un recurso de anulación.

Esta importante jurisprudencia de 13 de septiembre de 2018 que nos ha guiado a través de los requisitos necesarios para gozar de legitimación activa, de nuevo pone de manifiesto cómo la realidad de las medidas restrictivas está en pleno desarrollo y los asuntos que se plantean ante el TJUE van ganando en complejidad.

Prueba de ello y, dentro del análisis del *locus standi*, nos encontramos ante un nuevo hito que constituye el asunto que estudiaremos a continuación.

---

[309] Sentencia del Tribunal General de 13 de septiembre de 2018, PAO Rosneft Oil Company *et al.*/Consejo, T-715/14, ya citada, apartado 90. Traducción al español de la autora.

2. *Una nueva vuelta de tuerca: los terceros Estados, el asunto República Bolivariana de Venezuela contra Consejo*

Otra cuestión de sumo interés que surge en el ámbito del *locus standi* es el reconocimiento de la legitimación activa de entidades que no solo no están expresamente identificadas en una lista de designados, sino que además son personas de Derecho público en su máxima expresión: los terceros Estados.

El 22 de junio de 2021, la Gran Sala del TJ resolvía el recurso de casación interpuesto por la República Bolivariana de Venezuela[310] contra la sentencia del TG T-65/18[311] en la que pronunciaba la inadmisibilidad de un recurso de anulación interpuesto por dicho tercer Estado. El asunto tenía una particularidad doble: es la primera vez que un tercer Estado plantea un recurso de anulación contra medidas restrictivas adoptadas en relación con la situación en dicho país, así como es también la primera vez que un tercer Estado interpone un recurso contra el Consejo. En este asunto, el TJ se ve obligado a hacer un detallado examen de la vinculación del afectado por las medidas y de los actos atacables para evaluar si concurría la legitimación activa del sujeto que quería recurrir.

Del pronunciamiento del TJ, por lo tanto, se extraen importantes consecuencias, tanto en el ámbito procesal como con respecto a la relación del Derecho de la UE y su máximo intérprete —el TJUE— y otros ordenamientos.

En primer lugar, en lo que se refiere a las consecuencias en el ámbito procesal, estas pueden ser las más evidentes y, quizá, las menos controvertidas. Si obviamos por un momento que el demandante es un tercer Estado soberano ante cuya situación el Consejo de la UE reacciona mediante medidas restrictivas[312], la admisión de la demanda

---

310 Sentencia del Tribunal de Justicia (Gran Sala) de 22 de junio de 2021, República Bolivariana de Venezuela/Consejo, C-872/19 P, ya citada.

311 Sentencia del Tribunal General de 20 de septiembre de 2019, República Bolivariana de Venezuela/Consejo, T-65/18, ECLI:EU:T:2019:649.

312 El Consejo de la UE adopta estas medidas como consecuencia del grave deterioro democrático, de quebrantamiento del Estado de Derecho y de violaciones graves de derechos humanos. *Cf.* Decisión 2017/2074/PESC del Consejo, de 13 de noviembre de 2017, relativa a medidas restrictivas habida cuenta de la situación en Venezuela, (DO L 295, 14.11.2017, pp. 60-68), considerando 7.

no plantearía grandes dificultades jurídicas. Hay numerosa jurisprudencia que ha ido estableciendo los contornos de los demandantes no privilegiados en el recurso de anulación. Como hemos visto, estarían legitimadas las personas físicas o jurídicas contra aquellos actos de los que sean destinatarias o que les afecten directa e individualmente y contra los actos reglamentarios que les afecten directamente y que no incluyan medidas de ejecución. Sin embargo, tal y como lo plantea el abogado general HOGAN en sus conclusiones, se trata de determinar «la cuestión, mucho más amplia, de si un Estado que no es miembro de la Unión Europea está legitimado para iniciar un procedimiento de este tipo ante los tribunales de la Unión»[313].

En el ámbito de las medidas restrictivas, como se ha explicado, todos aquellos individuos, entidades, organismos, etc. que son objeto expresamente de medidas individualmente, tienen reconocida la legitimación activa. Más problemático es el tema de los afectados por medidas económicas sectoriales. Anteriormente vimos la saga de casos *PAO Rosneft Oil Company* y similares donde se entendió que estas empresas estaban afectadas directamente a pesar de no ser mencionadas expresamente por el hecho de cumplir con una serie de criterios enunciados en la norma, no dando lugar a margen de interpretación sobre su afectación.

En este asunto se da un paso más allá en la interpretación de lo que se considera «estar directamente afectado». Para comenzar el análisis, es interesante buscar ciertos paralelismos procesales con otro asunto reciente *Camboya y CRF contra Comisión*[314], aunque adelantamos que no lo consideramos como una jurisprudencia plenamente apropiada para aplicar al asunto *sub examine*. En primer lugar, el tratamiento de la política comercial y de la PESC están en esferas diferentes dentro del Derecho de la UE y en puntos muy diferentes de su desarrollo. Además, el demandado en este caso es la Comisión mientras que en el asunto de *República Bolivariana de Venezuela* es el Consejo. Pensamos que la diferencia no es baladí.

---

313 Conclusiones del abogado general Hogan, República Bolivariana de Venezuela/Consejo, C-872/19 P, ECLI:EU:C:2021:37, apartado 2.

314 Auto del Tribunal General de 10 de septiembre de 2020, Camboya y CRF/Comisión, T-246/19, ECLI:EU:T:2020:415.

El asunto se podría sintetizar como sigue: Camboya es beneficiario de un esquema de preferencias arancelarias especial, el «Todo menos armas», como país menos desarrollado en lo que se refiere a las importaciones de arroz índica proveniente de Camboya y Myanmar. En un momento determinado, algunos Estados miembros solicitan la adopción de medidas de salvaguardia (por importarse este producto en volúmenes o a precios que causen o amenacen con causar dificultades considerables a los productores de la Unión de productos similares o directamente competidores). En consecuencia, tras una investigación, la Comisión adopta un Reglamento de ejecución por el que se restablecen los aranceles.

En este asunto, el TG hace valer el principio de que deba haber un recurso directo contra todas las disposiciones adoptadas por las instituciones[315] (lo que la ya citada jurisprudencia *Les Verts* condensa en la expresión «un sistema completo de vías de recurso y de procedimientos destinado a confiar al Tribunal de Justicia de la Unión Europea el control de la legalidad de los actos de las instituciones») y el respeto al principio general del derecho a la tutela judicial efectiva[316] de aquellos afectados por las disposiciones de la UE[317]. Señala, asimismo, que, aunque los Estados terceros no puedan asemejarse desde el punto de vista procesal al estatus especial de demandante privilegiado que les da el art. 263.3 TFUE, sí pueden acogerse al mismo en tanto que persona jurídica en virtud del art. 263.4[318].

Aparte de la consideración de persona jurídica, las reglas de legitimación activa que determina el art. 263.4 TFUE, como hemos

---

315 *Ibid.*, apartados 36 y 37.

316 El abogado general HOGAN identifica el principio *ubi ius, ibi remedium* con la tutela judicial efectiva consagrada en el art. 47 CDFUE y en el art. 19.1 TUE. No obstante, ante la duda que plantearemos más adelante de si los Estados tienen el derecho a la tutela judicial efectiva, nosotros defenderemos que el *ubi ius, ibi remedium* se identifica más bien con el principio general del Estado de Derecho y la jurisprudencia *Les Verts* que determina que todo acto de la Unión tenga una vía por la cual pueda ser recurrido. *Cf.* Conclusiones del abogado general Hogan, República Bolivariana de Venezuela/Consejo, C-872/19 P, ya citadas, apartado 32.

317 Auto del Tribunal General de 10 de septiembre de 2020, Camboya y CRF/Comisión, T-246/19, ya citado, apartados 38 y 41.

318 *Ibid.*, apartados 44-51.

visto, exigen i) que el recurrente sea el destinatario, ii) que haya una afectación directa e individual o iii) que haya una afectación directa con respecto a aquellas disposiciones reglamentarias que no incluyan medidas de ejecución.

El TG recalca que estos requisitos han de interpretarse a la luz de la tutela judicial efectiva para determinar si existe esta afectación directa e individual. Aunque un reglamento que establece medidas de salvaguardia (al igual que los que establecen derechos *antidumping* y, nosotros añadimos, los que establecen medidas restrictivas) tienen un carácter normativo y general, puesto que se aplican a la generalidad de los operadores económicos afectados, se puede también distinguir una aplicación individual de manera directa e individualizada, «en razón de cualidades que les son propias o de una situación de hecho que las caracteriza frente a cualquier otra persona»[319].

En esta lógica, se le hace el control de afectación directa condicionando que tal medida «surta efectos directamente en la situación jurídica de la persona física o jurídica y, por otro lado, no otorgue ninguna facultad de apreciación a los destinatarios encargados de su aplicación, por ser esta de carácter meramente automático y derivarse únicamente de la normativa de la Unión, sin aplicación de otras normas intermedias»[320] y sin dejar ningún margen de apreciación a la hora de aplicarlo[321].

También se ha reconocido la legitimación activa a terceros Estados al menos en otras dos ocasiones. En el asunto *Suiza contra Comisión* de 2005[322] y en el asunto *Polonia contra Comisión* de 2009[323]. Tampoco nos convence la pertinencia de utilizarlo como referencia.

En el primer caso, se trata de una decisión que deriva de un acuerdo existente entre la Confederación Suiza y las Comunidades Europeas sobre el transporte aéreo. En el segundo, aunque el TJ no se detuvo en el análisis de la admisibilidad, sí lo hizo el abogado general

---

319 *Ibid.*, apartado 42.

320 *Ibid.*, apartado 52.

321 *Ibid.*, apartado 68.

322 Auto del Tribunal de Justicia de 14 de julio de 2005, Suiza/Comisión, C-70/04, ECLI:EU:C:2005:468.

323 Sentencia del Tribunal de Justicia (Gran Sala) de 23 de octubre de 2007, República de Polonia/Consejo, C-273/04, ECLI:EU:C:2007:622.

POIARES MADURO[324]. Polonia era un Estado candidato cuando se adoptaron los actos impugnados. La interpretación que se realizó para admitir el recurso es que el tiempo de dos meses para presentar el recurso de anulación empezó a correr en el momento en el que el Acta de Adhesión entró en vigor, por lo que su condición era ya de recurrente privilegiado, derivada del hoy art. 263.2 TFUE como Estado miembro de pleno derecho.

En el caso que nos ocupa de medidas restrictivas a la vista de la situación en Venezuela, la sentencia en casación es posterior al asunto *Camboya contra Comisión* y a los otros citados y los jueces del TJUE se apoyan en ellos, aunque, como indicamos, la pertinencia de hacerlo puede ser objeto de dudas legítimas.

En primer lugar, el TG defendió que las disposiciones impugnadas que prohíben vender o proporcionar a cualquier persona física o jurídica, entidad u organismo en Venezuela armas, equipos militares o cualquier otro equipo que puedan ser utilizados para la represión interna, así como equipos, tecnología o programas informáticos de control, al igual que, proporcionar a esas mismas personas físicas o jurídicas, entidades u organismos en Venezuela servicios financieros, técnicos o de otro tipo relacionados con esos equipos y tecnologías, no imponen prohibiciones a la República Bolivariana de Venezuela, sino a los operadores económicos que caigan bajo el ámbito de aplicación del reglamento[325].

También subrayó el TG en un punto determinado que «las disposiciones impugnadas no prohíben directamente a la República Bolivariana de Venezuela comprar e importar los equipos de que se trata y obtener los servicios en cuestión. No afectan a su capacidad de ejercer sus derechos soberanos en las áreas y bienes bajo su jurisdicción y nada en el Reglamento 2017/2063 permite considerar que la intención del Consejo hubiera sido reducir su capacidad jurídica. Dado que cualquier Estado —o asociación de Estados— tiene derecho a decidir soberanamente cómo se propone mantener relaciones

---

324 Conclusiones del abogado general Poiares Maduro, República de Polonia/Consejo, C-273/04, ECLI:EU:C:2007:361.

325 Sentencia del Tribunal General de 20 de septiembre de 2019, República Bolivariana de Venezuela/Consejo, T-65/18, ya citada, apartado 33.

económicas con terceros Estados, las medidas en cuestión restringen indirectamente a lo sumo las oportunidades de la República Bolivariana de Venezuela a este respecto»[326].

Sin embargo, el TJ anula el pronunciamiento del TG por declarar el recurso inadmisible y le devuelve el asunto para que se pronuncie sobre el fondo.

Para comenzar, no consideraron necesario dedicar gran atención a hacer un análisis de competencia ya que el objeto del recurso versa sobre las disposiciones del reglamento del Consejo, sobre la base del art. 215 TFUE, y no de la decisión PESC[327]. No obstante, el hecho de anunciarlo y aclararlo[328], nos evoca una voluntad de «colocar la venda antes de la herida» para que no haya dudas con respecto a la interpretación posterior de la sentencia. El abogado general sí le dedica mayor atención en el desarrollo más sistemático que hace de la situación de competencia[329] llegando a la conclusión de que sí concurre. Sin embargo, viendo las posiciones de los coadyuvantes, se pueden intuir dudas que podrían haber sido susceptibles de un análisis más riguroso. Depende de cómo se lea la cláusula *"claw-back"* del art. 275 TFUE, esto podría llevarnos a plantearnos algunos interrogantes ya que en el mismo se habla de «control de la legalidad de las decisiones

---

326 *Ibid.*, apartado 43.

327 En la demanda inicial solo se solicitó la anulación de ciertas disposiciones del Reglamento (UE) 2017/2063 del Consejo, de 13 de noviembre de 2017, relativo a medidas restrictivas habida cuenta de la situación en Venezuela (DO L 295, 14.11.2017, pp. 21-37). En el escrito de adaptación de las pretensiones de la demanda, el demandante solicita también la anulación de ciertas disposiciones del Reglamento de Ejecución (UE) 2018/1653 del Consejo, de 6 de noviembre de 2018, por el que se aplica el reglamento anteriormente citado (DO L 276, 7.11.2018, pp. 1 y 2*)* y de la Decisión (PESC) 2018/1656 del Consejo, de 6 de noviembre de 2018, por la que se modifica la Decisión (PESC) 2017/2074 relativa a medidas restrictivas habida cuenta de la situación en Venezuela (DO L276, 7.11.2018, pp. 10-119). No obstante, no se hizo mención a los actos predecesores de estos últimos en la demanda inicial, por lo que dicha demanda nueva resultó inadmisible en virtud del artículo 86 de las Reglas de Procedimiento del Tribunal General.

328 Sentencia del Tribunal de Justicia (Gran Sala) de 22 de junio de 2021, República Bolivariana de Venezuela/Consejo, C-872/19 P, ya citada, apartado 21.

329 Conclusiones del abogado general Hogan, República Bolivariana de Venezuela/Consejo, C-872/19 P, ya citadas, apartados 59-61.

adoptadas por el Consejo [...] por las que se establezcan medidas restrictivas frente a personas físicas o jurídicas».

Si lo vemos en detalle, el art. 215 distingue dos tipos de medidas restrictivas. El apartado 215.1 es base para aquellas «decisiones que prevean la interrupción o la reducción, total o parcial, de las relaciones económicas o financieras con uno o varios terceros países», mientras que el 215.2 lo es para la adopción de «medidas restrictivas contra personas físicas o jurídicas, grupo o entidades no estatales». Si hacemos una interpretación literal del art. 275, podemos llegar a pensar que la competencia solo existe con respecto a las medidas restrictivas adoptadas en virtud del art. 215.2 y no del 215.1 TFUE[330]. No obstante, el TJ no entró a valorar estos detalles y no se puso en duda la competencia en ningún momento.

A continuación, el TJ entiende que Venezuela tiene consideración de persona jurídica a efectos del art. 263.4 TFUE. Para afirmarlo, se remonta al principio básico de la UE de Estado de Derecho, a la interpretación extensiva del concepto de personalidad jurídica en el ámbito de las medidas restrictivas —lo cual no era necesario— y, al igual que en el asunto *Camboya y CRF*, se acoge al argumento del principio de tutela judicial efectiva[331].

En nuestra opinión, sobre la primera premisa, que el TJ entre a estudiar si un Estado ostenta personalidad jurídica es un análisis redundante e incluso dañino ya que es uno de los principios básicos sobre los que se asienta el Derecho internacional y que están fuera de duda. Esto puede sorprender tanto como si se comenzara a hacer un análisis sobre la calidad de persona física a un individuo puesto que, excepto en situaciones frontera, no plantea ninguna duda desde el punto de vista jurídico.

Es cierto que esta primera premisa se realiza para vincularla a una segunda: determinar si ostenta la personalidad jurídica con respecto al art. 263.4 TFUE. Desconocemos si los *Herren der Verträge* pensaron

---

[330] Es la tesis defendida en líneas similares por la República Eslovaca y por el Reino de Suecia como coadyuvantes de la parte demandada. *Cf.* Conclusiones del abogado general Hogan, República Bolivariana de Venezuela/Consejo, C-872/19 P, ya citadas, apartados 46, 47 y 50.

[331] Sentencia del Tribunal de Justicia (Gran Sala) de 22 de junio de 2021, República Bolivariana de Venezuela/Consejo, C-872/19 P, ya citada, apartados 44-53.

en algún momento que un tercer Estado se iba a querer someter voluntariamente a un Tribunal extranjero para permitirle recurrir en nulidad una decisión propia de un igual. Lo razonable es que no fuera así por lo antinatural de la situación.

De cualquier forma, si en el caso de medidas restrictivas se les ha reconocido legitimación a entidades que ni siquiera tenían personalidad jurídica en ningún tipo de ordenamiento, no creemos que hubiera sido necesario detenerse tanto en un análisis, a nuestros ojos, estéril. La dificultad es otra.

A continuación, realiza un análisis para determinar si las disposiciones recurridas le afectan de manera directa y si se trata de un acto reglamentario que no implica medidas de ejecución (ya que, siendo así, no sería necesario hacer examen de la afectación individual puesto que concurriendo los dos criterios se cumplirían los requisitos necesarios para el reconocimiento de la legitimación activa).

En lo que se refiere a la afectación directa, es necesario tener en cuenta el objetivo, el alcance, el fondo, el contexto fáctico y jurídico en el que se ha adoptado. En este sentido, el TJ entiende que las disposiciones fueron adoptadas en contra de la República Bolivariana de Venezuela y, por lo tanto, le afectaban de manera directa[332]. De nuevo, hay que hacer un esfuerzo de rigor para diferenciar, en el análisis jurídico de los actos por los que se adoptan medidas restrictivas, a los obligados a aplicar los actos (ámbito de la aplicación de la norma *ratione personae*) de los afectados directamente por las consecuencias perjudiciales de las mismas —o sea, los designados—[333].

Sin embargo, en la sentencia del TG se alude, como ya dijimos anteriormente, al hecho de que —y citamos literalmente— «las dis-

332 Sentencia del Tribunal de Justicia (Gran Sala) de 22 de junio de 2021, República Bolivariana de Venezuela/Consejo, C-872/19 P, ya citada, apartados 61-73.

333 En un exhaustivo análisis de esta jurisprudencia por POLI, esta realiza una importante reflexión que se comprende mejor en su redacción en inglés: «it is the first time in the case law of the ECJ that "being affected" by a Regulation is tantamount to "being directly concerned" by it». Recordemos que en la redacción del art. 263.4 TFUE en inglés se utiliza la fórmula de «direct concern». *Cf.* POLI, S. (2022). The right to effective judicial protection with respect to acts imposing restrictive measures and its transformative force for the Common Foreign and Security Policy. *Common Market Law Review*, 59 (4), p. 1063.

posiciones impugnadas no imponen prohibiciones a la recurrente. A lo sumo, pueden tener efectos indirectos en la recurrente, en la medida en que las prohibiciones impuestas a las personas físicas nacionales de un Estado miembro y a las personas jurídicas constituidas con arreglo al Derecho de uno de esos Estados tengan como consecuencia la limitación de las fuentes en las que la recurrente puede procurarse los productos y servicios objeto de las prohibiciones»[334].

No obstante, el abogado general sí entiende que «los artículos 6 y 7 del Reglamento 2017/2063, la referencia a "cualquier persona física o jurídica, entidad u organismo sitos en Venezuela o para su utilización en este país" en las disposiciones impugnadas *incluye* al Gobierno, organismos públicos, compañías y agencias de Venezuela, y a cualquier persona o entidad que actúe en su nombre o por indicación suya»[335].

De cualquier forma, estimamos que acierta el abogado general al escoger su argumento cuando describe que la afectación directa no depende de si el afectado por las medidas restrictivas se encuentra en el cuerpo de la norma o en el anexo[336]. La práctica de incluir en las medidas restrictivas individuales las personas objeto de las mismas en un anexo es una cuestión de preferencia legislativa, pero nada impediría que formaran parte del cuerpo.

La diferencia aquí es que la técnica normativa utilizada es diferente con respecto a las medidas sectoriales —como son las que se dirimen en este asunto— y las individuales.

Asimismo, el TJ afirma que las disposiciones controvertidas se aplican sin dejar ningún margen de apreciación a la hora de su ejecución y se aplican sin necesidad de adoptar medidas de ejecución[337], por lo que se cumpliría con los requisitos establecidos por el art. 263.4 TFUE.

---

334 Sentencia del Tribunal General de 20 de septiembre de 2019, República Bolivariana de Venezuela/Consejo, T-65/18, ya citada, apartado 33.

335 Conclusiones del abogado general Hogan, República Bolivariana de Venezuela/Consejo, C-872/19 P, ya citadas, apartado 110.

336 *Ibid.*, apartado 119.

337 Sentencia del Tribunal de Justicia (Gran Sala) de 22 de junio de 2021, República Bolivariana de Venezuela/Consejo, C-872/19 P, ya citada, apartados 90-93.

Por último, examina otra de las causas de inadmisibilidad que planteaba el Consejo en relación con la ausencia de interés en la acción. Este punto se desmonta sin mayores dificultades puesto que es fácilmente demostrable que, de darse la anulación de las disposiciones controvertidas, el recurrente obtiene una ventaja clara en lo que se refiere a su situación jurídica[338].

Asimismo, este asunto nos lleva a analizar las consecuencias que esta jurisprudencia conlleva con respecto a la relación del Derecho de la UE y otros ordenamientos y el papel de árbitro del TJUE. También se aportan elementos relevantes para entender cómo se posiciona el TJUE con respecto al ordenamiento internacional y cómo concibe las relaciones entre el Derecho de la UE y otros sistemas jurídicos.

En este sentido, nos encontramos que se reconoce la legitimación activa a un tercer país en virtud del art. 263.4, es decir, como demandante no privilegiado, en un recurso contra el Consejo, siempre y cuando se cumplan el resto de condiciones establecidas por dicha disposición (que en este caso entiende que sí cumple).

No deja de ser sorprendente que el TJ llegue a afirmar que, en ausencia de una explicación en el art. 263.4 de quién se considera persona jurídica, «habrá de acogerse a un concepto autónomo de derecho UE»[339]. Finalmente, en apartados posteriores de la sentencia reconoce que una persona jurídica regida por el Derecho internacional también entra dentro de la referencia del artículo[340].

---

338 *Ibid.*, apartados 81-84.

339 *Ibid.*, apartado 42. También lo dice el abogado general en sus conclusiones, apartado 74 y en nota al pie hace referencia a la jurisprudencia asentada entre otras por la sentencia del Tribunal de Justicia de 28 de octubre de 1982, Groupement des Agences de voyages/Comisión, C-135/81, ECLI:EU:C:1982:371, apartado 10. En esta, el Tribunal indica que «el significado de persona jurídica no es necesariamente el mismo en los varios sistemas jurídicos de los Estados miembros». En nuestra opinión, se usa una jurisprudencia equivocada ya que el concepto de persona jurídica de los Estados deriva directamente del propio ordenamiento jurídico internacional y no caben interpretaciones de la misma en los sistemas nacionales con la excepción de que se tratara de un tema de reconocimiento de Estados, que no es el caso.

340 Sentencia del Tribunal de Justicia (Gran Sala) de 22 de junio de 2021, República Bolivariana de Venezuela/Consejo, C-872/19 P, ya citada, apartado 50.

Para mayor confusión en el análisis, la defensa de la Comisión[341], como parte coadyuvante en el proceso, incorpora la diferencia entre un Estado cuando actúa en el ejercicio de competencias relativas a *acta iure gestionis* o *acta iure imperii* y solo en el primer caso se podría contemplar que un tercer Estado cumpliera con la condición del art. 263.4 TFUE de «persona jurídica». El TJUE deja a un lado esta distinción en su análisis, pero no porque afecte a la consideración de persona jurídica, como indica la Comisión, sino porque dice que ni el art. 263 ni cualquier otra disposición de derecho de la UE infiere consecuencias de esta distinción[342]. Lo cual, de nuevo, es obviar las importantes consecuencias que se derivan de que una entidad pública —y llevado al máximo grado, el propio Estado— actúe en una u otra cualidad.

El TG se centra en que el amplio abanico de competencias que ejerce un Estado le distingue de un operador que ejerza una actividad comercial concreta y añade que, entre las competencias propias de un Estado, están «las prerrogativas de poder público en particular en el marco de actividades propias de un Estado como las funciones de defensa, policía y vigilancia»[343]. ¿Hubiera tenido alguna consecuencia para el Tribunal el dirimir si el tercer país actuaba en el ejercicio de sus competencias soberanas o como un operador económico más? Dudamos de que así hubiera sido ya que el elemento en el que se centra es en el cumplimiento de los criterios de persona jurídica y de afectación directa. En cualquier caso, parece que Venezuela en esta situación operaría en un determinado mercado para adquirir bienes y servicios necesarios para cumplir sus actividades soberanas como la defensa, policía y vigilancia. Es difícil pensar en un operador económico estrictamente privado que se dedique a adquirir gran parte de los bienes y servicios a los que se hace referencia.

Lo sorprendente es que, según la lógica que hemos apreciado en los análisis anteriores sobre el reconocimiento de competencia y el *locus standi*, las interpretaciones extensivas se han hecho siempre para favorecer la tutela judicial efectiva de los particulares (individuos y

---

341 *Ibid.*, apartado 37.

342 *Ibid.*, apartado 70.

343 Sentencia del Tribunal General de 20 de septiembre de 2019, República Bolivariana de Venezuela/Consejo, T-65/18, ya citada, apartado 37.

entidades), como recuerdan en su análisis sobre este asunto LONARDO y RUIZ CAIRÓ[344]. Sin embargo, a nuestros ojos, en este caso se rompe esa lógica ya que nos podemos fácilmente preguntar, ¿tienen derecho los Estados a la tutela judicial efectiva? Las relaciones entre Estados y otras formas de personalidad jurídica internacional (como es la UE) es de carácter horizontal, no de subordinación. Es la subordinación entre el ciudadano (sea persona física y jurídica) y una entidad de Derecho público superior como es el Estado (o la UE a través de sus actos normativos) la que puede generar abusos de derecho y, por lo tanto, se exige que haya una protección que se consagra a través del principio de la tutela judicial efectiva. Cuando la relación es horizontal, es un esquema entre iguales, por lo que lo carecería de sentido que la justicia y protección se busque en los tribunales de uno de ellos.

Sin embargo, la República Bolivariana de Venezuela renuncia a ese principio de *par in parem non habet jurisdictionem* y se somete voluntariamente a la jurisdicción de otro sujeto internacional en vez de a un mecanismo de solución internacional de controversias (que no existe de antemano en este caso). Es cierto que, como indirectamente aborda el abogado general[345], hay que distinguir entre la legitimación pasiva y la activa o capacidad de demandar y ser demandado. En este caso, nos encontramos ante un caso de capacidad de demandar. Para explicar esto, el abogado general se remite a una jurisprudencia del Tribunal Supremo de los Estados Unidos en el asunto *Banco Nacional de Cuba contra Sabbatino*[346]. A nuestro parecer la diferencia esencial en ese asunto es que el demandado no era el Estado, sino un particular, por lo que la comparación no es útil ya que el asunto ante el que nos encontramos, el Consejo es una institución de una organización supranacional conformada por los representantes de 27 gobiernos.

---

344 LONARDO, L. y RUIZ CAIRÓ, E. (2022). The European Court of Justice allows third countries to challenge European Union restrictive measures. Case C-872/19 P, *Venezuela v Council*, *op. cit.*, p. 131.

345 Conclusiones del abogado general Hogan, República Bolivariana de Venezuela/Consejo, C-872/19 P, ya citadas, apartados 63-72.

346 Opinion of the US Supreme Court, March 23 1964, Banco Nacional de Cuba v. Sabbatino, 376 U.S. 398 (1964).

Además, interesante es el párrafo que destaca el abogado general del asunto *Banco Nacional de Cuba contra Sabbatino*[347] : «Con arreglo a los principios de cortesía que rigen las relaciones entre este país y las demás naciones, se permite a los Estados soberanos iniciar acciones judiciales en los tribunales de los Estados Unidos. [...] Aunque la cortesía se asocia frecuentemente a la existencia de relaciones amistosas entre Estados, la prerrogativa de iniciar acciones judiciales solo les ha sido denegada a gobiernos que se encontraban en guerra con los Estados Unidos [...] o que no habían sido reconocidos por estos [...]».

Utilizar el lenguaje de la declaración de guerra puede quedar anticuado más de medio siglo después. No obstante, nos muestra que el contexto de las relaciones es importante. El acto que la República Bolivariana de Venezuela recurre en nulidad es un acto de presión, hostil. Como tal, es un acto inamistoso que se adopta en reacción al deterioro democrático que vive el país, de quebrantamiento del Estado de Derecho y de violaciones graves de derechos humanos[348]. Un segundo elemento que introduce el Tribunal Supremo estadounidense es el reconocimiento del gobierno. De nuevo, en el caso de la *República Bolivariana de Venezuela*, nos encontramos ante una situación en la que existe un rechazo expreso de las elecciones por las que el gobierno fue elegido[349]. El Derecho internacional actual se refiere al reconocimiento de Estados y no de gobiernos desde el punto de vista jurídico. No obstante, en el plano político el reconocimiento de la legitimidad de gobiernos juega un papel importante en el plano político y el rechazo (o al menos dudas) de la legitimidad del go-

---

347 Conclusiones del abogado general Hogan, República Bolivariana de Venezuela/Consejo, C-872/19 P, ya citadas, apartado 66.

348 Conclusiones del Consejo de la Unión Europea sobre Venezuela, 13-11-2017, doc. 14096/17. Disponible en: https://data.consilium.europa.eu/doc/document/ST-14096-2017-INIT/en/pdf.

349 Por ejemplo, el Consejo en sus conclusiones de mayo de 2018 dice «en estas circunstancias, las elecciones y sus resultados carecieron de credibilidad, ya que el proceso electoral no proporcionó las garantías necesarias para la celebración de elecciones integradoras y democráticas». *Cf.* Conclusiones del Consejo de la Unión Europea sobre Venezuela, 28-05-2018, doc. 9167/18. Disponible en: https://data.consilium.europa.eu/doc/document/ST-9167-2018-INIT/es/pdf.

bierno de Venezuela en el momento de la adopción de las medidas recurridas es un claro ejemplo de ello.

Por ello, el hecho de que el Tribunal admita el *locus standi* de un tercer Estado, en lo que entendemos como una aparente anomalía hace que, paradójicamente, esto pueda situar en una posición de debilidad a la UE como actor internacional por privarle de la reciprocidad al poder defenderse con iguales armas frente a posibles medidas similares de terceros. El abogado general defiende ante este argumento que «el respeto del Estado de Derecho y del principio de tutela judicial efectiva no se basa en ningún concepto de reciprocidad ni ha de ser negociado ni acordado por vía diplomática ni sometido a obligaciones convencionales recíprocas»[350].

La posición de la Gran Sala vuelve a despegarse, una vez más, de los principios básicos del Derecho internacional público y, en parte, da la impresión de olvidar en qué consisten los mecanismos de medidas de presión (y casi diríamos de prevención) como son en este caso la prohibición de exportación de ciertos tipos de materiales —bienes y tecnologías enumerados en la Lista Común Militar de la UE y equipos que puedan ser utilizados para la represión interna (y servicios asociados)—.

Ante esta situación y jurisprudencia y, de nuevo, en aras de garantizar la tutela judicial efectiva, se podría pensar que, siguiendo la línea de razonamiento a la que lleva el TJ, un día se llegara a ver a los terceros Estados cuyos nacionales son destinatarios de medidas restrictivas poder interponer recursos de anulación en su nombre en ejercicio de la protección diplomática.

Independientemente del análisis, que tiene importantes consecuencias en la interpretación de la legitimación activa en general para el recurso de anulación y, en particular, para el contencioso de las medidas restrictivas, es preciso reconocer, no obstante, también que el efecto puede ser limitado[351].

---

350 Conclusiones del abogado general Hogan, República Bolivariana de Venezuela/Consejo, C-872/19 P, ya citadas, apartado 87.

351 Solo los países para los que existe un régimen geográfico podrían —teniendo en cuenta también las disposiciones concretas del régimen—, sobre la misma base de la admisibilidad reconocida por el TJUE, plantear recursos ante el TG. Sin embargo, superado el primer paso de la admisibilidad, muy diferente se-

La sentencia se refiere al *locus standi* para recurrir el reglamento y declara que la demandante está afectada directamente por disposiciones del reglamento y que, además, las disposiciones reglamentarias no exigen medidas de ejecución y le afectan directamente. Sin embargo, no se pronuncia en cuanto a la decisión. Aunque probablemente se hubiera llegado a la misma conclusión en lo que se refiere a la admisibilidad con respecto a la afectación directa e individual.

En definitiva, esta novedosa jurisprudencia solo puede entenderse como consecuencia de un análisis del TJ desde la mayor de las asepsias procesales y una concepción extraordinariamente aislada y centrista de sí mismo, partiendo de una omisión o ignorancia —voluntaria— de la naturaleza del propio TJ así como del sentido y características materiales del acto impugnado.

No obstante, no se le puede atacar desde el punto de vista de la coherencia de su posicionamiento de defender que la validez de todo acto de la Unión pueda ser examinado y, si procede, eliminado por el mismo TJUE.

Independientemente de la forma en la que se articulan las medidas restrictivas, la letra del tratado con respecto al art. 215 TFUE en su totalidad habla de «garantías jurídicas». Como hemos explicado, mientras que el art. 215.1 TFUE es base para aquellas «decisiones que prevean la interrupción o la reducción, total o parcial, de las relaciones económicas o financieras con uno o varios terceros países», el 215.2 lo es para la adopción de «medidas restrictivas contra personas físicas o jurídicas, grupo o entidades no estatales». Por su parte, el apartado 3 del artículo, de forma muy interesante y sin distinguir entre apartado 1 o 2, apunta: «los actos contemplados en el presente artículo incluirán las disposiciones necesarias en materia de garan-

---

ría el que se pudieran encontrar posteriormente causas de nulidad suficientes. Ejemplo de ello es la sentencia final de este asunto tras haber sido renviada de vuelta al TG que desestimó todas las pretensiones formuladas por la República Bolivariana de Venezuela. *Cf.* Sentencia del Tribunal General (Gran Sala) de 13 de septiembre de 2023, República Bolivariana de Venezuela/Consejo, T-65/18 RENV, ECLI:EU:T:2023:529. En cualquier caso, sería, desde luego, inédito a escala mundial ver a un conjunto de países (los 27 Estados miembros) representados en el Consejo condenados por sus propios tribunales frente a terceros Estados a los que se les atribuyen comportamientos incompatibles con el ordenamiento jurídico internacional.

tías jurídicas». La garantía jurídica por excelencia en un Estado de Derecho es el derecho al recurso y, en cualquier caso, no se han creado expresamente hasta la fecha otras garantías jurídicas posibles dentro del ordenamiento para atacar estos actos de manera satisfactoria.

Por lo tanto, puede que, si los *Herren der Verträge* estuvieran pensando en restringir las garantías jurídicas y el acceso al recurso solo a las medidas restrictivas «individualizadas» o «*targeted*», tendrían que haber hecho un mayor esfuerzo de redacción y claridad en los art. 215 TFUE y 275 TFUE en su referencia al art. 263.4 TFUE.

Todo ello nos conduce de nuevo a afirmar el singular enfoque facilitador con el que el TJUE se enfrenta a las cuestiones procesales del *locus standi* en el contencioso de las medidas restrictivas. Tratándose en este contexto siempre de demandantes no privilegiados, el art. 263.4 reconoce tres vías diferentes para poder cumplir con los requisitos. En la jurisprudencia existente en este ámbito se han utilizado las tres vías con una destacable labor de pragmatismo y adaptabilidad del TJUE por la particular naturaleza de estas normas y de los sujetos afectados por las mismas, que ha venido siendo «una constante» en palabras de VÁZQUEZ RODRÍGUEZ[352]. La razón que siempre se ha esgrimido como promotora de esta interpretación proactiva del TJUE en favor de extender la legitimación activa es la defensa de la tutela judicial efectiva y el acceso al recurso, una permanente guía de que no sean los límites procesales los que impidan que haya actos de la Unión que no puedan ser recurribles y, para ello, siempre ha de reconocerse, por lo tanto, la existencia de una persona a la que se le vea reconocida la capacidad de hacerlo. Sin embargo, la realidad de las medidas restrictivas es, de nuevo, tan particular que se pueden dar situaciones frontera en las que nos podríamos preguntar si no llega a pesar más el afán por cumplir el objetivo de crear un sistema completo de vías de recurso que la verdadera existencia de un derecho a ser protegido.

---

[352] VÁZQUEZ RODRÍGUEZ, B. (2021). El *locus standi* de terceros Estados para interponer recurso de anulación contra medidas restrictivas de la Unión Europea: el asunto C-872/19 P, «Venezuela/Consejo», *op. cit.*, p. 1050.

III. SINGULARIDADES DEL CONTENCIOSO DE LAS MEDIDAS RESTRICTIVAS: EL VALOR DE LA INTERPRETACIÓN JUDICIAL EN EL AJUSTE DE LAS REGLAS GENERALES

A través de la interpretación y el tratamiento que el TJUE ha dado a ciertas cuestiones procesales relacionadas con el contencioso de las medidas restrictivas, se pueden extraer importantes conclusiones sobre cómo el TJUE entiende a las medidas restrictivas en lo que se refiere a su naturaleza y forma jurídica. En consecuencia, fruto del tratamiento de estas cuestiones procesales, el Consejo se ha visto obligado a adaptar en forma y fondo la toma de decisiones y la adopción de estos actos jurídicos.

Nos encontramos, por lo tanto, de nuevo, ante una prueba más del enfoque complementario que existe entre estas dos instituciones y, sobre todo, del valor añadido que el TJUE, a través de su jurisprudencia, da al procedimiento de adopción, modificación y eliminación de las medidas restrictivas.

Las tres cuestiones que abordaremos a continuación no son propiamente incidentes procesales, ni son temas accesorios que lleven a un estudio diferenciado del TG y una decisión aparte sobre los mismos. Al contrario, el pronunciamiento sobre estas cuestiones forma parte del estudio integral de cada asunto sobre las que los jueces, también, tienen que tomar una posición. Como se demostrará, a menudo, cuestiones aparentemente menores tienen una importancia central en la tutela judicial efectiva de los individuos y entidades afectados por medidas restrictivas.

A. LA DEMANDA: LA ADAPTACIÓN DE LA DEMANDA Y LA INTERPRETACIÓN DEL PRINCIPIO DE PUBLICIDAD PARA EL CÓMPUTO DE LOS PLAZOS

Como venimos analizando, el recurso de anulación es la vía principal que permite al afectado por las sanciones individuales hacer valer su derecho a la tutela judicial efectiva frente a esas medidas que le son perjudiciales.

Las cuestiones *a priori* más propias del ámbito procesal también se han tenido que leer y adaptar desde la óptica de un contencioso especialmente particular. La adaptación de la demanda y cómo se entiende el principio de publicidad de estas medidas son elementos que exigen un análisis independiente en este trabajo.

1. La adaptación de la demanda: los actos jurídicos sucesivos

Todo proceso judicial se rige por el principio de inmutabilidad de las pretensiones de las partes, y el proceso ante el TG y el TJ no es una excepción ante este principio[353]. Por ser el TG el competente para conocer de los litigios referidos a los recursos de anulación de medidas restrictivas, en principio, nuestro análisis siempre se referirá al procedimiento ante el TG.

El art. 76. d) RPTG establece que el contenido de la demanda, entre otras cuestiones, debe incluir «la cuestión objeto del litigio, los motivos y alegaciones invocados y una exposición concisa de dichos motivos».

No obstante, se admite una excepción fundamental al principio de inmutabilidad de las pretensiones de las partes, mediante la cual se permite que estas puedan modificar ligeramente el objeto del litigio y adecuar sus pretensiones. Se conoce como la adaptación de la demanda. Esta excepción admitida responde a una necesidad de dar

---

[353] Se hace referencia explícita a este principio, por ejemplo, en la sentencia de 11 de noviembre de 2010, Comisión/Portugal, C-543/08, ECLI:EU:C:2010:669, apartado 20. En el caso del contencioso de las medidas restrictivas, se hace alusión a este principio, por ejemplo, en la sentencia del Tribunal de Justicia de 9 de noviembre de 2017, HX/Consejo, C-423/16 P, ECLI:EU:C:2017:848, apartado 18.

eficacia al proceso y, en definitiva, sirve también a la economía procesal y a la buena administración de justicia, ya que evita la necesidad de abrir de forma sucesiva nuevos procesos[354].

Más concretamente, el art. 86 (3) RPTG se refiere a la «adaptación de la demanda» en los recursos de anulación. Una vez interpuesta una demanda solicitando la anulación de un acto, puede ser que el mismo sea sustituido o modificado por otro acto con el mismo objeto. Las RPTG permiten que se pueda adaptar la demanda antes del momento de la declaración de terminación de la fase oral del procedimiento o de que el Tribunal decida que el asunto puede resolverse sin fase oral. Como indica la disposición referida, la adaptación se solicita por escrito separado y debe cumplir en todo caso el plazo general de dos meses desde la publicación del acto que el TFUE establece para el recurso de anulación. Además, una solicitud de adaptación de la demanda permite adaptar también las pretensiones, motivos y alegaciones y pruebas o proposición de pruebas —que no se utilizan, de momento, en el ámbito del contencioso de las medidas restrictivas—.

Asimismo, las RPTG establecen que, incluso antes de pronunciarse sobre la admisibilidad de la adaptación de la demanda, se emplace al demandado a presentar una contestación a la misma. Los coadyuvantes también tendrán la oportunidad de completar los escritos de formalización de la intervención. En general, hay una tendencia, por parte del TG, a favorecer las posibilidades de que prospere una adaptación de la demanda. La redacción de las reglas de procedimiento son una prueba de ello.

Esta posibilidad procesal tiene especial interés en el caso de las medidas restrictivas donde se da una situación particular con respecto a la vigencia y concatenación de actos jurídicos, que no tiene cabida en otros ámbitos del Derecho de la UE. El Consejo tiene la obligación de revisar de oficio[355] las medidas restrictivas en vigor de forma periódica. Esta revisión periódica tiene como objeto asegurar que los

---

354 Conclusiones del abogado general Mengozzi, George Haswani/Consejo, C-313/17 P, ECLI:EU:C:2018:748, apartado 33.

355 Las medidas restrictivas, además, siempre son susceptibles de ser revisadas *ad hoc* si hay cambios en las circunstancias y contexto que llevaron a su adopción.

motivos de la designación y las pruebas que sustentan la designación de las personas y entidades sometidas a medidas restrictivas, así como los objetivos de las mismas, siguen concurriendo y contribuyendo a la consecución del fin con el que se estableció el marco correspondiente de sanciones.

Por ello, toda renovación, actualización o anulación se lleva a cabo de forma periódica, lo que exige la adopción de nuevos actos jurídicos. De hecho, es numerosa la jurisprudencia que hace hincapié en la necesidad de revisión periódica[356]. Asimismo, este principio queda recogido en el documento de trabajo Principios Básicos sobre la Aplicación de medidas restrictivas (sanciones) de 2004[357].

En muchos casos, es la propia norma la que indica el plazo de expiración de vigencia de la misma; en otras, no está indicado. No hay, lamentablemente, una práctica uniforme al respecto. No obstante, independientemente de la existencia o no de una *sunset clause* expresa, prevalece la obligación de revisión periódica, llegando al punto de que el TG considera que, aunque los designados no estén expresamente recogidos en el acto jurídico último, se entiende que sus designaciones son objeto de revisión y, por lo tanto, es un acto jurídico nuevo y más reciente el que les afecta. Eso permite, en consecuencia, interponer un nuevo recurso de anulación.

Para explicarlo de manera concreta, en varios asuntos[358] relacionados con recurrentes referidos al régimen de sanciones habida cuenta de la situación en Venezuela, el Tribunal se pronuncia sobre

356 Un análisis pormenorizado de esta jurisprudencia se encuentra en la Segunda Parte, apartado II.B.1.

357 En concreto, en el punto 9, se establece: «Las sanciones deberán revisarse regularmente para garantizar su contribución a alcanzar los objetivos establecidos, y se levantarán a medida que se vayan cumpliendo estos objetivos. En cualquier caso, el Consejo se reserva la posibilidad de decidir sobre la modificación de las mismas». *Cf.* Nota de la Secretaría General del Consejo al Coreper/Consejo (2004). *Principios básicos sobre la aplicación de medidas restrictivas (sanciones),* 7-06-2004, doc. 10198/1/04.

358 Véase, por dar algunos ejemplos, la sentencia del Tribunal General de 14 de julio de 2021, Maikel José Moreno Pérez/Consejo, T-246/18, ECLI:EU:T:2021:448; la sentencia del Tribunal General de 14 de julio de 2021, Socorro Elizabeth Hernández Hernández/Consejo, T-554/18, ECLI:EU:T:2021:461; o la sentencia del Tribunal General de 14 de julio de 2021, Antonio José Benavides Torres/Consejo, T-35/19, ECLI:EU:T:2021:466.

las implicaciones de que la decisión sí contenga una *sunset clause* y el reglamento solo haga una referencia a la obligatoriedad de hacer una revisión periódica de los listados en el anexo IV —en este caso concreto— sin establecer una fecha límite de vigencia del mismo. En estos asuntos, para defenderse, el Consejo intenta escudarse en la inexistencia de una *sunset clause* en el reglamento y en el hecho de que el reglamento de ejecución (acto adoptado en último lugar y objeto de la demanda) no recoja expresamente el nombre del demandante para que el TG declare la demanda inadmisible del reglamento de ejecución por no concurrir los criterios de *locus standi*. Ante esta situación, el TG indica que «la admisibilidad de una demanda no puede depender de la discrecionalidad del Consejo sobre si considera o no que ha revisado el mantenimiento en las listas de un designado, puesto que sería contrario al principio de seguridad jurídica». Además, el TG recuerda que, «el Consejo no puede escudarse en un posible incumplimiento de lo que sería su obligación de revisión para alcanzar una ventaja con respecto a la admisibilidad de una demanda en su contra». Por último, recuerda el TG que la revisión de la decisión y del reglamento de ejecución están directamente relacionados, siendo la revisión de la decisión un paso previo al del reglamento de ejecución. En definitiva, con independencia de que exista una fecha límite de vigencia, la revisión es preceptiva y, además, se considera que todo último acto que se adopte y mantenga a una persona o entidad designada, aunque no mencione expresamente a la misma, es un nuevo acto con respecto a ella[359].

En la práctica, dependiendo del régimen, la periodicidad marcada para la revisión de oficio tanto del marco jurídico por el que se establece el régimen de sanciones como de los listados varía entre una cadencia semestral o anual[360]. A pesar de ser una exigencia es-

---

359 De nuevo, siguiendo la jurisprudencia utilizada como ejemplo en la nota al pie anterior, véase algunos apartados concretos de la misma: sentencia del Tribunal General de 14 de julio de 2021, Maikel José Moreno Pérez/Consejo, T-246/18, ya citada, apartado 37; la sentencia del Tribunal General de 14 de julio de 2021, Socorro Elizabeth Hernández Hernández/Consejo, T-554/18, ya citada, apartado 34; o la sentencia del Tribunal General de 14 de julio de 2021, Antonio José Benavides Torres/Consejo, T-35/19, ECLI:EU:T:2021:466, apartado 33.

360 Por ejemplo, los listados de la Posición común 2001/931/PESC del Consejo, de 27 de diciembre de 2001, sobre la aplicación de medidas específicas de lucha

tablecida desde el inicio de la jurisprudencia de las medidas restrictivas, los jueces de Luxemburgo nunca han especificado cuál es la periodicidad exactamente necesaria y lo han dejado dentro de los límites de la discrecionalidad del Consejo.

En cualquier caso, aunque la revisión sea anual, es muy frecuente que, debido a los plazos del TG, el tiempo transcurrido entre la presentación de una demanda contra un acto, más los plazos para la presentación de respuesta a la demanda, la réplica, la dúplica, y quizá medidas de ordenación del procedimiento que consumen nuevos plazos, ya haya un nuevo acto jurídico contra esa persona física o jurídica antes de la terminación de la fase oral o de la decisión de prescindir de la misma. Por ello, no es nada atípico que se dé esta necesidad de adaptación de la demanda. A título de ilustración, en uno de los asuntos *Hamas*[361], la demanda se adaptó hasta en siete ocasiones.

En algunas situaciones, entre el cierre de la fase oral y la publicación de la sentencia, el acto controvertido ya ha sido sustituido por otro. En esta situación, al demandante no le queda otra opción que volver a plantear un nuevo recurso de anulación en un nuevo procedimiento contra el nuevo acto ya que no aplicaría, como veremos en un punto ulterior, el principio de fuerza de cosa juzgada. De hecho, hay demandantes que han planteado recursos en anulación en múltiples ocasiones contra los sucesivos actos jurídicos (decisiones y reglamentos) mediante los cuales se les designaba como destinatarios de medidas restrictivas.

La principal cuestión que ha de tenerse en cuenta para admitir la adaptación de la demanda es que se cumpla el plazo de los dos meses que determina el art. 263 *in fine* TFUE, a contar a partir, «según los casos, de la publicación del acto, de su notificación al recurrente o, a falta de ello, desde el día en que éste haya tenido conocimiento del mismo». Asimismo, se permitirá la adaptación de la demanda y la inclusión del nuevo acto en concreto que supone una extensión tem-

---

contra el terrorismo, ya citada, son, en la práctica, objeto de revisión de oficio cada semestre. Su artículo 6 indica «la presente Posición común se revisará permanentemente».

361 Sentencia del Tribunal General de 17 de diciembre de 2014, Hamas/Consejo, T-400/10, ECLI:EU:T:2014:1095.

poral del anterior, siempre que el anterior hubiera estado incluido en la demanda inicial y este recurso inicial sobre el acto en cuestión fuera admisible[362]. Es decir, la adaptación de la demanda no puede suponer la introducción velada de un nuevo recurso.

Por último, es importante señalar que la adaptación de la demanda es una facultad potestativa para el demandante. Si el deseo de este es interponer dos recursos diferenciados, el TG no declararía su inadmisibilidad en ningún caso ni habría posibilidad de canalizarlo de forma obligatoria hacia una adaptación de la demanda. Sería, en todo caso, un uso poco óptimo de los recursos al descartar beneficiarse de las opciones que se le brindan en aras de la economía procesal. Dicha opción puede, quizá, deberse a una estrategia particular que quiera utilizar el abogado del demandante pero, más allá de ello, se nos hace difícil explicar la posible razón.

Lo que sí puede hacer en estos casos el TG es proponer que se haga una acumulación de asuntos de cara a la apertura de la fase oral por la clara relación que existiría entre ambos[363], en el caso de que esta todavía no se hubiera iniciado.

2. *El principio de publicidad: la comunicación de la adopción de los actos al afectado y el dies a quo para la interposición del recurso*

Sobre la base del principio de publicidad, el art. 297 TFUE obliga a que tanto actos legislativos como actos no legislativos sean publica-

[362] Sentencia del Tribunal General de 24 de noviembre de 2021, European Political Subdivision of the Liberation Tigers of Tamil Eelam/Council, T-160/19, ECLI:EU:T:2021:817, apartados 87-97.

[363] Véase, por ejemplo, la situación que se ha dado en los asuntos *Harrington Padrón*. El asunto resuelto mediante sentencia del Tribunal General de 14 de julio de 2021, Katherine Nayarith Harrington Padrón/Consejo, T-550/18, ECLI:EU:T:2021:452, que recurría actos adoptados el 25 de junio de 2018. El 19 de septiembre de 2018, se presentó el recurso y la vista se fijó para el día 24 de abril de 2020 —aunque fue pospuesta en un momento ulterior hasta el 4 de septiembre de 2020 debido a la pandemia de la COVID-19—. Entretanto, el 6 de noviembre de 2018 se adoptaron nuevos actos mediante los cuales se retiene a esta persona en la lista de sancionados individualmente. El 17 de enero de 2019 la demandante interpuso un recurso de anulación contra los nuevos actos. Esto es, en fecha previa al cierre de la fase oral del primer recurso, lo que le habría permitido solicitar una adaptación de la demanda.

dos en el DOUE. Es preciso recordar que la decisión PESC adoptada en virtud del art. 29 TUE o la decisión de ejecución adoptada en base al art. 31.2 TUE no son considerados actos legislativos por determinación expresa del art. 24 TUE que excluye la adopción de actos legislativos en el ámbito PESC. Sin embargo, tanto los reglamentos del art. 215 TFUE como los reglamentos de ejecución del art. 291 sí son actos legislativos adoptados con arreglo a un procedimiento legislativo especial.

El art. 297 TUE se divide en dos apartados, el 1 dedicado a los actos legislativos y el 297.2 dedica a los actos no legislativos. En lo que se refiere a la entrada en vigor, el art. 297 TFUE, para ambos casos, indica que los actos entran en vigor el día que en ellos se indique y, en su defecto, a los veinte días de su publicación. En el caso de las medidas restrictivas, tanto directivas como reglamentos, para adaptarse a las necesidades de la naturaleza del acto, indican siempre su entrada en vigor el día inmediatamente posterior al de su publicación. Esta característica deriva de la necesidad que tienen las nuevas medidas adoptadas de tener un «efecto sorpresa» y no dar margen temporal para que los designados puedan llevar a cabo actuaciones que menoscaben los objetivos de las mismas. El ejemplo más evidente es el de mover sus activos fuera de la UE para que no puedan ser congelados. En el caso de que se trate de la renovación de designaciones, la entrada en vigor inmediata del acto permite asegurar la concatenación entre los actos en vigor.

En lo que se refiere a su publicidad, la cuestión es más compleja. Por un lado, en cuanto a los actos legislativos, se indica que «se publicarán en el DOUE». Por otro lado, respecto a los no legislativos, dice «las decisiones que no indiquen destinatario, se publicarán en el DOUE». También añade, «las decisiones que indiquen un destinatario se notificarán a sus destinatarios y surtirán efecto en virtud de dicha notificación».

No obstante, de nuevo, las medidas restrictivas adolecen de ciertas peculiaridades y se separan en la práctica de las líneas generales marcadas por el art. 297 TFUE. Por esta peculiaridad, los jueces de Luxemburgo han dedicado una atención pormenorizada a las cuestiones de la notificación puesto que lo que subyace es la salvaguarda de un derecho fundamental como es la tutela judicial efectiva establecida en el art. 47 CDFUE. Independientemente de la naturaleza del acto, decisión o reglamento, la notificación se ha tratado como un todo.

Esta especial atención se debe, sin duda, a las consecuencias negativas y graves que conllevan las medidas restrictivas para sus afectados, lo que exige un grado no solo de publicidad mayor, sino de asegurar que las personas y entidades sujetas a las mismas sean plenamente conscientes de su existencia desde el momento de su entrada en vigor. Este conocimiento permite que los sujetos a sanciones puedan utilizar las herramientas que el Estado de Derecho pone a su disposición para poder contestarlas ante el Consejo y, fundamentalmente, recurrirlas ante el TG.

Igualmente, es esencial para proveer de seguridad jurídica a los operadores económicos y a todos los sujetos llamados a hacer cumplir las medidas restrictivas impuestas.

El momento de esta publicidad no afecta solo al despliegue de sus efectos, ya que tanto la decisión del art. 29 TUE como el reglamento del 125 TFUE entrarían en vigor al día siguiente de su publicación según se suele indicar, sino también para comenzar a contar el plazo con el que cuenta el destinatario de las medidas restrictivas para interponer el recurso de anulación.

Aparte de la publicación obligatoria en el DOUE, como exige el art. 297 TFUE tanto para actos legislativos como no legislativos, la jurisprudencia de medidas restrictivas establece que, siempre que se pueda, se exige y prioriza, además, la comunicación individualizada a la persona sometida a medidas restrictivas. Si no fuera posible, se publicará, en cualquier caso, una notificación en el DOUE, en la serie C dedicada a comunicaciones e informaciones[364].

---

364 Estas reglas no deben confundirse con el hecho de que, cuando se trata de mantenimientos subsiguientes en las listas mediante actos jurídicos posteriores, el Consejo notifica a los designados su voluntad de mantenerlos bajo la aplicación de medidas restrictivas para que estos puedan presentar sus alegaciones, previamente a la adopción del nuevo acto jurídico —y de que expire el previo—. Esto, por razones obvias, no se puede realizar antes de la primera inclusión en la lista. Véase, por ejemplo, la sentencia del Tribunal de Justicia (Gran Sala) de 21 de diciembre de 2011, República Francesa/ People's Mojahedin Organization of Iran (OMPI), C-27/09 P, ECLI:EU:C:2011:853, apartados 64-67, o ya en la veterana sentencia del Tribunal de Justicia (Gran Sala) de 3 de septiembre de 2008,

Asimismo, los reglamentos del 215 TFUE contienen una cláusula estándar[365] redactada en los siguientes términos:

> «El Consejo comunicará la decisión [...], incluida la motivación de su inclusión en la lista, a la persona física o jurídica, entidad u organismo afectados, ya sea directamente, si se conoce su domicilio, o mediante la publicación de una notificación en el Diario Oficial de la Unión Europea, y ofrecerá a dicha persona física o jurídica, entidad u organismo la oportunidad de presentar observaciones».

No obstante, el TJUE ha marcado claramente al Consejo que la forma de notificación no es arbitraria. En la jurisprudencia *Gbagbo et al*[366]., el TJ en casación respalda que el Consejo debe priorizar la notificación individual y, solo en caso de no ser posible, se publicará un anuncio en el DOUE como forma de notificación. Tanto es así que, siendo posible hacer una comunicación individual, y no haciéndose de forma correcta, el plazo no empezaría a correr hasta que esta no se hubiera realizado[367]. En el caso de que la única notificación posi-

---

Yassin Abdullah Kadi y Al Barakaat International Foundation/Consejo (*Kadi I*), asuntos acumulados C-402/05 P y C-415/05 P, ya citada, apartados 338-341.

365 Por ejemplo, la encontramos en el art. 13.2 del Reglamento (UE) 2019/1716 del Consejo, de 14 de octubre de 2019, relativo a medidas restrictivas habida cuenta de la situación en Nicaragua, (DO L 262 de 15.10.2019, p. 1) o art. 4 *decies* del Reglamento (UE) nº 401/2013 del Consejo, de 2 de mayo de 2013, relativo a medidas restrictivas habida cuenta de la situación en Myanmar/Birmania y por el que se deroga el Reglamento (CE) nº 194/2008 (DO L 121 de 3.5.2013, p. 1).

366 Sentencia de Tribunal de Justicia (Gran Sala) de 23 de abril de 2013, Laurent Gbagbo *et al.*/Consejo, asuntos acumulados, C-478/11 P a C-482/11 P, ECLI:EU:C:2013:258, apartados 60-64. También se repite en sentencia del Tribunal General de 16 de julio de 2014, Samir Hassan/Consejo, T-572/11, ECLI:EU:T:2014:682, apartado 33. Igualmente, lo vemos claramente expresado en la sentencia del Tribunal General de 23 de octubre de 2015, Oil Turbo Compressor Co. (Private Joint Stock)/Consejo, T-552/13, ECLI:EU:T:2015:805, apartado 43: «cuando el Consejo conoce la dirección de una persona afectada por medidas restrictivas, en defecto de comunicación directa de los actos que imponen esas medidas, el plazo de recurso dentro del que esa persona debe impugnarlos ante el Tribunal no empieza a correr. Así pues, sólo cuando es imposible comunicar individualmente al interesado el acto por el cual se adoptan o se mantienen medidas restrictivas en relación con él, la publicación de un anuncio en el Diario Oficial determina el inicio de ese plazo».

367 Sentencia del Tribunal General de 21 de enero de 2016, Mohammad Makhlouf/Consejo, T-443/13, ECLI:EU:T:2016:27, apartados 19-30.

ble sea a través de la publicación de un anuncio en el DOUE, será esta fecha la que marque el inicio del cómputo del plazo[368].

Además, se prioriza en todo caso la notificación a la dirección personal sobre la del representante legal y se descarta la dirección profesional —en el caso de personas físicas— por necesidad de salvaguardar la confidencialidad de cuestiones tan sensibles para los individuos afectados[369]. La jurisprudencia solo admite la comunicación al representante legal «cuando esa forma de notificación está expresamente prevista por la normativa aplicable o por un acuerdo entre las partes»[370].

La jurisprudencia, asimismo, se ha pronunciado sobre cuál es la vía para cumplir con el objetivo de que la persona afectada conozca los detalles de su designación, cuando la comunicación personal y directa, o al representante legal, es imposible. El TG ha indicado al Consejo cuál sería esta vía señalando que se considera que «es imposible para el Consejo comunicar individualmente a una persona física o jurídica un acto que impone medidas restrictivas que la afectan, cuando la dirección de esa persona o entidad no es pública y no le ha sido facilitada, o bien cuando la comunicación enviada a la dirección que el Consejo conoce no ha llegado a su destinatario, a pesar de las actuaciones que este había realizado con toda la diligencia exigible para practicar esa comunicación»[371].

---

[368] Auto del Tribunal General de 10 de junio de 2016, Artem Viktorovych Pshonka/Consejo, T-380/14, ECLI:EU:T:2016:363, apartado 44; y, auto del Tribunal General de 10 de junio de 2016, Viktor Pavlovych Pshonka/Consejo, T-381/14, ECLI:EU:T:2016:361, apartado 44.

[369] Sentencia del Tribunal General de 12 de febrero de 2015, Tarif Akhras/Consejo, T-579/11, ECLI:EU:T:2015:97, apartados 82-87.

[370] Sentencia del Tribunal General de 18 de octubre de 2016, Sina Bank/Consejo, T-418/14, ECLI:EU:T:2016:619, apartados 60-62, también en la sentencia del Tribunal General de 5 de noviembre de 2014, Adib Mayaleh/Consejo, asuntos acumulados T-307/12 y T-408/13, ECLI:EU:T:2014:926, apartado 74. Este principio se aplica en todo tipo de materias, por ejemplo, véase, sentencia del Tribunal General de 11 de julio de 2013, BVGD/Comisión, asuntos acumulados T 104/07 y T 339/08, EU:T:2013:366, apartado 146.

[371] Sentencia del Tribunal General de 23 de octubre de 2015, Oil Turbo Compressor Co. (Private Joint Stock)/Consejo, T-552/13, ya citada, apartado 44; o sentencia del Tribunal General de 5 de noviembre de 2014, Adib Mayaleh/Consejo, asuntos acumulados T-307/12 y T-408/13, *vid. supra*, apartado 61.

Por lo tanto, si ha habido diligencia debida por parte del Consejo, el plazo empezaría a correr a partir del momento en que hubiera habido un conocimiento efectivo por parte del afectado. Es cierto que la jurisprudencia no ha tenido oportunidad de entrar en los pormenores sobre cómo se prueba el conocimiento efectivo. Entendemos que, de plantearse esta cuestión en algún asunto concreto, entraría en juego la jurisprudencia que aplica las teorías relacionadas con el conocimiento de los actos. Sí ha habido al menos una ocasión donde el TG[372] sí se pronunció sobre el hecho de que es imposible considerar como la fecha de conocimiento efectivo el día siguiente a la fecha del documento, como pretendía argumentar el Consejo, ya que no es factible que un correo postal llegue de Bruselas a Malasia en veinticuatro horas.

Una vez visto cómo el TG se ha expresado con exactitud y ha marcado al Consejo la forma en la que se entiende que los afectados han de ser notificados, es apropiado hacer un inciso para entender también el cómputo de los plazos que la jurisprudencia ha adaptado a los casos de medidas restrictivas.

Si la comunicación se ha producido de forma individual, que es lo que la jurisprudencia marca al Consejo que ha de privilegiar, el plazo es de dos meses a partir del día siguiente de su notificación y se le añaden los diez días adicionales que contempla el art. 60 RPTG, por razón de la distancia. En caso de que la notificación individual no sea posible, y se haga mediante una notificación en el DOUE, el art. 59 del RPTG establece que se añadan catorce días adicionales. A este se le añaden además, como es la costumbre en el ámbito de las medidas restrictivas —hoy extensivo a todo tipo de contencioso—, los diez días adicionales por razón de la distancia ya mencionados del art. 60[373].

Parece razonable entender por qué originariamente, en el caso de medidas restrictivas, sí se comenzó a conceder esta gracia de los diez días adicionales ya que la práctica totalidad de las medidas res-

---

372 Sentencia del Tribunal General de 22 de septiembre de 2015, First Islamic Investment Bank Ltd./Consejo, T-161/13, ECLI:EU:T:2015:667, apartado 33.

373 Véase, por ejemplo, Sentencia del Tribunal General de 4 de febrero de 2014, Syrian Lebanese Commercial Bank SAL/Consejo, asuntos acumulados T-174/12 y T-80/13, ECLI:EU:T:2014:52, apartados 64 y 65.

trictivas afectan a personas físicas o jurídicas que se encuentran fuera de la UE. Por ello, es natural que estén en una situación de desigualdad a la hora de contactar con un abogado (de la UE para poder litigar ante el TJUE) y comprender cuáles son los remedios que el ordenamiento jurídico europeo brinda. Este plazo adicional viene a compensar esa desigualdad. Si esta era la razón inicial de estos plazos extraordinarios, hoy el TJ[374] los considera como plazos únicos desde la modificación del RPTJ en el año 2000 y da su beneficio a todas las partes, incluso cuando el demandante es una institución, en este caso, el Consejo.

Teniendo en cuenta todas estas consideraciones, como se explicaba anteriormente, la necesidad para el demandante de adaptar la demanda puede darse con relativa frecuencia. Aunque en muchas ocasiones esta cuestión se resuelve sin grandes dificultades procesales en referencia a la admisibilidad de la adaptación de la demanda, en otras el TG ha tenido que entrar a estudiar de forma pormenorizada el cumplimiento de los requisitos.

Por ejemplo, en el asunto *HX* ante el TJ[375], en casación, se corrige la inadmisibilidad que había determinado el TG por haber sido presentada la solicitud de admisibilidad de la demanda de forma oral durante la vista. El TG rechaza esa solicitud de adaptación puesto que considera que las RPTG indican que esta se debe realizar por «escrito separado» según el art. 86.3 en su versión en español. El problema en este caso radica en que la versión búlgara —lengua de procedimiento en ese asunto— de las RPTG no pone escrito, sino el término en búlgaro equivalente a «solicitud» que no determina si ha de ser de forma escrita u oral.

La abogada general KOKKOT, ante esta situación, aprovecha la oportunidad y profundiza en la naturaleza de las exigencias formales para la presentación de la demanda en sus conclusiones[376]. En ellas, indica, con acierto a nuestros ojos, que el TG fue excesivamente rí-

---

374 Sentencia del Tribunal de Justicia de 18 de febrero de 2016, Consejo/Bank Mellat, C-176/13 P, ECLI:EU:C:2016:96, apartado 39.

375 Sentencia del Tribunal de Justicia de 9 de noviembre de 2017, HX/Consejo, C-423/16 P, ya citada, apartados 18-27.

376 Conclusiones de la abogada general Kokott, HX/Consejo, C-423/16 P, ECLI:EU:C:2017:493.

gido en la aplicación de la forma exigida ya que, las formalidades «no son un fin en sí mismas, sino que tienen por objeto garantizar un procedimiento contradictorio y permitir al TG disponer de toda la información necesaria para poder examinar debidamente las solicitudes de adaptación». Añade, asimismo, que el TG «puede fijar al demandante un plazo para subsanar dicha deficiencia, pero incluso en caso de no subsanarla ello no comporta necesariamente la inadmisibilidad de la solicitud, ya que el Tribunal General goza de un margen de apreciación al respecto»[377].

Otro problema de interpretación de las RPTG con respecto a la adaptación de la demanda en situaciones típicas del contencioso de las medidas restrictivas se da cuando los actos por los que se renuevan los listados, en muchas ocasiones son exactamente igual que los actos anteriores. Tal situación se dirimió en uno de los asuntos sobre las medidas restrictivas contra G. Haswani[378], cuando presentó una segunda adaptación de la demanda.

Una vez más la respuesta se encuentra en la interpretación de las formalidades exigidas para la adaptación de la demanda. En concreto, los requisitos fijados por el actual art. 86.4, b)[379] —antes 86.3.b)—. Ante este caso, el TJ, en casación, respondió que: «[...] cuando un acto posterior impugnado mediante adaptación de la demanda es sustancialmente el mismo que un acto inicialmente impugnado, o solo difiere de él en elementos puramente formales, no puede excluirse que el demandante, al no acompañar su solicitud de adaptación de motivos y alegaciones a su vez adaptados, quiera implícita, pero necesariamente, remitirse a los motivos y alegaciones de su demanda originaria». Y el TJ prosiguió: «en tal caso, incumbe al Tribunal General, cuando examina la admisibilidad del escrito de adaptación de la demanda, verificar si el acto impugnado mediante la adaptación de

---

377 *Ibid.*, apartados 33 y 34.

378 Sentencia del Tribunal de Justicia de 24 de enero de 2019, George Haswani/ Consejo, C-313/17 P, ECLI:EU:C:2019:57.

379 Recordemos que el actual art. 86.4. b) RPTG indica que el escrito de adaptación de la demanda contendrá: b) «si ha lugar, los motivos y alegaciones adaptados». El TJ entiende que la expresión «si ha lugar [...] indica sin ambigüedad que el escrito de adaptación de la demanda solo debe ir acompañado de motivos y alegaciones, a su vez adaptados, si ello resulta necesario». *Cf. Ibid.*, apartado 33.

la demanda presenta, en relación con el acto impugnado mediante la demanda originaria, diferencias sustanciales que hagan necesaria una adaptación de los motivos y alegaciones invocados en apoyo de la demanda originaria»[380].

En definitiva, la jurisprudencia fijada se ha mostrado favorable a que el demandante pueda realizar adaptaciones de la demanda en un contencioso donde el acto, cuya anulación se busca, tiende a mutar periódicamente sin cambiar el objeto del mismo, siempre y cuando se cumplan con los límites temporales prescritos para la presentación de las demandas en anulación y siempre y cuando se realice contra actos que son recurribles en anulación[381]. Asimismo, favoreciendo que cada acto nuevo no tenga que ser objeto de un proceso separado, ayuda a que no se generen situaciones de litispendencia[382].

No obstante, por último, la limitación que se impone a esta cuestión de la adaptación de la demanda es, como no puede ser de otra manera, el principio de justicia rogada, «en virtud del cual son las partes quienes tienen la iniciativa del proceso y quienes delimitan el objeto del litigio»[383]. Es decir, que sea el demandante quien se manifieste y exponga de manera clara su intención de adaptar la demanda.

B. LA SENTENCIA: LAS IMPLICACIONES PARA LA LABOR DEL CONSEJO

La sentencia es la expresión final del análisis de los jueces sobre las pretensiones de las partes en el proceso. En primer lugar, el pronunciamiento sobre los efectos de la sentencia en el tiempo tiene

---

380 *Ibid.*, apartados 36 y 37.

381 Sentencia del Tribunal General de 5 de octubre de 2017, Mohamed Marouen Ben Ali Ben Mohamed Mabrouk/Consejo (*Mabrouk I*), T-175/15, ECLI:EU:T:2017:694, apartados 153-173.

382 Auto del Tribunal General de 15 de febrero de 2016, Ezz *et al.*/Consejo, T-279/13, EU:T:2016:78, apartado 23 y sentencia del Tribunal General de 18 de septiembre de 2014, Central Bank of Iran/Consejo, T-262/12, ECLI:EU:T:2014:777, apartados 38-44.

383 Conclusiones del abogado general Mengozzi, George Haswani/Consejo, C-313/17 P, ya citadas, apartado 54.

una importancia crucial puesto que, con ello, se indica el margen de tiempo que se tiene para ejecutar la sentencia. En segundo lugar, la obligación de acatar lo que dicta el contenido ejecutivo de las sentencias es uno de los elementos más intrínsecos a la propia función judicial puesto que garantiza la eficacia de la función jurisdiccional, a diferencia de otros órganos de solución de diferencias con poder meramente recomendatorio. En tercer lugar, muy vinculado a la ejecución de la sentencia está la cuestión relativa al principio de cosa juzgada. Es indispensable, por lo tanto, entender cómo el TJUE ha entendido este principio en relación con las medidas restrictivas para analizar las implicaciones que ello tiene sobre el Consejo.

Por un lado, la noción de cosa juzgada tiene repercusiones para entender cuál es el contenido de la sentencia que el Consejo ha de ejecutar. Por otro lado, nos surge la cuestión de entender también cómo se conjuga un equilibrio entre noción de cosa juzgada y los límites que tiene el Consejo para volver a reinscribir al demandante en las listas de designados, al mismo tiempo que cumple con la obligación de ejecutar la sentencia. Es decir, cuáles son las consecuencias de una anulación sobre futuras designaciones del Consejo sobre la misma persona o entidad.

1. *Los efectos de la sentencia en el tiempo: el juego de los plazos y la concatenación de actos*

Otra particularidad característica del contencioso de las medidas restrictivas se refiere a los efectos de la sentencia en el tiempo y a la reinscripción de los designados. Aunque son dos cuestiones que, en principio, no tendrían por qué estar vinculadas, la naturaleza de estas medidas hace que sea frecuente el que se den de forma ligada en el tiempo. Y la relación que se establece en estos casos entre el TJ y sus decisiones y las reacciones del Consejo son clave en este punto. El TJ ejerce, de nuevo, una función fundamental al interpretar cuáles son los límites de la potestad del Consejo a la hora de adoptar sanciones, de eliminarlas o de modificarlas.

Las medidas restrictivas despliegan una serie de consecuencias negativas en la esfera jurídica de los afectados. Por ello, es de interés para el Consejo que estas consecuencias se mantengan hasta que no exista una total y unánime certidumbre sobre una posible anulación de las mismas.

El pronunciamiento del TG para que los efectos de la sentencia no se desplieguen hasta que haya expirado el plazo máximo para que se pueda plantear el recurso de casación ante el TJ debe ser solicitado por las partes. Es práctica recurrente que la parte demandada —o sea, el Consejo— incluya entre sus peticiones que el TG, en el caso de sentencias estimatorias, y siempre y cuando la norma siga en vigor, declare que la sentencia no sea efectiva hasta que no trascurra el plazo para interponer el recurso de casación. Si no se hiciera de esta forma, se correría inmediatamente el riesgo de que la persona física o jurídica afectada por las medidas restrictivas pudiera realizar actuaciones que socavaran la efectividad de las medidas, esencialmente. Pensemos, por ejemplo, en las congelaciones de activos.

Como resultado, se pospone en el tiempo el momento desde el cual la sentencia comienza a desplegar los efectos por una razón de seguridad jurídica (y de efectividad de una medida cuya legalidad puede ser reconocida en casación por el TJ frente al posicionamiento del TG)[384].

Sensu contrario, no sería necesario solicitar la postergación de los efectos de la sentencia en el tiempo en el caso de que no se requiera conservar los actos anulados en vigor. Esto se daría si ya existe un acto normativo posterior que haya vuelto a mantener la designación de ese individuo o entidad, por lo que la anulación del acto objeto del litigio no tiene efectos reales sobre la obligación de "deslistar" a esa persona o entidad. Esto explica que la sentencia pueda ser firme desde el momento de su pronunciamiento sin afectar a la eficacia de un acto vigente.

Sin embargo, llama la atención la descripción que de esta cuestión se hace en el documento del Consejo, *Actualización de las mejores*

---

384 Véase, por ejemplo, la Sentencia del Tribunal General de 13 de noviembre de 2014, Khaled Kaddour/Consejo (*Kaddour I*), T-654/11, ECLI:EU:T:2014:947, apartados 88-94.

prácticas de la UE para la aplicación eficaz de medidas restrictivas[385], en su punto 22, cuando hace referencia a:

> «La anulación de los actos por los que se impongan medidas restrictivas contra una persona o entidad no surtirá efecto inmediatamente después de que el Tribunal haya dictado la resolución, a menos que ello se establezca expresamente en la sentencia. Los efectos de cualquier acto que haya sido anulado en primera instancia se mantendrán hasta la expiración del plazo para la interposición de recursos de casación [...]».

En la práctica, el TG siempre se pronuncia sobre los efectos de la sentencia en el tiempo, bien sea para determinar si esta no despliega sus efectos antes de que expire el plazo para interponer recurso de casación (dos meses y diez días), si ha habido petición de ello por las partes y así lo estima el TG, o bien sea para declarar que la sentencia despliega sus efectos desde su publicación. Las *Mejores Prácticas*, en el mismo punto 22, continúan:

> «Durante dicho periodo la institución de la UE pertinente podrá remediar las infracciones declaradas adoptando, si procede nuevas medidas restrictivas respecto de las personas o entidades afectadas. Como alternativa, la institución de la UE podrá interponer un recurso de casación, en cuyo caso la inclusión en las listas seguirá vigente a la espera de que se resuelva el recurso. Una vez transcurrido el citado plazo de dos meses y diez días, las medidas restrictivas contra la persona o entidad de que se trate cesarán o podrán seguir surtiendo pleno efecto dependiendo de si la institución u otros agentes deciden o no tomar alguna de las medidas expuestas».

A nuestros ojos esto no es completamente correcto y, aunque parece que viene expresado como una norma, no lo es[386]. Las *Mejores*

---

385 Nota de la Secretaría General del Consejo a delegaciones (2024). *Medidas restrictivas (sanciones): Actualización de las mejores prácticas de la UE para la aplicación eficaz de medidas restrictivas,* versión actualizada de 3-07-2024, doc. 11623/24.

386 Lo mismo sucede con otro documento similar, (*cf.* Nota de la Secretaría General del Consejo al Coreper/Consejo de la Unión Europea (2018). *Orientaciones sobre la aplicación y evaluación de las medidas restrictivas (sanciones) en el marco de la Política Exterior y de Seguridad Común de la UE,* 4-05-2018, doc. 5664/18), con respecto al cual el Tribunal ha tenido la oportunidad de dejar claro que no constituyen nuevas reglas, sino que reflejan obligaciones que se da el Consejo. *Cf.* Sentencia del Tribunal General de 18 de mayo de 2017, Rami Makhlouf/Consejo, T-410/16, ECLI:EU:T:2017:349, apartado 134 o sentencia del Tribunal

Prácticas de la UE para la aplicación eficaz de medidas restrictivas no dejan de ser unas «recomendaciones no exhaustivas, de carácter general, [...]. No son jurídicamente vinculantes, y no debería entenderse que recomiendan ninguna actuación que resulte incompatible con el Derecho de la Unión [...]»[387].

Parece difícil hacer compatible lo descrito en estas *Mejores Prácticas* con el tenor del art. 280 TFUE que establece que las sentencias del TJUE «tendrán fuerza ejecutiva» o con el art. 266 TFUE que indica que, en este caso, el Consejo, como institución de la que emana el acto anulado está obligado a «adoptar las medidas necesarias para la ejecución de la sentencia del TJUE».

Asimismo, en principio, el art. 278 TFUE establece que los recursos interpuestos ante el TJ no tienen carácter suspensivo pero permite que, «si las circunstancias así lo exigen», se determine «la suspensión de la ejecución del acto impugnado». En este caso, nos referimos más bien a una situación contraria pero que también quedaría amparada, puesto que lo que se suspende es la ejecución de una sentencia estimatoria que anula un acto. Por lo tanto, lo que se establece no es la suspensión del acto impugnado, sino precisamente que el acto anulado pueda seguir estando vigente durante ese período, a la espera de conocer si la parte demandada —el Consejo—, cuyas pretensiones han sido desoídas, plantee un recurso de casación.

El art. 60 ETJUE se remite al contenido de este art. 278 TFUE. No obstante, aporta mayores precisiones en referencia al caso de los reglamentos. Ante los reglamentos, sí se reconoce que las sentencias del TG que anulen un reglamento solo surtirán efecto a partir de la expiración del plazo contemplado para el recurso de casación, esto es, dos meses y diez días en la práctica, o «si se hubiera interpuesto un recurso de casación durante dicho plazo, a partir de la desestimación» del mismo. Finaliza reconociendo el derecho de las partes a poder exigir, de nuevo, la suspensión de la ejecución del acto y/u otro tipo de medidas provisionales.

General de 28 de febrero de 2019, Drex Technologies SA/Consejo, T-414/16, ECLI:EU:T:2019:117, apartado 130.

387 Nota de la Secretaría General del Consejo a delegaciones (2024). *Medidas restrictivas (sanciones): Actualización de las mejores prácticas de la UE para la aplicación eficaz de medidas restrictivas*, ya citada, punto 3.

Sin embargo, es importante recordar que las medidas restrictivas se fundamentan en dos tipos de actos: una decisión y un reglamento. Aunque el art. 60 ETJUE se refiera a una cuestión particular que afecta a los reglamentos, nada se dice con respecto a los efectos en caso de la decisión, por lo que genera, sin dudas, problemas de seguridad jurídica[388]. En el caso de que el recurso, excepcionalmente en el caso de las medidas restrictivas, solo afectara a una norma de naturaleza reglamentaria, se aplicaría el art. 60 ETJUE sin necesidad de que el TG tuviera que pronunciarse[389].

Por todo ello, con independencia de la redacción de las *Mejores Prácticas*, el TG siempre se manifiesta sobre los efectos de la sentencia en el tiempo. Además, el Consejo, como parte demandada, solicita sistemáticamente que, en el caso de quedar los actos anulados en virtud de la sentencia, estos se mantengan en vigor hasta la finalización del plazo previsto para interponer recurso de casación y, en el caso de que se interponga dicho recurso, hasta que sea resuelto[390]. Incluso, puede haber situaciones en los que pida un plazo más largo, aunque el TG no estime nunca esta petición para un plazo mayor de dos meses y diez días, o sea, el plazo máximo para interponer el recurso de casación[391].

---

388 Véase, por ejemplo, la clara explicación que se hace de esta cuestión en sentencia del Tribunal General de 12 de diciembre de 2013, Ghasem Nabipour *et al.*/ Consejo, T-58/12, ECLI:EU:T:2013:640, apartados 245-251.

389 Esto explica que, en algunos casos planteados muy excepcionalmente ante el TG donde el demandante solo interpuso recursos de anulación contra el reglamento, el Consejo no pida al TG la necesidad de pronunciarse sobre los efectos de la sentencia en el tiempo. Al versar el recurso solo sobre la nulidad del reglamento, opera el art. 60 del ETJUE. *Cf.* Sentencia del Tribunal General de 9 de junio de 2021, Sayed Shamsuddin Borborudi/Consejo, T-580/19, ECLI:EU:T:2021:330.

390 *Cf.* Sentencia del Tribunal General de 25 de junio de 2020, Oleksandr Viktorovych Klymenko/Consejo, T-295/19, ECLI:EU:T:2020:287, apartado 43, tercer guion, o sentencia del Tribunal General de 14 de julio de 2021, Xavier Antonio Moreno Reyes, T-552/18, ECLI:EU:T:2021:455, apartado 31, segundo guion.

391 Véase, como ejemplo, la Sentencia del Tribunal General de 17 de abril de 2013, Turbo Compressor Manufacturer (TCMFG)/Consejo, T-401/11, ECLI:EU:T:2013:194, apartados 14 y 41-44. En este asunto, el Consejo solicitó una suspensión de ejecución de la sentencia de tres meses y el TG, basándose en el principio de seguridad jurídica, indicó que estos efectos no podían exceder de un plazo de dos meses y diez días.

Esto nos lleva a incidir, de nuevo, en la importancia de la adaptación de la demanda para, en la medida de lo posible, poder incluir como objeto del recurso los actos más recientes vigentes. Si no es este el caso, una sentencia estimatoria[392] con respecto a unos actos ya superados solo tendría *a priori* un efecto moral en el demandante, puesto que se reconocería que su inclusión en un listado no era conforme a derecho[393]. En el caso de que existiera un acto posterior vigente que no hubiera sido o podido ser incluido en el recurso, el demandante seguiría estando listado. Esta situación exigiría que el demandante tuviera que iniciar otro procedimiento para atacar el acto más reciente, siempre y cuando se encuentre en plazo para hacerlo. Si no, al menos hasta que hubiera una revisión y un acto nuevo, el demandante, cuya pretensión ha sido estimada con respecto a un acto que ya no está vigente, seguiría siendo objeto de medidas restrictivas.

En el caso de que la sentencia sea estimatoria y el TG determine que la sentencia no sea firme hasta que expire el plazo de presentación del recurso de casación (que plantearía el Consejo) o hasta que no se resuelva dicho recurso en el caso de que lo plantee, la existencia y obligatoriedad de observación de las medidas restrictivas permanecen.

---

392 También los efectos de una anulación conllevarían que el TJUE se manifieste sobre la existencia de una ilegalidad en el ordenamiento que podría extenderse a otros actos similares.

393 Esto es precisamente lo que en varias ocasiones se ha reconocido por parte del TJ y del TG al declarar que puede darse que el destinatario de medidas restrictivas mantenga un interés en la acción, aunque el acto cuya anulación se busque no tenga ya efectos materiales. Los jueces han reconocido que la mera compensación moral es suficiente para justificar el interés en la acción y, por lo tanto, en el proceso. Véase, por ejemplo, sentencia del Tribunal de Justicia (Gran Sala) de 28 de mayo de 2013, Abdulbasit Abdulrahim/Consejo y Comisión, C-239/12 P, ya citada, apartados 61-85, también, con respecto al interés en interponer el recurso de casación, véase la sentencia del Tribunal de Justicia (Gran Sala) de 21 de diciembre de 2011, República Francesa/ People's Mojahedin Organization of Iran (OMPI), C-27/09 P, ya citada, apartado 43. No obstante, el TJ ha matizado este interés en ejercer la acción cuando se trata de medidas de alcance general o medidas restrictivas sectoriales que ya no están en vigor. Véase, en este sentido, la sentencia del Tribunal de Justicia de 6 de septiembre de 2018, Bank Mellat/Consejo, C-430/16 P, ECLI:EU:C:2018:668, apartados 43-69.

Incluso en el caso de que no se plantee recurso de casación, esos dos meses y diez días son un margen temporal suficiente para que el Consejo, si su voluntad es mantener las medidas restrictivas sobre la persona o entidad concernida, corrija el motivo por el que el TJUE anuló las medidas[394]. Así lo manifiesta claramente el TG cuando dice:

> «*Bien qu'il appartienne au Conseil de décider des modalités d'exécution du présent arrêt, une nouvelle inscription sur les listes ne saurait ainsi être exclue d'emblée. En effet, dans le cadre d'un nouvel examen, le Conseil a la possibilité de réinscrire le nom du requérant sur la base de motifs étayés à suffisance de droit*»[395].

En otros casos, el Consejo puede estimar que no hay forma posible de eliminar el defecto de nulidad que afecta a la designación y que ha de procederse a cumplir la obligación de acatar el pronunciamiento del TG y ejecutar la sentencia levantando las medidas restrictivas que pesan sobre el demandante[396].

---

394 A título de ilustración, en casación mediante sentencia del Tribunal de Justicia de 26 de septiembre de 2019, Oleksandr Viktorovych Klymenko, C-11/18 P, ECLI:EU:C:2019:786, el TJ anuló varios actos jurídicos en los que se basaba la designación de un exministro ucraniano. Varios meses después, el Consejo volvió a adoptar actos jurídicos (Decisión (PESC) 2020/373 del Consejo de 5 de marzo de 2020 por la que se modifica la Decisión 2014/119/PESC relativa a medidas restrictivas dirigidas contra determinadas personas, entidades y organismos habida cuenta de la situación en Ucrania (DO L 71 de 6.3.2020, pp. 10-13) y Reglamento de Ejecución (UE) 2020/370 del Consejo de 5 de marzo de 2020 por el que se aplica el Reglamento (UE) nº 208/2014 relativo a las medidas restrictivas dirigidas contra determinadas personas, entidades y organismos habida cuenta de la situación en Ucrania (DO L 71 de 6.3.2020, pp. 1-4)) mediante los que se modificaron los términos de referencia y se amplió un apartado relativo a la información sobre el derecho de defensa y el derecho a una tutela judicial efectiva —cuestiones que habían sido objeto del análisis del TJ—.

395 Sentencia del Tribunal General de 13 de noviembre de 2014, Khaled Kaddour/Consejo (*Kaddour I*), T-654/11, ya citada, apartado 93.

396 Por dar un ejemplo, mediante sentencia del Tribunal General de 28 de octubre de 2020, Slim Ben Tijani Ben Haj Hamda Ben Ali, T-151/18, ECLI:EU:T:2020:514, el Tribunal declaraba la anulación de dicha designación. En la revisión anual inmediatamente posterior del régimen, la Decisión (PESC) 2021/55 del Consejo de 22 de enero de 2021 por la que se modifica la Decisión 2011/72/PESC relativa a medidas restrictivas dirigidas contra determinadas personas y entidades habida cuenta de la situación en Túnez (DO L 23 de 25.1.2021, pp. 22 y 23), y el Reglamento de Ejecución (UE) 2021/49 del Consejo de 22 de enero de 2021 por el que se aplica el Reglamento (UE) nº 101/2011 relativo a medi-

En definitiva, se trata de encontrar un equilibrio entre, por una parte, el derecho del demandante a que sus pretensiones sean satisfechas y sus derechos restablecidos una vez que se declara la inscripción en las listas como nula en el menor tiempo posible y, por otra, mantener la eficacia de las medidas restrictivas que, el TG precisa a menudo, son la forma que se ha dado el Consejo para perseguir un objetivo de interés general en el ámbito de la PESC[397].

Precisamente, la protección de la eficacia de las medidas restrictivas hasta que no haya un pronunciamiento definitivo y firme por parte de la autoridad judicial explica que, en el ámbito de las medidas restrictivas, no se hayan acordado hasta la fecha medidas provisionales[398], con una sola excepción reciente[399]. Si el TG admitiera la adopción de medidas provisionales de forma cautelar mientras está

---

das restrictivas dirigidas contra determinadas personas, entidades y organismos habida cuenta de la situación en Túnez (DO L 23 de 25.1.2021, pp. 5 y 6), se suprimía la entrada relativa a este individuo. Otro caso en el que está expresamente explicado en los actos normativos es la supresión de Sayed Shamsuddin Borborudi del régimen de sanciones de Irán vinculadas a la actividad nuclear como consecuencia de la sentencia del Tribunal General de 9 de junio de 2021, Sayed Shamsuddin Borborudi/Consejo, T-580/19, ya citada. *Cf.* Decisión (PESC) 2021/1252 del Consejo de 29 de julio de 2021, por la que se modifica la Decisión 2010/413/PESC relativa a la adopción de medidas restrictivas contra Irán (DO L 272 de 30.7.2021, pp. 73-77) considerando 3.

397 Sentencia del Tribunal General de 13 de noviembre de 2014, Khaled Kaddour/Consejo (*Kaddour I*), T-654/11, ya citada, apartado 91.

398 Véase, por ejemplo, el auto del Tribunal General de 12 de diciembre de 2011, Tarif Akhras/Consejo, T-579/11 R, ECLI:EU:T:2011:729, ratificado en apelación por el auto del Presidente del Tribunal de Justicia de 19 de julio de 2012, Tarif Akhras/Consejo, C-110/12 P(R), ECLI:EU:C:2012:507, en el que se desestimó la petición de que el TG decretase medidas provisionales.

399 En el momento de cerrar este estudio de investigación, se han acordado por primera vez medidas provisionales suspendiendo la prohibición de entrada en la UE y permitiéndole el acceso a servicios financieros (una cuenta bancaria y una tarjeta de crédito) a Nikita Dmitrievich Mazepin para poder llevar a cabo sus actividades como piloto de Fórmula 1. El auto del Presidente del TG estima que para autorizar estas medidas provisionales suspensivas de las medidas restrictivas concurre *fumus boni iuris* (*prima facie case*), *periculum in mora* (*urgency*), así como la prevalencia del interés del demandante en la suspensión de las medidas sobre el interés del Consejo para mantenerlas. *Cf.* Auto del Presidente del Tribunal General de 1 de marzo de 2023, Nikita Dmitrievich Mazepin/Consejo, T-743/22 R, ECLI:EU:T:2023:102; auto del Presidente del Tribunal General de 19 de julio de 2023, Mazepin/Consejo, T-743/22 RII, ECLI:EU:T:2023:406 y

en curso el proceso, dejaría sin efectos temporalmente las medidas restrictivas, lo que facilitaría poder llevar a cabo acciones que pondrían en peligro la eficacia de las mismas. De nuevo, el ejemplo más evidente sería el relacionado con la congelación de activos. La suspensión de la aplicación de dicha congelación permitiría al afectado realizar los movimientos financieros necesarios para sustraerse a sus efectos en caso de reimponerse la medida.

2. *El contenido ejecutivo de la sentencia: las implicaciones de una anulación sobre futuras designaciones de la misma persona*

Cuando en un recurso de anulación una sentencia determina que el acto ha de ser anulado, este acto deja de existir para el ordenamiento jurídico con respecto a la persona designada con efectos *ex tunc.* Para el ordenamiento jurídico, el acto nunca ha existido. No obstante, la fuerza de la sentencia va más allá y limita también la capacidad del Consejo *ad futurum.*

En lo que se refiere al contenido de la sentencia que es necesario ejecutar, es clave ver, por un lado, la delimitación de ese contenido esencial para establecer hasta dónde llega la obligación de ejecutar del Consejo, así como, por otro lado, hasta dónde llega su capacidad de maniobra futura.

En primer lugar, de acuerdo con la interpretación y aclaración expresa de la jurisprudencia más reciente, la obligación de ejecución en virtud del art. 266 TFUE exige que aquellos elementos que han determinado que una designación estaba afectada de ilegalidad, deban ser eliminados también de aquellos actos que se hayan basado sobre los mismos elementos. Para ser más concretos, si en una situación el TG determinó con respecto a un designado que la motivación para su inclusión en una lista de destinatarios de medidas restrictivas no era suficiente o que las pruebas que apoyaban a la misma no eran lo suficientemente sólidas y, por lo tanto, había un error de valoración del Consejo, esa «mancha» de ilegalidad se extendería a

auto del Presidente del Tribunal General 19 de septiembre de 2023, Mazepin/Consejo, T-743/22 RIII.

otros actos que replicaran el mismo error con respecto a la persona designada[400].

Es cierto que la sentencia en sí solo hace desaparecer del ordenamiento jurídico el acto concreto por el que se planteó el recurso de anulación. Sin embargo, como entiende el TG, la determinación clara de que existe un motivo de nulidad exige que el Consejo, para cumplir con su obligación de ejecución de las sentencias, haga una revisión para eliminar esas «manchas» **o causas** de ilegalidad que existen en otros actos. Además, si recordamos que los actos por los que se establecen medidas restrictivas están sometidos a revisiones periódicas, la oportunidad para corregir esas ilegalidades determinadas por el TG se presenta con una periodicidad que no existe en otros ámbitos del ordenamiento. Asimismo, el hecho de que la mayor parte de los actos incluyan una vigencia determinada, hace que los actos anteriores que pudieran contener el mismo elemento de ilegalidad sean expulsados del ordenamiento por el mero hecho de llegar a su límite temporal.

Por otro lado, es esencial analizar cómo una sentencia marca la capacidad de maniobra futura del Consejo. En este sentido, anteriormente veíamos que, en ocasiones, el Consejo, a pesar de la existencia de una sentencia que anula una designación concreta, puede entender que dicho individuo o entidad debe seguir siendo objeto de medidas restrictivas. Esto ha de hacerse de forma compatible con la ejecución del tenor de la sentencia.

No obstante, el hecho de que una designación haya sido anulada nos puede plantear dudas legítimas sobre hasta qué punto el Consejo puede volver a decidir someter a esa persona o entidad a medidas restrictivas sin que ello sea incompatible con la ejecución de la sentencia anulatoria.

---

400 Así lo plantea de forma expresa el TG: «*Il faut donc en déduire que, en l'espèce, le Conseil pourrait avoir aussi l'obligation, en vertu de l'article 266 TFUE, d'éliminer des textes déjà intervenus lors de l'arrêt d'annulation les motifs d'inscription du nom du requérant ayant le même contenu que ceux jugés illégaux, si ces motifs sont étayés par les mêmes éléments de preuve que ceux examinés par le Tribunal dans le présent arrêt*». *Cf.* Sentencia del Tribunal General de 9 de junio de 2021, Sayed Shamsuddin Borborudi/Consejo, T-580/19, ya citada, apartado 98.

Según ha manifestado claramente el TJ[401], el Consejo puede volver a listar bajo un fundamento jurídico expresado con una motivación diferente. También puede hacerse en virtud de nuevas pruebas que sirvan para acreditar la veracidad de los motivos invocados, aunque estas pruebas fueran anteriores incluso a la primera designación.

En el asunto de *Bank Tejerat*, el TJ se ve obligado no solo a estudiar esta situación desde el punto de vista del principio de *res judicata*, sino también desde el derecho a la tutela judicial efectiva del designado.

Al analizar esta cuestión, podría parecer que la designación una y otra vez de la misma persona o entidad, en este caso, basándose en motivaciones o pruebas diferentes a pesar de anulaciones anteriores, puede llevar al afectado a una situación de desamparo. En este sentido el TJ explica que: «el principio de tutela judicial efectiva no puede impedir que el Consejo vuelva a incluir a una persona o entidad en las listas de personas y entidades cuyos activos se inmovilizan, tomando como base otros motivos distintos de aquellos sobre los que se había fundado la inclusión inicial de esa persona o entidad. En efecto, dicho principio tiene por objetivo garantizar que un acto lesivo pueda ser impugnado ante el juez y no que no pueda adoptarse un nuevo acto lesivo basado en motivos distintos»[402].

3. *La fuerza de cosa juzgada: consecuencias para futuras designaciones*

En este punto también es esencial preguntarnos cómo en este marco de las medidas restrictivas guiado por una voluntad del Consejo de mantener una serie de designaciones o de sanciones sectoriales y una presión en el tiempo como estrategia de Política Exterior, la fuerza de cosa juzgada afecta a su capacidad de decisión y cómo la obligación de acatar las sentencias del TJUE ha de ser entendida para hacer ambas cuestiones compatibles.

En el asunto referido a la entidad *Stichting Al-Achsa*, tras haber sido sometida a medidas restrictivas por su vinculación a actividades

---

401 Sentencia del Tribunal de Justicia de 29 de noviembre de 2018, Bank Tejarat/ Consejo, C-248/17 P, ECLI:EU:C:2018:967, apartados 66-77.

402 *Ibid.*, apartado 80.

terroristas en virtud de la Posición común 2001/931/PESC, que trasladaba su designación por el CSNU, el TJ en casación aclaró lo mismo que ya se había establecido en litigios referentes a otras materias: «la fuerza de cosa juzgada se extiende únicamente a los fundamentos de Derecho de una sentencia en los que se basa necesariamente el fallo y que son, por ello, indisociables del mismo»[403].

La abogada general TRSTENJAK se detiene con mayor profundidad en los efectos de la fuerza de cosa juzgada al afirmar que «efectivamente, la autoridad de cosa juzgada sólo afecta a los extremos de hecho y de Derecho que fueron efectiva o necesariamente zanjados por la resolución judicial de que se trate»[404], refiriéndose también a jurisprudencia anterior[405]. En otras palabras, el hecho de que una persona o entidad vuelvan a ser designados por un nuevo acto jurídico no impide que esa nueva designación pueda ser recurrida en anulación puesto que no operaría el principio de cosa juzgada.

Como indicaba la abogada general TRSTENJAK en términos muy claros siguiendo en el asunto de *Stichting Al-Aqsa*: «un eventual recurso contra una nueva medida del Consejo frente a Al-Aqsa no se referiría a los mismos hechos ni tendría el mismo objeto, sino más bien un objeto litigioso completamente diferente, condicionado por la nueva medida. En consecuencia, no cabe temer un efecto de bloqueo a causa de los efectos de cosa juzgada»[406].

Por último, aparte de la incidencia que la propia resolución judicial pueda tener para el asunto concreto, no se le escapa a nadie

---

403 Sentencia del Tribunal de Justicia de 15 de noviembre de 2012, Stichting Al-Aqsa/Consejo, asuntos acumulados C-539/10 P y C-550/10 P, ECLI:EU:C:2012:711, apartado 49.

404 Conclusiones de la abogada general Trstenjak/Consejo, Stichting Al-Aqsa/Consejo, asuntos acumulados C-539/10 P y C-550/10 P, ECLI:EU:C:2012:321, apartado 35.

405 Auto del Tribunal de Justicia de 28 de noviembre de 1996, Erika y Volker Lenz/Comisión, C-277/95 P, ECLI:EU:C:1996:456, apartado 50 y sentencia del Tribunal de Justicia (Gran Sala) de 29 de marzo de 2011, ThyssenKrupp Nirosta GmbH/Comisión, C-352/09 P, ECLI:EU:C:2011:191, apartado 123, y sentencia del Tribunal de Justicia de 13 de septiembre de 2017, Salvatore Aniello Pappalardo *et al.*/Comisión, C-350/16 P, EU:C:2017:672, apartado 37.

406 Conclusiones de la abogada general Trstenjak/Consejo, Stichting Al-Aqsa/Consejo, asuntos acumulados C-539/10 P y C-550/10 P, ya citadas, apartado 35.

que, además, es un posicionamiento de gran valor para saber cómo deben presentarse las futuras designaciones conforme a Derecho, así como las designaciones ya existentes que son sometidas a revisión de forma periódica. El tenor de las decisiones del TG también son una fuente de información muy importante para el Consejo para ver qué designaciones son susceptibles de ser apuntaladas desde el punto de vista jurídico y evitar futuros contenciosos en los que el demandante consiga la anulación de sus designaciones afectadas de nulidad.

En conclusión, como venimos defendiendo a lo largo de este trabajo, las medidas restrictivas son un campo relativamente nuevo para el Consejo y el diálogo entre el TJ y el Consejo es esencial para establecer cuáles son los límites que el Estado de Derecho impone al Consejo a la hora de llevar a cabo su labor ejecutiva propia de Política Exterior. Las propias características de este tipo de actos hacen que la relación entre el TJ y el Consejo para asegurar que las designaciones estén ajustadas a Derecho sea mucho más dinámica y rica que en otros ámbitos del Derecho de la UE.

SEGUNDA PARTE

EL DESARROLLO DE LA JURISPRUDENCIA SOBRE LA NATURALEZA Y VALIDEZ DE LAS MEDIDAS RESTRICTIVAS

«La pretensión de que una medida es necesaria para el mantenimiento de la paz y la seguridad internacionales no puede surtir efectos hasta el punto de silenciar los principios generales del Derecho comunitario y de privar a los individuos de sus derechos fundamentales. Lo anterior no disminuye la importancia del interés en mantener la paz y la seguridad, sino que significa simplemente que persiste el deber de los tribunales de pronunciarse sobre la conformidad a Derecho de aquellas medidas que puedan entrar en conflicto con otros intereses que revisten asimismo gran importancia y cuya protección ha sido encomendada a los tribunales»[407].

---

407 Conclusiones del abogado general Poiares Maduro, Yassin Abdullah Kadi y Al Barakaat International Foundation/Consejo (*Kadi I*), asuntos acumulados C-402/05 P y C-415/05 P, ECLI:EU:C:2008:11, apartado 34.

INTRODUCCIÓN

El objetivo de esta segunda parte se centra en el estudio pormenorizado de la actividad jurisdiccional aplicada a las medidas restrictivas, cuál es el control que se ejerce sobre la naturaleza y validez de las mismas, desgranando los aspectos tanto formales como materiales.

Si cuando anteriormente tratábamos las cuestiones procesales, llegamos a la conclusión de que la jurisprudencia ha sido clave en el desarrollo de la actividad jurisdiccional, en esta parte la jurisprudencia y la labor de los jueces ganan una nueva dimensión. Se permite establecer un diálogo directo con el Consejo sobre la forma de diseñar las sanciones, sobre lo que pueden abarcar y cuáles son los límites.

Al estudiar el más de medio millar de sentencias que han pronunciado el TG y el TJ sobre medidas restrictivas hasta la fecha, llegamos rápidamente a la conclusión de que los argumentos principales de carácter sustantivo —no referidos a las cuestiones de competencia ni de admisibilidad— que recaen bajo el control judicial se suelen repetir: i) la base jurídica del acto, la competencia de la autoridad que los adopta y los criterios de designación, ii) los procedimientos de adopción —y revisión— de los actos por el Consejo, iii) la obligación de motivación, iv) la verificación de la suficiencia y adecuación de los hechos sobre los que se sustentan las designaciones, y, v) las medidas establecidas por los actos jurídicos y su posible violación de derechos fundamentales.

Incluso podríamos restringir más el estudio y destacar que el grueso de los asuntos versa sobre la obligación de motivación y sobre la verificación de la suficiencia y adecuación de los hechos sobre los que se sustentan las designaciones, también sobre las medidas concretas establecidas y su compatibilidad con los derechos fundamentales. En menor medida, hay casos en los que se plantean cuestiones referidas a potenciales problemas de nulidad de los procedimientos de adopción y revisión de los actos por el Consejo. Finalmente, son muy escasos los asuntos en los que se ha planteado algún problema referido a cuestiones de base jurídica, competencia de la autoridad que toma la decisión y los criterios de designación de manera general.

No obstante, de cara a este estudio, esta autora considera que solo se llegaría a unas conclusiones muy superficiales si nos dedicásemos a ver argumento por argumento, olvidando el marco general y los principios y criterios generales que rigen la actividad de los jueces en este tipo de contencioso. Además, no podemos predecir si, con el desarrollo de los diferentes regímenes y designaciones, los recurrentes no comenzarán a centrarse en esgrimir otro tipo de argumentos para recurrir la legalidad de los actos. Por ello, con un afán de que este estudio y sus conclusiones puedan mantener su utilidad a largo plazo, hemos preferido agrupar el análisis de manera diferente. En primer lugar, nos centraremos en la actividad jurisdiccional en el ámbito de las medidas restrictivas y la dimensión reguladora de la jurisprudencia (I.A), que queda limitada por el margen de discrecionalidad del Consejo cuyos contornos ha abordado la jurisprudencia en numerosas ocasiones (I.B), para finalmente entender también la posición que el TJUE ha adoptado cuando se enfrenta a la revisión de los criterios de designación (I.C). En segundo lugar, el estudio se centrará en la actividad de supervisión jurisdiccional de los elementos formales esenciales de las medidas o elementos que conforman su legalidad externa: la protección de los derechos de defensa y de tutela judicial efectiva (II.A), la obligación establecida por el TJUE de que las medidas restrictivas sean sometidas a un reexamen periódico (II.B), así como el celo que ha puesto el TJUE en el control de que la obligación de motivación de las medidas cumpla con unos estándares de rigor mínimos (II.C). Por último, se dedicará el tercer apartado al análisis de los elementos materiales de las medidas restrictivas o elementos que conforman su legalidad interna. En concreto, se presentará la visión evolutiva de la jurisprudencia en el examen del error manifiesto de apreciación y de los elementos de la prueba (III.A), las dificultades materiales presentadas por las designaciones derivadas de los sistemas de doble nivel (III.B) y la posición del TJUE frente a la vulneración de los derechos fundamentales de carácter material como consecuencia de la imposición de medidas restrictivas (III.C).

I. LA ACTIVIDAD JURISDICCIONAL EN EL ÁMBITO DE LAS MEDIDAS RESTRICTIVAS: LA DIMENSIÓN REGULADORA DE LA JURISPRUDENCIA

Una vez reconocida la competencia y determinado quién tiene legitimación activa para plantear un recurso en el ámbito de las medidas restrictivas, para que el control de legalidad sea verdaderamente operativo, hay que entender cuál es la capacidad del TJUE para entrar en el fondo de los actos, es decir, cómo se desarrolla esa actividad jurisdiccional.

La actividad jurisdiccional puede ser estudiada desde dos perspectivas, una positiva, esto es la extensión de la misma; y otra negativa, o cuáles son los límites que se le imponen a la misma.

En esta investigación hemos aplicado ambas perspectivas para tener una visión más completa de cómo el propio TJUE ha entendido su propia actividad jurisdiccional. En primer lugar, se analizará la vertiente positiva: el alcance, la intensidad y la efectividad de dicha actividad jurisdiccional. A continuación, se hará un estudio de los principales límites identificados en el estudio de la jurisprudencia: el margen de discrecionalidad del Consejo y, como consecuencia de este reconocimiento, la relativa autolimitación del TJUE para entrar a conocer la legalidad de fondo de los criterios de designación.

A. LA TRINIDAD DE LA ACTIVIDAD JURISDICCIONAL: EL ALCANCE, LA INTENSIDAD Y LA EFECTIVIDAD DEL CONTROL JUDICIAL

Cuando un asunto llega al TG mediante la vía procesal del recurso de anulación, los jueces proceden a hacer un estudio de los motivos que expone el recurrente para pedir la anulación del acto. Esa es la base del procedimiento, sin perjuicio de que el Tribunal *motu proprio* pueda conocer de aspectos considerados de orden público que tendrá que examinar de oficio.

Hay una triple dimensión que determina cómo se lleva a cabo este estudio por parte del Tribunal. Nos hemos de referir, en este sentido, al alcance, la intensidad y la efectividad del control jurisdiccional. Una trinidad de la actividad jurisdiccional que podríamos acuñar. Esta determina hasta dónde se extiende (qué partes o dimensiones de las medidas restrictivas como actos jurídicos caen bajo control judicial), cómo es de intensa (hasta dónde profundiza) y cuál es el objetivo de la efectividad de la actividad de los jueces (cuál es el principal parámetro de estudio del Tribunal a la hora de analizar los motivos alegados para perseguir el objetivo principal de protección de los derechos fundamentales).

Tanto el alcance, como la intensidad y la efectividad de la actividad jurisdiccional no son elementos inamovibles, sino que es el Tribunal el que, a través de su actividad en los últimos años sobre las medidas restrictivas y el avance de la jurisprudencia, ha ido profundizando en estos aspectos, sin perjuicio de los límites naturales que tiene la actividad jurisdiccional.

En cada una de las grandes categorías que hemos establecido a efectos del análisis en este estudio (a través de las cuales se verán en detalle los motivos más frecuentes que se alegan en el contencioso de las medidas restrictivas), el alcance, la intensidad y la efectividad de la actividad jurisdiccional varían, han evolucionado de manera no homogénea y también estimamos que pueden alcanzar potencialmente límites diferentes.

El abogado general BOT, en las conclusiones del asunto *Kadi II* en casación, se enfrenta a esta cuestión y presenta una propuesta del estándar de control aplicable[408]. Sin embargo, como veremos, este estándar, si bien cumple con un mínimo común denominador en todo asunto, arroja resultados heterogéneos dependiendo de los argumentos que esté examinando el Tribunal.

---

408 Conclusiones del abogado general Bot, Comisión Europea *et al.*/Yassin Abdullah Kadi (*Kadi II*) asuntos acumulados C-584/10 P, C-593/10 P y C-595/10 P, ECLI:EU:C:2013:176, apartados 91-110.

En este sentido, valga recordar que el alcance, la intensidad y la efectividad de la actividad jurisdiccional son obviamente elementos comunes a toda la actividad del TJUE como institución judicial. No obstante, es importante detenerse en ciertos aspectos particulares de esta triple dimensión del ejercicio de la actividad jurisdiccional que se ha desarrollado o aplicado de forma específica en referencia con el contencioso de las medidas restrictivas.

Coincidimos parcialmente con CREMONA[409] en que hay pocas pruebas de que el Tribunal sea particularmente sensible en el tema de la PESC cuando se refiere a estos aspectos. Decimos parcialmente ya que sí defendemos que ha habido un cierto esfuerzo de comprensión y adaptación aplicado a esta manifestación de la PESC. En este contexto, hay aspectos generales que pueden ser agrupados, presentados y estudiados de manera conjunta en esta aproximación inicial.

1. *El alcance de la actividad jurisdiccional: las dimensiones de las medidas restrictivas que son parte del control de los jueces*

En primer lugar, en cuanto al alcance de la actividad jurisdiccional, siguiendo a BERTRAND[410], las cuestiones imperiosas de Seguridad y de Política Exterior pueden modular el alcance de la actividad jurisdiccional pero nunca pueden tocar a la esencia del ámbito de actuación de la actividad jurisdiccional. Asimismo, el Tribunal ha entendido que «el Consejo dispone de una amplia facultad de apreciación de los factores que hay que tener en cuenta para tomar medidas de sanciones económicas y financieras con fundamento en el

---

409 CREMONA, M. (2017). Effective Judicial Review is of the Essence of the Rule of Law: Challenging Common Foreign and Security Policy Measures before the Court of Justice. *European Papers*, 2 (2), 671-697. Disponible en: https://www.europeanpapers.eu/en/system/files/pdf_version/EP_eJ_2017_2_11_Article_Marise_Cremona_00173.pdf, p. 696.

410 BERTRAND, B. (2015). La particularité du contrôle juridictionnel des mesures restrictives: les «considérations impérieuses touchant à la sûreté ou à la conduite des relations internationales de l'Union et de ses États membres». *Revue Trimestrielle de droit européen*, 3, pp. 564 y 565.

artículo 29 TUE y en el artículo 215 TFUE»[411]. Lo mismo ocurre con la elección de los designados[412].

No obstante, este reconocimiento de la discrecionalidad del Consejo y que, hasta ahora, se ha mantenido de manera sostenida en la jurisprudencia, solo se podría ver limitado por el principio de proporcionalidad o de desviación de poder. Aunque le dedicaremos atención específica más adelante[413], podemos avanzar que es difícil poder imaginar que el Consejo incurra en un quebrantamiento del principio de proporcionalidad —por la naturaleza que este principio tiene especialmente en el Derecho de la UE— o de una desviación de poder que sería ciertamente difícil de demostrar. En el temprano asunto *Sisón* de 2007, el TJ lo explicó ya de forma muy clara: «por lo que se refiere al control judicial del respeto del principio de proporcionalidad, el Tribunal de Justicia ha declarado que debe reconocerse al legislador comunitario una amplia facultad discrecional en ámbitos en los que deba tomar decisiones de naturaleza política, económica y social, y realizar apreciaciones complejas. El Tribunal ha deducido de ello que sólo el carácter manifiestamente inadecuado de una medida adoptada en estos ámbitos, en relación con el objetivo que tiene previsto conseguir la institución competente, puede afectar a la legalidad de tal medida»[414].

Además, cabe avanzar que el principio de proporcionalidad puede aplicarse tanto a la adopción de la medida en sí como, en un segundo estadio, al pasar por su tamiz la afectación que la aplicación

---

411 Sentencia del Tribunal General de 13 de septiembre de 2018, Gazprom Neft PAO/Consejo, asuntos acumulados T-735/14 y T-799/14, ya citada, apartado 141 o sentencia del Tribunal General de 5 de noviembre de 2014, Adib Mayaleh/Consejo, asuntos acumulados T-307/12 y T-408/13, ya citada, apartado 127.

412 Puede verse está confirmación por parte del TJUE en varias sentencias, por ejemplo, sentencia del Tribunal General de 13 de septiembre de 2018, Bank for Development and Foreign Economic Affairs (Vnesheconombank)/Consejo, T-737/14, ya citada, apartado 164; o en la sentencia del Tribunal de Primera Instancia de 14 de octubre de 2009, Bank Melli Iran/Consejo, T-390/08, ECLI:EU:T:2009:401, apartado 56.

413 A la cuestión del examen de proporcionalidad se le dedica un epígrafe más adelante (Parte Segunda, III.C.3).

414 Sentencia del Tribunal de Justicia de 1 de febrero de 2007, José María Sisón/Consejo, C-266/05 P, ECLI:EU:C:2007:75, apartado 33.

de esas medidas puede tener sobre los derechos fundamentales afectados de las personas designadas.

Asimismo, hay otro principio que matiza la discrecionalidad del Consejo y, por lo tanto, extendería el alcance de la actividad jurisdiccional en el contencioso de las medidas restrictivas. Ha sido referido en muy pocas ocasiones por el TJUE, pero nos parece muy interesante puesto que quizá es la vía para que el Tribunal comience, con mayor profundidad, una labor de estudio de la pertinencia de actuación y del diseño de los criterios de designación. Se trata del concepto o principio del «criterio pertinente».

Como indica el TG, «esta interpretación permite respetar el amplio margen de apreciación de que dispone el Consejo para definir los criterios generales de inclusión, al mismo tiempo que garantiza un control, en principio completo, de la legalidad de los actos de la Unión a la luz de los derechos fundamentales»[415]. En un asunto relativo al régimen de apropiación de fondos públicos en Ucrania, el TG llega a decir que «no puede admitirse que todo acto de apropiación indebida de fondos públicos, cometido en un país tercero, justifique una intervención de la Unión con el fin de consolidar y apoyar el Estado de Derecho en ese país, dentro del marco de sus competencias en materia de PESC»[416].

Vistas estas cuestiones generales, nos podemos preguntar si, dentro del alcance de la actividad jurisdiccional, es posible recurrir en sí la existencia del acto o cómo se podría realizar. Como ya hemos visto en los aspectos relativos al *locus standi*, es la materialización individual de estas medidas lo que permite que los individuos puedan cumplir con los requisitos establecidos en el art. 275.2 TFUE, que se remite a los del 263.4, y accedan al recurso[417]. Así, también lo deja claro el TJ en casación cuando declara que no tiene competencia para conocer la validez de medidas de alcance general puesto que «no constituyen,

---

415 Sentencia del Tribunal General de 30 de enero de 2019, Edward Stavytskyi/Consejo, T-290/17, ECLI:EU:T:2019:37, apartado 71.

416 Sentencia del Tribunal General de 15 de septiembre de 2016, Viktor Fedorovych Yanukovych/Consejo, T-346/14, ya citada, apartado 99.

417 Sentencia del Tribunal General de 13 de septiembre de 2018, PAO Rosneft Oil Company *et al.*/Consejo, T-715/14, ya citada, apartados 102-103.

a efectos del artículo 275 TFUE, párrafo segundo, medidas restrictivas adoptadas frente a personas físicas o jurídicas»[418].

Eso no es óbice para que, de forma extraordinaria, se pueda recurrir el acto en sí —no la designación individual—. En el caso de que una disposición general se pudiera individualizar y demostrar la afectación directa, se podría utilizar la vía del recurso de anulación. La otra forma de acceder a ello sería a través de la excepción de ilegalidad que, como ya se explicó[419], es un tipo de recurso accesorio por lo que el *locus standi* se estudia con respecto al recurso principal. Sin ánimo de redundar en explicaciones que ya se incluyeron en este análisis, baste recordar que la excepción de ilegalidad *ex* art. 277 TFUE permite que, en el curso de un litigio en el que se cuestione un acto de alcance general, cualquiera de las partes pueda alegar la inaplicabilidad del acto en virtud de los motivos de nulidad recogidos en el art. 263 TFUE. La limitación principal es que no podrá hacerlo si dispone de la posibilidad de plantear un recurso directo[420].

2. *La intensidad de la actividad jurisdiccional: la profundidad de la actividad jurisdiccional*

En segundo lugar, cuando hablamos de intensidad, nos referimos a cuál es la profundidad que comprende la actividad jurisdiccional. Ya en un asunto muy inicial en 2009, el entonces TPI lo explicaba: «el control judicial de la legalidad de la Decisión de que se trate se extiende a la apreciación de los hechos y circunstancias invocados para justificarla, así como a la verificación de los datos y pruebas en los que se haya basado tal apreciación. El Tribunal de Primera Instancia también deberá comprobar el respeto del derecho de defensa y el cumplimiento de la obligación de motivación a este respecto, así como, en su caso, el carácter fundado de las consideraciones impe-

---

418 Sentencia del Tribunal de Justicia (Gran Sala) de 28 de marzo de 2017, PJSC Rosneft Oil Company/ Her Majesty's Treasury *et al.*, C-72/15, ya citada, apartados 96-99.

419 Primera Parte, I.B.4.

420 Sentencia del Tribunal General de 18 de octubre de 2016, Sina Bank/Consejo, T-418/14, ya citada, apartado 43.

riosas invocadas excepcionalmente por el Consejo para eximirse de tal obligación»[421].

Repetidamente, esto se ha mantenido en la jurisprudencia. Así, más recientemente hemos visto cómo esta idea ha ido evolucionando en su formulación pero no en gran medida en lo que respecta al contenido: «como el juez de la Unión no puede sustituir la apreciación del Consejo sobre las pruebas, hechos y circunstancias que justifican la adopción de tales medidas por la suya, el control que ejerce debe limitarse a verificar la observancia de las normas de procedimiento y de motivación, la exactitud material de los hechos y la inexistencia de error manifiesto de apreciación de los hechos y de desviación de poder. Este control limitado se aplica, en particular, a la valoración de las consideraciones de oportunidad sobre las que se basa la adopción de tales medidas»[422]. Gracias a esta intensidad del control, como indica CREMONA[423], el Tribunal puede verificar la consistencia entre el objetivo de las medidas, la motivación para la adopción concreta de medidas contra un individuo y, por último, asegurarse de que los elementos que sirven de motivación están basados sobre hechos concretos y sustanciados por pruebas.

No entendemos, sin embargo, que sea acertado que el Tribunal utilice las expresiones como «limitarse» o «limitado», dentro de este margen de apreciación del Consejo. La profundidad o intensidad para llevar a cabo la actividad de revisión judicial es ciertamente amplia. No solo en cuanto extensión, como ya vimos, sino en relación con la profundidad, como se prueba en cada uno de los numerosos asuntos de medidas restrictivas de los que conoce el TG cada año y que no dejan de incrementarse.

---

421 Sentencia del Tribunal de Primera Instancia de 14 de octubre de 2009, Bank Melli Iran/Consejo, T-390/08, ya citada, apartado 37

422 Sentencia del Tribunal General de 13 de septiembre de 2018, Gazprom Neft PAO/Consejo, asuntos acumulados T-735/14 y T-799/14, ya citada, apartado 141 o sentencia del Tribunal General de 3 de febrero de 2021, Évariste Boshab/ Consejo, T-111/19, ECLI:EU:T:2021:54, apartado 117.

423 CREMONA, M. (2017). Effective Judicial Review is of the Essence of the Rule of Law: Challenging Common Foreign and Security Policy Measures before the Court of Justice, *op. cit.*, pp. 690-692.

Lo que desde luego sí es un límite es la imposibilidad de que el TJUE adopte decisiones declarativas. Es decir, el Tribunal se puede pronunciar sobre la nulidad de un acto en concreto que ha sido previamente adoptado, pero no puede establecer manifestaciones generales de validez o invalidez *a futuro*. Así, ha repetido que una solicitud que pida un juicio declarativo ha de ser rechazada por falta de competencia manifiesta[424]. Tal manifestación pondría en entredicho no solo esa potestad discrecional que se le reconoce al Consejo, sino su propia competencia para adoptar decisiones establecidas por el Tratado.

Por último, la intensidad del control judicial no varía dependiendo de si se trata de medidas restrictivas relativas a situaciones de terrorismo o a otro tipo de regímenes, como también ha dejado claro la jurisprudencia[425]. Esto también es una seña de identidad del tratamiento de estas cuestiones por el TJUE que ha buscado criterios homogéneos para el contencioso de las medidas restrictivas con independencia de cuál sea el contexto y finalidad de las mismas.

3. *La efectividad del control jurisdiccional: la búsqueda del patrón de referencia del respeto de los derechos fundamentales*

En tercer lugar, al control jurisdiccional se le une la dimensión de la efectividad que entendemos, a efectos didácticos, como la existencia de un patrón esencial de medida con respecto al control de los derechos fundamentales de todos los elementos que sí recaen bajo la labor de revisión de los jueces.

En el célebre asunto *Kadi I*, el TJ recordó este patrón de referencia al indicar que «todos los actos comunitarios deben respetar los derechos fundamentales, pues el respeto de esos derechos constituye un requisito de legalidad de dichos actos, cuyo control incumbe al Tribunal de Justicia, en el marco del sistema completo de vías de

---

424 Sentencia del Tribunal General de 14 de abril de 2021, Mazen Al-Tarazi/Consejo, T-260/19, ECLI:EU:T:2021:187, apartado 28 o sentencia del Tribunal General de 12 de febrero de 2015, Tarif Akhras/Consejo, T-579/11, ya citada, apartado 51.

425 Sentencia del Tribunal General de 16 de mayo de 2013, Iran Transfo/Consejo, T-392/11, ECLI:EU:T:2013:254, apartados 35-37.

recurso establecido por dicho Tratado»[426]. Más específicamente, en momentos ulteriores de desarrollo de la jurisprudencia, encontramos afirmaciones claras que refuerzan dicha idea: «el artículo 47 de la Carta, que constituye una reafirmación del principio de tutela judicial efectiva, exige en su párrafo primero que toda persona cuyos derechos y libertades garantizados por el Derecho de la Unión hayan sido violados tenga derecho a la tutela judicial efectiva, respetando las condiciones establecidas en dicho artículo. Es preciso recordar que la existencia misma de un control jurisdiccional efectivo para garantizar el cumplimiento de las disposiciones del Derecho de la Unión es inherente a la existencia de un Estado de Derecho»[427].

Esta tutela judicial efectiva que es parte de la efectividad del control judicial tiene dos manifestaciones. La primera, se refiere a la competencia del TJUE para conocer de los actos y, la segunda, al ejercicio jurisdiccional que lleva a cabo el TJUE cuando lleva a cabo el estudio del contenido material de los actos. La primera manifestación tiene unas limitaciones claras en lo que respecta a la competencia del TJUE para conocer de los actos jurídicos que versen sobre medidas restrictivas como parte de la PESC a la que ya nos hemos referido. La segunda se proyecta sobre el ejercicio del TJUE una vez que tiene reconocida la competencia.

En este sentido, el TG se ha referido a la efectividad también de manera constante e incluso dando diferentes fórmulas para hacer alusión a derechos más concretos que son los que las medidas restrictivas afectan con mayor intensidad. En una sentencia reciente, nos encontramos con la siguiente formulación: «[...] los tribunales de la Unión deben garantizar un control, *en principio completo*[428], de la legalidad de todos los actos de la Unión desde el punto de vista de los derechos fundamentales que forman parte integrante del ordenamiento jurídico de la Unión, entre los que figuran, en particular, el derecho a la tutela judicial efectiva y el derecho de defensa, consagra-

---

426 Sentencia del Tribunal de Justicia (Gran Sala) de 3 de septiembre de 2008, Yassin Abdullah Kadi y Al Barakaat International Foundation/Consejo (*Kadi I*), C-402/05 P y C-415/05 P, ya citada, apartado 285.

427 Sentencia del Tribunal General de 13 de septiembre de 2018, PAO Rosneft Oil Company *et al.*/Consejo, T-715/14, ya citada, apartado 73.

428 Cursiva añadida por la autora.

dos en los artículos 47 y 48 de la Carta de los Derechos Fundamentales de la Unión Europea»[429].

Nos llama la atención la precisión que califica cómo debe ser el control cuando se dice que es «en principio completo». Da la sensación de que el propio TG reconoce que no siempre es así y que hay situaciones en las que ese control no puede llevarse a cabo con respecto a ciertos derechos fundamentales. A continuación, nombra en particular el derecho a la tutela judicial efectiva y el derecho de defensa, ¿qué sucede con aquellos que no nombra?, ¿quedan menos protegidos? Parece que es así cuando nos empezamos a encontrar con los límites fronterizos de la efectividad del control.

Asimismo, dentro del ámbito de la efectividad, hemos de referirnos al patrón que guía el examen y verificación de los hechos alegados. La efectividad del control jurisdiccional se basa también en el art. 47 CDFUE y exige que el examen, tanto para una primera designación como para el mantenimiento en las listas de designados, haya de hacerse sobre hechos reales, no abstractos[430].

De esta forma, el TJUE deja claro, desde un momento temprano, que el TJUE debe verificar los hechos alegados, de tal manera que, «el control jurisdiccional no quede limitado a una apreciación de la verosimilitud abstracta de los motivos invocados, sino que examine la cuestión de si tales motivos, o al menos uno de ellos que se considere suficiente, por sí solo, para fundamentar tal decisión, están o no respaldados por hechos»[431]. Esto afecta especialmente al momento de

---

429 Sentencia del Tribunal General de 3 de febrero de 2021, Oleksandr Viktorovych Klymenko/Consejo, T-258/20, ECLI:EU:T:2021:52, apartado 64 o, más recientemente, sentencia del Tribunal General de 21 de diciembre de 2021, Oleksandr Viktorovych Klymenko/Consejo, T-195/21, ECLI:EU:T:2021:925, apartado 66.

430 Sentencia del Tribunal General de 7 de julio de 2021, Artem Viktorovych Pshonka/Consejo, T-268/20, ECLI:EU:T:2021:418, apartado 63; o sentencia del Tribunal General de 23 de septiembre de 2020, Artem Viktorovych Pshonka, T-292/19, ECLI:EU:T:2020:449, apartado 55.

431 Sentencia del Tribunal de Justicia (Gran Sala) de 18 de julio de 2013, Comisión Europea y otros contra Yassin Abdullah Kadi (*Kadi II*), asuntos acumulados C-584/10 P, C-593/10 P y C-595/10 P, ya citada, apartado 119, y se ha ido manteniendo a lo largo del tiempo. Ver, por ejemplo, sentencia del Tribunal General de 3 de febrero de 2021, Éric Ruhorimbere/Consejo, T-121/19, ECLI:EU:T:2021:60, apartado 98; o sentencia del Tribunal General de 24 de

apreciación de los hechos que sustentan la motivación, como parte material de las designaciones, también vinculado a la apreciación de la prueba por parte del TJUE.

En resumen, estos tres elementos que hemos catalogado como la «trinidad del control judicial» más que conceptos abstractos son la base que sostienen lo que en derecho anglosajón se ha denominado «*full jurisdiction*» o «jurisdicción suficiente». Este principio está consagrado tanto en el ya mencionado art. 47 CDFUE así como también en sendos arts. 6[432] y 13[433] CEDH[434]. También permite garantizar que el control judicial sea completo. Como indica VAN ELSUWEGE[435], no hay excepción posible a que la protección de los derechos fundamentales se extienda a toda la acción exterior de la UE, incluyendo la PESC. Y añade que esto sería otra de las manifestaciones de la progresiva «normalización», «integración» o «asimilación» de la PESC como una política más de la UE.

Por otro lado, este carácter del control judicial completo no es incompatible con los límites naturales que existen, de especial relevancia en el ámbito de las medidas restrictivas, cuando se enfrentan a la evaluación de una actividad normativa con un amplio margen de discrecionalidad en la adopción de las mismas. Sin embargo, como subrayaba GARCÍA DE ENTERRÍA, discrecionalidad no es arbitrariedad[436] y, por ello, también los límites de esa actividad discrecional han de estar sometidos a un control, en este caso, de carácter judicial

---

noviembre de 2021, Bashar Assi/Consejo, T-256/19, ECLI:EU:T:2021:818, apartado 87.

432 Referido al derecho a un proceso equitativo.

433 Referido al derecho a un proceso efectivo.

434 Y cuyo contenido forma parte del Derecho de la Unión como principios generales *ex* art. 6.3 TUE.

435 VAN ELSUWEGE, P. (2021). Judicial Review and the Common Foreign and Security Policy: Limits to the Gap-Filling Role of the Court of Justice. *Common Market Law Review*, 58 (6), p. 1737.

436 GARCÍA DE ENTERRÍA profundizó en la doctrina de los límites en el ámbito del Derecho administrativo, pero también es aplicable a la naturaleza de estos actos del Consejo. Sería, no obstante, un interesante objeto de estudio para una investigación el plantearse qué naturaleza revisten los actos y bajo qué potestad actúa el Consejo cuando adopta medidas restrictivas. *Cf.* GARCÍA DE ENTERRÍA MARTÍNEZ-CARANDE, E. (1962). La lucha contra las inmunidades del poder en el Derecho administrativo (poderes discrecionales, poderes de gobierno, poderes normativos). *Revista de administración pública*, 38, 159-208.

como máximo intérprete y garante del cumplimiento del ordenamiento jurídico.

El hecho del reconocimiento de la competencia del TJUE sobre las medidas restrictivas constituye un hito muy relevante sin duda en la materialización del Estado de Derecho en la UE. Sin embargo, solo a través de cómo luego la actividad de los jueces se articula y materializa con el alcance, la intensidad y la efectividad permite que ese control en verdad sea efectivo y real. Lamentablemente, hasta la fecha, la escasa doctrina estudiosa del contencioso de las medidas restrictivas y de la PESC en general ha mostrado un mayor interés sobre el primer aspecto, esto es, sobre la competencia, y es prácticamente silente sobre la segunda cuestión. Entendemos que, con el tiempo, esta laguna de estudio se irá colmando al ganar progresivo interés.

B. EL AMPLIO MARGEN DE DISCRECIONALIDAD DEL CONSEJO: LOS CONTORNOS DE LA DISCRECIONALIDAD Y LA DESVIACIÓN DE PODER COMO LÍMITE

Esta actividad jurisdiccional objeto de nuestro estudio se encuentra con límites de diferente naturaleza. En el ámbito de la competencia, ya se señaló como origen de la principal de sus limitaciones a la construcción jurídica denominada *political question doctrine*. Aun superado el límite de la competencia, en los casos en los que sí se puede ejercer esa actividad jurisdiccional de revisión de las medidas, esta actividad se topa con otro límite esencial: el reconocimiento de un amplio margen de discrecionalidad del legislador, en este caso, el Consejo.

1. *El origen del margen de discrecionalidad: otra manifestación de la political question doctrine*

Las medidas restrictivas son decisiones políticas que se materializan en un instrumento jurídico[437]. Son los ministros representantes

---

[437] Y como indica GUILD, «*the dividing line between law and politics is often difficult to determine*». *Cf.* GUILD, E. (2010). EU Counter-terrorism Action: a fault line between law and politics? *Centre for European Policy Studies —Liber-*

de los Estados miembros los que —por unanimidad—, y con la ayuda previa preparatoria de los grupos de trabajo correspondientes, se reúnen y valoran una situación concreta de Política Exterior, estudian las mejores herramientas para afrontarla desde una perspectiva de la PESC, conjugan los diferentes intereses, combinan las distintas *raison d'État* y deciden cómo actuar. Incluso en algunos casos excepcionalmente graves, este impulso político y la instrucción de la necesidad de adoptar medidas restrictivas ante una situación internacional concreta procede de los jefes de Estado y de Gobierno reunidos en el Consejo Europeo[438].

Para hacer esta valoración y estudio, el Consejo se ampara en un poder discrecional como consecuencia de la atribución de su competencia y capacidad de decisión política para adoptar estas medidas. Este margen de discrecionalidad del Consejo se extiende en las sucesivas fases de la decisión, diseño y elaboración de las listas de designados por las medidas restrictivas.

En la primera fase de decisión, al Consejo se le reconoce la capacidad de valorar la situación de Política Exterior ante la que se encuentra y decidir la aplicación de medidas restrictivas para conseguir los objetivos marcados[439]. En este sentido, en uno de los asuntos *Sisón*, por ejemplo, se reconocía la capacidad de valoración del Consejo en el ámbito del mantenimiento de la paz y seguridad internacionales cuando se enfrenta a una amenaza y subrayaba que en esta esfera el

---

ty and Security in Europe. Disponible en: https://www.ceps.eu/download/publication/?id=6624&pdf=Guild%20on%20EU%20Counter-Terrorism.pdf, p. 1.

438 Es el caso, por ejemplo, del acuerdo de adoptar medidas restrictivas sectoriales e individuales como consecuencia de la agresión de Rusia a Ucrania y la instrucción que se le da al Consejo para que se materialicen en actos jurídicos. *Cf.* Conclusiones de la reunión extraordinaria del Consejo Europeo, 24 de febrero de 2022, 24-02-2022, EUCO 18/22. Disponible en: https://www.consilium.europa.eu/media/54512/st00018-es22.pdf, apartado 5.

439 Recuérdese que los principios sobre los que se desarrolla la PESC son los establecidos en el art. 21.1 TUE y los fines de sus políticas se encuentran en el 21.2 TUE. Así también lo ha repetido la jurisprudencia en el contencioso de las medidas restrictivas, por ejemplo, véase la sentencia del Tribunal General de 14 de enero de 2015, Marcel Gossio/Consejo, T-406/13, ECLI:EU:T:2015:7, apartado 47.

juicio político y las decisiones políticas han de contar con la máxima discrecionalidad[440].

Asimismo, en otro punto de la sentencia, completaba el Tribunal que esta discrecionalidad se centraba en la valoración de los elementos que se han de tomar en cuenta para adoptar las oportunas medidas y señalaba los límites del Tribunal para sustituir esa valoración indicando hasta dónde llega la capacidad de revisión que, en ningún caso, puede valorar la pertinencia de la toma de la decisión[441].

En la segunda fase relativa al diseño de cómo se materializan las medidas restrictivas, el Consejo decide también, dentro de su margen de discrecionalidad, cuáles son los criterios de designación del régimen correspondiente o las medidas sectoriales que se decidan aplicar. El TG se refiere a ello cuando recuerda la amplia discrecionalidad para determinar los criterios de designación, pero «*not where that determination involves, inter alia, a process of legal characterisation over which the Courts of the European Union exercise full review*»[442].

En la tercera fase —la relativa a la elaboración de las listas—, el Consejo tiene también discrecionalidad para decidir contra quién van dirigidas las medidas *in concreto*, esto es, para elaborar las listas de designados, ya sean individuos o entidades. Esta discrecionalidad se manifiesta tanto en las consideraciones que llevan al Consejo a hacer inclusiones en las listas como en las exclusiones —al eliminar a designados de las listas—. Por ejemplo, en el ámbito de las inclusiones,

---

440 Sentencia del Tribunal de Primera Instancia de 11 de julio de 2007, José María Sisón/Consejo *(Sisón I)*, T-47/03, ya citada, apartado 145.

441 En concreto, el TG se expresaba de esta forma: «*Because the Community judicature may not, in particular, substitute its assessment of the evidence, facts and circumstances justifying the adoption of such measures for that of the Council, the review carried out by the Court of First Instance of the lawfulness of decisions to freeze funds must be restricted to checking that the rules governing procedure and the statement of reasons have been complied with, that the facts are materially accurate, and that there has been no manifest error of assessment of the facts or misuse of power. That limited review applies, especially, to the assessment of the considerations of appropriateness on which such decisions are based*». *Cf.* Sentencia del Tribunal de Primera Instancia de 11 de julio de 2007, José María Sisón/Consejo *(Sisón I)*, T-47/03, ya citada, apartado 206.

442 Sentencia del Tribunal General de 4 de abril de 2019, Ammar Sharif/Consejo, T-5/17, no publicada, ECLI:EU:T:2019:216, apartado 52.

el TJ en el asunto *Bamba*[443] en casación indica que el Consejo decide en el ámbito de su facultad discrecional que un individuo debe ser objeto de una medida restrictiva (sin perjuicio de que, para ello, haya de identificar las razones específicas y concretas).

Esta cuestión, además, ha sido llevada por algunos recurrentes por la vía del principio de igualdad de trato, aunque es evidente que es difícil aplicar este principio en un ámbito donde rige la discrecionalidad para la elaboración de las listas. Por ejemplo, en el asunto *Vnesheconombank*, el TJ recuerda cómo se ha aplicado dicho principio en el ámbito de las medidas restrictivas. Se parte de la definición jurisprudencial del principio y afirma que dicho principio «constituye un principio fundamental del Derecho de la Unión, prohíbe que situaciones semejantes sean tratadas de modo diferente o que situaciones diferentes sean tratadas de modo igual, a no ser que la diferencia de trato esté objetivamente justificada»[444]. El TG continúa explicando cómo el hecho de que hubiere otros en situación similar, no le obliga a tener que designarlos «aun suponiendo que el Consejo efectivamente no haya adoptado medidas restrictivas respecto de determinadas entidades que se encuentran en la misma situación que el demandante, este hecho no puede ser válidamente invocado por este, quien, sin duda alguna, cumple los referidos requisitos. En efecto, el principio de igualdad de trato debe conciliarse con el principio de legalidad, lo que implica que nadie puede invocar en su provecho una ilegalidad cometida en favor de otro»[445].

---

443 Sentencia del Tribunal de Justicia de 15 de noviembre de 2012, Consejo/Nadiany Bamba, C-417/11 P, ECLI:EU:C:2012:718, apartado 52. También se reitera, por ejemplo, en la sentencia del Tribunal de Justicia de 25 de junio de 2020, Bank for Development and Foreign Economic Affairs (Vnesheconombank)/Consejo, C-731/18 P, ECLI:EU:C:2020:500, apartado 35.

444 Sentencia del Tribunal General de 13 de septiembre de 2018, Bank for Development and Foreign Economic Affairs (Vnesheconombank)/Consejo, T-737/14, ya citada, apartado 161. También se ha abordado esta cuestión en otros asuntos anteriores, por ejemplo, en la sentencia del Tribunal de Primera Instancia de 14 de octubre de 2009, Bank Melli Iran/Consejo, T-390/08, ya citada, apartado 56.

445 Sentencia del Tribunal General de 13 de septiembre de 2018, Bank for Development and Foreign Economic Affairs (Vnesheconombank)/Consejo, T-737/14, *vid. supra.*, apartado 164.

Creemos que el TG podría haber resuelto un poco mejor esta cuestión si la hubiese encuadrado más claramente en su margen de discrecionalidad de forma expresa. Asimismo, en nuestra opinión, la introducción del principio de legalidad solo genera confusión. En primer lugar, los criterios de designación de una medida restrictiva no son siempre descripciones de hechos ilegales, ni siquiera con respecto a los ordenamientos jurídicos de los Estados miembros. Los criterios de designación describen comportamientos o posiciones que vinculan a sus responsables a situaciones que la UE identifica como perjudiciales para la consecución de un objetivo concreto dentro de la definición de su Política Exterior. De nuevo, las medidas restrictivas no operan en el ámbito penal o sancionador administrativo donde los comportamientos se pueden calificar de «ilegales».

Tengamos claro, por lo tanto, que —por supuesto— el principio de legalidad se aplica en el ámbito de las medidas restrictivas como cualquier otro ámbito del Derecho de la UE, pero este rige con respecto a la medida restrictiva, al acto jurídico en sí, y no con respecto al comportamiento achacable a la persona o entidad designada.

En el caso de las exclusiones, por ejemplo, el TG explica de forma muy clara en el asunto *Kalev Mutondo* que: «*il convient de rappeler que les actes attaqués en tant qu'ils maintiennent le nom du requérant, après réexamen, sur les listes litigieuses constituent un acte de nature individuelle. [...] Ainsi, rien ne justifie que le Conseil expose au requérant les raisons pour lesquelles il avait décidé de retirer les noms de deux autres personnes desdites listes*»[446].

En definitiva, en el ámbito de la elaboración de las listas, los criterios de designación no se aplican como si se trataran de tipos penales donde se encuadre una situación o no. No dan, como han argumentado algunos recurrentes, un poder exorbitante al Consejo para poder listar a todos aquellos que cumplan las condiciones del criterio de designación[447]. Por el contrario, los criterios de designación operan como marcos dentro de los cuales, el Consejo utiliza su

---

446 Sentencia del Tribunal General de 15 de septiembre de 2021, Kalev Mutondo/Consejo, T-103/20, ECLI:EU:T:2021:578, apartado 65.

447 Sentencia del Tribunal General de 16 de julio de 2014, National Iranian Oil Company/Consejo, T-578/12, ya citada, apartados 99-129.

discrecionalidad para incluir o excluir de las listas a los individuos o entidades que considere dentro de los contornos y límites que veremos a continuación.

2. *Los corsés del legislador con respecto al margen de discrecionalidad: sus contornos y límites*

No obstante, ante este triple reconocimiento de la discrecionalidad, podemos identificar dos obligaciones, que se convierten en contorno, y un límite. Estos han sido analizados, explicados y desarrollados por la jurisprudencia.

El primer corsé que se le impone al Consejo es el cumplimiento de la obligación de motivación y que la prueba que permite listar a una entidad o individuo esté suficientemente sustanciada[448]. A ello se refiere ALÌ cuando afirma: «*In other words, the task of the Council, which has a broad discretion as regards the general criteria to be taken into consideration for the purpose of adopting restrictive measures, is to verify whether the reasons for the adoptions of the sanctions were well founded, relying on a sufficient factual basis*»[449].

Asimismo, la delimitación de la discrecionalidad en lo que se refiere a todas las fases de las medidas ha de acogerse a otro condicionante o corsé: la valoración de la proporcionalidad de la medida. Este principio opera tanto en la adopción de la decisión, como en la forma en la que se materializa esa decisión de aplicar medidas restrictivas cuando se diseña la forma y el alcance de las mismas, en lo que se refiere a la definición y expansión de los criterios de designación y en los efectos que estas tienen en los derechos fundamentales de los designados. Por ejemplo, en este ámbito, el TJ marcaba una clara línea en la jurisprudencia *Kala Naft*: «[...], por lo que se refiere al con-

---

448 Sentencia del Tribunal de Primera Instancia de 12 de diciembre de 2006, Organisation des Modjahedines du peuple d'Iran (OMPI)/Consejo, T-228/02, ECLI:EU:T:2006:384, apartado 151.

449 ALÌ, A. (2019). The Challenges of a Sanctions Machine: Some Reflections on the Legal Issues of EU Restrictive Measures in the Field of Common Foreign and Security Policy. En L. ANTONIOLLI *et al.* (eds.). *Highs and Lows of European Integration: Sixty Years after the Treaty of Rome* (pp. 49-62). Cham: Springer International Publishing AG, p. 57.

trol jurisdiccional del respeto del principio de proporcionalidad, el Tribunal de Justicia declaró que debe reconocerse una amplia facultad discrecional al legislador de la Unión en ámbitos en los que deba tomar decisiones de naturaleza política, económica y social, y realizar apreciaciones complejas. De lo antedicho resulta que sólo el carácter manifiestamente inadecuado de una medida adoptada en este ámbito, con relación al objetivo que tiene previsto conseguir la institución competente, puede afectar a la legalidad de tal medida»[450].

Podemos adelantar ya que en ninguna situación ha estimado el TJUE que el Consejo se haya excedido en ese poder discrecional y haya incumplido la obligación de la aplicación del principio de proporcionalidad de sus decisiones en ninguna de las fases que conforman el proceso de toma de decisiones que afectan a las medidas restrictivas, ni en la decisión de la adopción del marco jurídico, ni en el diseño de los criterios de designación, ni en la elaboración de las listas de designados. Mayor estudio se ha dedicado en la revisión jurisdiccional al principio de proporcionalidad aplicado a las posibles lesiones de derechos fundamentales de los afectados.

Por último, ejerciendo más bien como límite que como corsé, puesto que no admite graduaciones, nos encontramos con la interdicción de la arbitrariedad de los poderes públicos, que se traduce en términos prácticos en una prohibición de la desviación de poder.

Cabe recordar que la desviación de poder es uno de los motivos de anulación de los actos jurídicos, tal y como está contemplado en el art. 263.2 TFUE. En cuanto a su concepto, se aplica la definición general que ha sido desarrollada y consolidada por la jurisprudencia en otras materias para su aplicación también en el caso concreto de las medidas restrictivas[451]. El TJUE lo ha caracterizado de la siguiente manera: «un acto adolece de desviación de poder cuando existen indicios objetivos, pertinentes y concordantes de que dicho acto ha sido adoptado con el fin exclusivo o, al menos, determinante de al-

---

450 Sentencia del Tribunal de Justicia de 28 de noviembre de 2013, Consejo/Manufacturing Support & Procurement Kala Naft Co., Tehran, C-348/12 P, ya citada, apartado 120.

451 Sentencia del Tribunal General de 14 de abril de 2016, Mehdi Ben Tijani Ben Haj Hamda Ben Haj Hassen Ben Ali/Consejo (*Mehdi Ben Ali II*), T-200/14, ya citada, apartado 220.

canzar fines distintos de los alegados o de eludir un procedimiento específicamente establecido [por los Tratados] para hacer frente a las circunstancias del caso»[452].

El poder discrecional no equivale a arbitrariedad en ningún caso[453] y es en ese límite donde más importancia reviste la actividad jurisdiccional y su correcto ejercicio. En este sentido se pronunciaba, de nuevo, ROSAS al declarar: «*judicial review contributes to keeping sanctions decisions especially against private persons and companies within reasonable limits, in other words, that they are not taken in a completely arbitrary, haphazard or disproportionate manner*»[454].

La interdicción de la arbitrariedad es uno de los elementos básicos del Estado de Derecho que rige todas las políticas de la UE, incluida la PESC[455], tal y como reconoce no solo la jurisprudencia del TJUE, sino también la del TEDH, entre otras instancias políticas y jurisdiccionales[456].

Pasando a términos prácticos, la arbitrariedad solo se identificaría con una irracionalidad manifiesta de la toma de decisiones. Esto es muy difícilmente demostrable y, como apunta LONARDO, sobre esta

---

452 Sentencia del Tribunal de Justicia de 15 de mayo de 2008, Reino de España/Consejo, C-442/04, ECLI:EU:C:2008:276, apartado 49.

453 Sentencia del Tribunal General de 3 de mayo de 2016, Iran Insurance Company/Consejo, T-63/14, ECLI:EU:T:2016:264, apartado 90.

454 ROSAS, A. (2016). Restrictive Measures against Third States: Value Imperialism, Futile Gesture Politics or extravaganza of Judicial Control?, *op. cit.*, p. 650.

455 CREMONA, M. (2017). Effective judicial review is of the essence of the Rule of Law: challenging Common Foreign and Security Policy measures before the Court of Justice, *op. cit.*, p. 682.

456 «La jurisprudencia del Tribunal de Justicia y del Tribunal Europeo de Derechos Humanos, así como los trabajos del Consejo de Europa, a través de la Comisión Europea para la Democracia por medio del Derecho, proporcionan una lista no exhaustiva de los principios y normas que pueden inscribirse dentro del concepto de Estado de Derecho. Entre ellos se encuentran los principios de legalidad, de seguridad jurídica y de prohibición de la arbitrariedad del poder ejecutivo; órganos jurisdiccionales independientes e imparciales; una tutela judicial efectiva, incluido el respeto de los derechos fundamentales, y la igualdad ante la ley»; *cf.* Sentencia del Tribunal General de 15 de septiembre de 2016, Viktor Fedorovych Yanukovych/Consejo, T-346/14, ya citada, apartado 98.

base, «cualquier medida que no es manifiestamente inapropiada es aceptable»[457].

En el asunto *National Iranian Oil Company*, el TJ en casación recordaba la línea general para llegar a la conclusión de que la definición del criterio controvertido entraba dentro de los poderes del Consejo[458] y subrayaba: «[...] el Tribunal de Justicia ha deducido que sólo el carácter manifiestamente inadecuado de una medida adoptada en esos ámbitos, con relación al objetivo que tiene previsto conseguir la institución competente, puede afectar a la legalidad de tal medida»[459].

De ello podemos deducir que tanto corsés como límite al poder discrecional del Consejo quedan definidos en términos muy amplios y el umbral de exigencia está lo suficientemente alto como para no interferir demasiado con la actividad de adopción de decisiones en materia de Política Exterior del Consejo.

3. *El margen de discrecionalidad: al filo entre la limitación y la excusa*

Tras haber visto las principales líneas jurisprudenciales con respecto al reconocimiento de la discrecionalidad del Consejo, se constata que no hay gran originalidad en el desarrollo jurisprudencial de este concepto. Es más, la reiteración de la posición ante todo tipo de casos podría dar la sensación de que el principio permite al Tribunal ampararse tras una barrera para profundizar en la naturaleza jurídica de las medidas y en su compatibilidad no solo con el Derecho de la Unión, sino claramente también con el Derecho internacional.

Es difícil encontrar el equilibrio. Por un lado, el control jurisdiccional no puede ser meramente formal y superficial pero, por otro, el

---

457 LONARDO, L. (2018). Law and Foreign Policy before the Court: some hidden perils of *Rosneft*, *op. cit.*, p. 561.

458 Sentencia del Tribunal de Justicia (Gran Sala) de 1 de marzo de 2016, National Iranian Oil Company/Consejo, C-440/14 P, ECLI:EU:C:2016:128, apartados 77-88; o sentencia del Tribunal de Justicia de 21 de abril de 2015, Issam Anbouba/Consejo (*Anbouba II*), C-630/13 P, ECLI:EU:C:2015:247, apartado 42.

459 Sentencia del Tribunal de Justicia (Gran Sala) de 1 de marzo de 2016, National Iranian Oil Company/Consejo, C-440/14 P, *vid. supra*, apartado 77.

TJUE tampoco puede asumir competencias que no le corresponderían. Sin embargo, es legítimo preguntarse si la actitud del Tribunal podría ser diferente si se tratase de una política clásica comunitaria en vez de la siempre particular PESC. Como apunta CHALLET[460], esta posición cauta se debe sin duda a la percepción del TJ de que está tratando con una materia esencialmente intergubernamental, que versa sobre cuestiones políticamente muy sensibles y, por ello, «en este campo más que en otros, el Tribunal es consciente de que el poder de sus sentencias reposa en su aceptación por los Estados miembros»[461].

Asimismo, esta generosa línea del Tribunal con respecto a la rigurosidad de la revisión jurisdiccional puede llegar a dar lugar a visiones críticas sobre la eficacia del control de los jueces. KOUTRAKOS[462] emplea incluso el término de «una cuestión de fe» cuando nos referimos a la revisión judicial de los actos PESC, primero por las limitaciones de competencia y, en segundo lugar, por la amplia discrecionalidad del legislador. No compartimos esa visión hipercrítica pero sí hemos de entender el esfuerzo que ha de seguir realizándose para poner en equilibrio el desempeño de las diferentes instituciones. Como se está demostrando, el Tribunal tiene un gran trabajo ya desarrollado, pero otro mucho por desarrollar. Sí es cierto que el margen de discrecionalidad limita la labor del Tribunal, pero en ningún caso la impide[463], a pesar de que una posición más proactiva del Tribunal daría lugar también a críticas.

No se debe nunca dejar de señalar y, por ello, es algo que hemos querido transmitir constantemente en este análisis que «*the existence of*

---

460 CHALLET, C. (2020). Reflections on Judicial Review of EU Sanctions Following the Crisis in Ukraine by the Court of Justice of the European Union. *Research Papers in Law, College of Europe*, 4/2020. Disponible en: https://www.coleurope.eu/sites/default/files/research-paper/researchpaper_4_2020_celia_challet_0.pdf, p. 9.

461 Traducción al español de la autora.

462 KOUTRAKOS, P. (2018). Judicial review in the EU's Common Foreign and Security Policy, *op. cit.*, p. 27.

463 FERRER LLORET, J. (2010). El control judicial de la Política Exterior de la Unión Europea». *Cursos de derecho internacional y relaciones internacionales de Vitoria-Gasteiz*, pp. 108 y 142.

judicial review in fact strengthens the legitimacy of EU sanctions policies»[464], como apuntó ROSAS. En otras palabras, el hecho de que exista este control jurisdiccional incrementa la legitimidad de las medidas restrictivas y fortalece su base jurídica. Esto también protege en cierta manera a la UE de críticas realizadas por los individuos o países destinatarios de las mismas y aporta argumentos para alejarse de las vilipendiadas «*unilateral coercive measures*»[465]. En definitiva, el margen de discrecionalidad no puede ser nunca una excusa.

De lo expuesto se deriva que el control no puede ser un mero chequeo de ciertos aspectos de carácter procesal, sino que los jueces tienen que poder ejercer de manera eficiente ese control de legalidad. Todo ello, no obstante, ha de conjugarse con la competencia —amplia— del Consejo para adoptar medidas restrictivas, entender de dónde procede esa competencia y cuál es la naturaleza tan especial de los actos jurídicos que se adoptan.

C. LOS CRITERIOS DE DESIGNACIÓN: EL LIMITADO CONTROL POR PARTE DEL TRIBUNAL

Aunque diferentes aspectos relativos a los criterios de designación han sido abordados de manera fragmentaria en relación con las distintas partes de este estudio, es necesario dedicar un análisis más pormenorizado a esta cuestión jurídica desde la perspectiva de la actividad jurisdiccional. Esto es, cómo los jueces se han enfrentado a la casuística variada y al análisis de legalidad de los criterios de designación para ver hasta dónde llega el ejercicio de la actividad jurisdiccional y la dimensión reguladora de la jurisprudencia.

A pesar de que, por el momento, no haya habido ninguna sentencia estimatoria en la que el TJUE haya declarado la nulidad de un criterio de designación, pensamos que esta situación podría cambiar conforme se sigan planteando más recursos y se desarrolle la jurispru-

---

464 ROSAS, A. (2016). Restrictive Measures against Third States: Value Imperialism, Futile Gesture Politics or Extravaganza of Judicial Control?, *op. cit.*, p. 650.

465 Es el término que se utiliza para identificar aquellas medidas coercitivas adoptadas por Estados y que no entrarían dentro de los parámetros permitidos por el marco del Derecho internacional público.

dencia a este respecto. Una vez más, la capacidad del Tribunal para poder analizar la legalidad de los criterios de designación redundará en el fortalecimiento del control judicial como seña fundamental del Estado de Derecho y dará mayor legitimidad a las medidas restrictivas adoptadas por la UE.

1. Los criterios de designación: la especial naturaleza de su técnica legislativa

Consideramos importante recapitular algunos aspectos generales de la definición de los criterios de designación, para evitar confusiones y asimilaciones que se repiten con frecuencia con respecto a otras ramas del Derecho, incluso entre los expertos, pese a los esfuerzos —pedagógicos— de los jueces[466]. Los criterios de designación actúan como descripciones de actividades o de situaciones que el Consejo considera vinculadas a una situación contraria a los intereses de la UE en el ámbito internacional.

En lo que se refiere a la descripción de una situación —acción u omisión— funcionan de manera muy similar a un tipo penal en el ámbito del Derecho penal. No obstante, hay una importante diferencia. Un tipo penal describe una situación antijurídica. Por el

---

466 El Tribunal repite constantemente en su jurisprudencia: «*Suffice it to recall that, in accordance with settled case-law, restrictive measures consisting of freezing of funds are not penal in nature. Since the assets of the persons concerned have not been confiscated as the proceeds of a crime, but frozen as a precautionary measure, those measures do not constitute penalties and do not, moreover, imply any accusation of a criminal nature*». Véase en este sentido la sentencia del Tribunal General de 7 de diciembre de 2010, Sofiane Fahas/Consejo, T-49/07, ya citada, apartado 67; o la sentencia del Tribunal General de 9 de diciembre de 2014, Sport-pari ZAO/Consejo, T-439/11, ECLI:EU:T:2014:1043, apartado 89; o, más recientemente, la sentencia del Tribunal General de 22 de junio de 2022, George Haswani (*Haswani IV*), T-479/21, ECLI:EU:T:2022:383, apartado 90. También lo hace con otras palabras: «*The allegation that the Council has arrogated to itself a judicial role and powers in criminal matters not envisaged by the Treaty, [...], must be rejected [...]. It is after all based on the mistaken premiss that the restrictive measures at issue in this case are of a criminal nature. The assets of the persons concerned not having been confiscated as the proceeds of crime but rather frozen as a precautionary measure, those measures do not constitute criminal sanctions and do not, moreover, imply any accusation of a criminal nature*», en sentencia del Tribunal de Primera Instancia de 11 de julio de 2007, José María Sisón/Consejo (*Sisón I*), T-47/03, ya citada, apartado 101.

contrario, un criterio de designación no tiene por qué reflejar una situación antijurídica, simplemente es una situación o posición que el Consejo estima que tiene consecuencias negativas para la consecución de sus objetivos en materia de Política Exterior. Además, en el Derecho penal, se exige que, si se cumple el tipo, se desencadenen unas consecuencias jurídico-penales obligatorias. De igual forma funcionaría el Derecho administrativo sancionador.

Por el contrario, en materia de medidas restrictivas o sanciones propias del Derecho internacional, el criterio de designación es un marco general. El Consejo decide, actuando en virtud de su margen de discrecionalidad, quiénes deben ser o no designados. En definitiva, son dos lógicas diferentes que responden también a legitimidades y a competencias diferentes. El Consejo, en líneas generales, no tiene potestad en materia de legislación con carácter penal de acuerdo con los Tratados, ni tampoco tiene competencia para llevar a cabo juicios con las garantías que exige cualquier proceso penal. Como bien explica el abogado general BOT, «la aplicación de los criterios en vigor en el Derecho penal clásico no puede extrapolarse a la prevención de una amenaza para la paz y para la seguridad internacionales en materia de PESC, so pena de correr el riesgo, [...], de usurpar la apreciación de las autoridades políticas competentes en cuanto a la oportunidad de la medida y sus modalidades, las cuales son determinadas por dichas autoridades en función de la naturaleza e intensidad de la amenaza a la que pretenden hacer frente»[467].

La técnica legislativa de los criterios de designación es propia del sistema de la UE y se ha ido desarrollando desde que se comenzaron a adoptar medidas restrictivas. Se opone claramente a la forma de adoptar sanciones internacionales de otros actores internacionales, por ejemplo, de Estados Unidos. En dicho sistema, no hay criterios de designación como tales, sino un marco mucho más general donde solo se identifican los objetivos generales que se persiguen con la adopción de esas sanciones. Eso no solo le da mucha más libertad a la autoridad que adopta las sanciones, sino que también hace menos constringente cualquier intento de control judicial.

---

467 Conclusiones del abogado general Bot, Consejo/Manufacturing Support & Procurement Kala Naft Co., Tehran, C-348/12 P, ya citadas, apartado 19.

A pesar de que los jueces de Luxemburgo apenas se han adentrado a revisar la parte de las medidas restrictivas que constituyen los criterios de designación, el Consejo ha tenido una evolución preventiva a la hora de trabajar la formulación de los criterios para evitar formulaciones demasiado genéricas, abstractas o imprecisas. Podemos decir que se ha tendido también a estandarizar la forma de redactar los criterios de designación lo que, en cierta medida, garantiza apostar sobre seguro y permitir que el Consejo se blinde —relativamente— ante potenciales recursos de anulación en el Tribunal.

Este esfuerzo se enmarca, sin duda, en la voluntad de mejorar la técnica legislativa atendiendo al principio de legalidad. Por ello, hoy se tiende a criterios mucho más factuales, descriptivos y concretos. Asimismo, no hay que olvidar que el criterio de designación nos da la clave para entender cuál es la actividad o comportamiento que se pretende cambiar. Por ello, a mayor claridad en su redacción, mayor vinculación con los objetivos que se pretenden conseguir con la adopción de las sanciones y que suelen estar expresados en la exposición de motivos.

Pongamos algunos ejemplos. En muchos regímenes que podríamos llamar clásicos, nos encontramos con descripciones amplias y generales de los comportamientos reprochables. A modo de ilustración, el marco de medidas restrictivas habida cuenta de la situación en Venezuela[468] incluye como criterios de designación los dos siguientes: «a) las personas físicas responsables de violaciones o abusos graves de los derechos humanos o de la represión de la sociedad civil y la oposición democrática en Venezuela; b) las personas físicas cuya actuación, políticas o actividades menoscaben de otro modo la democracia o el Estado de Derecho en Venezuela, [en ambos casos] enumeradas en el anexo I».

Otro ejemplo ilustrativo es el mucho más complejo régimen respecto de acciones que menoscaban o amenazan la integridad territo-

---

468 Decisión (PESC) 2017/2074 del Consejo, de 13 de noviembre de 2017, relativa a medidas restrictivas habida cuenta de la situación en Venezuela, ya citada. Los criterios de designación se recogen en el art. 6 en lo que respecta a la prohibición de entrada o tránsito y el art. 7 en lo que se refiere a la congelación y prohibición de puesta a disposición de activos económicos.

rial, la soberanía y la independencia de Ucrania[469], tres de los once criterios de designación que contemplan son los siguientes: «a) personas físicas responsables de acciones o políticas que menoscaben o amenacen la integridad territorial, la soberanía y la independencia de Ucrania, o la estabilidad o seguridad en Ucrania, o que apoyen o ejecuten esas acciones o políticas, o que obstaculicen la labor de las organizaciones internacionales en Ucrania; y las letras d) personas físicas que apoyen, material o financieramente, al Gobierno de la Federación de Rusia, que es responsable de la anexión de Crimea y de la desestabilización de Ucrania, o que se beneficien de dicho Gobierno, o e) los principales empresarios implicados en sectores económicos que proporcionen una fuente sustancial de ingresos al Gobierno de la Federación de Rusia, que es responsable de la anexión de Crimea y de la desestabilización de Ucrania».

En todos los casos se describen la actuación y el contexto. No obstante, como se explicaba, se trata de un marco amplio, ya que solo puede ser a través de la motivación individualizada la forma en que el Consejo realmente puede vincular a una persona física con dichos comportamientos tan generales[470]. Llama de hecho la atención que en el último de los ejemplos se utilice la conjunción disyuntiva «o», cuando en realidad los criterios de designación son listas no exhausti-

469 Decisión 2014/145/PESC del Consejo, de 17 de marzo de 2014, relativa a medidas restrictivas respecto de acciones que menoscaban o amenazan la integridad territorial, la soberanía y la independencia de Ucrania (DO L 78, 17.3.2014, pp. 16-21), con sus numerosas modificaciones, especialmente tras la invasión de Rusia a Ucrania el 24 de febrero de 2022. Los criterios de designación se recogen en el art. 1 en lo que respecta a la prohibición de entrada o tránsito (son once criterios de designación) y el art. 2 en lo que se refiere a la congelación y prohibición de puesta a disposición de activos económicos (que contempla catorce criterios de designación).

470 Como indica con cierta ironía MIADZVETSKAYA en un estudio sobre las sanciones a Bielorrusia —con respecto a criterios de designación similares a los que se están describiendo—, «*The EU Council has deployed a degree of legal gymnastics in crafting its sanctions on Belarus to increase their traction, notably by using the broad concepts of "support" for and "benefit" from the regime's actions*». *Cf.* MIADZVETSKAYA, Y. (2022). Designing Sanctions: Lessons from EU Restrictive Measures against Belarus. *Policy Paper - ReThink: The German Marshall Fund of the United States.* Disponible en: https://www.gmfus.org/sites/default/files/2022-06/Designing%20Sanctions%20Lessons%20from%20EU%20Restrictive%20Measures%20against%20Belarus.pdf, p. 2.

vas, pero sí cerradas de los comportamientos o situaciones que sirven de base para las designaciones. No sirven como criterios alternativos —*a priori*— a menos que el Consejo esté desarrollando una nueva forma de aplicar la técnica legislativa de las sanciones, pero costaría entenderlo teniendo en cuenta su naturaleza.

Hay otros regímenes donde el Consejo ha ido optando por elaborar criterios de designación más precisos y limitativos en el sentido de la realidad que abarcan. Un caso paradigmático es el del llamado «régimen global de sanciones por violaciones y abusos graves de los derechos humanos»[471]. En este caso, los criterios de designación se inspiran en la definición de las violaciones de los derechos humanos más graves reconocidos por instrumentos de Derecho internacional con amplia ratificación[472]. Nos referimos, por ejemplo, al genocidio, los crímenes contra la humanidad y otras violaciones y abusos graves de derechos humanos como la tortura y otros tratos o penas crueles, inhumanos o degradantes, la esclavitud, las ejecuciones y homicidios extrajudiciales, sumarios o arbitrarios, entre otros.

Otro ejemplo de criterio de designación concreto podemos encontrarlo en el régimen de sanciones relativo a la adopción de medidas restrictivas habida cuenta de las actividades de perforación no autorizadas de Turquía en el Mediterráneo oriental, donde el principal criterio de designación es el siguiente: «las personas físicas responsables de llevar a cabo —en particular mediante la planificación, preparación, participación, dirección o asistencia— actividades de perforación relacionadas con la exploración y producción de hidrocarburos o la extracción de hidrocarburos derivada de dichas actividades, o implicadas en dichas actividades, que no hayan sido autori-

---

471 Decisión (PESC) 2020/1999 del Consejo de 7 de diciembre de 2020 relativa a medidas restrictivas contra violaciones y abusos graves de los derechos humanos, ya citada, y Reglamento (UE) 2020/1998 del Consejo de 7 de diciembre de 2020 relativo a medidas restrictivas contra violaciones y abusos graves de los derechos humanos, ya citado.

472 Para profundizar en el análisis de los criterios de designación de este régimen de medidas restrictivas; *cf.* HERNÁNDEZ SIERRA, A. (2021). El nuevo régimen global de sanciones de la Unión Europea en materia de derechos humanos: una aproximación normativa. *Revista General de Derecho Europeo,* 54, 255-282.

zadas por la República de Chipre, en sus aguas territoriales, o en su zona económica exclusiva o en su plataforma continental»[473].

Son, por lo tanto, criterios de designación mucho más concretos y específicos, con una definición desarrollada dentro del Derecho internacional donde el margen de interpretación de lo que constituye la actuación en sí es escaso.

Al no haberse dado recursos hasta el momento cuya solución versara de lleno sobre la legalidad del criterio de designación, no se cuenta con muchas indicaciones del Tribunal con respecto a lo que cumpliría con los estándares de legalidad. No obstante, de forma indirecta, a través del análisis jurisprudencial, sí contamos con una posición del Tribunal al menos en dos tipos de criterios de designación.

El primer tipo de criterio de designación problemático al que queremos hacer referencia es aquel que se basa en vínculos familiares. En algunas ocasiones, el criterio de designación con respecto a los vínculos familiares es explícito. En otros casos, no hay una referencia explícita, simplemente se establece un principio más general al referirse a aquellos que prestan apoyo a la actividad que se considere reprobable. En la primera variante, en la que el vínculo familiar es explícito en el criterio de designación, cabe referirse al régimen de medidas restrictivas contra Siria, en el que se ha establecido como un criterio de designación autónomo la pertenencia a las familias Makhlouf o Al Assad[474]. La jurisprudencia ha avalado en el asunto *Rami Makhlouf*[475] la validez de este criterio de designación y, por lo tanto, de una presunción de vinculación con la actividad reprobable.

---

473 Decisión (PESC) 2019/1894 del Consejo de 11 de noviembre de 2019 relativa a la adopción de medidas restrictivas habida cuenta de las actividades de perforación no autorizadas de Turquía en el Mediterráneo oriental (DO L 291 de 12.11.2019, pp. 47-53). Los criterios de designación se recogen en el art. 1 en lo que respecta a la prohibición de entrada o tránsito y el art. 2 en lo que se refiere a la congelación y prohibición de puesta a disposición de activos económicos.

474 Arts. 27.2.b) y 28.2.b) de la Decisión (PESC) 2013/255 del Consejo, de 31 de mayo de 2013, relativa a la adopción de medidas restrictivas contra Siria (DO L 147 1.6.2013, pp. 14-45), modificada por la Decisión (PESC) 2015/1836 del Consejo, de 12 de octubre de 2015 (DO L 266 13.10.2015, pp. 75-82).

475 Sentencia del Tribunal General de 18 de mayo de 2017, Rami Makhlouf/Consejo, T-410/16, ya citada, apartado 84.

La segunda variante de estos tipos de criterio de designación se correspondería con aquella en la que los vínculos familiares no están recogidos de forma expresa en el criterio de designación y nos encontramos con tipos de formulaciones genéricas como, por ejemplo, «personas que se benefician de las medidas económicas del Gobierno y otras personas vinculadas al régimen» o similares, que también pueden verse puestas en cuestión. En el asunto *Tay Za*, el TJ en casación dice de manera taxativa que «la aplicación de tales medidas a personas físicas por el mero hecho de tener un vínculo familiar con personas asociadas con los dirigentes del país tercero en cuestión y sin tomar en consideración su comportamiento personal es contraria a la jurisprudencia del Tribunal de Justicia»[476].

El segundo tipo de criterio de designación problemático sobre el que el TG y el TJ en casación han tenido que pronunciarse, refiriéndose de forma indirecta a la formulación del criterio de designación, es el controvertido «destacados empresarios que operen en Siria» dentro del régimen de medidas restrictivas contra Siria[477]. A este respecto, el TJ expresa que se trata de «un criterio objetivo, autónomo y suficiente que permite justificar la inclusión de personas en la lista de las personas y entidades a las que se aplican las medidas restrictivas»[478].

Estos dos casos, especialmente el segundo, no solo han planteado dudas desde el punto de vista de la legalidad del criterio de designación, sino esencialmente se han canalizado estos problemas jurídicos desde el punto de vista de la sustanciación de la prueba ya que crean presunciones *iuris tantum* que llevan prácticamente a una inversión de la carga de la prueba[479].

La aparición de nuevos retos y de nuevas áreas donde se ejercen actividades que quieren ser abordadas con medidas restrictivas lleva

---

476 Sentencia de Tribunal de Justicia (Gran Sala) de 13 de marzo de 2012, Pye Phyo Tay Za/Consejo, C-376/10 P, ECLI:EU:C:2012:138, apartado 66.

477 Arts. 27.2.a) y 28.2.a) de la Decisión (PESC) 2013/255 del Consejo, de 31 de mayo de 2013, relativa a la adopción de medidas restrictivas contra Siria, ya citada.

478 Sentencia del Tribunal de Justicia de 9 de julio de 2020, George Haswani/Consejo, C-241/19 P, ECLI:EU:C:2020:545, apartado 79.

479 Véase el análisis que le dedicamos en esta Segunda Parte, apartado III.A.2.

a movernos, de nuevo, por un terreno donde se pueden dar nuevos avances de la jurisprudencia.

2. *Los criterios de designación negativos: presupuestos implícitos para «des-listar»*

Otra de las cuestiones que periódicamente surge de manera más o menos explícita en el contencioso de las medidas restrictivas es lo que podemos denominar los «des-listados». Aunque la situación jurisprudencial actualmente es similar a la que hemos visto con el control de los criterios de designación, esto es, apenas ha tenido el TG la posibilidad de adentrarse en ello por diversos motivos, creemos que es un área donde existe un potencial de desarrollo de la jurisprudencia. Esto serviría para contar con más criterios jurisprudenciales en lo que se refiere a las exigencias de legalidad que guiarían al Consejo para llevar a cabo eliminaciones dentro de una lista de designados.

En el documento de las Orientaciones sobre la aplicación y evaluación de las medidas restrictivas (sanciones)[480], se prevé que: «cuando se considere adecuado, podrán definirse en el instrumento jurídico unos criterios específicos que deberán satisfacerse para levantar las medidas restrictivas, pero normalmente una definición adecuada del objetivo específico de la medida resultará suficiente».

Hasta este momento, en ningún régimen de medidas restrictivas ha acordado el Consejo incluir criterios de «des-listado» o designación negativa. Como indica PORTELA, «*the formulation of conditions for de-listing is as central as the designation criteria*»[481]. Esta constatación ha dado lugar a un debate creciente entre parte de la doctrina[482] y, también de algunos sectores de funcionarios y responsables gubernamentales del diseño de las sanciones, sobre la posibilidad y conveniencia de especificar estos criterios de «des-listado» en los

---

480 *Orientaciones sobre la aplicación y evaluación de las medidas restrictivas (sanciones) en el marco de la Política Exterior y de Seguridad Común de la UE, op. cit.*, punto 33.

481 PORTELA, C. (2021). Horizontal sanctions regimes: targeted sanctions reconfigured? En C. BEAUCILLON (ed.). *Research Handbook on Unilateral and Extraterritorial Sanctions* (pp. 441-457). Cheltenham: Edward Elgar Publishing Limited, p. 453.

482 *Id.*

marcos jurídicos en aras de una mayor seguridad jurídica. También se considera que sería un gesto de transparencia con respecto a los designados puesto que existiría una mayor certeza sobre cuál es el comportamiento que tendrían que demostrar para ver su nombre eliminado de la lista de designados. Hoy, sin embargo, este proceso se lleva a cabo de acuerdo con la segunda opción que contemplan las Orientaciones, es decir, mediante la definición adecuada del objetivo específico de la medida.

Sin embargo, esto no es del todo satisfactorio en el sentido de que la valoración del cambio de actitud arroja un amplio abanico de grados. Tampoco está determinado el marco temporal claramente y, en realidad, la práctica del Consejo nos lleva a entender que la política de «des-listados» responde mayormente a criterios más políticos que jurídicos (excepto cuando se trata de la ejecución de una sentencia estimatoria de nulidad).

Asimismo, el objetivo específico de la medida que, en principio, se recoge en la exposición de motivos de los actos jurídicos, no siempre está expresado de manera clara[483]. Sí se suele explicar el porqué de las medidas, pero no el para qué, y por ello la guía que le serviría a los designados es simplemente la de tratar de demostrar que no se cumple de forma positiva con el comportamiento o situación descrito en el criterio de designación. Esta es la guía también que ha utilizado el TG cuando se ha tenido que enfrentar, vía error de apreciación, al hecho de que la designación de un individuo o entidad ya no esté suficientemente sustentada —simplemente porque ya no se den los hechos que llevaron a su designación—. Sin embargo, esto no está exento de dificultades en muchos casos. Sigue siendo extremadamente difícil demostrar que se ha roto con un régimen concreto o que se ha cambiado el comportamiento que ha llevado a una persona o entidad a ser listada. El umbral de prueba aportada que hay que superar es muy alto.

---

483 Sobre la necesidad de que los actos jurídicos que establecen medidas restrictivas expresen con mayor claridad los objetivos perseguidos y, a su vez, estos sean más realistas, véase un interesante estudio enfocado en las medidas restrictivas contra Bielorrusia; *cf.* MIADZVETSKAYA, Y. (2022). Designing Sanctions: Lessons from EU Restrictive Measures against Belarus, *op. cit.*, pp. 2 y 21.

Por todo ello, entendemos que el TG podría en algún momento centrarse en la cuestión de los criterios de des-listado o estudiar con mayor celo la claridad con la que están expresados los objetivos de los regímenes de sanciones en las exposiciones de motivos.

3. *El control judicial de los criterios de designación: límites procesales y materiales*

Tras haber estudiado tanto las cuestiones procesales como algunos aspectos de la actividad jurisdiccional en el control de las medidas restrictivas, será más sencillo comprender de dónde procede la doble limitación que existe con respecto al control efectivo del TJUE sobre los criterios de designación.

La primera limitación es esencialmente de carácter procesal[484]. A modo de recordatorio, cabe señalar que, en el contencioso de las medidas restrictivas, la forma que concibió el legislador inicialmente desde el punto de vista de la admisibilidad es plantear un recurso de anulación del art. 263.4 TFUE. Ello tiene como consecuencia que los recurrentes con *locus standi* —no privilegiados— solo puedan plantear la potencial nulidad de la medida concreta en la que se individualiza su designación[485]. Como resultado, en primer lugar, los jueces solo pueden estudiar la aplicación de la medida al caso concreto individualizado. Y, en segundo lugar, si los jueces determinan que hay un vicio que lleva a la nulidad de la medida, este afectaría solo a la designación individual y no afectaría a ninguna otra disposición o aspecto general de los actos jurídicos por los que se establecen regímenes de sanciones.

Solo sería, por lo tanto, a través de otros recursos para los que se ha ido reconociendo la competencia en materia de medidas restric-

---

484 Como se estudió con gran detalle en la Primera Parte de este trabajo.

485 Como ha fijado la jurisprudencia: «Es preciso, por otra parte, recordar que, por lo que se refiere a los actos adoptados sobre la base de las disposiciones relativas a la política exterior y de seguridad común, como los actos controvertidos, es la naturaleza individual de esos actos la que da, con arreglo a lo dispuesto en los artículos 275 TFUE, párrafo segundo, y 263 TFUE, párrafo cuarto, acceso al juez de la Unión», *cf.* Sentencia de Tribunal de Justicia (Gran Sala) de 23 de abril de 2013, Laurent Gbagbo y otros/Consejo, asuntos acumulados, C-478/11 P a C-482/11 P, ya citada, apartado 57.

tivas por los que podríamos imaginar que los jueces tuvieran que enfrentarse al análisis de los criterios de designación. Podemos prever que estos serían, en esencia, la cuestión prejudicial de apreciación de validez y la excepción de ilegalidad dependiendo de otro asunto principal que podría ser, *a priori*, una demanda por daños.

También podrían plantear un recurso de nulidad los demandantes privilegiados, pero parece difícil pensar en la práctica que sean las propias instituciones —el Consejo y la Comisión— las que recurrieran los actos jurídicos de los que son responsables. Quizá podríamos pensar en un recurso interpuesto por el Parlamento Europeo, pero también parece difícil que, partiendo de una posición muy favorable a las medidas restrictivas con carácter general, puedan promover un recurso por una potencial ilegalidad de la formulación de los criterios de designación.

La segunda limitación tiene que ver con el margen de discrecionalidad del Consejo. Aun cuando de forma indirecta, el Tribunal se ha pronunciado sobre los criterios de designación, el reconocimiento del amplio margen de apreciación para valorar la situación política y determinar las reacciones del Consejo a través de los instrumentos PESC podría hacer, como se explicaba, que solo un criterio manifiestamente inapropiado, contrario al ordenamiento o que diera lugar a una desviación de poder, fuera declarado nulo[486].

Sin embargo, es cierto que, puesto que los criterios de designación tienen que estar alineados y responder de manera adecuada a los objetivos generales del régimen de sanciones, se han dado algunas situaciones excepcionales donde el TG sí ha entrado a pronunciarse sobre esta adecuación. Por ejemplo, en el asunto *Ezz*, el TG

---

486 El TJ en casación lo volvía a reiterar recientemente en contestación al recurrente que argumentaba la desproporcionalidad y la manifiesta inadecuación del criterio de designación: «*It is clear from the case-law of the Court of Justice that, with regard to judicial review of compliance with the principle of proportionality, the EU legislature must be allowed a broad discretion in areas which involve political, economic and social choices on its part, and in which it is called upon to undertake complex assessments. Accordingly, the legality of a measure adopted in those fields can be affected only if the measure is manifestly inappropriate having regard to the objective which the competent institution is seeking to pursue*». *Cf.* Sentencia del Tribunal de Justicia de 25 de junio de 2020, VTB Bank PAO/Consejo, C-729/18 P, ECLI:EU:C:2020:499, apartados 60 y 61.

recordaba que: «en la medida en que la única finalidad del régimen de medidas restrictivas establecido por la Decisión 2011/172 es facilitar que las autoridades egipcias puedan comprobar las malversaciones de fondos públicos cometidas y conservar la posibilidad de que dichas autoridades recuperen el producto de esas malversaciones, no cabe excluir que la prórroga de ese régimen conserve su pertinencia, incluso en el supuesto de que se den pasos en el ámbito político y judicial desfavorables en relación con el progreso de la democracia, del Estado de Derecho o del respeto de los derechos fundamentales. Así, correspondía al Consejo apreciar si, a la vista de los datos de que disponía, podía considerar razonablemente que seguir ayudando a las autoridades egipcias en la lucha contra la malversación de fondos públicos era, incluso en ese contexto, un medio apropiado para favorecer los objetivos de estabilidad política y de respeto del Estado de derecho en el país»[487].

Asimismo, como indica PURSIAINEN[488], tampoco parece que sea fácil que un criterio de designación pueda ser declarado como incompatible con el principio de proporcionalidad por estar redactado en una forma demasiado amplia o estar descrito de una forma tan pobre —o tan torpe, podemos añadir— que lleve a plantear un problema de seguridad jurídica. El TG daba algunas pistas en este sentido cuando en el asunto *National Iranian Oil Company*[489] explicaba que toda restricción de derechos (como es la consecuencia de la aplicación de una medida restrictiva) debe estar prevista por ley. Para considerar que esto se cumple, la estructura legal del acto tiene que estar bien conformada y el criterio de designación ser suficientemente claro, aunque no dice nada sobre la necesidad de que deba ser restringido.

---

487 Sentencia del Tribunal General de 27 de septiembre de 2018, Ahmed Abdelaziz Ezz *et al.*/Consejo (*Ezz et al. II*), T-288/15, ECLI:EU:T:2018:619, apartado 155.

488 PURSIAINEN, A. (2017). *Targeted EU Sanctions and Fundamental Rights*. Helsinki: Solidplan Consulting, p. 8.

489 Sentencia del Tribunal General de 16 de julio de 2014, National Iranian Oil Company/Consejo, T-578/12, ya citada, apartado 111, refrendada en casación por la sentencia del Tribunal de Justicia (Gran Sala) de 1 de marzo de 2016, National Iranian Oil Company/Consejo, C-440/14 P, ya citada.

El caso extremo de una potencial situación de poca claridad lo podríamos encontrar con una fórmula de criterios de designación presente en varios regímenes que se refiere a «personas que apoyen, material o financieramente» al gobierno o al régimen que corresponda. Esto lleva inevitablemente a poder poner en el punto de mira a todo contribuyente, sin ir más lejos. Asimismo, hay que reconocer también que la práctica del Consejo de utilizar en algunos casos criterios de designación ciertamente amplios le da mayor margen de maniobra para desarrollar el régimen y, sobre todo, para poder defender la legalidad de designaciones individuales ante potenciales recursos de nulidad en el TG. Esto es, de nuevo, una evolución clara que ha ido adquiriendo el Consejo con el paso del tiempo para adaptarse ante la actuación del TJUE.

Por ello, partiendo de esta forma que ha ido desarrollando el TJUE de analizar los asuntos de medidas restrictivas, se ha terminado poniendo el énfasis en la necesidad posterior de motivación con respecto al individuo y la sustanciación mediante pruebas, así como en el respeto de los derechos procesales de los designados, más que en enfocarse en la cuestión general de si los criterios de designación están adecuadamente presentados con respecto al objetivo general del acto jurídico.

De hecho, recientemente el TG lo constataba expresamente en el asunto *Prigozhin*:

> «*The criterion of "engag[ing] in" or "providing support for" acts that threaten peace, stability or security in Libya or obstructing or undermining the successful completion of its political transition is sufficiently clear and precise and is therefore not contrary to the principle of foreseeability of acts of the European Union. Although the words "engaged in or providing support for" entails a certain degree of discretion, the fact remains that that discretion is not arbitrary. It is, moreover, counterbalanced by, first, an obligation to state reasons in the application of that criterion by means of restrictive measures and, secondly, by the existence of procedural rights which, subject to review by the Courts of the European Union, accompany that application*»[490].

---

490 Sentencia del Tribunal General de 1 de junio de 2022, Yevgniy Viktorovich Prigozhin/Consejo, T-723/20, ECLI:EU:T:2022:317, apartado 148.

A pesar de que existieran pequeñas vías por las que el TJUE pudiera, en un momento dado, entrar a fondo en cuestiones relacionadas con los criterios de designación, el enfoque de la jurisprudencia actual y el poco apetito que se ha mostrado por parte del TJUE para aumentar la exigencia con respecto a la redacción de los criterios de designación, nos lleva a entender por qué los problemas que pudieran surgir con designaciones individuales derivados de una cuestión interpretativa del criterio de designación hayan sido canalizados, más bien, por los recurrentes a través de una estrategia procesal centrándolos en la falta de motivación o en el error de apreciación[491].

De momento, no ha habido ningún recurso que haya conseguido con éxito la anulación de un criterio de designación, como ya se ha indicado al inicio de este epígrafe. No obstante, de forma indirecta, el TJUE ha ido esbozando algunos elementos con los que se debe cumplir. Nada impide que, en un futuro próximo, pueda llegar a pronunciarse sobre la procedencia de un criterio de designación. Aunque parece que solo el carácter manifiestamente improcedente de un criterio podría llevar a los jueces a determinar que el Consejo haya excedido los límites del amplio margen de apreciación que se le reconoce, creemos, sin duda, que hay espacio para el desarrollo jurisprudencial. Mucho dependerá también de la forma en la que los recurrentes planteen los recursos.

---

491 Véase cómo se ha solventado esta cuestión en diferentes asuntos canalizando la argumentación de la ilegalidad potencial a través de la falta de motivación o del error de valoración. A título de ejemplo, se puede ver la sentencia del Tribunal General de 27 de septiembre de 2018, Ahmed Abdelaziz Ezz *et al.*/Consejo (*Ezz et al. II*), T-288/15, ya citada; o la sentencia del Tribunal General de 15 de septiembre de 2021, Alex Kande Mupompa/Consejo, T-97/20, ECLI:EU:T:2021:573.

II. LOS ELEMENTOS FORMALES DE LAS MEDIDAS RESTRICTIVAS: LA LEGALIDAD EXTERNA

Si hemos de destacar cuál ha sido el principal pilar articulador del contencioso de las medidas restrictivas, podemos responder, sin duda, que los elementos formales o legalidad externa han acaparado la mayor atención. A su vez, son los aspectos sobre los que mayor desarrollo jurisprudencial se ha alcanzado. En estos años, se ha acumulado un número importante de asuntos en los que los jueces se han pronunciado sobre estas cuestiones. En concreto, destacan los aspectos relativos a los derechos de defensa y de tutela judicial efectiva, la determinación de la obligación de proceder a un reexamen periódico de las medidas restrictivas mientras dure su vigencia y la elaboración jurisprudencial sobre cómo se concreta el principio general de la obligación de motivación en este ámbito específico.

A. LOS DERECHOS DE DEFENSA Y DE TUTELA JUDICIAL EFECTIVA: EL PILAR ARTICULADOR DEL CONTENCIOSO DE LAS MEDIDAS RESTRICTIVAS

Al evolucionar las sanciones, sofisticarse y extenderse la práctica de privilegiar en muchos casos las medidas individuales con afectación directa a personas físicas y jurídicas sobre medidas sectoriales generales, surge una preocupación esencial: la defensa de sus derechos[492]. Cuando en la práctica internacional tradicional, las sanciones se centraban en medidas generales, embargos en la mayoría de los casos, la relación jurídica creada era entre Estados y, por lo tanto, no se planteaba la necesidad de la protección de derechos individuales.

492 PURSIAINEN, A. (2017). *Targeted EU Sanctions and Fundamental Rights*, *op. cit.*, p. 4.

Sin embargo, hoy nos enfrentamos a una realidad diferente y, como indica HILLION, tanto el art. 40.2 TUE con el 21.3 y el 23 TUE establecen una subrogación de la PESC a «los principios que han inspirado la propia creación de la Unión, su desarrollo y su ampliación, y, en particular, el respeto de los derechos humanos»[493] y es un ámbito de actuación limitado por los principios derivados del Estado de Derecho[494].

La UE ha sido revolucionaria al reconocer *ex* art. 215 TFUE que los actos adoptados sobre dicha base habrían de incluir las disposiciones necesarias en materia de garantías jurídicas. Como ya hemos repetido en varias ocasiones, las medidas restrictivas se adoptan a partir de una decisión y de un reglamento que son paralelos en muchos elementos. El hecho de que se señalen las garantías jurídicas solo con respecto al reglamento, en la práctica, no debería generar distinción con respecto a la protección que se extiende al contenido de la decisión. En cierta manera, entendemos que esta protección se deriva del principio general del Estado de Derecho que rige el ordenamiento jurídico de la UE.

Así, también las ya citadas Orientaciones de 2018, hacen referencia a esta cuestión estableciendo que:

«La configuración de las listas de las personas y entidades objeto de las medidas debe respetar los derechos fundamentales, tal como lo expresa el Tratado de la Unión Europea. En particular, debe garantizarse el derecho de las personas y entidades a las debidas garantías procesales, en total conformidad con la jurisprudencia del Tribunal de Justicia de la Unión Europea, entre otras cosas con relación a los derechos de la defensa y al principio de la tutela judicial efectiva»[495].

---

493 HILLION, C. (2016). Decentralised Integration? Fundamental Rights Protection in the EU Common Foreign and Security Policy, *op. cit.*, p. 57.

494 El concepto de Estado de Derecho solo quedó fijado de manera positiva con el Tratado de Maastricht y lo hizo por primera vez en el contexto de la Política Exterior, en el art. J.1 (2) y en el art. 130(2). *Cf.* MAGEN, A. y PECH, L. (2018). The Rule of Law and the European Union. En C. MAY y A. WINCHESTER (eds.). *Handbook on the Rule of Law* (pp. 235-256). Cheltenham: Edward Elgar Publishing Limited.

495 *Orientaciones sobre la aplicación y evaluación de las medidas restrictivas (sanciones) en el marco de la Política Exterior y de Seguridad Común de la UE, op. cit.*, punto 15.

Incluso, fruto de esta evolución, se ha dado un paso más allá y se ha llegado a reconocer, como se vio[496], el *locus standi* de terceros Estados y, con ello, al menos el reconocimiento del derecho al recurso como manifestación de una tutela judicial efectiva, aunque pueda ser un reconocimiento controvertido.

El papel del TJUE en el estudio y desarrollo de estos derechos ha sido clave y, en la gran mayoría de los casos, uno de los argumentos del recurso, al menos, está relacionado con estos derechos. De ahí, que podamos conocer con detalle la posición del Tribunal, cómo ha ido evolucionando la misma y cómo ha ido estableciendo un umbral de exigencia al Consejo en lo que afecta a estos derechos. Como reconoce ENTIN, «la mayor parte de los casos que examina el Tribunal se refieren a derechos procesales; en concreto, los derechos de defensa y el derecho a la tutela judicial efectiva»[497]. En la misma línea, se pronuncia también PURSIAINEN cuando reconoce que el «Tribunal de Justicia de la UE ha influido con gran profundidad el desarrollo de los derechos procesales de las personas designadas por sanciones de la UE»[498].

Sobre la forma en la que el TJUE aborda estos derechos dentro del contencioso de las medidas restrictivas objeto de estudio, observamos que, en una mayoría abrumadora de los asuntos, se hace referencia a los derechos de defensa y de tutela judicial efectiva como uno más de los elementos del recurso. Puede sorprender que se vea solo como una parte del recurso o como un argumento separado (individualizado con respecto a otras cuestiones como la obligación de motivación o el error de valoración), ya que podríamos entender que todo el proceso, en sí mismo, se ve afectado por estos dos derechos principales y también podríamos entender que el resto de elementos de estudio del TJUE podrían clasificarse bajo ellos.

---

496 *Cf.* Primera Parte, apartado II.B.2.

497 ENTIN, K. (2021). The EU-Russia Sanctions Regime before the Court of Justice of the EU. En F. BOSSUYT y P. VAN ELSUWEGE (eds.). *Principled Pragmatism in Practice: the EU's Policy towards Russia after Crimea.* Leiden: Brill-Nijhoff Publishers, p. 113.

498 PURSIAINEN, A. (2017). *Targeted EU Sanctions and Fundamental Rights, op. cit.*, p. 5.

Con independencia de la estrategia procesal que hayan seguido los recurrentes, ya desde hace tiempo, el TPI fue claro y dio continuidad a la jurisprudencia existente en otros ámbitos del Derecho de la UE al declarar tajantemente que «según una jurisprudencia reiterada, el respeto del derecho de defensa en todo procedimiento incoado contra una persona que pueda terminar en un acto que le sea lesivo constituye un principio fundamental del Derecho comunitario y debe garantizarse aun cuando no exista ninguna normativa reguladora del procedimiento de que se trate»[499].

En realidad, como se argumentará, tanto el derecho de defensa como el derecho a la tutela judicial efectiva son grupos de derechos en realidad. Algunos recurrentes incluso los han vinculado con el derecho a un proceso equitativo[500] en la terminología empleada en el art. 6 CEDH. Otros recurrentes también han incluido junto a estos derechos el derecho a la buena administración[501]. En todas las situaciones, el TJUE los ha terminado estudiando de manera conjunta.

Así, en la forma en que los recurrentes lo han planteado o, en otros casos, el TG, lo ha reordenado, podemos categorizar bajo estos los conceptos del derecho de defensa y derecho a la tutela judicial efectiva cuatro elementos fundamentales: i) la comunicación de las informaciones y de los elementos de prueba, ii) el acceso al expediente, iii) el derecho a ser oído y, iv) la obligación de proceder a un reexamen periódico de las medidas restrictivas en vigor. Este cuarto punto lo veremos en una sección posterior del estudio por englobar también otras consideraciones que se han separado del derecho a la tutela judicial efectiva y al derecho de defensa. Asimismo, también se debe apuntar que, en algunos asuntos, el Tribunal ha estudiado la

---

499 Sentencia del Tribunal de Primera Instancia de 12 de diciembre de 2006, Organisation des Modjahedines du peuple d'Iran (OMPI)/Consejo, T-228/02, ya citada, apartado 91.

500 Sentencia del Tribunal General de 2 de diciembre de 2020, Kalai/Consejo, T-178/19, ECLI:EU:T:2020:580, apartado 32.

501 Sentencia del Tribunal General de 14 de julio de 2021, Antonio José Benavides Torres/Consejo, T-245/18, ECLI:EU:T:2021:447, apartado 29 o sentencia del Tribunal General de 14 de julio de 2021, Maikel José Moreno Pérez/Consejo, T-246/18, ya citada, apartado 39.

obligación de motivación dentro de los derechos de defensa[502], aunque en este estudio se analizará también de forma separada. Desde el punto de vista de la doctrina, como indica HINOJOSA MARTÍNEZ[503], aunque la tutela judicial efectiva, entendida como «el derecho a un recurso jurisdiccional efectivo contra el acto lesivo», es un derecho independiente en sí, está íntimamente relacionado con los otros tres.

En paralelo a la exégesis de estos cuatro elementos, es importante estudiar igualmente una suerte de procedimiento administrativo que los designados por medidas restrictivas pueden incoar frente al Consejo. Hablamos de suerte de procedimiento porque no está ni reglado, ni formalizado. Tampoco está sujeto a plazos perentorios, más allá de los derivados de las necesidades temporales que imponen las medidas de revisión de las medidas restrictivas.

Además, es un procedimiento al que se le ha ido dando forma gracias al estudio que la jurisprudencia ha hecho de estos cuatro elementos o derechos *sub examine* para responder a las exigencias definidas por los jueces de Luxemburgo. Esto implica que el Consejo ha de comunicar a los designados las informaciones y los elementos de prueba —tras la primera designación— anunciando los cambios previstos en las motivaciones a los designados, ha de permitir el acceso al expediente de todas las pruebas no confidenciales y elementos que contenga el expediente a petición del interesado y este último tiene derecho a hacer alegaciones ante el Consejo y hacer valer sus argumentos y punto de vista.

Todos estos elementos que revisten este procedimiento administrativo *sui generis* han sido analizados por la jurisprudencia y están estrechamente ligados. De hecho, se observa en muchos asuntos cómo a veces se estudian de manera entrelazada siendo más difícil distinguir cuál es el contenido exacto de cada uno de ellos.

---

502 Por ejemplo en sentencia del Tribunal General de 15 de septiembre de 2021, Jean-Claude Kazembe Musonda/Consejo, T-95/20, ECLI:EU:T:2021:570.

503 HINOJOSA MARTÍNEZ, L. M. (2021). La relevancia de la conducta individual en la tutela judicial de las sanciones políticas en la UE: una compleja construcción jurisprudencia. *Anuario de los Cursos de Derechos Humanos de Donostia-San Sebastián*, 21, p. 125.

1. La comunicación de las informaciones y de los elementos de prueba: una práctica irregular

En primer lugar, hay que diferenciar claramente esta obligación del Consejo de comunicar las informaciones y los elementos de prueba, que bebe del derecho de tutela judicial efectiva y del derecho de defensa, de la obligación de notificar la adopción de actos derivado del principio de publicidad, que exige que, más allá de la publicidad en el DOUE, cuando sea posible, se produzca una notificación individualizada de acuerdo con una serie de reglas y criterios fijados por la jurisprudencia[504]. El TJUE lo ha simplificado explicando que, en lo que se refiere a la notificación, «ha de recordarse que el juez de la Unión distingue entre, por una parte, la decisión inicial de inclusión del nombre de una persona en una lista de personas que son objeto de medidas restrictivas, y, por otra parte, las decisiones posteriores de mantenimiento del nombre de esa persona en dicha lista»[505]. Esta distinción clara a efectos de procedimiento tiene su inspiración y responde, como explicamos, a dos principios diferentes.

La obligación a la que nos referimos en esta ocasión, como exigencia del respeto al derecho a la tutela judicial efectiva y al derecho de defensa, consiste en la notificación, por parte del Consejo, de los cambios previstos en las motivaciones de cara a futuras renovaciones de las designaciones. *A priori*, son potenciales renovaciones, ya que esta comunicación se produce cuando la revisión periódica va a comenzar en los grupos de trabajo del Consejo concernidos. Gracias a las posibles alegaciones que realicen los aludidos o como consecuencia del debate y de la valoración de los Estados miembros, el Consejo puede adoptar o no finalmente ese nuevo acto mediante el cual se producirá esa renovación o prolongación de la medida restrictiva.

En principio, esta comunicación realizada por el Consejo *motu proprio* es especialmente importante cuando hay nuevas informacio-

---

504 La obligación de notificación derivada del principio de publicidad se examinó en la Primera Parte, apartado III.A.2.

505 Sentencia del Tribunal General de 30 de abril de 2015, Fares Al-Chihabi/Consejo, T-593/11, ECLI:EU:T:2015:249, apartado 40 y sentencia del Tribunal General de 10 de noviembre de 2021, Waseem Alkattan/Consejo, T-218/20, ECLI:EU:T:2021:765, apartado 61.

nes y elementos que se vayan a tener en cuenta para examinar la actualización de la motivación de una designación. No obstante, el Consejo, como consecuencia de la insistencia de los jueces en la necesidad de preservar este derecho, ha incorporado progresivamente la práctica de comunicar a todos los designados afectados el inicio del proceso de renovación en el caso de que tuvieran interés en presentar alegaciones, mediante cartas enviadas desde la Secretaría General del Consejo.

De hecho, en la mayoría de las decisiones por las que se establecen regímenes de medidas restrictivas, encontramos una alusión a esta obligación en un artículo específico dentro de la parte dedicada a las disposiciones generales y finales.

Por ejemplo, en el régimen de medidas restrictivas habida cuenta de la situación en Venezuela[506], nos encontramos con el art. 8 que recoge tres apartados[507]. En un primero, se refiere al procedimiento por el cual el Consejo «establecerá» y «modificará» las listas. En un segundo apartado, se establece que el Consejo comunicará la decisión anterior, así como «la motivación de su inclusión en la lista a la persona física o jurídica, entidad u organismo afectados, ya sea directamente, si se conoce su domicilio, o mediante la publicación de un aviso, y ofrecerá a dicha persona, entidad u organismo la oportunidad de presentar observaciones al respecto». Por último, en el tercer apartado, se establece que, en el caso de presentarse observaciones o nuevas pruebas sustanciales, el Consejo reconsiderará la decisión de establecer o modificar las listas e informará del resultado de esta consideración a la persona física o jurídica concernida.

Esta redacción no ayuda a distinguir qué es exigencia derivada del principio de publicidad tras «establecer» por primera vez una designación o tras la adopción de renovaciones, de la comunicación

---

506 Decisión (PESC) 2017/2074 del Consejo, de 13 de noviembre de 2017, relativa a medidas restrictivas habida cuenta de la situación en Venezuela, ya citada

507 En el reglamento correspondiente (Reglamento (UE) 2017/2063 del Consejo, de 13 de noviembre de 2017, relativo a medidas restrictivas habida cuenta de la situación en Venezuela, ya citado) estos tres apartados corresponden con los tres primeros del art. 17. El cuarto apartado se refiere a la exigencia de revisar dichos listados —referentes a medidas individuales contra personas físicas y jurídicas— a intervalos regulares y, como mínimo, cada doce meses.

que se realiza antes de proceder a la «modificación» de las listas. De hecho, ni siquiera los términos «establecer o modificar listas» son claros. La lista es un anexo en sí y su relevancia jurídica radica en que en la misma se inscriben los designados. Podríamos incluso decir que las listas se modifican cada vez que se introduce o se elimina a un nuevo designado.

La introducción de un nuevo designado en una lista, cuando se realiza por primera vez, ha de contar con el efecto sorpresa, en la medida en que el preaviso permitiría actuaciones que impidieran la completa ejecución de las medidas[508] (por ejemplo, una congelación de activos puesto que un preaviso permitiría la detracción de los fondos). Por ello, la primera designación solo se beneficia del principio de publicidad *a posteriori*. También el TJUE, en una posición más susceptible de ser criticada[509], ha aceptado la necesidad de efecto sorpresa, o más bien de ausencia de notificación previa, en circunstancias, «caracterizadas por la necesidad de intervenir de forma extremadamente urgente [en las que] la aplicación de una medida sea esencial para garantizar su eficacia a la luz de los objetivos que persigue y, en particular, para evitar que quede privada de alcance y de efecto útil»[510]. En la práctica, en todas las medidas individuales adoptadas se aplica este criterio para la primera designación.

No obstante, como las medidas restrictivas son medidas revisables, tienen una vigencia determinada. Por ello, transcurrido ese plazo de vigencia, las listas no se modificarían. Al contrario, lo que en realidad

---

508 Así lo ha mantenido siempre la jurisprudencia, véase, por ejemplo, la sentencia del Tribunal de Justicia (Gran Sala) de 21 de diciembre de 2011, República Francesa/ People's Mojahedin Organization of Iran (OMPI), C-27/09 P, ya citada, apartado 61.

509 En esta línea se ha manifestado CHALLET en su completo análisis del asunto *RT France*, *cf.* CHALLET, C. (2022). The judgment of the General Court in *RT France v Council*: takeaways from the first ruling on EU sanctions linked to the war in Ukraine. *EU Law Live Weekend Edition* [blog], nº 114, 1-11-2022. Disponible en: https://eulawlive.com/weekend-edition/weekend-edition-no114/, pp. 7-8. También cabe destacar el trabajo más reciente de GUNDEL, J. (2023). Europäischer Grundrechtsschutz für (dritt-)staatliche Propagandasender?: anmerkung zum Urteil des EuG v. 27.7.2022, Rs T-125/22 /RT France/Rat. *Europarecht*, 58 (1), 110-118.

510 Sentencia del Tribunal General (Gran Sala) de 27 de julio de 2022, RT France/ Consejo, T-125/22, ECLI:EU:T:2022:483, apartado 84.

ocurre es que las designaciones, a través de un nuevo acto jurídico, se mantienen tal como están o se actualizan o modifican en lo que respecta a la identificación de la persona, a la motivación y, si es necesario, se actualiza el expediente de pruebas para sustentar ese cambio en la motivación o añadir nuevos elementos para hacerlo más completo.

Sin embargo, aunque esto se establece como una clara obligación que el Consejo pone celo en cumplir, las consecuencias de su inobservancia no llevan automáticamente a la anulación. Tal y como establece el TG, la falta de comunicación individual no justificaría por sí sola una anulación. En este caso, el TG exige que el demandante pueda demostrar con argumentos que la falta de comunicación lleva a la indefensión o a una vulneración de sus derechos de tal gravedad que justifique por sí misma la anulación de los actos recurridos[511].

En esta primera jurisprudencia referida, el TG se centra en la comunicación que se deriva del principio de publicidad, es decir, para comunicar la adopción o renovación de los actos, pero no para advertir que se está procediendo a un nuevo estudio de cara a una renovación. De nuevo, la línea entre ambas obligaciones se difumina y se producen confusiones recurrentes. No obstante, también se ha aplicado esta lógica a las situaciones de revisión.

En el asunto *Kadi II*[512], el TJ afirmaba que: «en un procedimiento relativo a la adopción de la decisión de incluir o mantener el nombre de una persona en la lista [...] el respeto del derecho de defensa y del derecho a una tutela judicial efectiva exige que la autoridad competente de la Unión comunique a la persona afectada los datos en su contra de que dispone para fundamentar su decisión, [...], a fin de que dicha persona pueda defender sus derechos en las mejores con-

511 Sentencia del Tribunal General de 6 de septiembre de 2013, Bank Melli Iran/Consejo, asuntos acumulados T-35/10 y T-7/11, ECLI:EU:T:2013:397, apartados 112 y 113 o sentencia del Tribunal General de 5 de noviembre de 2014, Adib Mayaleh/Consejo, asuntos acumulados T-307/12 y T-408/13, ya citada, apartado 122.

512 Sentencia del Tribunal de Justicia (Gran Sala) de 18 de julio de 2013, Comisión Europea *et al.*/Yassin Abdullah Kadi (*Kadi II*), asuntos acumulados C-584/10 P, C-593/10 P y C-595/10 P, ya citada.

diciones posibles y decidir con pleno conocimiento de causa sobre la conveniencia de someter el asunto al juez de la Unión»[513].

Asimismo, continúa diciendo que cuando se trate del mantenimiento del nombre de una persona en la lista, «el cumplimiento de esta doble obligación de procedimiento debe preceder a la adopción de dicha decisión»[514].

Igualmente, en el asunto *Georgias et al*[515]., el TG explica que: «en el contexto de la revisión periódica de las medidas controvertidas, ha de recordarse que, según jurisprudencia reiterada, el respeto del derecho de defensa en cualquier procedimiento incoado contra una persona y que pueda terminar en un acto que le sea lesivo constituye un principio fundamental del Derecho de la Unión y debe garantizarse aun cuando no exista una normativa sobre el procedimiento en cuestión»[516].

Igualmente, el TG explica que esto permite que el potencial designado tenga la oportunidad de presentar su punto de vista sobre las cuestiones que se le imputen. Tras ello, el TG recuerda lo mismo que se ha explicado con respecto a la falta de notificación en virtud del principio de publicidad. Esto es, el demandante tiene que demostrar que «de no haberse producido esa supuesta irregularidad, el proceso hubiera podido concluir con un resultado diferente»[517], por lo que dicha irregularidad no entraña la anulación automática de los actos correspondientes.

Sin embargo, el TG ha mantenido un margen de tolerancia con respecto a los casos en que debe existir esa comunicación de manera obligatoria y, con ello, ha creado cierta confusión. En un asunto reciente[518], el TG trataba de conciliar las posturas previas de la jurisprudencia dependiendo de las diferentes situaciones a las que se hiciera referencia. En primer lugar, recuerda uno de los asuntos relativos a la

---

513 *Ibid.*, apartado 111.

514 *Ibid.*, apartado 113.

515 Sentencia del Tribunal General de 18 de septiembre de 2014, Aguy Clement Georgias *et al.*/Consejo y Comisión, T-168/12, ya citada.

516 *Ibid.*, apartado 105.

517 *Ibid.*, apartado 106.

518 Sentencia del Tribunal General de 24 de noviembre de 2021, Aman Dimashq JSC/Consejo, T-259/19, ECLI:EU:T:2021:821, apartados 69 y 70.

OMPI[519] que el objetivo de que un afectado pueda hacer alegaciones en el proceso de revisión es para permitir que las autoridades —el Consejo— puedan tener en cuenta toda información relevante, y que se puedan corregir los posibles errores o informaciones relativas a la situación personal que puedan afectar a que la decisión se adopte, no se adopte o tenga un contenido diferente. A continuación, el TG sigue explicando la jurisprudencia refiriéndose al asunto *Central Bank of Iran*[520], en el cual el TJ expresó que, si no hay actualización de la motivación y de los elementos de prueba y estos son los mismos que los de la inscripción inicial, el Consejo no está obligado a notificarlos de nuevo. Por último, el Tribunal recordó aludiendo al asunto *Mupompa*[521] que sí existe una obligación de notificación cuando hay una actualización de los elementos de prueba —bien sean personales o del contexto geográfico político y de seguridad en el que se enmarquen las medidas— que justifiquen el mantenimiento en las listas del designado.

En cuanto a la antelación con que esta comunicación ha de hacerse, la jurisprudencia habla de un «plazo suficiente» para que el designado tenga tiempo para poder reaccionar, si lo considera necesario. De cualquier forma, el TG entiende que el Consejo no puede comunicar los elementos nuevos antes de que se lleven a cabo los debates y negociaciones preceptivas en los grupos preparatorios del Consejo[522].

Esto hace que se confirme que este «diálogo» posible existente entre el Consejo y el designado no es en realidad un procedimiento tasado al estilo de un procedimiento administrativo entre un ejecutivo y los afectados por las decisiones del primero. El hecho de que se imponga la carga al designado para demostrar que una falta de notificación le ha causado un menoscabo en sus derechos que, de haber

---

519 Sentencia del Tribunal de Justicia (Gran Sala) de 21 de diciembre de 2011, República Francesa/ People's Mojahedin Organization of Iran (OMPI), C-27/09 P, ya citada, apartado 65.

520 Sentencia del Tribunal de Justicia de 7 de abril de 2016, Central Bank of Iran/ Consejo, C-266/15 P, ECLI:EU:C:2016:208, apartados 32 y 33.

521 Sentencia del Tribunal General de 12 de febrero de 2020, Alex Kande Mupompa/Consejo, T-170/18, ECLI:EU:T:2020:60, apartado 72.

522 Sentencia del Tribunal General de 15 de septiembre de 2021, Éric Ruhorimbere/Consejo, T-105/20, ECLI:EU:T:2021:581, apartados 84-89.

tenido esa información en un momento anterior, hubiera llevado a una consecuencia distinta, nos parece una solución no del todo satisfactoria en este ámbito de las medidas restrictivas. Parece que, con esta línea argumental, el TJUE simplemente establece este requisito como una «buena práctica» más que como una obligación. Por eso, nos parece que es una situación intermedia y poco satisfactoria. O se estandariza el procedimiento de comunicación de las renovaciones o no se tiene en cuenta entonces como un posible menoscabo a la tutela judicial efectiva y al derecho de defensa.

Podemos concluir, por todo ello, que se trata de un procedimiento al margen de toda regulación y que sería deseable que el TJUE aclarara de forma definitiva cuál es la forma de proceder más respetuosa con respecto a los derechos fundamentales de los designados, sobre todo si el Consejo no actúa para aclararlo de manera explícita *motu proprio*. Es llamativo el hecho de que en las Orientaciones[523] de 2018 no se haga alusión a esta práctica, a pesar de dedicar un título —G— con varios apartados a la cuestión de la obligación de revisión periódica complementaria a la de las reglas de expiración, ya que podría ser un buen lugar para ello. Tampoco el Consejo en el documento de Principios básicos[524] de 2004 se refiere a ello. No obstante, es cierto que, en términos generales, el Consejo sí ha ido prestando más atención a esta cuestión y, en los últimos años, no han llegado ante el TJUE muchos casos en los que se presentara esta deficiencia en el tratamiento de las comunicaciones individuales.

Al margen de la situación actual, ante este examen y en aras de mejora, se podrían plantear dos observaciones fundamentales para perfeccionar el tratamiento de estos derechos.

Por un lado, en cuanto al papel del TJUE, creemos que el examen jurídico ganaría en claridad si el análisis de esta cuestión fuera más estructurado. Asimismo, el TJUE podría diferenciar más claramente la obligación de comunicación de las informaciones y de los elementos de prueba derivados del principio de publicidad, que se debe producir tras cada adopción y cada renovación, de aquella obligación

---

523 *Orientaciones sobre la aplicación y evaluación de las medidas restrictivas (sanciones) en el marco de la Política Exterior y de Seguridad Común de la UE, op. cit.*

524 *Principios Básicos sobre la Aplicación de Medidas Restrictivas (Sanciones), op. cit.*

derivada más directamente del derecho de tutela judicial efectiva y del derecho de defensa, que se da en los procesos de renovación y actualización de los listados.

Por otro lado, también redundaría en una mejor protección que este examen jurídico llevado a cabo por los jueces fuera más sistemático y que el Consejo aportara mayor coherencia a esta suerte de procedimiento administrativo que se da en los procesos de renovación y actualización de los listados. Se ganaría en transparencia, seguridad jurídica y buen funcionamiento de la administración, si se consiguiera plasmar en un texto en qué consiste esta comunicación por parte del Consejo a los interesados en un momento previo a la toma de la decisión de la renovación o actualización de un listado. Esto se podría hacer en un texto acordado por los Estados miembros, aunque no fuera jurídicamente vinculante como es el caso de las Orientaciones.

2. *El acceso al expediente: la extensión evidente*

A través del análisis realizado, se puede entender que el acceso al expediente es una extensión del derecho a la comunicación de las informaciones y de los elementos de prueba. Mediante el acceso al expediente se permite conocer el contenido de los elementos de prueba que se utilizan para sustentar una designación. Se trata como un derecho separado puesto que el Consejo no está obligado a comunicar de oficio todo el contenido del expediente y es un derecho que ampara al designado en las dos situaciones que se han distinguido antes, esto es, tanto cuando hay una comunicación *a posteriori* tras una primera designación, como cuando se produce en ulteriores designaciones durante el proceso de revisión y actualización de la motivación y de las pruebas que obran en el expediente.

No obstante, el elemento de estudio más interesante correspondería a las comunicaciones tras una designación, puesto que es clave para que el designado pueda ejercer correctamente su defensa. En este caso, el designado puede pedir, a instancia de parte, al Consejo que le dé acceso a ese expediente. Así lo ha bendecido el TG en múltiples ocasiones subrayando que «sólo cuando así lo solicite la parte interesada estará el Consejo obligado a facilitar el acceso a todos los documentos administrativos no confidenciales relativos a la medida de que se trate»[525].

En primer lugar, en cuanto al contenido de esos documentos, es importante subrayar que, en todo caso, el TG siempre se ha referido a la comunicación de los «documentos administrativos no confidenciales». De nuevo, juega un papel importante el hecho de que todas las pruebas utilizadas en los expedientes de medidas restrictivas provengan de fuentes abiertas. Esto facilita que, de acuerdo con la práctica actual, ante una petición de esta naturaleza, no se plantee ningún problema de confidencialidad puesto que no se trataría de material clasificado. Incluso en el caso de las sanciones por terrorismo que, como indicábamos, no vienen acompañadas de una motivación pública, a petición del interesado, se puede entregar tanto el contenido de la motivación como de las pruebas esenciales que sustentan dicha designación. Si, en el futuro, se utilizaran fuentes clasificadas para sustentar las pruebas, habría que ver cómo se reaccionaría ante dicha petición del designado —en esta fase administrativa—. En fase judicial, hay mecanismos en los reglamentos de reglas de procedimiento tanto del TG como del TJ[526] para solventar este problema. Empero, antes de llegar a la fase judicial, el designado ha de tener la posibilidad de conocer el detalle para entender si y en qué forma tiene sentido su recurso y cómo preparar su defensa.

Sin embargo, se plantea una salvedad en referencia a la afirmación que se ha realizado. Las pruebas que sustentan la designación sí se basan en la práctica en fuentes abiertas. No obstante, hay ciertos documentos dentro de la fase de formación y adopción de las sanciones que tienen un carácter clasificado. En esencia, la propuesta de designación que puede llevar a cabo un Estado miembro, un grupo de Estados miembros, o el Alto Representante sobre la base de su derecho de iniciativa del art. 30 TUE se comunica mediante COREU[527] que,

---

525 Por ejemplo, en sentencia del Tribunal de Primera Instancia de 14 de octubre de 2009, Bank Melli Iran/Consejo, T-390/08, ya citada, apartado 97; y sentencia del Tribunal General de 10 de noviembre de 2021, Waseem Alkattan/Consejo, T-218/20, ya citada, apartado 75.

526 Véase, art. 105 RPTJ y art. 190bis RPTJ.

527 Acrónimo de «*Correspondance Européennee*», sirve como sistema de comunicación cifrada a través de la red «*Cortesy*» —*COREU Terminal System*— entre las capitales

por su naturaleza, es un sistema clasificado de comunicación entre los Estados miembros y las instituciones. En numerosos asuntos, se están poniendo los COREU a disposición del designado cuando se solicitan puesto que estos incluyen la información sobre las pruebas[528]. Sin embargo, ha habido situaciones en las que un demandante ha solicitado acceso a dicho documento[529] y para ello se ha amparado, no solo en su derecho general de acceso al expediente como una manifestación de su derecho de defensa por estar directamente afectado, sino en base al Reglamento (CE) n° 1049/2001 del Parlamento Europeo y del Consejo, de 30 de mayo de 2001, relativo al acceso del público a los documentos del Parlamento Europeo, del Consejo y de la Comisión[530].

Mientras que una negativa del Consejo a facilitar algún tipo de documento en el marco de este procedimiento administrativo *sui generis* que se está describiendo no podría recurrirse de manera aislada (o al menos, hasta la fecha no se ha planteado dicha situación, por lo que no se sabe cuál sería la posición del TG), una negativa a poner a disposición una información requerida en base al Reglamento (CE) n° 1049/2001, es una resolución formal que puede ser recurrida en anulación ex art. 263.4 TFUE, tal y como ha tenido la oportunidad de explicar el TG[531].

---

de los Estados miembros, la Secretaría General del Consejo, la Comisión y el SEAE. Este sistema para compartir información y posiciones de forma segura es un elemento esencial para la conformación y desarrollo de la PESC. Para ampliar en los estudios sobre el sistema de COREU, véase, por ejemplo, BICCHI, F. y CARTA, C. (2012). The COREU Network and the Circulation of Information within EU Foreign Policy. *Journal of European Integration*, 34 (5), 465-484.

528 Hay numerosos asuntos donde se puede observar que los COREU forman parte de las pruebas presentadas por el Consejo y entregadas al designado. Por ejemplo, sentencia del Tribunal General de 8 de septiembre de 2015, Ministry of Energy of Iran/Consejo, T-564/12, ya citada; sentencia del Tribunal General de 14 de marzo de 2018, Il-Su Kim *et al.*/Consejo, asuntos acumulados T-533/15 y T-264/16, ECLI:EU:T:2018:138; o sentencia del Tribunal General de 24 de noviembre de 2021, Aman Dimashq JSC/Consejo, T-259/19, ya citada.

529 Sentencia del Tribunal General de 21 de julio de 2016, Bredekamp *et al.*/Consejo y Comisión, T-66/14, ECLI:EU:T:2016:430.

530 DO L 145 de 31.5.2001, pp. 43-48.

531 Sentencia del Tribunal General de 13 de septiembre de 2018, PAO Rosneft Oil Company *et al.*/Consejo, T-715/14, ya citada, apartado 135 o sentencia

En segundo lugar, en cuanto al plazo para facilitar acceso a esa documentación, el TG ha evolucionado hacia una posición no excesivamente exigente con el Consejo, aunque es cierto que el Consejo ha ido mejorando también su relación con los designados. En una jurisprudencia inicial, el TG llegó a declarar una violación del derecho de defensa, conllevando la anulación del acto, por haber dado acceso al expediente, una vez expirado el plazo para presentar observaciones[532]. Sin embargo, esta postura ha ido haciéndose mucho más laxa. Así, el TJ en casación ha resaltado más recientemente que una comunicación no se considera extemporánea —más bien tardía, tendríamos que decir—, aunque esté próxima a la expiración del plazo para recurrir, si el contenido de esa información no afecta a las posibilidades del recurrente para defenderse en juicio[533]. Es una jurisprudencia que proviene de cómo se ha concebido esta exigencia en asuntos referidos al derecho de la competencia[534]. No obstante,

---

del Tribunal General de 22 de septiembre de 2021, Maher Al-Imam/Consejo, T-203/20, ECLI:EU:T:2021:605, apartado 82.

532 Sentencia del Tribunal General de 5 de febrero de 2013, Bank Saderat Iran/ Consejo, T-494/10, ya citada, apartados 78 y 79.

533 «[...], la alegación del recurrente relativa al hecho de que recibió el 21 de octubre de 2014 ese escrito del Consejo, es decir, apenas unos días antes de que expirase el plazo para interponer el recurso, no incide sobre la efectividad de su derecho a recurrir. En cualquier caso, el recurrente no ha expuesto las alegaciones adicionales que habría podido formular en su recurso ante el Tribunal General si hubiese recibido antes el escrito del Consejo de 16 de octubre de 2014». *Cf.* sentencia del Tribunal de Justicia de 25 de junio de 2020, Bank for Development and Foreign Economic Affairs (Vnesheconombank)/Consejo, C-731/18 P, ya citada, apartado 45.

534 Véase, por ejemplo, sentencia del Tribunal de Primera Instancia de 4 de febrero de 2009, Omya AG/Comisión, T-145/06, ECLI:EU:T:2009:27, apartado 84 o la propia Comunicación de la Comisión relativa a las normas de acceso al expediente de la Comisión en los supuestos de aplicación de los artículos 81 y 82 del Tratado CE, los artículos 53, 54 y 57 del Acuerdo EEE, y el Reglamento (CE) nº 139/2004 del Consejo, DO C 325 de 22.12.2005, pp. 7-15. Precisamente en esta Comunicación se aclara que el acceso al expediente en los asuntos de competencia difiere del derecho general de acceso a los documentos en virtud del Reglamento (CE) nº 1049/2001, ya que su fin es distinto y las normas a las que está sujeto son diferentes (punto 2). Aunque en el marco de las medidas restrictivas no se cuenta todavía con jurisprudencia exacta al respecto, un paralelismo en el tratamiento con el derecho de la competencia llevaría a descartar que los designados pudieran recurrir a ciertos documentos por la vía del Reglamento (CE) nº 1040/2001.

es fácilmente defendible que son dominios completamente distintos, los efectos sobre los designados y la repercusión sobre los derechos fundamentales de los afectados no son en absoluto comparables.

Es más, a la hora de evaluar lo que sería un plazo razonable para el Consejo, el TG también se ha referido al propio comportamiento del designado[535]. En concreto, cuando se trata de designaciones sucesivas, el TG ha tenido en consideración el período de tiempo que el designado ha dejado transcurrir desde su primera inscripción para reaccionar.

Nos parece una consideración poco afortunada puesto que la obligación del Consejo es independiente de si se considera que el designado ha solicitado este acceso habiendo transcurrido mucho o poco tiempo desde su primera inscripción. Es como si el TG rebajara el umbral de los derechos de defensa a aquellos que no hubieran reaccionado ante sus designaciones inmediatamente desde la primera inscripción. Afortunadamente, no son consideraciones que se hayan repetido en otros asuntos.

La cuestión del plazo y qué tratamiento se le ha dado vincula con el contenido que ha de tener esa información adicional que el Consejo entrega al designado a petición de este. Según el TG, la obligación de respetar el derecho de defensa no exige que el Consejo tenga que dar *motu proprio* más información si ya «se ha comunicado información suficientemente precisa que permite al interesado dar a conocer oportunamente su punto de vista sobre los cargos que le imputa el Consejo»[536]. Es más, en situaciones de sucesivos actos en los que se mantiene a la misma persona designada, el TJ ha reconocido que, si estos se basan sobre los mismos motivos sin añadir elementos nuevos, el Consejo no está obligado, en virtud del respeto del derecho de defensa, a comunicarle dichos elementos[537].

535 Sentencia del Tribunal General de 15 de junio de 2017, Dmitrii Konstantinovich Kiselev/Consejo, T-262/15, ECLI:EU:T:2017:392, apartado 150.

536 Sentencia del Tribunal de Primera Instancia de 14 de octubre de 2009, Bank Melli Iran/Consejo, T-390/08, ya citada, apartado 97; o sentencia del Tribunal General de 22 de abril de 2015, Johannes Tomana/Consejo, T-190/12, ECLI:EU:T:2015:222, apartado 192.

537 Sentencia del Tribunal de Justicia de 7 de abril de 2016, Central Bank of Iran/Consejo, C-266/15 P, ya citaa, apartados 32 y 33; jurisprudencia del TJ que el

Es decir, en cuanto al contenido y al tiempo, el demandante ha de demostrar que, si hubiese accedido al expediente, basándose en los nuevos datos que se aporten, sus posibilidades para defenderse hubieran sido diferentes[538]. Esto también lleva a tener consecuencias en lo que se refiere el derecho a indemnización, como se veía en el asunto *Georgias et al*[539]., en el que el TG deja claro que «la mera invocación de una supuesta violación del derecho de defensa no es suficiente para demostrar el fundamento del recurso de indemnización». Esto es condición general en los recursos de indemnización puesto que se tienen que cumplir una serie de condiciones. No obstante, el TG continúa y añade: «es preciso explicar además cuáles son las alegaciones y pruebas que el interesado habría presentado si se hubiera respetado su derecho de defensa y demostrar, en su caso, que tales alegaciones y pruebas habrían podido conducir en su situación a un resultado diferente, es decir, [...], a no prorrogarle la medida restrictiva controvertida de congelación de sus activos».

En nuestra opinión esto supone, de nuevo, una excesiva carga para el demandante puesto que tiene que demostrar hechos hipotéticos, además de, al desconocer esos detalles con suficiente antelación, no poder preparar su demanda inicial haciendo referencia a estos elementos.

Creemos que la situación y solución que plantea la jurisprudencia es un tanto insatisfactoria, aunque desde el punto de vista procesal es difícil de resolver. Esto se debe a que esta petición de acceso al expediente en una parte de este procedimiento con carácter administrativo ante el Consejo no interrumpe el plazo que se da para plantear el recurso de anulación. Ante ello, lo único que se le puede pedir al Consejo es que, en un acto de buena administración, facilite el ac-

---

TG ha tenido que seguir desde entonces, por ejemplo, sentencia del Tribunal General de 10 de noviembre de 2021, Waseem Alkattan/Consejo, T-218/20, ya citada, apartados 77 y 78.

538 Sentencia del Tribunal General de 14 de abril de 2016, Mehdi Ben Tijani Ben Haj Hamda Ben Haj Hassen Ben Ali/Consejo (*Mehdi Ben Ali II*), T-200/14, ya citada, apartado 211; y sentencia del Tribunal General de 8 de noviembre de 2017, Oleksandr Viktorovych Klymenko/Consejo, T-245/15, ECLI:EU:T:2017:792, apartado 190.

539 Sentencia del Tribunal General de 18 de septiembre de 2014, Aguy Clement Georgias *et al.*/Consejo, T-168/12, ya citada, apartado 107.

ceso al expediente con la mayor celeridad posible una vez que se ha producido esa petición por parte del designado.

Al contrario de lo que ha considerado el TG[540] en sus explicaciones en algunas ocasiones, no creemos que la obligación de proporcionar los detalles del expediente en un plazo razonable suponga una carga excesiva y, si así se considera, al menos, una mayor celeridad en la respuesta redundaría en beneficio de una mejor protección del derecho de defensa.

Es cierto que se puede percibir que, conforme ha avanzado el tiempo, el Consejo ha mejorado sus plazos de reacción y esto también lo ha sabido ver el TG. Por ejemplo, en el asunto *Al-Imam*[541], el TG se detiene con detalle en los plazos en los que el Consejo ha ido aportando los documentos solicitados por el designado en un proceso de reexamen, no excediendo el plazo de las respuestas a sendas peticiones de documentos de un mes[542].

En definitiva, de nuevo, el TJUE podría seguir incidiendo en que el Consejo dé un tratamiento más homogéneo y estructurado a las cuestiones relativas de acceso al expediente. De esta manera, se podría favorecer que el procedimiento administrativo singular satisfaga ya en una primera fase el cumplimiento de ciertos derechos fundamentales de los designados en el proceso a través de mejores prácticas puramente formales. Esto no pone en riesgo las decisiones soberanas del Consejo para llevar a cabo su política de sanciones ni creemos que sea un esfuerzo extraordinariamente gravoso para los servicios de la Secretaría General del Consejo.

---

540 Ver, por ejemplo, como se explica, la siguiente posición del TG: «la comunicación espontánea de los elementos del expediente supondría efectivamente una exigencia excesiva, dado que en el momento en que se adopta una medida restrictiva, de congelación de fondos o de otro tipo, no existe certeza alguna de que la persona afectada tenga la intención de comprobar, mediante el acceso al expediente, los hechos en que se basan los cargos que le imputa el Consejo», en sentencia del Tribunal General de 22 de abril de 2015, Johannes Tomana/ Consejo, T-190/12, ya citada, apartado 192.

541 Sentencia del Tribunal General de 22 de septiembre de 2021, Maher Al-Imam/ Consejo, T-203/20, ya citada.

542 *Ibid.*, apartado 76.

3. El derecho a ser oído: la consecuencia necesaria

Si el derecho al acceso al expediente es una extensión del derecho a la comunicación de las informaciones y pruebas, el derecho a ser oído es la consecuencia. Volviendo al asunto de referencia *Kadi II*, esta también le sirvió al TJ para establecer, con respecto al Consejo, la obligación de comunicar los elementos que sustentaban la designación —tanto en la primera adopción, como en el mantenimiento de las listas—.

Siguiendo con el mismo asunto, igualmente cabe reseñar el hecho de que los jueces de la Gran Sala también señalan cuál es el objetivo de la comunicación: «al proceder a dicha comunicación, la autoridad competente de la Unión debe permitir que esa persona dé a conocer oportunamente su punto de vista sobre los motivos invocados en su contra»[543].

Asimismo, el abogado general BOT, también en el mismo asunto, explicaba en sus conclusiones[544] que el derecho de defensa incluía dos vertientes: la comunicación de las pruebas de cargo —lo que hemos llamado en este estudio la comunicación de las informaciones y de los elementos de prueba— y la audiencia —el derecho a dar a conocer oportunamente su punto de vista—.

Como se ha analizado con la obligación para el Consejo de la comunicación de las informaciones y de los elementos de prueba y con el derecho de acceso al expediente, el derecho a ser oído también formaría parte de esta suerte de procedimiento administrativo *sui generis* que permite un diálogo entre el designado y la autoridad competente —el Consejo— previa a la fase judicial (en el caso de que la hubiera). La sistemática con la que el TJUE ha examinado este derecho a ser oído es muy similar a los dos derechos anteriores.

En primer lugar, el TJ vuelve a hacer una diferencia clara entre las obligaciones del Consejo con respecto a una primera designación

---

543 Sentencia del Tribunal de Justicia (Gran Sala) de 18 de julio de 2013, Comisión Europea *et al.*/Yassin Abdullah Kadi (*Kadi II*), asuntos acumulados C-584/10 P, C-593/10 P y C-595/10 P, ya citada, apartado 112.

544 Conclusiones del abogado general Bot, Comisión Europea *et al.*/Yassin Abdullah Kadi (*Kadi II*), asuntos acumulados C-584/10 P, C-593/10 P y C-595/10 P, ya citadas, apartado 93.

que con respecto a designaciones subsiguientes y mantenimientos en las listas. Mientras que, en una primera inscripción, la comunicación de las informaciones y de los elementos de prueba, así como el derecho a ser oído, han de ser simultáneos o inmediatamente posteriores a la adopción de la decisión para preservar el efecto sorpresa, en el caso de las designaciones posteriores, esta comunicación y este derecho a ser oído deben preceder a la adopción de los actos jurídicos correspondientes[545].

Sin embargo, al igual que con los derechos anteriores, si no hay nuevos elementos que actualicen o modifiquen la designación en ese proceso de revisión y mantenimiento de los listados, el TJ estima que el Consejo no está obligado a oír al afectado[546]. No obstante, esto no impide que el designado pueda dirigirse en cualquier momento al Consejo y presentar los argumentos que considere oportunos para que su designación sea revisada. Es decir, el ejercicio de su derecho a ser oído debe estar siempre permitido a pesar de que el Consejo no esté obligado a instarle a que lo haga a no ser que haya elementos nuevos en el expediente[547].

En cuanto a la forma en que se materializa este derecho a ser oído, la presentación de las consideraciones (alegaciones) que quiera hacer el designado se hace de forma escrita ante el Consejo. Es decir, no existe la posibilidad ni el Tribunal tampoco exige que se dé un trámite de audiencia formal de manera presencial en el que el designado o su representante legal establezca una especie de cara a cara con el Consejo[548]. Toda comunicación, por lo tanto, a este respecto, se hace de forma escrita a través de comunicación postal.

---

545 Sentencia del Tribunal de Justicia (Gran Sala) de 21 de diciembre de 2011, República Francesa/ People's Mojahedin Organization of Iran (OMPI), C-27/09 P, ya citada, apartados 61 y 62 y sentencia del Tribunal de Justicia de 1 de octubre de 2020, Souruh SA/Consejo, C-350/19 P, ECLI:EU:C:2020:784, apartados 45 y 46.

546 Sentencia del Tribunal de Justicia de 18 de junio de 2015, Vadzim Ipatau/Consejo, C-535/14 P, ECLI:EU:C:2015:407, apartado 26

547 Sentencia del Tribunal de Justicia de 1 de octubre de 2020, Souruh SA/Consejo, C-350/19 P, ya citada, apartados 47-49.

548 Sentencia del Tribunal General de 6 de septiembre de 2013, Bank Melli Iran/ Consejo, asuntos acumulados T-35/10 y T-7/11, ya citada, apartado 105.

También, en el caso de una comunicación de nuevos elementos e informaciones dados por el Consejo, la jurisprudencia no ha establecido un plazo claro. Algo que, de nuevo, pone en evidencia la informalidad del procedimiento. Los jueces hablan de un plazo razonable, por ejemplo, se pueden recoger situaciones en las que se ha estimado que un plazo de quince días[549], pero incluso de doce es suficiente —a pesar de los festivos locales y de las necesidades para coordinarse debido a la concurrencia de varios demandantes en el proceso—[550]. En el otro extremo, el TG sí ha entendido que quince meses de demora en responder es un plazo no razonable[551].

A continuación de estas alegaciones presentadas por el designado, según jurisprudencia ya fijada en *Kadi II,* «la autoridad competente de la Unión está obligada a examinar, de modo cuidadoso e imparcial, la fundamentación de los motivos alegados, teniendo en cuenta tales observaciones y las eventuales pruebas de descargo que las acompañen»[552], y como acabamos de explicar, ello se ha de hacer en un plazo razonable. Estas alegaciones son un elemento más que se integra en el examen de los datos que constan para realizar esa evaluación y que podrán ser tenidos en cuenta o no para el mantenimiento de la persona designada en las listas[553]. En cualquier caso, el mantenimiento en las listas tendrá que estar motivado y sustanciado.

De nuevo, el hecho de que no se respete el derecho a ser oído no acarrea automáticamente una declaración de violación de los derechos fundamentales del designado y la anulación del acto. Como en los derechos procesales anteriores, el TG solo declararía esa consecuencia si se demuestra que, de haberse cumplido con la garantía de este derecho, el designado hubiera podido contar con más armas

---

549 Sentencia del Tribunal General de 15 de septiembre de 2021, Éric Ruhorimbere/Consejo, T-105/20, ya citada, apartado 92.

550 Sentencia del Tribunal General de 8 de julio de 2020, Ocean Capital Administration *e.a.*/Consejo, T-332/15, ECLI:EU:T:2020:308, apartados 191 y 192.

551 Sentencia del Tribunal General de 8 de septiembre de 2015, Ministry of Energy of Iran/Consejo, T-564/12, ya citada, apartados 71 y 72.

552 Sentencia del Tribunal de Justicia (Gran Sala) de 18 de julio de 2013, Comisión Europea *et al.*/Yassin Abdullah Kadi *(Kadi II)*, asuntos acumulados C-584/10 P, C-593/10 P y C-595/10 P, ya citada, apartado 114.

553 Sentencia del Tribunal General de 7 de julio de 2017, Sergej Arbuzov/Consejo, T-221/15, ECLI:EU:T:2017:478, apartado 84.

para su defensa de forma exitosa. Como lo expresa el TG en otras palabras, «si la vulneración cometida por el Consejo no tuvo otros efectos adversos sobre la situación del demandante»[554].

Sí es sorprendente que, en cierto desarrollo de la jurisprudencia sobre la cuestión del derecho a ser oído, el TG sí haya dado pie, por ejemplo, en el asunto *Ministry of Energy of Iran,* a que se pueda proceder a un recurso indemnizatorio «como consecuencia del retraso del Consejo al cumplir la obligación de que se trata»[555]. Es cierto que es una jurisprudencia relativamente antigua que data de 2015 y desde entonces el Tribunal ha tenido varias oportunidades para pronunciarse sobre las condiciones en las que se puede reconocer el derecho a ser indemnizado de un designado en virtud del art. 340 TFUE. Ante tal situación, si solo se produce esta violación del derecho de defensa —en concreto, del derecho a ser oído— sin ni siquiera acarrear la anulación del acto, es imposible que el perjudicado pueda demostrar que concurren las condiciones necesarias para declarar la responsabilidad extracontractual de la Unión.

Por lo tanto, del análisis del derecho a ser oído, emergen dos conclusiones principales que ya se han ido adelantando.

Por un lado, el derecho a ser oído, así como el derecho de acceso al expediente y la obligación de comunicación de los elementos y las informaciones del expediente, están muy relacionados con el desarrollo de lo que se podría considerar una suerte de procedimiento administrativo ante el Consejo al que tienen acceso los designados por las medidas restrictivas. Ya nos hemos referido a que se podrían realizar ciertas mejoras del mismo que redundarían en el respeto de estos derechos fundamentales, sin comprometer ni la informalidad del procedimiento ni el amplio margen de maniobra del Consejo. En esta línea, ROVETTA y BERETTA se refieren a él subrayando lo problemático que es y las carencias que tiene para acceder a la información de forma completa y a tiempo[556].

---

554 Sentencia del Tribunal General de 8 de septiembre de 2015, Ministry of Energy of Iran/Consejo, T-564/12, ya citada, apartado 76.

555 *Ibid.*, apartado 77.

556 ROVETTA, D. y BERETTA, L. C. (2017). EU Economic Sanctions Law against Russia after the «Rosneft» Judgment by the Grand Chamber of the Court of Jus-

Por otro lado, observamos que, en definitiva, el enfoque con el que el TJUE, en general, ha tratado esta concreción del derecho a la tutela judicial efectiva y a los derechos de la defensa se inspira por las mismas lógicas que se han aplicado tanto a la obligación de comunicación como al derecho de acceso al expediente. Esto es, se da un amplio margen de maniobra al Consejo y solo se tiene en cuenta cuando de verdad el ejercicio de este derecho hubiera llevado al designado a una posición claramente diferente a la hora de defenderse.

En conclusión, cuando estudiamos los derechos de defensa y de tutela judicial efectiva y sus manifestaciones, podemos afirmar que estos se han convertido en el pilar articulador del contencioso de las medidas restrictivas, incluso en una fase previa cuando estos se hacen valer ante el Consejo a través del procedimiento administrativo *sui generis* que ha sido descrito. Las posiciones, a veces tímidas o titubeantes, del Tribunal sobre el umbral de exigencia en relación con el respeto de las diferentes dimensiones de estos derechos podemos basarlas en dos constataciones, una primera más política y otra segunda más técnica.

En cuanto a la constatación política, como explica CHALLET[557], cuando estudia las sanciones adoptadas frente a las actividades de Rusia que desestabilizan la situación en Ucrania[558], el equilibrio que el TJUE ha encontrado entre la protección de los derechos fundamentales y los objetivos de la PESC ha tendido en favor del segundo elemento. Algo que, sin duda, también pone de manifiesto la cautela perfectamente comprensible del TJUE a la hora de valorar decisiones políticas complejas de Política Exterior y que se verá cuando analicemos el reconocimiento del margen de discrecionalidad. No obstante, a pesar de esta cautela necesaria y de una comprensión de

---

tice of the European Union: Get me a Lawyer! *Global Trade and Customs Journal*, 12 (6), p. 241.

557 CHALLET, C. (2021). The Impact of the Adjudication of Sanctions against Russia before the Court of Justice of the EU. En F. BUSSUYT P. y VAN ELSUWEGE, P. (eds.). *Principled Pragmatism in Practice: the EU's Policy towards Russia after Crimea* (pp. 125-140). Leiden: Brill-Nijhoff Publishers.

558 Decisión 2014/512/PESC del Consejo, de 31 de julio de 2014, relativa a medidas restrictivas motivadas por acciones de Rusia que desestabilizan la situación en Ucrania, ya citada, y Reglamento (UE) n° 833/2014 del Consejo, de 31 de julio de 2014, ya citado.

la naturaleza de las medidas, sí se podría, en algunos casos, establecer procedimientos un poco más estructurados que redunden en la protección de ciertos derechos procesales como los que acabamos de estudiar.

En cuanto a la constatación más técnica, estas posiciones a las que llega el TJUE se entienden en parte también por la consideración que realiza en sus exámenes de que, a fin de cuentas, las medidas restrictivas tienen una naturaleza puramente provisional. De ahí, lo importante que es el que el Consejo esté obligado a proceder a un examen periódico para poder verificar que siguen existiendo las mismas condiciones de hecho o de derecho que llevaron a la adopción de las mismas o si políticamente se considera que los objetivos fijados siguen sin estar cumplidos y, por lo tanto, estas siguen teniendo una razón de ser. Lo estudiamos a continuación.

B. LA OBLIGACIÓN DE PROCEDER A UN REEXAMEN PERIÓDICO DE LAS MEDIDAS RESTRICTIVAS EN VIGOR

Otra de las características que distingue a las medidas restrictivas de la Unión Europea frente a las sanciones adoptadas en otros sistemas jurídicos es que, en nuestro ordenamiento, las medidas han de estar sometidas a un reexamen periódico. Esto tiene un doble objetivo, por un lado, el Consejo evalúa si el marco general sigue adaptado a las necesidades reales de la Política Exterior en ese momento y, por otro lado, exige hacer un estudio cada varios meses de la pertinencia de las designaciones individuales.

Es la jurisprudencia fundamentalmente la que ha ido explicando y dando las claves sobre la razón y la forma en la que ha de hacerse esta revisión periódica a lo largo de los años. Ello es otra prueba más de la importancia que tiene la revisión judicial para conformar la materialización de las medidas restrictivas y hacerlas compatibles con el Estado de Derecho, esencia del ordenamiento europeo. En consecuencia, debido a estos objetivos de la revisión periódica y su razón de ser, en muchos asuntos, se estudia la cuestión del reexamen dentro del respeto de los derechos fundamentales de carácter procesal.

1. *Una exigencia fijada y controlada por el Tribunal: la traslación a la práctica del Consejo*

En primer lugar, en cuanto a la explicación del porqué de esta obligación de revisión periódica, en la jurisprudencia inicial relativa a la *OMPI*, el Tribunal aporta ya algunas ideas cuando indica que el Consejo, al no actuar en el contexto de una potestad reglada, tiene que proceder a una revisión periódica para explicar por qué el mantenimiento en la lista está justificado[559]. En el caso concreto de la Posición común 2001/931[560], y los reglamentos relacionados, que es sobre la que versaba este asunto, esta revisión está contemplada con una frecuencia semestral.

Otra clave esencial para entender esta obligación de revisión es que las medidas restrictivas son, por su naturaleza, provisionales. Por lo tanto, si son provisionales, tiene que haber un mecanismo que permita su revisión periódica para entender si las condiciones que concurrían cuando se adoptaron junto con los objetivos perseguidos siguen estando vigentes, y así se ha señalado también en repetida jurisprudencia[561].

En segundo lugar, la forma de plasmar esta exigencia de revisión en los textos legales y, por lo tanto, convertirla en vinculante, también se ha ido adaptando. El Consejo, para dar cumplimiento a esta obligación, viene estableciendo una vía que lleva a que los textos normativos tengan una fecha de expiración. Ello exige que la revisión se haya de hacer de manera obligatoria, si no, el texto expiraría. Así, en las Orientaciones de 2018[562], se recomienda que:

---

559 Sentencia del Tribunal de Primera Instancia de 12 de diciembre de 2006, Organisation des Modjahedines du peuple d'Iran (OMPI)/Consejo, T-228/02, ya citada, apartado 145.

560 Posición común 2001/931/PESC del Consejo, de 27 de diciembre de 2001, sobre la aplicación de medidas específicas de lucha contra el terrorismo, ya citada.

561 Sentencia del Tribunal de Primera Instancia de 21 de septiembre de 2005, Ahmed Ali Yusuf y Al Barakaat International Foundation/Consejo y Comisión, T-306/01, ya citada, apartados 62 y 63; y sentencia del Tribunal General de 15 de septiembre de 2021, Éric Ruhorimbere/Consejo, T-105/20, ya citada, apartado 80.

562 *Orientaciones sobre la aplicación y evaluación de las medidas restrictivas (sanciones) en el marco de la Política Exterior y de Seguridad Común de la UE, op. cit.*, apartado 34.

«Cuando los criterios u objetivos específicos de la medida no se hayan cumplido deberán mantenerse las medidas restrictivas, salvo cuando el Consejo decida lo contrario. Por ello, el instrumento jurídico de la PESC debería incluir bien una fecha de expiración o una cláusula de revisión, según lo decidido por el Consejo, para garantizar que se estudie en un plazo adecuado la necesidad de prorrogar las medidas restrictivas. La fecha de expiración o de revisión podría decidirse teniendo en cuenta hechos y consideraciones pertinentes (por ejemplo, fechas de futuras elecciones o de negociaciones de paz que pudieran producir un cambio en el contexto político)».

Como es complicado para cada régimen de sanciones tener identificados *a priori* cuándo pueden darse esos hitos marcados por hechos y consideraciones pertinentes, en la práctica se establece una vigencia anual y, en algunos casos excepcionales, semestral o una fecha para la revisión obligatoria.

El hecho de optar por una fecha de vigencia máxima o por una cláusula de revisión obligatoria no es una decisión caprichosa. En las medidas restrictivas autónomas de la UE, lo habitual es contar con una cláusula de vigencia máxima o *sunset clause*.

En cuanto al mecanismo por el que se orienta la misma, podemos fijarnos de nuevo en otro apartado de las Orientaciones[563]. Si las medidas tienen un plazo de expiración, el Consejo tendría que acordar una prórroga. Esto es evidente puesto que, si no, el acto jurídico simplemente perdería su vigencia. De hecho, aunque se hable de prórroga, en realidad es un acto jurídico nuevo que enmienda al original que puede ser o no copia exacta del anterior, dependiendo si ha habido actualizaciones, y que establece una nueva vigencia.

No obstante, en ocasiones, el Consejo sí establece plazos distintos específicos para ciertas entradas en los listados. Esto se da, sobre todo, cuando en los debates entre los Estados miembros, existen dudas razonadas para eliminar una designación, pero no se quiere actuar con demasiada premura. En casos así, a veces se llega a compromisos en los que se decide una revisión adelantada. Por ejemplo, en el régimen por desviación de fondos públicos en Ucrania, la renovación

---

563 *Ibid.*, apartado 35.

de 2021[564] indicaba que la modificación de la decisión de base en cuanto al artículo referido a su vigencia quedaría de la siguiente forma: «La presente Decisión será aplicable hasta el 6 de marzo de 2022. Las medidas establecidas en el artículo 1 se aplicarán hasta el 6 de septiembre de 2021 con respecto a la entrada número 17 del anexo». Es decir, con esta redacción se está obligando al Consejo a realizar una revisión de la designación nº 17 —Oleksandr Viktorovych Klymenko— de forma adelantada a los seis meses.

Asimismo, el hecho de que la norma tenga una fecha límite de vigencia no impide, como es obvio, que, en el caso de que ocurra un hecho determinante que cambie las circunstancias o que el Consejo entienda que las sanciones han cumplido su objetivo, esa revisión del acto pueda realizarse con anterioridad. Es decir, el plazo de vigencia se entiende como un plazo máximo, pero no como un plazo mínimo en ningún caso.

Esta fórmula normativa se ha explicado en algunas ocasiones por parte de la jurisprudencia. Por ejemplo, de nuevo en el asunto *Ruhorimbere*[565], el TG detalla que el art. 9.2 de la decisión correspondiente prevé que esas medidas restrictivas en vista de la situación en República Democrática del Congo se apliquen, en el caso concreto, hasta el 12 de diciembre de 2017 y sean «prorrogadas o modificadas, si es el caso, si el Consejo estima que los objetivos no han sido alcanzados».

2. *El problema de la revisión con las designaciones provenientes de Resoluciones del Consejo de Seguridad de Naciones Unidas: las limitaciones del Consejo para aplicar sus propias reglas*

Sin embargo, aunque la existencia de una *sunset clause* es la práctica en el caso de los regímenes autónomos de la UE, surgen diferencias cuando se trata de regímenes por transposición de resoluciones del CSNU. Como se está comprobando a lo largo de todo este es-

---

564 Decisión (PESC) 2021/394 del Consejo de 4 de marzo de 2021 por la que se modifica la Decisión 2014/119/PESC relativa a medidas restrictivas dirigidas contra determinadas personas, entidades y organismos habida cuenta de la situación en Ucrania (DO L 77 de 5.3.2021, pp. 29-34).

565 Sentencia del Tribunal General de 15 de septiembre de 2021, Éric Ruhorimbere/Consejo, T-105/20, ya citada, apartado 80.

tudio, la incorporación de las decisiones adoptadas por medio de resoluciones del CSNU y de obligado cumplimiento, para los Estados miembros como parte de la ONU, genera numerosos problemas de encaje jurídico.

En este aspecto de la revisión en concreto, las decisiones del CS-NU en materia de sanciones no tienen una fecha de expiración. Esto hace que, al transponerse, a un acto jurídico de la UE, tampoco se incluya fecha alguna de expiración. No obstante, nada impide que la UE en sus actos propios incluya una cláusula de revisión en el acto jurídico correspondiente. Sin embargo, esa revisión no dejaría de ser más que relativa puesto que, aunque el Consejo pudiera tener consideraciones específicas sobre la utilidad del régimen o la pertinencia de las designaciones, en este caso actúa como mera institución de transposición de decisiones tomadas en otros foros.

Esto se puede observar en el régimen de medidas restrictivas contra[566] la República Centroafricana[567] en cuyos actos jurídicos no encontramos ninguna referencia a una fecha de expiración o de revisión periódica, y la enmienda o derogación solo se producirá cuando así lo establezca el CSNU. El mismo caso se aprecia con el régimen también traspuesto de las resoluciones correspondientes del CSNU sobre Yemen[568], por poner dos ejemplos.

En el caso de los regímenes mixtos, para cumplir con la jurisprudencia del TJUE, la forma de llevarlo a cabo es a través también de la cláusula de revisión. Sin embargo, como sucede en parte con los regímenes puros que provienen del CSNU, ha de resaltarse que esa revisión no puede sino realizarse con unos criterios muy generales, casi de carácter procesal, puesto que el margen de maniobra de la UE sobre una decisión del CSNU es muy limitada o prácticamente

---

566 Ya la denominación denota una clara diferencia de enfoque entre las medidas restrictivas de la UE y las provenientes de la ONU. La UE procura en todo caso, y especialmente en los regímenes más recientes, evitar la utilización de la preposición «contra» seguido de un país.

567 Decisión 2013/798/PESC del Consejo de 23 de diciembre de 2013 relativa a la adopción de medidas restrictivas contra la República Centroafricana (DO L 352 de 24.12.2013, pp. 51 y 52).

568 Decisión 2014/932/PESC del Consejo de 18 de diciembre de 2014 relativa a medidas restrictivas en vista de la situación en Yemen (DO L 365 de 19.12.2014, pp. 147-151).

nula como se entendió con *Kadi*. Sí se daría una revisión propiamente dicha en la parte del régimen —y las designaciones correspondientes— que haya sido adoptada y desarrollada por la UE.

Este es el caso de las medidas restrictivas relativas a la no proliferación de armas de destrucción masiva en Irán que transponen las adoptadas por el CSNU, esencialmente las acordadas en la Resolución 1737 (2006) y subsiguientes sobre la misma materia, complementadas por medidas autónomas adoptadas por la UE y levantadas progresivamente tras la entrada en vigor del Plan de Acción Integral Conjunto del 14 de julio de 2015.

Dentro de este régimen, en un asunto dirimido en casación en 2016, *Bank of Industry and Mine*, el TJ confirma que un retraso en la obligación de revisión periódica anual de las mismas no tendría efectos ni sobre la inscripción inicial ni sobre el mantenimiento de sus efectos[569]. Este régimen, al ser mixto, no contiene una *sunset clause*, que haría que una falta de revisión conllevase una falta de enmienda del acto jurídico para extender su fecha de vigencia, y, por lo tanto, la terminación automática del régimen y de las designaciones. Por el contrario, como subraya el TJ, los actos jurídicos por los que se establece el régimen solo contienen una referencia genérica a la obligación de revisión sin explicar las consecuencias de la falta de ella[570], y solo se podría llevar a cabo una eliminación de una designación o cambios en el régimen mediante un acto explícito[571].

No obstante, en este mismo asunto de *Bank of Industry and Mine*, la sentencia del TG explica que, aunque un retraso en la revisión de la medida no daría lugar a su anulación, sí existiría un derecho del resarcimiento que tendría todo afectado en el caso de que ese retraso en la revisión hubiera producido perjuicios que se pudieran demostrar[572]. En la práctica, esto es algo que sería extremadamente improbable porque, aun cuando hubiera una eliminación de la lista posterior, sería difícil demostrar que esa eliminación se podría haber

569 Sentencia del Tribunal de Justicia de 12 de mayo de 2016, Bank of Industry and Mine/Consejo, C-358/15 P, ECLI:EU:C:2016:338, apartado 71.

570 *Ibid.*, apartado 70.

571 *Ibid.*, apartado 71.

572 Sentencia del Tribunal General de 29 de abril de 2015, Bank of Industry and Mine/Consejo, T-10/13, ya citada, apartado 165.

producido en un momento anterior teniendo en cuenta el margen de discrecionalidad del Consejo. Ese margen de discrecionalidad permite que, aun cuando haya cambiado la situación del designado y las circunstancias contextuales, la prudencia pueda justificar el mantenimiento de la designación durante cierto tiempo.

De nuevo, las sanciones originadas en la ONU cambian en la práctica los estándares que se aplican a las autónomas de la UE a pesar de que, en principio, no debería haber una diferencia de trato. Las medidas restrictivas de la UE son más garantistas y, en definitiva, se conjugan mejor con las obligaciones derivadas del Estado de Derecho[573].

3. *La revisión periódica: un elemento formal del acto con incidencia profunda en los aspectos materiales de las medidas restrictivas*

La cuestión de la revisión periódica tiene una razón de ser muy vinculada a la evaluación de si procede o no mantener las designaciones individuales, dentro de la valoración más general de la estrategia de Política Exterior del Consejo. Esta necesidad de revisión a lo largo de la vigencia de los actos jurídicos permite responder a los cambios que puedan darse en la situación, los cargos o los comportamientos de los individuos sancionados.

Además, esta dinámica da pie a un interesante diálogo entre el Consejo y el TJUE cuando las designaciones son recurridas y el TG puede pronunciarse sobre la forma de actuar del Consejo en estas cuestiones. De esta forma, se puede afirmar que la existencia de un potencial recurso y un análisis subsiguiente del TG ha hecho que el Consejo haya ido incrementando el rigor con el que lleva a cabo las revisiones para actualizar las motivaciones y las pruebas que sustentan las designaciones, adaptándolas a los nuevos contextos[574]. Estas

---

573 Para profundizar en cuestiones de garantías jurídicas de las sanciones establecidas mediante resoluciones del CSNU, aunque ya con cierta antigüedad, hemos de remitirnos a la completa monografía que sobre este tema se publicó fruto de una investigación para una tesis doctoral; *cf.* GARRIDO MUÑOZ, A. (2013). *Garantías judiciales y sanciones antiterroristas del Consejo de Seguridad de Naciones Unidas: de la técnica jurídica a los valores*, *op. cit.*

574 Por ejemplo, en la última revisión del régimen de medidas restrictivas en contra de Siria, la Decisión (PESC) 2022/849 del Consejo, de 30 de mayo de 2022, por la que se modifica la Decisión 2013/255/PESC, relativa a la adopción de medi-

actualizaciones han de producirse siempre que haya cambios, tal y como ha manifestado en repetidas ocasiones el TG[575].

En otras situaciones, estos cambios, siendo particulares, pueden llevar al Consejo a la conclusión de que ha de eliminarse una designación concreta[576], o, siendo valoraciones generales, pueden llevar a la decisión de la pérdida de aplicación del régimen en la práctica —mediante la eliminación de todos los listados, es decir, queda un régimen «vacío»[577]— o su total eliminación del ordenamiento jurídico[578].

---

das restrictivas contra Siria (DO L 148 de 31.5.2022, pp. 52-64), explica en su considerando 4 que «deben actualizarse y modificarse las menciones relativas a dieciocho personas físicas y trece entidades de la lista de personas físicas y jurídicas, entidades u organismos que figura en el anexo I» y en el considerando 5 que «las entradas relativas a dos personas fallecidas deben suprimirse de la lista [...]».

575 Sentencia del Tribunal General de 23 de septiembre de 2020, Khaled Kaddour/Consejo *(Kaddour IV)*, T-510/18, ECLI:EU:T:2020:436, apartado 91 y sentencia del Tribunal General de 28 de abril de 2021, Ammar Sharif/Consejo, T-540/19, ECLI:EU:T:2021:220, apartado 72.

576 Aunque las eliminaciones individuales no se suelen hacer explícitas en la exposición de motivos —salvo algunas excepciones— y, por ello, no suelen venir referidas en los actos de renovación, sino que simplemente se eliminan del anejo (lo que tiene consecuencias claras en la publicidad sobre los «deslistados»).

577 Un ejemplo lo podemos encontrar en el régimen de sanciones actualmente vigente pero sin listados contra los dirigentes de la región del Trans-Dniéster de la República de Moldova, que también se aplicó con respecto a aquellos responsables de la intimidación y cierre de las escuelas de alfabeto latino —Decisión 2010/573/PESC del Consejo, de 27 de septiembre de 2010, relativa a la adopción de medidas restrictivas contra los dirigentes de la región del Trans-Dniéster de la República de Moldova (DO L 253 de 28.9.2010, pp. 54-57)—. El Consejo en septiembre de 2012 estimó que «teniendo en cuenta los avances realizados para hallar una solución política al conflicto en la región del Trans-Dniéster y restaurar el libre movimiento de personas a través de la frontera administrativa de esa región, procede suspender las medidas restrictivas que se aplican [...]» y, «a fin de fomentar los avances a la hora de abordar los problemas que persisten respecto a las escuelas de alfabeto latino, procede retirar de la lista recogida [...]».

578 Por ejemplo, el caso del régimen de malversación de fondos en Egipto. *Cf.* Decisión 2011/172/PESC del Consejo, de 21 de marzo, relativa a las medidas restrictivas dirigidas contra determinadas personas, entidades y organismos habida cuenta de la situación en Egipto (DO L 76 de 22.3.2011, pp. 63-67).

Aparte de posibles eliminaciones de las designaciones que puedan existir como consecuencia de una revisión del Consejo, en otras ocasiones, la eliminación viene determinada por una sentencia estimatoria del TJUE en la que se declare la nulidad de una medida[579].

Siguiendo con el supuesto anterior de eliminación de una designación como consecuencia de una sentencia estimatoria, en el asunto *Sabra*[580], más allá del propio error de valoración sobre la condición de destacado empresario que opera en Siria, que es lo que determina en último lugar la anulación de los actos jurídicos, también se analizan otros elementos que argumenta el recurrente sobre una desvinculación con respecto al régimen de Al-Assad. En concreto, el recurrente hace valer la orden de arresto que los servicios de inteligencia sirios emitieron contra su persona —aunque esto no puede ser tomado en consideración por el TG— puesto que el demandante no explica ni sustancia las razones de por qué los servicios de inteligencia abrieron una investigación en su contra[581], así como también presentó declaraciones de terceros imparciales como un embajador o miembros de asociaciones humanitarias que hablan de su posición crítica con el régimen al que se le vincula[582]. En este caso, el TG entiende que dichos testimonios demuestran una desvinculación de la persona con respecto al régimen a pesar de que el Consejo, sin demostrar con pruebas fácticas, sostiene la teoría de que todo ello era una estrategia para esconder sus vínculos y no hacer peligrar sus relaciones con socios internacionales.

No obstante, en algunos casos, el Consejo toma en cuenta las carencias o los errores identificados en el proceso ante el TJUE con respecto a una designación y renueva la designación de la persona física o jurídica tras mejorar esos aspectos que llevaron previamente

---

579 Por ejemplo, de nuevo, en la Decisión (PESC) 2022/849 del Consejo, de 30 de mayo de 2022, por la que se modifica la Decisión 2013/255/PESC relativa a la adopción de medidas restrictivas contra Siria, ya citada, en el considerando 6 se dice expresamente que «la entrada relativa a una persona debe suprimirse de la lista que figura en el anexo I de la Decisión 2013/255/PESC tras la sentencia dictada por el Tribunal General el 16 de marzo de 2022».

580 Sentencia del Tribunal General de 16 de marzo de 2022, Abdelkader Sabra/ Consejo, T-249/20, ECLI:EU:T:2022:140.

581 *Ibid.*, apartado 147.

582 *Ibid.*, apartados 157-171.

a la nulidad. Lo vemos, por ejemplo, con los asuntos *Kaddour*. Mientras que el TG estimó la nulidad de la primera designación[583], en los tres procesos subsecuentes[584], el TG no pudo estimar ninguno de los argumentos esgrimidos por el designado y se declaró la validez de la designación.

Como anunciábamos al inicio de este subepígrafe, esto hace que se cree un constructivo diálogo entre Consejo y TJUE. Por parte de la doctrina, ALÌ[585] se lamenta de que esta cuestión no haya sido analizada en profundidad. Por su lado, PURSIANIEN se refiere a ello con un símil muy gráfico, al catalogarlo como «un baile melancólico entre recursos ganados ante el Tribunal y mejoras progresivas de parte del Consejo que ya dura cerca de dos décadas»[586].

En conclusión, independientemente de las diferencias existentes dependiendo del origen del régimen, destacamos la relevancia de que esta obligación de revisión periódica venga impuesta mediante la existencia de una cláusula de vigencia límite del acto —*sunset clause*— o por la mediación de una cláusula de revisión. Son numerosos los elementos positivos que esta obligación aporta. En primer lugar, es la mejor manera de garantizar que los grupos de trabajo del Consejo vuelvan a debatir, designación por designación, la permanencia de las razones que llevaron a su inclusión. En segundo lugar, exige que tanto Estados miembros y la Secretaría General del Consejo lleven a cabo una labor de actualización de las motivaciones y de las pruebas. En tercer lugar, permite que se facilite esa comunicación con los designados, recordándoles de nuevo esa oportunidad que tienen para aportar alegaciones al Consejo en esa suerte de proceso

---

583 Sentencia del Tribunal General de 13 de noviembre de 2014, Khaled Kaddour/Consejo (*Kaddour I*), T-654/11, ya citada.

584 Sentencia del Tribunal General de 26 de octubre de 2016, Khaled Kaddour/Consejo (*Kaddour II*), T-155/15, ECLI:EU:T:2016:628; sentencia del Tribunal General de 31 de mayo de 2018, Khaled Kaddour/Consejo *(Kaddour III)*, T-461/16, ECLI:EU:T:2018:316; y sentencia del Tribunal General de 23 de septiembre de 2020, Khaled Kaddour/Consejo *(Kaddour IV)*, T-510/18, ya citada.

585 ALÌ, A. (2019). The Challenges of a Sanctions Machine: Some Reflections on the Legal Issues of EU Restrictive Measures in the Field of Common Foreign and Security Policy, *op. cit.*, p. 58.

586 Traducción de la autora. PURSIAINEN, A. (2017). *Targeted EU Sanctions and Fundamental Rights, op. cit.*, p. 4.

administrativo que hemos descrito. Por último, en los casos de renovación de las sanciones llevadas a cabo por nuevos actos jurídicos que las actualizan o modifican su vigencia, permite abrir, de nuevo, la oportunidad de tener acceso al recurso de anulación dentro del plazo permitido de dos meses. Por ello, esta revisión obligatoria es una expresión privilegiada de los derechos fundamentales procesales de los designados. Esto tiene especial importancia ya que es el Tribunal el que *ultima ratio*, siempre que medie un recurso, va a examinar si la revisión realizada por el Consejo ha sido completa y ajustada a Derecho.

C. LA OBLIGACIÓN DE MOTIVACIÓN: LAS EXIGENCIAS DEL TRIBUNAL ADAPTADAS AL CONTENCIOSO DE MEDIDAS RESTRICTIVAS

La obligación de motivación es otro de los argumentos más recurrentes utilizados en los recursos de anulación y es uno de los que probablemente ha generado más jurisprudencia, adaptando criterios generales de los actos de la Unión al caso concreto de las medidas restrictivas.

La obligación de la motivación es un elemento esencial derivado de los principios generales en un sistema jurídico propio del Estado de Derecho, que impone a los poderes públicos una obligación de transparencia y de justificación frente al ciudadano ya sea en el marco de la actividad legislativa, ejecutiva o judicial. Además, adquiere especial importancia en el control de una actividad discrecional de los poderes, como es el caso de las decisiones en materia de PESC y, en lo que nos ocupa, las medidas restrictivas. Como afirma RODRÍGUEZ ARANA, «es tan importante la motivación de las resoluciones públicas que bien puede afirmarse que la temperatura democrática de una Administración es proporcional a la intensidad de la motivación de los actos y normas»[587].

---

[587] RODRÍGUEZ ARANA, J. (2013). La buena Administración como principio y derecho fundamental en Europa. *Misión Jurídica: Revista de Derecho y Ciencias Sociales*, 6 (6), p. 40.

1. Un requisito formal de todo acto jurídico: elemento sustancial para la legalidad de la medida

En primer lugar, hay que tener en cuenta, dentro de los aspectos generales, que la obligación de motivación es un requisito formal de todo acto de la Unión. Tal y como se deriva del art. 296 TFUE: «los actos jurídicos deberán estar motivados»[588]. Asimismo, esta obligación se recoge en el art. 41.2.c) CDFUE como manifestación en particular del derecho a una buena administración[589].

La referencia del Tratado a los actos jurídicos hace referencia globalmente a actos legislativos y no legislativos, se refiere a todo acto jurídicamente vinculante que despliega consecuencias jurídicas. También, por la singularidad de la forma en la que se expresan los actos jurídicos en el sistema de la Unión, esta referencia se extiende tanto a actos puramente normativos, como a aquellos que calificaríamos en un sistema normativo nacional de actos de ejecución y de delegación.

Por último, también esta obligación de motivación se extiende al poder judicial en la Unión. Así, la referencia a la obligación de motivación de forma expresa se encuentra en el art. 36 ETJUE con respecto a las sentencias, y en el art. 58 en relación con la decisión

---

588 En la versión anterior de este precepto que correspondía con el artículo 253 del TCE (versión Niza), este era menos genérico puesto que no hablaba de «actos jurídicos» en general, sino, que nombraba individualmente la forma en la que se materializan las normas de la entonces Comunidad —reglamentos, directivas y decisiones—.

589 Sobre el derecho a una buena administración y el art. 41 CDFUE, hay trabajos de gran calidad, en la mayoría de los casos llevados a cabo por administrativistas. En concreto, de la doctrina española, sobre el art. 41 y el derecho a una buena administración, destacamos VIÑUALES FERREIRO, S. (2015). El artículo 41 de la Carta de los Derechos Fundamentales de la Unión Europea: una visión crítica. *Estudios de Deusto*, 63 (1), 423-435; o RODRÍGUEZ ARANA, J. (2013). La buena Administración como principio y derecho fundamental en Europa, *op. cit.* Ha habido otras voces con un enfoque más crítico sobre el planteamiento del art. 41 CDFUE y defienden más la esencia de este derecho cuando se entronca en los Tratados. Por ejemplo, esta visión particular se refleja en BOUSTA, R. (2013). Who Said There is a «Right to Good Administration»? A Critical Analysis of Article 41 of the Charter of Fundamental Rights of the European Union. *European Public Law*, 19 (3), 481-488.

sobre la admisión o inadmisión a trámite del recurso de casación, así como otras tantas menciones tanto en el RPTG como en el RPTJ.

La obligación de motivación de los actos, en definitiva, responde a una doble finalidad. En primer lugar, permite al interesado conocer por qué se adopta el acto en concreto y, de esta manera, poder estimar si dicho acto puede adolecer de un motivo de ilegalidad que le permita recurrirlo. En segundo lugar, permite al TJUE, en su caso, conocer las razones por las que la autoridad competente tomó la decisión y llevar a cabo el examen de legalidad.

Por ello, la motivación ha de acompañar al acto en cuestión[590], puesto que no se cumpliría con estos objetivos mencionados si la motivación solo se pudiera conocer una vez interpuesto un recurso.

Asimismo, al considerarse un elemento sustancial de forma, en caso de existir dudas sobre su concurrencia, esto se considera una cuestión de orden público y, por lo tanto, puede —y debe— ser suscitado por el Tribunal de oficio[591].

Es un elemento formal del acto, que ha de distinguirse de la veracidad de los argumentos y motivos esgrimidos en contra de la persona listada, que forma parte de los elementos de validez materiales[592]. La motivación sirve para entender por qué se adopta esa medida y esta obligación puede estar satisfecha o no con independencia de la veracidad o de que se puedan probar los argumentos utilizados que afectaría, como venimos diciendo, a la validez material del acto que entraría dentro del error manifiesto de valoración que se estudiará más adelante.

En el caso de las medidas restrictivas, esta obligación de motivación reviste una importancia crucial. Las medidas restrictivas, como ya se ha explicado, responden a una técnica jurídica específica, puesto que son actos de alcance general, pero tienen también una dimen-

---

590 Sentencia del Tribunal General de 12 de diciembre de 2019, Marco Montanari/SEAE, T-692/18, ECLI:EU:T:2019:850, apartado 49.

591 Sentencia del Tribunal General de 6 de febrero de 2020, Compañía de Tranvías de la Coruña, S.A./Comisión, T-485/18, ECLI:EU:T:2020:35, apartado 21.

592 Sentencia del Tribunal de Justicia de 15 de noviembre de 2012, Consejo/Nadiany Bamba, C-417/11 P, ya citada, apartados 60 y 61, y, más recientemente, por ejemplo, sentencia del Tribunal General de 22 de marzo de 2018, Edward Stavytskyi/Consejo, T-242/16, ECLI:EU:T:2018:166, apartado 44.

sión particular. La motivación en el caso de las medidas restrictivas es, por lo tanto, doble puesto que por una parte el acto jurídico (tanto la decisión como el reglamento o sus equivalentes actos de ejecución) tendrá una exposición de motivos donde se haga referencia al fundamento jurídico de la adopción de las medidas y, por otro lado, se motivará en concreto el porqué de la designación individual. Mientras que la motivación del acto en general no ha planteado problemas jurídicos en ninguna ocasión[593], la motivación de las designaciones *in concreto* ha llevado a que el Tribunal haya podido aplicar la jurisprudencia ya existente al ámbito de las medidas restrictivas adaptándola a las particularidades de estos actos.

Asimismo, un caso particular, a caballo entre ambos, es el de la motivación de medidas sectoriales, *a priori*, de alcance general, pero cuyos destinatarios afectados —debido a que cumplen con una serie de criterios establecidos en el acto jurídico— son identificables aunque su nombre no conste de manera expresa en el acto jurídico. Esto se vio en el asunto *Gazprom*[594] donde se declaró la admisibilidad del recurso y el TG tuvo que examinar también la suficiencia de motivación.

Por lo tanto, tras estos pasados años de evolución de la jurisprudencia donde se han podido estudiar medidas y casos de diferente naturaleza, se dispone de suficientes elementos como para contar con un test de los requisitos que debe satisfacer la motivación para que el Tribunal la considere como aceptable.

2. *Los elementos que configuran la obligación de motivación: el test de suficiencia*

El primero de los asuntos *OMPI*[595] es todavía una referencia esencial y base para la elaboración del test de suficiencia de la motivación. En este asunto, por primera vez de forma expresa, el TPI hizo refe-

---

593 La motivación del acto se expresa en los considerandos.

594 Sentencia del Tribunal General de 13 de septiembre de 2018, Gazprom Neft PAO/Consejo, asuntos acumulados T-735/14 y T-799/14, ya citada.

595 Sentencia del Tribunal de Primera Instancia de 12 de diciembre de 2006, Organisation des Modjahedines du peuple d'Iran (OMPI)/Consejo, T-228/02, ya citada.

rencia a la jurisprudencia general sobre la obligación de motivación aplicada a este caso concreto[596], recordando que: «por una parte, en efecto, la garantía del derecho de defensa contribuye a asegurar el adecuado ejercicio del derecho a una tutela judicial efectiva. Por otra parte, existe una relación entre el derecho a un recurso jurisdiccional efectivo y la obligación de motivación»[597], y continúa explicando que no se trata simplemente de una obligación de carácter formal, sino que «tiene por objeto permitir al juez comunitario ejercer su control de legalidad y a los interesados conocer las justificaciones de la medida adoptada, para poder defender sus derechos y comprobar si el acto está o no fundado»[598]. Añade también que «los interesados solo pueden sacar verdadero provecho de su recurso judicial si tienen un conocimiento exacto del contenido y de los motivos del acto en cuestión»[599].

Asimismo, también hace referencia a que «la motivación debe notificarse al interesado al mismo tiempo que el acto lesivo. La falta de motivación no puede quedar subsanada por el hecho de que el interesado descubra los motivos de la decisión en el procedimiento ante el Tribunal de Justicia»[600]. Como se ha entendido por parte de la jurisprudencia en una posición coherente sostenida en el tiempo, la lógica reside en que, si la motivación no se conoce hasta el momento del recurso, se estaría poniendo al afectado en una situación de desigualdad de armas puesto que solo contaría con la oportunidad de réplica para poder reaccionar ante los motivos esgrimidos para la adopción del acto.

Otro elemento que refuerza la importancia de la obligación de motivación en el caso de las medidas restrictivas procede del hecho de que, en el caso de las primeras designaciones, el individuo afectado no puede gozar del derecho de audiencia previa puesto que eso

---

596 El TPI indica «[...] la garantía relativa a la obligación de motivación que establece el artículo 253 CE también es plenamente aplicable en el contexto de la adopción de una decisión de congelación de fondos». *Cf. Ibid.*, apartado 109.

597 *Ibid.*, apartado 89.

598 *Id.*

599 *Id.*

600 *Ibid*, apartado 139 y sentencia del Tribunal General de 7 de diciembre de 2011, HTTS Hanseatic Trade Trust & Shipping GmbH/Consejo (*HTTS I*), T-562/10, ECLI:EU:T:2011:716, apartado 32.

rompería el necesario efecto sorpresa, crucial, especialmente para medidas como la congelación de activos. Por ello, la motivación es la única garantía que permite al afectado entender el porqué de la medida y defender una potencial ilegalidad de la misma, aunque sea en un momento posterior a través de un recurso[601].

En cuanto al contenido de la motivación, esta ha de hacer referencia al fundamento jurídico de la medida adoptada, así como «a las circunstancias que permiten considerar que concurr[e] uno u otro de los criterios de inclusión en el caso de los interesados»[602]. Es decir, tiene que haber una vinculación entre la motivación de la designación aplicada al caso individual y los criterios de designación generales contemplados en la norma jurídica. De no ser así, no solo se produciría un problema de motivación, sino puramente de legalidad de la designación *in toto* por estar actuando al margen de toda base jurídica.

El acto jurídico general, además, tiene que guardar una coherencia de objetivos y esto se va a poder comprobar al examinar la motivación general y las particulares, así como los criterios de designación —o de inclusión— que sirven para alcanzar el objetivo de la motivación general. Las motivaciones particulares van a permitir comprobar si esas designaciones tienen cabida dentro de los criterios de designación. No obstante, el TJUE no exige que se mencione expresamente con cuál o cuáles criterios pertinentes se vincula la designación concreta de forma explícita, siempre y cuando se pueda deducir con suficiente claridad de la motivación[603]. De ahí, también su importancia.

En lo que se refiere al test de suficiencia de la motivación, la jurisprudencia ha detallado los requisitos que ha de cumplir esta, expli-

---

601 Sentencia del Tribunal de Primera Instancia de 12 de diciembre de 2006, Organisation des Modjahedines du peuple d'Iran (OMPI)/Consejo, T-228/02, ya citada, apartado 140 y sentencia del Tribunal de Justicia de 15 de noviembre de 2012, Consejo/Nadiany Bamba, C-417/11 P, ya citada, apartado 51.

602 Sentencia del Tribunal de Primera Instancia de 14 de octubre de 2009, Bank Melli Iran/Consejo, T-390/08, ya citada, apartado 83 y sentencia del Tribunal General de 25 de marzo de 2015, Central Bank of Iran/Consejo, T-563/12, ya citada, apartado 67.

603 Sentencia del Tribunal General de 30 de noviembre de 2016, Arkady Romanovich Rotenberg/Consejo, T-720/14, ECLI:EU:T:2016:689, apartado 51.

cando que «debe adaptarse a la naturaleza del acto de que se trate y al contexto en el cual este se adopte»[604]. Añade que «debe mostrar de manera clara e inequívoca el razonamiento de la institución de la que emane el acto, de manera que los interesados puedan conocer las razones de la medida adoptada y el órgano jurisdiccional competente pueda ejercer su control de legalidad. La exigencia de motivación debe apreciarse en función de las circunstancias de cada caso, en particular del contenido del acto, la naturaleza de los motivos invocados y el interés que los destinatarios u otras personas afectadas directa e individualmente por dicho acto puedan tener en recibir explicaciones»[605].

Asimismo, la motivación ha de entenderse en su contexto y, por ello, «no se exige que la motivación especifique todos los elementos de hecho y de Derecho pertinentes»[606], ya que no solo son importantes sus aspectos literales, sino también el contexto, «así como con el conjunto de normas jurídicas que regulan la materia de que se trate»[607], y reconoce, recordando jurisprudencia anterior, que «en particular, un acto lesivo está suficientemente motivado cuando tiene lugar en un contexto conocido por el interesado permitiéndole comprender el alcance de la medida adoptada respecto a él»[608].

Esta concepción es la que podría explicar cómo la jurisprudencia ha podido entender que, incluso, habiendo imprecisiones o errores, si la motivación, en términos generales, llevaba al afectado a entender las razones de por qué era objeto de esa medida, esta se considera suficiente, como se dio en el asunto *Il-Su Kim et al*[609].

Por sorprendente que parezca el hecho de que se tolere o asuma la existencia incluso de errores, de alguna manera, puede ser coherente con lo que ya se defendió años antes en el asunto *Kadi II*,

---

604 Sentencia del Tribunal de Primera Instancia de 12 de diciembre de 2006, Organisation des Modjahedines du peuple d'Iran (OMPI)/Consejo, T-228/02, ya citada, apartado 141.

605 *Id.*

606 *Id.*

607 *Id.*

608 *Id.*

609 Sentencia del Tribunal General de 14 de marzo de 2018, Il-Su Kim *et al.*/Consejo, asuntos acumulados T-533/15 y T-264/16, ya citada, apartados 195-200.

donde el TJ reconoció que «habida cuenta del carácter preventivo de las medidas restrictivas de que se trata, si al controlar la legalidad de la decisión impugnada [...], el juez de la Unión considera que al menos uno de los motivos mencionados en el resumen de motivos facilitado por el Comité de Sanciones es lo bastante preciso y concreto, que está respaldado por hechos y que constituye, por sí solo, una base suficiente para fundamentar la decisión, la circunstancia de que otros de esos motivos no presenten tales características no puede justificar la anulación de dicha decisión»[610]. Con esta afirmación, se trate de motivos que provengan o no del Comité de Sanciones correspondiente de la ONU, el TJ da pie a que la motivación se considere suficiente si al menos uno de los elementos cumple con los requisitos —y luego resulta probado que es el siguiente estadio del análisis—.

Todo ello ha de conjugarse con requisitos adicionales que debe cumplir el elemento de la motivación que sí sea retenido, al margen de que se admitan errores o imprecisiones en el resto de partes de la motivación. En concreto, el TG no ha cesado de repetir que la motivación no puede tener una redacción general y estereotipada. En este sentido, indica al Consejo que «debe mencionar los elementos de hecho y de Derecho de los que depende la justificación legal de su Decisión y las consideraciones que le llevaron a adoptarla. La motivación de una medida de esta naturaleza debe, pues, indicar las razones específicas y concretas por las que el Consejo considera que la normativa pertinente es aplicable al interesado»[611], o «tiene que ser objeto de tal medida»[612]. El hecho de que sea una transposición de una sanción adoptada por el CSNU, no exime que el Consejo también tenga que realizar este ejercicio de motivación individual, específica y concreta[613].

---

610 Sentencia del Tribunal de Justicia (Gran Sala) de 18 de julio de 2013, Comisión Europea *et al.*/Yassin Abdullah Kadi (*Kadi II*), asuntos acumulados C-584/10 P, C-593/10 P y C-595/10 P, ya citada, apartado 130.

611 Sentencia del Tribunal de Primera Instancia de 12 de diciembre de 2006, Organisation des Modjahedines du peuple d'Iran (OMPI)/Consejo, T-228/02, ya citada, apartado 143.

612 Sentencia del Tribunal de Justicia de 15 de noviembre de 2012, Consejo/Nadiany Bamba, C-417/11 P, ya citada, apartado 52.

613 Sentencia del Tribunal de Justicia (Gran Sala) de 18 de julio de 2013, Comisión Europea *et al.*/Yassin Abdullah Kadi (*Kadi II*), asuntos acumulados C-584/10 P,

Asimismo, esta exigencia de especificidad hará que la motivación del mantenimiento de una designación tenga que explicar por qué se ha decidido mantener esa medida, con argumentos diferenciados a los del listado inicial[614]. En la práctica, no todas las revisiones dan lugar a una modificación de la redacción de la motivación. Sí es necesario que el Consejo, en ese proceso de revisión, compruebe que los elementos de la motivación siguen vigentes, que no ha habido cambios que haya que reflejar y que cumple con ese test de suficiencia. Como es natural, hay situaciones internacionales mucho más dinámicas que exigen una adaptación periódica, mientras que hay otras cuya evolución es mucho más lenta y no se requiere esa actualización de la motivación con tanta periodicidad o, directamente, no la ha requerido desde la inscripción inicial.

Por último, hay que admitir que el TJUE ha puesto un umbral de exigencia bastante razonable al Consejo en cuanto al grado de precisión de la motivación y ha indicado que «debe ser proporcionado a las posibilidades materiales y a las circunstancias técnicas o de plazo en las que debe dictarse».

En lo que se refiere a excepciones, la jurisprudencia también ha entendido que «la obligación de motivación así establecida constituye un principio fundamental del Derecho comunitario que solo puede encontrar excepciones en razón de consideraciones imperiosas»[615]. Entre estas excepciones imperiosas, la principal derogación que aplica en este contexto se refleja en el art. 105 RPTG que establece medidas especiales que derogan el principio de contradicción cuando se trata de información o documentos relacionados con la seguridad de la Unión o de uno o varios de sus Estados miembros o con la gestión de sus relaciones internacionales. Igualmente, esta derogación, a efectos del TJ, se encuentra en el art. 190bis RPTJ que establece las pautas para tratar en casación asuntos en los que se haya aplicado el mencionado art. 105 en el procedimiento ante el TG.

C-593/10 P y C-595/10 P, ya citada, apartado 116.

614 Sentencia del Tribunal de Primera Instancia de 12 de diciembre de 2006, Organisation des Modjahedines du peuple d'Iran (OMPI)/Consejo, T-228/02, ya citada, apartado 144.

615 *Ibid.*, apartados 138 y 151.

Un ejemplo de ello es que, en la práctica, en relación con las designaciones realizadas en el régimen de sanciones por terrorismo de la llamada Posición Común 931[616], la motivación no se hace pública, a diferencia del resto de marcos de sanciones donde no se ha considerado que concurran estas consideraciones imperiosas que lleven a derogar el principio de publicidad —y de contradicción incluso llegado el caso de interposición de un recurso—. Son los afectados los que pueden ponerse en contacto con el Consejo para conocer la motivación y poder, en consecuencia, hacer uso de su derecho al recurso. Esta ha sido la forma en la que se ha encontrado un equilibrio entre el derecho a la tutela judicial efectiva, en sentido amplio, y el cumplimiento de la obligación de motivación y las necesidades derivadas de la obligación de preservar la seguridad de la UE y de los Estados miembros[617].

3. *El detallado tratamiento por parte del Tribunal: aspectos positivos y elementos en los que avanzar*

Adentrándonos en el contenido de la jurisprudencia, hay que destacar que la motivación general de los actos por los que se adoptan medidas restrictivas no ha creado casos de nulidad. Los actos (decisión y reglamento) describen en los considerandos por qué es necesario que la UE actúe a través de medidas restrictivas. También explica y motiva la vinculación de los criterios de designación con respecto a ese objetivo[618].

Sin embargo, es la motivación de la aplicación de la medida restrictiva en particular contra una persona física o jurídica la que ha generado muchas más dificultades. Es lógico. La concurrencia de todos estos criterios, que hemos explicado, puede dar lugar a una

---

616 Posición común 2001/931/PESC del Consejo, de 27 de diciembre de 2001, sobre la aplicación de medidas específicas de lucha contra el terrorismo, ya citada, que ha sido modificada en numerosas ocasiones.

617 ROSAS, A. (2018). EU Sanctions, Security Concerns and Judicial Control. En E. NEFRAMI, E. y M. GATTI. *Constitutional issues of EU external relations* (pp. 307-318). Baden-Baden: Nomos, p. 311.

618 Véase, por ejemplo, cómo el TG se refiere a esta motivación general en sentencia del Tribunal General de 14 de julio de 2021, Antonio José Benavides Torres/ Consejo, T-245/18, ya citada, apartados 40 y 41.

visión un poco confusa *prima facie* y esto se ha reflejado en la práctica jurisdiccional. Por una parte, la jurisprudencia aboga por una comprensión de la motivación «contextual», pero, por otro lado, pide que sea individual, específica, concreta y suficiente, al menos, en uno de los elementos.

¿Cómo se ha conjugado esto en la práctica? En la evolución de la jurisprudencia ha habido momentos más o menos acertados a nuestros ojos. No obstante, se debe admitir que, con el paso de los años, el TJUE se ha vuelto más exigente y eso también ha facilitado una reacción del Consejo que ha puesto mayor celo en elaborar mejores motivaciones. Es el claro ejemplo de un diálogo entre TJUE y Consejo. Esto ha sido así hasta tal punto que, en los últimos años, no ha habido ninguna anulación basada en una falta de motivación.

Una muestra de dicha evolución la encontramos, por ejemplo, centrándonos en el caso de *Pye Phyo Tay Za*. El TG[619] entendió que el hecho de referirse a este designado como hijo de Tay Za, Director gerente, Htoo Trading Co, junto al nombre también de su madre, bajo una sección de designados dedicada a «personas que se benefician de las medidas económicas del Gobierno y otras personas vinculadas al régimen», era suficiente como motivación. A nuestros ojos, esto es ciertamente insuficiente puesto que no explica por qué el hecho de ser hijo de un empresario afín al régimen le convierte en cómplice del régimen militar en concreto. De hecho, junto con otros motivos de recurso, se llevó ante el TJ en casación[620]. Lamentablemente, el TJ no se detuvo a estudiar este motivo de recurso ya que se determinó previamente que la base jurídica era inapropiada y, por lo tanto, se anulaba el acto. No obstante, el abogado general MENGOZZI sí se manifestó en sus conclusiones[621] al respecto. En efecto, el abogado general defendió que una mera declaración general recogida en un acto anterior, que se había ido repitiendo y que ponía «únicamente de manifiesto que el ámbito de aplicación de las medidas restrictivas

---

619 Sentencia del Tribunal General de 19 de mayo de 2010, Pye Phyo Tay Za/Consejo, T-181/08, ECLI:EU:T:2010:209.

620 Sentencia de Tribunal de Justicia (Gran Sala) de 13 de marzo de 2012, Pye Phyo Tay Za/Consejo, C-376/10 P, ya citada.

621 Conclusiones del abogado general Mengozzi, Pye Phyo Tay Za/Consejo, C-376/10 P, ECLI:EU:C:2011:786, apartados 88-96.

se extiende a las personas que se benefician de las medidas del Gobierno birmano y a su familia, sin facilitar ninguna explicación sobre las razones de esta extensión a los miembros de la familia»[622], no era suficiente. Es más, el abogado general entiende que se obligó prácticamente al TG a aceptar una suerte de presunción *ex nihilo* para abarcar designaciones *a posteriori*.

Uno de los últimos asuntos en que el TG pronunció la anulación de los actos por falta de motivación es el primer asunto referido a *Aisha el-Qaddafi*[623], hija del fallecido exdictador libio. Esta designación era una transposición directa de la designación que se había acordado por el CSNU en virtud de la resolución 1970 (2011). La motivación era la siguiente: «hija de Muammar el-Qaddafi. Asociación estrecha con el régimen». El TG recuerda la necesidad de que la motivación identifique la razón para la designación de manera individual, específica y concreta, en todas las circunstancias, también cuando se trata de transposiciones de sanciones adoptadas por un organismo internacional[624]. En este caso, además, se trataba de una renovación de una designación anterior y tampoco se mencionaba ninguna razón que explicase la necesidad de mantener a esa persona listada tres años después de la primera inclusión. Con ello, el TG deja entender de manera implícita que, lo que podía ser, en su caso, más comprensible —aunque nunca se pronuncia sobre su suficiencia— en 2011, exige mayor explicación y argumentación en 2014 por la lógica evolución de la situación en Libia[625]. De forma más clara lo dice en un asunto similar, *Al Dam*, también dentro del régimen de sanciones libias con una designación igualmente proveniente del CSNU[626].

622 *Ibid.*, apartado 92.

623 Sentencia del Tribunal General de 28 de marzo de 2017, Aisha Muammer Mohamed El-Qaddafi (*Aisha El-Qaddafi I*), T-681/14, ECLI:EU:T:2017:227.

624 *Ibid.*, apartado 58.

625 *Ibid*, apartado 73.

626 Sentencia del Tribunal General de 24 de septiembre de 2014, Ahmed Mohammed Kadhaf Al Dam/Consejo, T-348/13, ECLI:EU:T:2014:806, apartados 73 y 74. En este asunto, el Tribunal considera que la motivación no es suficiente ya que en 2013 no se puede entender por qué las razones esgrimidas justifican la designación. Esto, a pesar de que la motivación es más extensa y detallada que otras de este mismo régimen. La motivación es la siguiente: «Primo de Muammar El-Qaddafi. Sospechoso desde 1995 de haber dirigido una unidad de élite del ejército encargado de la protección personal de Muammar El-Qaddafi y por

A pesar de que el Consejo, a posteriori, trató de dar más argumentación, el TG recuerda que la motivación tiene que acompañar al acto mismo en el momento de su adopción y esta carencia no puede ser suplida en un momento ulterior[627].

Posteriormente a la adopción de los actos impugnados, en mayo de 2015, el CSNU completó la información referida a esta designación señalando una serie de manifestaciones públicas que había hecho la Sra. Qaddafi llamando a derrocar a las autoridades libias que se habían instalado tras la muerte de su padre y a vengar su muerte. Tras ello, el Consejo adaptó la motivación haciendo referencia a estos cambios en la RCSNU.

Con ello se ha salvado el problema de la falta de motivación que el TG ha tenido la oportunidad de estudiar en un segundo recurso planteado por la designada[628]. No obstante, todavía creemos que se puede hacer un mayor esfuerzo de motivación, especialmente en los casos de transposiciones de sanciones adoptadas por el CSNU. Los estándares de este último son mucho más bajos que los de la UE y aunque exista siempre una urgencia para transponer las medidas lo antes posible, el Consejo podría aplicarse un poco más y buscar una especie de estandarización de la calidad de las motivaciones independientemente de dónde provengan. Sería más acertado llevar a una mejora por lo alto que a conformarse con el cumplimiento de lo mínimo necesario.

Diferente fue el resultado del asunto planteado por el Sr. Alsharghawi[629]. En los actos recurridos, esta persona estaba incluida en la lista de designados de la UE (no en las del CSNU) con la motivación de ser «jefe de gabinete de Muammar El-Qaddafi. Estrechamente vinculado con el régimen». La razón para llegar a un resultado

haber desempeñado un papel clave en la organización de la seguridad exterior. Ha participado en la planificación de operaciones dirigidas contra disidentes libios en el extranjero y ha participado directamente en actividades terroristas».

627 Sentencia del Tribunal General de 28 de marzo de 2017, Aisha Muammer Mohamed El-Qaddafi (*Aisha El-Qaddafi I*), T-681/14, ya citada, apartado 72.

628 Sentencia del Tribunal General de 21 de abril de 2021, Aisha Muammer Mohamed El-Qaddafi/Consejo (*Aisha El-Qaddafi II*), T-322/19, ya citada.

629 Sentencia del Tribunal General de 20 de septiembre de 2016, Bashir Saleh Bashir Alsharghawi/Consejo, T-485/15, ECLI:EU:T:2016:520.

opuesto de la conclusión a la que se llegó en el asunto *Al-Dam*, a pesar de que la motivación de este segundo caso es mucho más sucinta, radica esencialmente en que la motivación de *Alsharghawi* había sido ligeramente modificada en las revisiones de los actos[630], mientras que en el caso de *Al-Dam* no se había hecho y las circunstancias habían cambiado entre 2011 y 2013. Para hacernos una idea del cambio de motivación que se produjo en relación con el Sr. Alsharghawi, pasó de ser en 2011 «jefe de Gabinete del Guía de la Revolución. Estrechamente relacionado con el régimen», a ser en 2015 la ya indicada.

No entendemos en qué medida esa mínima adaptación puede satisfacer el requisito de que la motivación se haya de adaptar al cambio de circunstancias en la realidad. En definitiva, es cuanto menos sorprendente la disparidad de criterios.

Otro asunto más reciente, interesante a efectos de estudio de la necesidad de actualización de la motivación, en el que se ha declarado la anulación de unos actos jurídicos de mantenimiento de una inscripción por violación de la obligación de motivación *ex* art. 296 TFUE, es el asunto *Dalokay Şanli*[631], dirigente del PKK. El TG achaca al Consejo no haber precisado los motivos por los que el PKK seguía siendo una entidad terrorista listada, con la que está vinculada la inscripción del recurrente, teniendo en cuenta que la primera inscripción de dicha entidad data de hace quince años[632].

Si nos detenemos en cómo se ha tratado la motivación cuando esta está compuesta de varios elementos, los resultados también han sido divergentes. En el asunto *Kala Naft*[633], el TJ corrige la sentencia del TG y considera que satisface los requisitos de la motivación el hecho de que uno de los elementos ya «justifique por sí mismo la inclusión en las listas de los actos impugnados». Por lo tanto, continúa, no procedía «verificar el carácter suficientemente preciso y concreto de los motivos segundo y tercero de los actos impugnados, ni con-

---

630 *Ibid.*, apartado 42.

631 Sentencia del Tribunal General de 10 de febrero de 2021, Dalokay Şanli/Consejo, T-157/19, ECLI:EU:T:2021:75.

632 *Ibid.*, apartados 50-64.

633 Sentencia del Tribunal de Justicia de 28 de noviembre de 2013, Consejo/Manufacturing Support & Procurement Kala Naft Co., Tehran, C-348/12 P, ya citada.

trolar si esos motivos estaban acreditados y podían constituir, por sí mismos, una base suficiente para apoyar los actos impugnados»[634].

Mucho más exigente fue el TG (y el TJ en casación) cuando examinó la motivación de la designación en el asunto *Bank Saderat Iran*[635]. El TJ indica que, teniendo en cuenta todas las partes de la motivación[636], «aun suponiendo, como sostiene el Consejo, que el citado segundo motivo debiera haberse interpretado a la luz de los motivos tercero y cuarto, una lectura combinada de tales motivos no permitiría a Bank Saderat Iran saber concretamente qué servicios bancarios ha prestado éste a qué entidades que realizan suministros en nombre de los programas de misiles nucleares y balísticos iraníes [...]»[637]. Por lo tanto, consideró que la motivación no cumplía con el test de suficiencia y adecuación[638], apartándose de las conclusiones de la abogada general SHARPSTON[639].

También se ha visto la necesidad de examinar esta cuestión de los diversos elementos que sustentan la motivación en situaciones un poco diferentes, circunscritas a las sanciones por terrorismo que tienen una técnica un tanto particular. Esto se debe a que estas designaciones se realizan por la UE sobre la base de decisiones de autoridades competentes de Estados miembros o de terceros Estados[640]. Estas

---

634 *Ibid.*, apartado 91.

635 Sentencia del Tribunal de Justicia de 21 de abril de 2016, Consejo/Bank Saderat Iran, C-200/13 P, ECLI:EU:C:2016:284.

636 La motivación era la siguiente: «Se trata de un banco iraní de propiedad estatal (el 94% pertenece al Gobierno de Irán). Presta servicios financieros a entidades que contratan por cuenta de los programas nucleares y de misiles balísticos iraníes, incluidas entidades señaladas por la RCSNU 1737. [Bank Saderat Iran] gestionaba los pagos y [los créditos documentarios] de [la OID] (sancionada por la RCSNU 1737) y de Iran Electronics Industries hasta marzo de 2009. En 2003 [Bank Saderat Iran] gestionó [créditos documentarios] en nombre de la sociedad iraní Mesbah Energy Company, relacionada con actividades nucleares (posteriormente sancionada por la RCSN 1737)».

637 Sentencia del Tribunal de Justicia de 21 de abril de 2016, Consejo/Bank Saderat Iran, C-200/13 P, ya citada, apartado 74.

638 PURSIAINEN, A. (2017). *Targeted EU Sanctions and Fundamental Rights*, *op. cit.*, p. 10.

639 Conclusiones de la abogada general Sharpston, Consejo/Bank Mellat, C-176/13 P y Consejo/Bank Saderat Iran, C-200/13 P, ya citadas, apartados 48-66.

640 Son una tipología de las denominadas designaciones de doble nivel, a las que se les dedica un epígrafe completo de este trabajo; *cf.* Segunda Parte, III.B.

decisiones sobre las que se basan las designaciones a través de un acto jurídico de la UE han de cumplir —y el Consejo está obligado a verificarlo— los derechos de defensa y de tutela judicial efectiva. En ello se incluye la obligación de motivación. Lo vemos en dos asuntos relativos a la organización terrorista *Hamas*[641], por ejemplo, en el que la designación de la entidad terrorista se basa en decisiones adoptadas por el Ministro del Interior de Reino Unido, por la que se modifica la Ley Antiterrorista del Reino Unido del año 2000, del Secretario de Estados Unidos por la que designa a Hamas como organización terrorista extranjera a efectos de la Ley de Inmigración y Nacionalidad de los Estados Unidos y de otras dos decisiones de 1995 y de 2001 también adoptadas por el Secretario de Estado de Estados Unidos en virtud de los decretos presidenciales números 12947 y 13224, respectivamente. Como las decisiones americanas carecían de motivación e, incluso, en el caso del decreto presidencial 13224, ni siquiera había obligación de publicarla en el Registro Federal, el Tribunal entiende que, siendo la motivación relativa a las sanciones americanas insuficiente, «estas últimas no pueden servir de fundamento a los actos impugnados»[642].

En consecuencia, solo se pudo examinar la legalidad de la designación por la UE en base a la decisión nacional de la autoridad británica que sí cumplía con la obligación de motivación como parte del respeto al derecho de defensa y a la tutela judicial efectiva.

Un estilo de motivación muy particular y que merece atención especial son las llamadas motivaciones basadas en el estatus o en el cargo, sin acompañarlas de ninguna explicación adicional que describa el comportamiento concreto que justificaría la inclusión en la lista. Tengamos en cuenta que, habitualmente, los criterios de designación describen comportamientos o una categoría amplia de personas. Esta es la base que le permite al Consejo incluir en las listas aquellas personas que entiende, dentro de su poder discrecional, con las que,

---

641 Sentencia del Tribunal General de 6 de marzo de 2019, Hamas/Consejo, T-289/15, ECLI:EU:T:2019:138 y sentencia del Tribunal General de 4 de septiembre de 2019, Hamas/Consejo, T-308/18, ECLI:EU:T:2019:557.

642 Sentencia del Tribunal General de 6 de marzo de 2019, Hamas/Consejo, T-289/15, *vid. supra*, apartado 65 y sentencia del Tribunal General de 4 de septiembre de 2019, Hamas/Consejo, T-308/18, *vid. supra*, apartado 76.

mediante su designación, puede ayudar a alcanzar su objetivo de Política Exterior. La existencia del criterio de designación no significa que todas las personas que puedan caer bajo ese comportamiento o categoría amplia hayan de ser designadas, como es obvio.

Este tipo de motivaciones basadas en el estatus o en el cargo se han dado particularmente en el régimen de medidas restrictivas contra Siria, que ha tenido un desarrollo muy extenso y es uno de los más complejos con los que actualmente cuenta la UE, aunque cada vez se están haciendo más frecuentes en otro tipo de regímenes. Distinguimos, para que sirva como ejemplo de esta situación, al menos dos criterios para designaciones individuales que tienen esta característica. El primero de ellos, en los arts. 27.2.c) y 28.2.c) de la Decisión (PESC) 2013/255, relativa a la adopción de medidas restrictivas contra Siria, modificada por la Decisión (PESC) 2015/1836[643] se refiere a «ministros del Gobierno sirio que hayan ocupado su cargo después de mayo de 2011». El segundo en la letra d) de los mismos artículos se refiere a «miembros de las fuerzas armadas sirias con el grado de coronel y equivalente o superior que hayan ocupado su cargo después de mayo de 2011». Automáticamente, cuando se producen nombramientos, bien de ministros, bien ascensos dentro de las fuerzas armadas con el grado de coronel, equivalente o superior, el Consejo propone y adopta su inclusión en la lista[644]. Al no tener estas motivaciones ningún margen de interpretación, no generan ninguna dificultad para superar el test de suficiencia y nunca han sido recurridas.

Sin embargo, sin cambiar de régimen y para ver más claramente la comparación, un criterio de designación no basado en el estatus o en el cargo es el que se refiere a «destacados empresarios que operen en Siria» —recogido en la letra a) de los artículos mencionados— y

[643] Decisión (PESC) 2013/255 del Consejo, de 31 de mayo de 2013, relativa a la adopción de medidas restrictivas contra Siria, modificada por la Decisión (PESC) 2015/1836 del Consejo, de 12 de octubre de 2015, ya citadas.

[644] A título de ejemplo podemos referirnos a la designación nº 311 de 15 de enero de 2021 al Sr. Faisal Mekdad «Ministro de Asuntos Exteriores. Nombrado en noviembre de 2020. En su calidad de ministro del Gobierno, comparte responsabilidad por la represión violenta ejercida por el régimen sirio contra la población civil». Todas las motivaciones de ministros del gobierno siguen el mismo patrón.

que exige una motivación más pormenorizada[645]. Ello sin tener en cuenta todas las dificultades que se derivan de la suficiencia de prueba que estudiaremos más adelante.

Esto nos lleva a entender mejor las dificultades que a veces surgen para distinguir la obligación de motivación de la necesidad de sustentar esa motivación mediante pruebas. Como repiten con frecuencia los jueces, «la cuestión de la motivación, que afecta a una formalidad sustancial, es distinta de la prueba del comportamiento alegado, que se refiere a la legalidad en cuanto al fondo del acto en cuestión e implica verificar la realidad de los hechos mencionados en este acto así como la calificación de dichos actos como elementos que justifican la aplicación de las medidas restrictivas frente a la persona afectada»[646].

A veces se han cometido errores en esa distinción. En el asunto *Consejo contra PKK*[647], en casación, el TJ reconoce que el TG se equivocó. De acuerdo con el TJ, «el Consejo no estaba obligado a demostrar, en la motivación relativa a esos actos, la materialidad de los hechos que subyacen a los motivos invocados para mantener la inscripción del PKK en la lista controvertida, ni a calificar jurídicamente, en esa motivación, tales hechos [...]», y continúa más adelante en el mismo apartado, «la prueba así exigida por el Tribunal General no

645 También a título de ejemplo podemos utilizar la designación nº 294 de 17 de febrero de 2020 al Sr. Kodr Ali Taher: «destacado empresario que opera en diversos sectores de la economía siria, entre ellos la seguridad privada, la venta al por menor de teléfonos móviles, la gestión hotelera, los servicios publicitarios y la transferencia de dinero a nivel nacional. Apoya el régimen sirio y se beneficia de este participando en sus actividades empresariales y en actividades especulativas y de contrabando. Khodr Ali Taher es propietario de varias empresas y ha fundado conjuntamente otras. Su participación en negocios con el régimen incluye una empresa conjunta con la Compañía de Transporte y Turismo de Siria, empresa en la que el Ministerio de Turismo posee una participación de dos tercios». Todas las actividades imputadas y las relaciones con las empresas recogidas tienen que ser sustentadas con pruebas suficientes provenientes de fuentes abiertas.

646 Sentencia del Tribunal de Justicia de 15 de noviembre de 2012, Consejo/Nadiany Bamba, C-417/11 P, ya citada, apartado 60 o, redactado de otra forma, sentencia del Tribunal de Justicia (Gran Sala) de 16 de noviembre de 2011, Bank Melli Iran/Consejo, C-548/09 P, ya citada, apartado 88.

647 Sentencia del Tribunal de Justicia de 22 de abril de 2021, Consejo/Kurdistan Workers' Party (PKK), C-46/19 P, ECLI:EU:C:2021:316.

se refiere a la obligación de motivación, sino a la legalidad en cuanto al fondo de dichos actos»[648].

A modo de conclusión sobre la cuestión de la obligación de motivación, se pueden observar aspectos positivos de la evolución de la jurisprudencia y otras cuestiones sobre las que se podría exigir un mayor rigor al tratamiento que les está dando el TG.

Como aspectos especialmente positivos, ha de destacarse que la evolución ha redundado en una mayor seguridad jurídica y claridad sobre el umbral de exigencia que tienen que cumplir las motivaciones. Salvo casos llamativos, la aplicación de la jurisprudencia sobre la obligación de motivación ha sido bastante consistente, aunque no del todo coherente. Sobre todo, a esto ha ayudado que el Consejo haya puesto progresivamente un mayor esfuerzo en elaborar motivaciones jurídicamente más sólidas[649].

No obstante, dentro de esa consistencia, hablamos de una falta de coherencia debido a la complejidad para conjugar todos los criterios que se han identificado. Lo más llamativo es, sin duda, la necesidad de conjugar una motivación individual y específica con el hecho de que, en algunos casos, los jueces se amparen en gran medida en la comprensión del contexto. Y es que aquí se dirimen dos objetivos distintos. La línea es discontinua, un designado puede comprender el contexto, pero si no hay elementos específicos con los que sustentar un recurso, la defensa del Consejo puede centrarse simplemente en descartar aquellas conclusiones a las que el demandante haya llegado puesto que, son interpretaciones propias realizadas a partir de ese contexto específico. Tengamos en cuenta que, aunque son aspectos distintos, la valoración de la prueba sirve a la motivación. Si los elementos de la motivación son abiertos, va a ser muy difícil hacer una correcta valoración de la vinculación con la prueba.

Además, hay un elemento que no se ha subrayado como objetivo pero que también subyace dentro del Estado de Derecho y es el de la buena técnica legislativa, que aboga por mantener una claridad del objetivo de las normas.

---

648 *Ibid.*, apartado 56.

649 ROSAS, A. (2018). EU Sanctions, Security Concerns and Judicial Control, *op. cit.*, p. 314.

Por todo ello, no se descarta que, ante nuevos casos y quizá nuevos argumentos presentados por los demandantes, los jueces de Luxemburgo se vean obligados a cerrar algunas cuestiones que quedan abiertas dentro de esa difícil conjugación de elementos que constituye el test de suficiencia de la motivación.

III. SOBRE LOS ELEMENTOS MATERIALES DE LAS MEDIDAS RESTRICTIVAS: LA LEGALIDAD INTERNA

En el apartado anterior, dedicado al control jurisdiccional de los elementos formales de las medidas restrictivas, incidíamos en que estos se habían mostrado como el principal pilar articulador del contencioso y que mayor atención habían acaparado hasta el momento. Sin embargo, conforme las medidas restrictivas se van haciendo más numerosas y complejas y, por ende, más numerosos y complejos son los asuntos que llegan a Luxemburgo, el análisis material de las medidas restrictivas ha alcanzado mayor protagonismo. Para nuestro estudio, nos centraremos, por el siguiente orden, en la problemática de la prueba, en los retos jurídicos planteados por los llamados sistemas de doble nivel sobre los aspectos de legalidad interna y, por último, en la cuestión nuclear de la vulneración de los derechos fundamentales con contenido material y el principio de proporcionalidad aplicado por el TJUE.

A. EL ERROR MANIFIESTO DE APRECIACIÓN: LA PRUEBA COMO ELEMENTO CLAVE

Cuando nos referíamos a la obligación de motivación, se decía que este elemento ha sido uno de los argumentos esgrimidos con mayor frecuencia en los recursos de anulación. No obstante, con la evolución del contencioso de medidas restrictivas, se puede observar que la carga de los argumentos en los procesos ha pendulado hacia el error de apreciación. Prueba de ello es que ya nos encontramos con recursos donde el único motivo de anulación alegado es el error manifiesto de apreciación[650]. Incluso, cabe observar que ha habido

650 Véase, por ejemplo, sentencia del Tribunal General de 16 de marzo de 2022, Abdelkader Sabra/Consejo, T-249/20, ya citada, apartado 33.

cuestiones que inicialmente la jurisprudencia ha considerado dentro de la obligación de la motivación y que, con el desarrollo del contencioso de las medidas restrictivas, se han terminado situando bajo el error de apreciación. Este elemento tiene una importancia crucial puesto que, como también hemos referido, un error de motivación no tiene por qué llevar aparejada de manera automática la anulación del acto en cuestión mientras que esta no es la situación de aquellos casos donde se produce un error manifiesto de apreciación.

Si hacemos un análisis, por ejemplo, de las sentencias estimatorias pronunciadas en el año 2021 y en el año 2022 por el TG sobre medidas restrictivas, todas las anulaciones salvo dos estarían basadas en un error manifiesto de apreciación o falta de base o sustentación factual[651]. No obstante, es cierto que estas anulaciones están relacionadas en su mayoría con un régimen específico y particular que es el de malversación de fondos en Ucrania y la aplicación de la jurisprudencia *Azarov*[652].

A pesar de ello, el perfeccionamiento progresivo al que ha llegado el Consejo a la hora de cumplir con los aspectos formales de la adopción de las medidas restrictivas, nos lleva a que, en estos momentos, el principal reto se centre en los aspectos más de fondo, siendo la apreciación y la prueba la parte mollar del elemento sustantivo.

En cuanto a la distinción de los aspectos formales y los sustantivos, la jurisprudencia ha determinado que las dificultades derivadas del error manifiesto de apreciación son un vicio de fondo que afecta a la esencia de la medida adoptada. En la ya citada jurisprudencia *Bamba*,

---

651 Cálculo realizado por la autora. De hecho, de todas las sentencias estimatorias en 2021, solo una está relacionada con un problema derivado del error de motivación. Es la sentencia del Tribunal General de 10 de febrero de 2021, Dalokay Şanli/Consejo, T-157/19, ECLI:EU:T:2021:75. En 2022, todas las anulaciones se basan en un error manifiesto de apreciación o ausencia de base factual suficiente salvo la anulación —parcial— de la Sentencia del Tribunal General de 30 de noviembre de 2022, Kurdistan Workers'Party (PKK)/Consejo, asuntos acumulados T-316/14 RENV y T-148/19, ECLI:EU:T:2022:727, basada en la infracción del artículo 1, apartado 6, de la Posición Común 2001/931 (obligación de revisión periódica por parte del Consejo y requisitos de cómo ha de ser tal revisión) con respecto a los actos impugnados de 2014.

652 Se le dedicará una atención específica en el subepígrafe de la Segunda Parte, III.B.2.

luego repetida en multitud de sentencias —y que por su importancia, nos permitimos reproducir de nuevo—, los jueces dejan claro que «[…] la cuestión de la motivación, que afecta a una formalidad sustancial, es distinta de la prueba del comportamiento alegado, que se refiere a la legalidad en cuanto al fondo del acto en cuestión e implica que verifique la realidad de los hechos mencionados en este acto así como la calificación de dichos actos como elementos que justifican la aplicación de medidas restrictivas frente a la persona afectada»[653].

Se busca, por lo tanto, la justificación y demostración de que existen unos hechos fácticos y probados (la prueba) que demuestren que la persona física o jurídica concernida a través de esos hechos satisface uno o varios de los criterios de designación contemplados en la norma.

Las pruebas que sustentan una designación en concreto por parte del Consejo no forman parte del acto legislativo que se publica en el DOUE, pero sí son elementos accesibles para el recurrente. De ahí la importancia de la garantía del acceso al expediente que se analizó con detalle en el apartado anterior[654].

1. *Elementos de la prueba: aspectos generales*

En relación a la efectividad del control judicial, la jurisprudencia ha dejado claro que esta, amparada por el art. 47 CDFUE, exige que las decisiones para listar o mantener a una persona física o jurídica como objeto de medidas restrictivas «dispon[gan] de unos fundamentos de hecho suficientemente sólidos»[655], así como que se garantice que su inclusión en la lista «se produ[zca] necesariamente a partir de una base fáctica suficientemente sólida»[656].

---

653 Sentencia del Tribunal de Justicia de 15 de noviembre de 2012, Consejo/Nadiany Bamba, C-417/11 P, ya citada, apartado 60.

654 Véase el subepígrafe dedicado a esta cuestión en Segunda Parte, II.A.2.

655 Sentencia del Tribunal de Justicia (Gran Sala) de 18 de julio de 2013, Comisión Europea *et al.*/Yassin Abdullah Kadi *(Kadi II)*, asuntos acumulados C-584/10 P, C-593/10 P y C-595/10 P, ya citada, apartado 119.

656 Sentencia del Tribunal de Justicia de 15 de noviembre de 2012, Stichting Al-Aqsa/Consejo, asuntos acumulados C-539/10 P y C-550/10 P, ya citada, apartado 68.

La jurisprudencia también ha explicado desde *Kadi II* que «ello implica verificar los hechos alegados en el resumen de motivos en que se basa dicha decisión, de modo que el control jurisdiccional no quede limitado a una apreciación de la verosimilitud abstracta de los motivos invocados, sino que examine la cuestión de si tales motivos, o al menos uno de ellos que se considere suficiente, por sí solo, para fundamentar tal decisión, están o no respaldados por hechos»[657]. Es decir, la motivación no es suficiente en ningún caso si no hay hechos —comprobables— que la avalen. Ahí es donde entra la importancia de la prueba.

En cuanto al tratamiento de la prueba por parte del TJUE, este se ha basado en la jurisprudencia ya existente en otras materias y la ha ido adaptando al contencioso de las medidas restrictivas como ha sucedido con otros aspectos procesales.

En este sentido, y en primer lugar, el TG reconoce que «a falta de normas de la Unión que regulen el concepto de prueba, el juez de la Unión ha consagrado un principio de libre práctica o de libertad de medios de prueba, que debe entenderse como una facultad de utilizar, para probar un determinado hecho, medios de prueba de cualquier naturaleza, como testimonio, prueba documental, confesión, etc.»[658].

En segundo lugar, se hace hincapié en el aspecto del estudio de la prueba reconociendo: «correlativamente, el juez de la Unión ha consagrado un principio de libre apreciación de la prueba, según el cual

---

657 Sentencia del Tribunal de Justicia (Gran Sala) de 18 de julio de 2013, Comisión Europea *et al.*/Yassin Abdullah Kadi *(Kadi II)*, asuntos acumulados C-584/10 P, C-593/10 P y C-595/10 P, ya citada, apartado 119.

658 Sentencia del Tribunal General de 13 de diciembre de 2018, Iran Insurance Company/Consejo, T-558/15, ECLI:EU:T:2018:945, apartado 153. Esta jurisprudencia en el ámbito de las medidas restrictivas replica la establecida en otro tipo de contenciosos; véanse, en este sentido, la sentencia del Tribunal de Justicia de 23 de marzo de 2000, Met-Trans y Sagpol, asuntos acumulados C-310/98 y C-406/98, EU:C:2000:154, apartado 29; la sentencia del Tribunal de Primera Instancia de 8 de julio de 2004, Dalmine/Comisión, T-50/00, EU:T:2004:220, apartado 72; y las conclusiones del abogado general Mengozzi, Archer Daniels Midland Co./Comisión, C-511/06 P, ECLI:EU:C:2008:604, apartados 113 y 114).

la determinación de la credibilidad o, en otros términos, del valor probatorio de una prueba se deja a la íntima convicción del juez»[659].

También existe jurisprudencia que profundiza en el detalle de en qué consiste esta libre apreciación de la prueba, así como los aspectos cualitativos de la prueba: «para apreciar el valor probatorio de un documento es necesario, en primer lugar, comprobar la verosimilitud de la información que en él se contiene. A continuación, es necesario tener en cuenta, en especial, el origen del documento, las circunstancias de su elaboración, así como su destinatario, y preguntarse si, de acuerdo con su contenido, parece razonable y fidedigno»[660].

En tercer lugar, se ha calificado también cómo debe ser el examen, indicando un enfoque contextual al admitir que la valoración de la prueba se debe realizar de manera contextual, y no mediante un análisis aislado[661].

En cuarto lugar, encontramos referencias generales a quién aporta las pruebas, es decir, sobre quién recae la carga de la prueba. Así, el TJ también en *Kadi II* explica de manera muy didáctica que es el juez de la Unión quien realiza el examen de la procedencia de esos hechos y que correspondería al Consejo (autoridad competente de la Unión) presentar «los datos o pruebas, confidenciales o no, pertinentes para el examen» e incide en que es el Consejo quien debe demostrar que los motivos son fundados y no la persona afectada demostrar mediante prueba negativa «la carencia de fundamento de tales motivos»[662]. Es decir, la carga de la prueba le corresponde al Consejo en el caso de que se recurra la fundamentación que llevó a

---

659 Sentencia del Tribunal General de 13 de diciembre de 2018, Iran Insurance Company/Consejo, T-558/15, *vid. supra*, apartado 153.

660 Sentencia del Tribunal General de 27 de septiembre de 2012, Shell Petroleum NV *et al.*/Consejo, T-343/06, ECLI:EU:T:2012:478, apartado 161 y sentencia del Tribunal General de 13 de diciembre de 2018, Iran Insurance Company/Consejo, T-558/15, *vid. supra*, apartado 154.

661 Sentencia del Tribunal de Justicia de 21 de abril de 2015, Issam Anbouba/Consejo (*Anbouba I*), C-605/13 P, ya citada, apartado 50 y sentencia del Tribunal de Justicia de 21 de abril de 2015, Issam Anbouba/Consejo (*Anbouba II*), C-630/13 P, ya citada, apartado 51.

662 Sentencia del Tribunal de Justicia (Gran Sala) de 18 de julio de 2013, Comisión Europea *et al.*/Yassin Abdullah Kadi (*Kadi II*), asuntos acumulados C-584/10 P, C-593/10 P y C-595/10 P, ya citada, apartados 120 y 121.

adoptar las medidas restrictivas, como refiere el TJ[663]. No obstante, en el siguiente subepígrafe nos detendremos en ciertas situaciones derivadas de la configuración de criterios de designación que prácticamente dan lugar a una inversión de la carga de la prueba.

En quinto lugar, hay referencias al aspecto cuantitativo de la prueba y sobre la ausencia de obligatoriedad de la exhaustividad. También se ha especificado por parte del TJ en esta jurisprudencia inicial que no es necesario exponer todas las pruebas, lo que sí es necesario es que la que se presenta sustente las razones que se esgrimen para la designación de la persona afectada[664].

En sexto lugar, se abre un margen de comprensión del TJUE en referencia al umbral de exigencia de la prueba, señalando razones como la necesidad de tener en cuenta la urgencia con la que se deben tomar este tipo de medidas, así como la dificultad para obtener dichas pruebas en contextos donde la UE o sus Estados miembros no tienen capacidad plena y libre de investigación[665].

Por último, hay referencias al elemento temporal de la existencia de la prueba. La jurisprudencia en este contexto establece que los elementos de hecho y derecho (en otras palabras, las pruebas y los elementos jurídicos), en los que se fundan las designaciones, tienen que estar disponibles en el momento de la adopción del acto que es el momento en el que el Consejo realiza la valoración[666]. Es una foto

---

663 Sentencia del Tribunal de Justicia de 11 de septiembre de 2019, HX/Consejo, C-540/18 P, ECLI:EU:C:2019:707, apartado 49.

664 Sentencia del Tribunal de Justicia (Gran Sala) de 18 de julio de 2013, Comisión Europea *et al.*/Yassin Abdullah Kadi *(Kadi II)*, asuntos acumulados C-584/10 P, C-593/10 P y C-595/10 P, ya citada, apartados 122 y 124.

665 Sentencia del Tribunal de Justicia de 21 de abril de 2015, Issam Anbouba/Consejo (*Anbouba I*), C-605/13 P, ya citada, apartado 46.

666 En la jurisprudencia general, podemos destacar, la sentencia del Tribunal de Justicia de 3 de septiembre de 2015, Inuit Tapiriit Kanatami e. a./Comisión, C-398/13 P, ECLI:EU:C:2015:535, apartado 22, mientras que en la aplicación de este principio al contencioso de las medidas restrictivas, valga como ejemplo la sentencia del Tribunal General de 4 de septiembre de 2015, National Iranian Oil Company PTE Ltd *et al.*/Consejo (*NIOC et al.*), T-577/12, ECLI:EU:T:2015:596, apartado 112.

fija, si hay carencias en la suficiencia de esa prueba, no sería posible que esta falta pueda ser subsanada en un momento posterior[667].

En ocasiones, el trabajo del TJUE para distinguir las pruebas utilizadas en el momento concreto de la adopción del instrumento jurídico objeto de litigio exige un esfuerzo de rigor en el estudio adicional. Esto se debe a que, si nos encontramos ante una situación en la que las renovaciones de las designaciones se han sucedido, las pruebas aportadas van acumulándose y es necesario, como se ve en la jurisprudencia mencionada, que se sea especialmente sistemático a la hora de ordenar las fechas de los documentos utilizados como pruebas para cada designación o renovación concreta.

También se han dado situaciones[668] —no muy numerosas— en las que directamente no se ha especificado exactamente la fecha de las pruebas alegadas, pudiendo dar lugar a que el Consejo haya presentado documentos probatorios posteriores a la fecha de la designación. En otros casos aislados, se hace referencia a hechos que han tenido lugar después de la fecha de designación como repetición de situaciones anteriores, estas sí, acontecidas antes de la designación. En este sentido, en el asunto *Bank of Industry and Mine* en casación[669], el TJ se refiere a una serie de transferencias bancarias hechas durante los ejercicios 2008 hasta el 2013, cuando la decisión recurrida es de 2012.

Asimismo, en el reciente asunto *Belaeronavigatsia*[670], el TG hace referencia a informes posteriores a la designación (o renovación de la designación) que confirman la información contenida en pruebas anteriores, con la particularidad de que subraya que estos documentos son efectivamente posteriores. Esto nos lleva inmediatamente a

---

667 Sentencia del Tribunal General de 14 de abril de 2021, Mazen Al-Tarazi/Consejo, T-260/19, ya citada, apartado 69.

668 Podemos hacer referencia, por ejemplo, a la sentencia del Tribunal General de 5 de noviembre de 2014, Adib Mayaleh/Consejo, asuntos acumulados T-307/12 y T-408/13, ya citada, apartados 141 y 142; o a la sentencia del Tribunal General de 28 de febrero de 2019, Souruh SA/Consejo, T-440/16, ECLI:EU:T:2019:115, apartados 93 y 94

669 Sentencia del Tribunal de Justicia de 12 de mayo de 2016, Bank of Industry and Mine/Consejo, C-358/15 P, ECLI:EU:C:2016:338, apartado 81.

670 Sentencia del Tribunal General de 15 de febrero de 2023, Belaeronavigatsia/Consejo, T-536/21, ECLI:EU:T:2023:66, apartado 47.

preguntarnos si, siendo consciente el Tribunal de que dicho informe no puede ser utilizado como prueba —confirmatoria de otras anteriores—, por qué decide no evitar dar la impresión de que sí la tiene en cuenta como parte de ese conjunto de indicios

Por todo ello y para evitar generar dudas en cuanto a la jurisprudencia asentada sobre el elemento temporal de la prueba, defendemos que es importante que el Tribunal sea especialmente exigente y explícito con la datación de las pruebas que aporta el Consejo para así poder aplicar correctamente el principio de que las pruebas que sustenta una designación no pueden ser posteriores a la adopción de la misma.

Sensu contrario, que las pruebas sean demasiado antiguas con respecto al momento de designación hace disminuir la fuerza de las mismas para servir como base suficiente para justificar dicha inclusión en una lista de sancionados. El TG establece una línea clara en este sentido al afirmar que «si bien el Consejo las puede utilizar, el intervalo de tiempo considerable transcurrido entre, por una parte, su publicación y, por otra parte, la adopción de los actos controvertidos exige que el Consejo las corrobore con otras pruebas más recientes»[671].

Sin embargo, hemos de destacar que, siendo este el criterio que se utiliza con respecto a las pruebas aportadas por el Consejo, en el caso de las pruebas que alegue el demandante, no existe dicha limitación. Es decir, las pruebas aportadas para desmontar el fundamento de la designación pueden ser posteriores a la misma. Esto *a priori* podría generar un aparente desequilibrio de armas entre las partes en litigio. Sin embargo, nos parece la mejor solución posible para garantizar la tutela judicial efectiva de los designados a la vista de las particularidades, una vez más, de las medidas restrictivas.

En resumen, se reconoce la libertad de los medios de prueba, aunque eso —veremos— tiene matizaciones en el ámbito de las medidas restrictivas, así como el principio de la libre apreciación de la prueba, dentro de un examen contextual y teniendo en cuenta las limitaciones de obtención de la prueba por parte de quien la aporta.

---

671 Sentencia del Tribunal General de 8 de marzo de 2023, Nizar Assaad/Consejo, T-426/21, ECLI:EU:T:2023:114, apartado 88.

Hay, asimismo, referencias a los elementos cualitativos y cuantitativos de la prueba, a la carga de la prueba y al momento de disponibilidad de las pruebas.

A todos los elementos más relevantes sobre cómo debe ser la consideración de la prueba de acuerdo con el TJUE, vamos a dedicarle una atención y un análisis más específicos a continuación.

2. *La carga de la prueba y el uso de las presunciones: una técnica controvertida*

En todo contencioso, cuando se dirime y estudia la prueba, un elemento esencial es sobre qué parte recae la obligación de demostrar la veracidad de esa prueba. Unas líneas atrás, veíamos que el Tribunal incide en que la demostración de la veracidad de la prueba le corresponde al Consejo y no al recurrente aportar prueba negativa. Sin embargo, el desarrollo de las medidas restrictivas nos enfrenta a situaciones donde los criterios de designación parten de una serie de presunciones, —en principio, *iuris tantum*—, que llevan a una inversión de la carga de la prueba, a nuestro parecer, ya que obligan al recurrente a ser quien deba aportar las evidencias necesarias para destruir la presunción.

Los criterios de designación adoptan numerosas formas por las cuales se establece la vinculación clara entre la persona o la entidad designadas con la actividad reprochable. En el contexto de la prueba, señalaremos tres casos típicos paradigmáticos a los que la jurisprudencia ha dedicado cierta atención puesto que generan, a nuestros ojos claramente, situaciones de inversión de carga de la prueba. Aludiremos a las designaciones basadas en la ocupación de un cargo público, las designaciones basadas en vínculos familiares y las designaciones basadas en una posición económica prominente.

En el primer caso, nos referimos a las designaciones basadas en la ocupación de un cargo público. Se trata de un criterio de designación que se da con cierta frecuencia en los regímenes de sanciones de la UE. En este sentido, el TG ha entendido que es consecuencia de una «regla de la experiencia común» entender que un ministro de un régimen determinado es responsable de las acciones de ese gobierno[672]. Sería mejor hablar de cómplice o cooperador puesto que la responsabilidad jurídica tiene otras connotaciones que no siempre pueden ser aplicadas en el ámbito de las medidas restrictivas ya que no tiene por qué coincidir con una responsabilidad de carácter administrativo o de carácter penal.

No obstante, la pertenencia a un grupo de decisión no siempre tiene que dar por sentada la vinculación y esta puede ser puesta en entredicho. Por ejemplo, en el asunto *Moreno Reyes*[673], el TG entiende que el Consejo no ha logrado contradecir las alegaciones de este designado que, aun siendo secretario del Consejo Nacional Electoral y estando encargado de firmar las actas, no participaba en los debates ni formaba parte de la toma de decisiones y, por lo tanto, no tenía influencia en el menoscabo de la democracia en Venezuela[674]. En sucesivas revisiones, el Consejo ha reforzado la motivación dando más argumentos para justificar su vinculación al menoscabo de la democracia en este país[675].

El segundo caso donde consideramos que la prueba debería llevarse a cabo con mayor rigor, se da en relación con las designaciones con base en vínculos familiares. Uno de los ejemplos más llamativos se encuentra, asimismo, en el régimen de medidas restrictivas contra Siria que también incluye como criterio de designación autónomo la pertenencia a las familias Makhlouf o Al Assad[676], como ya se ha referido en otras partes de este estudio. En este sentido, señalábamos, que la jurisprudencia, en el asunto *Rami Makhlouf*[677], ha aceptado la validez de este criterio de designación que parte de una presunción

---

672 Sentencia del Tribunal General de 3 de julio de 2014, Mohamad Nedal Alchaar/Consejo, T-203/12, ECLI:EU:T:2014:602, apartado 138.

673 Sentencia del Tribunal General de 14 de julio de 2021, Xavier Antonio Moreno Reyes, T-552/18, ya citada.

674 *Ibid.*, apartados 39-76.

675 Modificación de la motivación realizada a través de la Decisión (PESC) 2021/1965 del Consejo de 11 de noviembre de 2021 por la que se modifica la Decisión (PESC) 2017/2074 relativa a medidas restrictivas habida cuenta de la situación en Venezuela (DO L 400 de 12.11.2021, pp. 148-156).

676 Arts. 27.2.b) y 28.2.b) de la Decisión (PESC) 2013/255 del Consejo, de 31 de mayo de 2013, relativa a la adopción de medidas restrictivas contra Siria, ya citada.

677 Sentencia del Tribunal General de 18 de mayo de 2017, Rami Makhlouf/Consejo, T-410/16, ya citada, apartado 84.

de vinculación con la actividad reprobable con base en un vínculo familiar.

A veces, incluso estas presunciones se dan sin necesidad de que reposen sobre un criterio de designación que lo avale expresamente. En este mismo régimen, antes de la modificación de 2015, el TG admitió esta presunción de vinculación familiar con la actividad reprobable en el asunto de *Bouchra Al Assad*[678], aunque nos parece que se podría haber hecho mayor esfuerzo en demostrar el vínculo. La designada en cuestión es una madre y ama de casa, hermana de Bashar al Assad, esposa del Segundo Jefe del Estado Mayor para la seguridad y el reconocimiento —fallecido en un momento posterior a la adopción de las sanciones—. Además, la designada se trasladó a Emiratos Árabes Unidos en un momento posterior a la adopción de las sanciones. La motivación que esgrime el Consejo es que «dada la estrecha relación personal con el Presidente, Bashar Al Assad, y con otras personalidades centrales del régimen sirio, y su intrínseca relación financiera con ellos, se beneficia del régimen sirio, con el que está asociada».

Como indica el TG, «el Consejo se sirve de una presunción con arreglo a la cual se considera que las personas con vínculos probados con los miembros del régimen sirio se benefician del mismo o lo apoyan y, por tanto, están asociadas con él»[679]. Aunque el TG critica el hecho de que el Consejo no hubiera actualizado la motivación tras el fallecimiento del esposo de la demandante y que la expresión «otras personalidades centrales del régimen sirio» fuese demasiado genérico, concluye que «el mero hecho de que la demandante sea la hermana del Sr. Bashar Al Assad basta para que el Consejo pueda considerar que está vinculada a los dirigentes de Siria [...], sobre todo porque la existencia en dicho país de una tradición de gestión familiar del poder es un hecho notorio que puede ser tenido en cuenta por el Consejo»[680].

---

678 Sentencia del Tribunal General de 12 de marzo de 2014, Bouchra Al Assad/Consejo, T-202/12, ECLI:EU:T:2014:113.

679 *Ibid.*, apartado 89.

680 Sentencia del Tribunal General de 12 de marzo de 2014, Bouchra Al Assad/Consejo, T-202/12, ECLI:EU:T:2014:113, apartado 96.

No obstante, aunque la demandante no hiciese uso del argumento, también se podría defender que, en un sistema patriarcal como es el de las estructuras familiares árabes, las esposas y hermanas se limitan a estar bajo la potestad y a seguir las instrucciones de los miembros masculinos de su familia.

Diferente puede ser el caso de Aisha El-Qaddafi quien sí hizo manifestaciones públicas en defensa de las actuaciones y herencia política de su padre[681].

Más problemática ya es la vinculación de los familiares de empresarios. En el asunto *Tay Za*, ya lo hemos visto[682], el TJ en casación dice de manera taxativa que «la aplicación de tales medidas a personas físicas por el mero hecho de tener un vínculo familiar con personas asociadas con los dirigentes del país tercero en cuestión y sin tomar en consideración su comportamiento personal es contraria a la jurisprudencia del Tribunal de Justicia»[683]. Asimismo, añade: «una medida de bloqueo de los fondos y recursos económicos pertenecientes al recurrente únicamente podía ser adoptada, [...], a partir de elementos precisos y concretos que permitieran demostrar que dicho recurrente se beneficiaba de las medidas económicas de los dirigentes de la República de la Unión de Myanmar»[684]. Es decir, hay que demostrar un doble vínculo de beneficio económico para que esta presunción sea suficiente, el del familiar con el empresario, y el del empresario con los beneficios derivados de las políticas económicas del gobierno.

De manera muy interesante, el abogado general MENGOZZI habla en sus conclusiones de designados que se pueden categorizar en razón de tres círculos concéntricos. De forma resumida, el primero estaría constituido por los responsables políticos, el segundo de personas vinculadas de manera directa o indirecta con este primer círculo, bien sea sus familiares, bien sea también aquellos que se benefician

---

681 Sentencia del Tribunal General de 21 de abril de 2021, Aisha Muammer Mohamed El-Qaddafi/Consejo (*Aisha El-Qaddafi II*), T-322/19, ECLI:EU:T:2021:206, apartado 98.

682 Este asunto se estudió con detalle en el subepígrafe dedicado a la técnica legislativa de los criterios de designación; *cf.* Segunda Parte, I.C.1.

683 Sentencia de Tribunal de Justicia (Gran Sala) de 13 de marzo de 2012, Pye Phyo Tay Za/Consejo, C-376/10 P, ya citada, apartado 66.

684 *Ibid.*, apartado 70.

económicamente de sus decisiones —los empresarios— y el tercero correspondería a aquellos miembros de las familias de las personas que se benefician económicamente del régimen. Y subraya el abogado general «a los cuales el Consejo no tiene en cuenta ninguna responsabilidad directa o indirecta en el proceso de toma de decisiones ni tampoco en los beneficios de que disfrutan los miembros del segundo círculo. [...], este tercer motivo me parece demasiado alejado del centro de decisiones como para que se le puedan aplicar medidas restrictivas adoptadas sobre la única base de los artículos 60 CE y 301 CE»[685].

Hay que tener en cuenta, no obstante, que esta jurisprudencia se deriva de una situación en la que la base jurídica pre-Lisboa se encontraba en los arts. 60 y 301 TCE que hacían alusión a medidas contra países terceros. En este sentido, el TJ en *Kadi II* refrendó la interpretación del TPI cuando indicó que esto implicaba «los dirigentes de países terceros y a los individuos y entidades asociados con dichos dirigentes o controlados directa o indirectamente por ellos»[686]. Hoy en día, la base jurídica para la decisión es el art. 29 TUE en el que con carácter general se habla de «un enfoque sobre un asunto concreto de carácter geográfico o temático». Tampoco el art. 215 TFUE, que se utiliza como base jurídica para el reglamento, nos conduciría a hacer una interpretación restrictiva de quienes están vinculados con una situación concreta.

Por lo tanto, esto nos lleva a concluir que, ante el caso de un recurso, el peso del examen judicial no se centraría tanto en si se trata de un individuo vinculado a un dirigente político o a un empresario, sino que la construcción del criterio de designación —si existiera una presunción— y los elementos de prueba de la vinculación serían factores de estudio mucho más relevantes.

En las más recientes medidas restrictivas adoptadas con base en diferentes regímenes en relación con las actividades de Rusia que menoscaban la integridad territorial de Ucrania, se han producido designaciones que parten de este tipo de vinculación, tanto de familiares de responsables políticos como de familiares de los llamados «oligarcas»,

---

685 Conclusiones del abogado general Mengozzi, Pye Phyo Tay Za/Consejo, C-376/10 P, ya citadas, apartado 40.

686 Sentencia del Tribunal de Justicia (Gran Sala) de 3 de septiembre de 2008, Yassin Abdullah Kadi y Al Barakaat International Foundation/Consejo *(Kadi I)*, asuntos acumulados C-402/05 P y C-415/05 P, ya citada, apartado 166.

con base en la referencia genérica de «personas físicas asociadas» con aquellos que sí entren en los criterios de designación específicos. En este marco, es importante que el Consejo utilice toda su capacidad para apuntalar con pruebas suficientes ese tipo de designaciones para evitar futuras anulaciones en el caso de recursos. No obstante, algunas decisiones[687] nos llevan a pensar que las designaciones basadas en una vinculación familiar van a seguir suscitando problemas a menos que se opte por incluir criterios de designación directamente basados en relaciones familiares, como ya ha hecho el Consejo en un régimen específico[688], que no están exentos de cierta controversia[689].

---

687 Un ejemplo sobre esta problemática en la que el TG ha pronunciado una sentencia estimatoria, por error manifiesto de valoración, la designación de la Sra. Violetta Prigozhina, que estaba motivada de la siguiente manera: «madre de Yevgeny Prigozhin y la propietaria de Concord Managament and Consulting LLC, que pertenece al Grupo Concord, fundado por su hijo y propiedad de este hasta 2019. Es propietaria de otras empresas vinculadas a su hijo. Está asociada a Yevgeny Prigozhin, responsable del despliegue de mercenarios del Grupo Wagner en Ucrania y de beneficiarse de grandes contratos públicos con el Ministerio de Defensa de Rusia tras la anexión ilegal de Crimea por Rusia y la ocupación del este de Ucrania por parte de separatistas respaldados por Rusia. Por consiguiente, ha apoyado actos y políticas que menoscaban la integridad territorial, la soberanía y la independencia de Ucrania». El TG ha estimado que no se ha podido demostrar la vinculación económica tal y como se determina por la motivación, por lo que la designación solo podría estar hecha con base en vínculos familiares, lo cual no sería suficiente para justificar una inscripción en el marco legal de estas medidas restrictivas. También recuerda el TG que *«ainsi qu'il résulte de la jurisprudence, l'application de mesures restrictives à des personnes physiques indépendamment de leur comportement personnel et pour la seule raison de leur lien familial avec des personnes associées aux dirigeants du pays tiers concerné doit être considérée comme se heurtant à la jurisprudence de la Cour»*. *Cf.* Sentencia del Tribunal General de 8 de marzo de 2023, Violetta Prigozhina/Consejo, T-212/22, ECLI:EU:T:2023:104, apartados 82-98.

688 Dos meses después de la sentencia reseñada en la nota anterior, el Consejo incluía como criterio de designación explícito el vínculo familiar añadiendo la letra e) al art. 1 y la letra g) al art. 2: «los principales empresarios que operen en Rusia y sus familiares directos [...]» a través de la Decisión (PESC) 2023/1094 del Consejo, de 5 de junio de 2023, por la que se modifica la Decisión 2014/145/PESC relativa a medidas restrictivas respecto de acciones que menoscaban o amenazan la integridad territorial, la soberanía y la independencia de Ucrania (DO L 146 de 6.6.2023, pp. 20-21).

689 Por parte de la doctrina, resultan interesantes las opiniones de GERGONDET, E. (2023). Op.-Ed.: Is family off limit in EU sanctions law? (Cases T-743/22 R *Mazepin* and T-212/22 *Prigozhina*. *EU Law Live* [blog], 22-03-2023. Disponible

El tercer caso donde se han observado dificultades referidas a la carga de la prueba es consecuencia del proceso de mayor complejidad que han ido adquiriendo los criterios de designación. En concreto, nos referimos a aquellas designaciones basadas en una posición económica prominente. Especialmente en este ámbito se pueden identificar algunos titubeos del TG ante este tipo de criterios de designación que se convertían de facto en presunciones *iuris tantum*. El problema radica en que la presunción se ha convertido en una vinculación tan fuerte que, aunque el TJ no lo haya entendido así[690], conduce a situaciones, si no plenas, muy cercanas a una inversión de la carga de la prueba.

De nuevo, es relevante utilizar como ejemplo el criterio de designación «destacados empresarios que operen en Siria», de los arts. 27.2.a)[691] y 28.2.a)[692] de la Decisión (PESC) 2013/255 del Consejo, relativa a la adopción de medidas restrictivas contra Siria, modificada por la Decisión (PESC) 2015/1836 del Consejo[693].

A través de la misma modificación en los apartados 3 de los arts. mencionados se establece que «las personas [...] no se incluirán o mantendrán en la lista [...] si existe información suficiente que in-

---

en: https://eulawlive.com/op-ed-is-family-off-limit-in-eu-sanctions-law-cases-t-743-22-r-mazepin-and-t-212-22-prigozhina-by-edouard-gergondet/; y CHALLET, C. (2023). Op. Ed.: Judgment in *Prigozhina v Council* (T-212/22): some serious sanctions homework is needed from the Council. *EU Law Live* [blog], 27-3-2023. Disponible en: https://eulawlive.com/op-ed-judgment-in-prigozhina-v-council-t-212-22-some-serious-sanctions-homework-is-needed-from-the-council-by-celia-challet/.

690 Sentencia del Tribunal de Justicia de 9 de julio de 2020, George Haswani/Consejo, C-241/19 P, ya citada, apartados 61-84.

691 Relativo a la prohibición de entrada y tránsito en los Estados miembros de la UE.

692 Relativo a la congelación de fondos y recursos económicos. También recogido en el art. 15.1a y 1b del Reglamento (UE) nº 36/2012 del Consejo, de 18 de enero de 2012, relativo a las medidas restrictivas habida cuenta de la situación en Siria y por el que se deroga el Reglamento (UE) nº 442/2011 (DO L 16 de 19.1.2012, pp. 1-32), en su versión modificada por el Reglamento (UE) 2015/1828 del Consejo, de 12 de octubre de 2015 (DO L 266 de 13.10.2012. p. 1), que introdujo también este nuevo criterio de designación.

693 Decisión (PESC) 2013/255 del Consejo, de 31 de mayo de 2013, relativa a la adopción de medidas restrictivas contra Siria, modificada por la Decisión (PESC) 2015/1836 del Consejo, de 12 de octubre de 2015, ya citadas.

dique que no están vinculadas al régimen o han dejado de estarlo, ni ejercen influencia alguna sobre este ni plantean un riesgo real de elusión».

En el preámbulo de la norma, en el punto 6, se explica (y merece la pena utilizar el texto original) que: «el Consejo ha determinado que, debido al férreo control que el régimen sirio ejerce sobre la economía, a un núcleo restringido de destacados empresarios que operan en Siria solo le resulta posible mantener su estatus si está estrechamente vinculado al régimen y cuenta con su apoyo, y si tiene influencia dentro de este. El Consejo considera que debe establecer medidas restrictivas [...], a fin de impedirles que faciliten apoyo material o financiero al régimen, y a través de su influencia, incrementar la presión sobre el propio régimen para que modifique sus políticas de represión».

Si lo analizamos, en este preámbulo se establece una presunción de vínculo y se explica el objetivo y razón del criterio de designación. Nos interesa para este análisis la primera cuestión.

El preámbulo explica la lógica de la vinculación. No obstante, podríamos pensar que con el apartado 3, el Consejo no solo tiene que aportar las pruebas para dar veracidad a la posición de destacado empresario, sino que debería también poder explicar por qué el afectado no recae bajo el apartado 3 y, por ello, no quedaría exento de esa vinculación de ser beneficiario del régimen y ejercer influencia sobre este.

Sin embargo, el TG ha entendido que es suficiente con motivar y fundamentar que el empresario que opera en Siria sea «destacado» puesto que desde la modificación del criterio de designación introducida en 2015 ese vínculo de relación con el régimen es una presunción —rebatible—[694], algo que sí hubiera sido necesario demostrar antes de dicha modificación del criterio de designación.

Ha de subrayarse que «destacado» no responde a ningún tipo de categoría jurídica y es un concepto, como poco, indeterminado que

---

694 Auto del Tribunal General de 11 de septiembre de 2019, George Haswani/Consejo, T-231/15 RENV, ECLI:EU:T:2019:589, apartado 60 y sentencia del Tribunal General de 4 de abril de 2019, Ammar Sharif/Consejo, T-5/17, ya citada, apartado 106.

depende de una visión subjetiva del encargado de llevar a cabo la valoración.

Probablemente hubiera sido bueno que en este caso sí hubiera habido conclusiones del abogado general puesto que hubiéramos podido completar el análisis jurídico con la siempre útil perspectiva que ellos aportan a la jurisprudencia en los casos más difíciles.

Se produce, en nuestra opinión, una inversión de la carga de la prueba incluso reconocida por el TJUE puesto que, siguiendo por ejemplo la literalidad en el asunto *Zubedi*, no es una carga de la prueba excesiva si es la persona afectada la que tiene que aportar elementos que «pongan seriamente en cuestión la fiabilidad de las pruebas presentadas por el Consejo o la valoración del Consejo» y así demuestre que no ha estado o ya no está asociada con el régimen y que no plantea ningún riesgo para evitar la aplicación de las medidas en cuestión[695]. En algunas ocasiones, por ejemplo, en el asunto *Sabra*, el recurrente sí ha logrado destruir la presunción y logra demostrar que no está vinculado con el régimen, que no ejerce ninguna influencia sobre el régimen y que no plantea ningún riesgo para evitar la aplicación de las medidas restrictivas[696].

En conclusión, los problemas derivados de la carga de la prueba están muy determinados en último lugar por el diseño del criterio de designación y, como ya se ha analizado, el diseño del criterio depende en el fondo del objetivo último de la adopción de las medidas restrictivas. Este es distinto si lo que se busca es ejercer una influencia sobre las personas determinantes en el cese del hecho reprobable o si lo que se busca es el ahogamiento económico de un régimen. Si el objetivo es el segundo, entonces es más comprensible «la extensión del círculo de los designados» puesto que, precisamente, lo que tratará de alcanzarse es que no haya posibilidad de cambiar la propiedad de los fondos a otros familiares. El caso más llamativo es cuando, ante el deceso de un designado, el Consejo ha adoptado medidas restric-

---

695 Sentencia del Tribunal General de 8 de julio de 2020, Khaled Zubedi/Consejo, T-186/19, ECLI:EU:T:2020:317, apartado 71.

696 Sentencia del Tribunal General de 16 de marzo de 2022, Abdelkader Sabra/Consejo, T-249/20, ya citada, apartado 143.

tivas contra sus herederos[697]. Sin embargo, independientemente de las consideraciones de la técnica legislativa para la elaboración de los criterios, en la parte que nos ocupa del estudio, hemos tratado de ver cuáles son las consecuencias procesales y materiales para los recurrentes. Quizá el TJUE debería alejarse más de los aspectos puramente técnicos de cómo se estructura el criterio de designación y, por lo tanto, cuáles son los elementos que ya estarían probados o gozarían de una presunción, para poner más énfasis en la importancia de la correcta sustanciación de la prueba.

3. *El estándar de la prueba: la determinación de un cuerpo de indicios suficientemente específicos, precisos y consistentes*

Continuando con el estudio de la prueba en el particular contencioso de las medidas restrictivas, nos hemos de detener en el análisis del estándar de la prueba. Como lo define FILPO, «la determinación de los requisitos que tienen que ser satisfechos para que estos puedan considerarse como probados, esto es, el nivel de persuasión necesario para probar un hecho»[698].

En primer lugar, hemos de destacar el hecho de que el Consejo solo se base en pruebas provenientes de fuentes abiertas. Esto tiene, por lo tanto, importantes limitaciones a la hora de sustanciar las designaciones. La jurisprudencia le ha dado una explicación concreta que, sin embargo, creemos que no coincide exactamente con las razones que —aun sin reconocerse de forma explícita— empujan al Consejo a solo utilizar fuentes abiertas.

---

697 Por ejemplo, se puede observar cómo tras el fallecimiento de Mohammed Makhlouf, designado en el régimen de medidas restrictivas contra Siria, el Consejo incluyó a cinco herederos suyos ya que se consideró que «existe el riesgo inherente de que los bienes heredados se utilicen para apoyar las actividades del régimen sirio y lleguen directamente a manos del régimen, lo que podría contribuir a la represión violenta que ejerce este último contra la población civil». *Cf.* Decisión de ejecución (PESC) 2022/242 del Consejo de 21 de febrero de 2022 por la que se aplica la Decisión 2013/255/PESC relativa a la adopción de medidas restrictivas contra Siria (DO L 40 de 21.2.2022, pp. 26 y 27), considerando tercero.

698 FILPO, F. (2020). Evidence standards in the judicial review of restrictive measures. *Europäische Rechstsakademie (ERA) Forum*, 20, p. 616.

En este sentido, el TJUE ha reconocido en múltiples ocasiones las limitaciones del Consejo para obtener pruebas en terceros Estados. Por ejemplo, en el asunto *Anbuba* el TJ reconoce «la dificultad de obtener pruebas más concretas en un Estado en situación de guerra civil dirigido por un régimen de naturaleza autoritaria»[699]. Otra interpretación utilizada por la jurisprudencia añade más razones de por qué estas fuentes son abiertas, aunque da pistas de otras que pudieran utilizarse: «al carecer de competencias de investigación en los países terceros, la apreciación de las autoridades de la Unión debe basarse, por ello, en fuentes de información accesibles al público, informes, artículos de prensa, informes de los servicios secretos, u otras fuentes de información similares»[700].

Sin embargo, pensamos que no es tanto una razón técnica, sino una decisión voluntaria. Utilizar fuentes provenientes de la inteligencia de los Estados o de otro tipo de métodos de investigación o simplemente de análisis de la realidad exterior expondría las técnicas y prácticas llevadas a cabo por los Estados que sí tienen capacidad de conocimiento extraterritorial más o menos sofisticadas. A pesar de que se adaptó el art. 105 RPTG con reglas para gestionar este tipo de documentos como excepción al principio de contradicción que rige todo proceso, los Estados miembros no han modificado esta práctica. Esto les permite preservar al máximo la protección de la información y de documentos relacionados con su seguridad o con la gestión de sus relaciones internacionales en el caso de que se plantee un recurso[701].

---

699 Sentencia del Tribunal de Justicia de 21 de abril de 2015, Issam Anbouba/Consejo (*Anbouba I*), C-605/13 P, ya citada, apartado 46.

700 Sentencia del Tribunal General de 14 de marzo de 2018, Il-Su Kim *et al.*/Consejo, asuntos acumulados T-533/15 y T-264/16, ya citada, apartado 107.

701 El hecho de no querer aportar pruebas clasificadas por parte del Consejo al TJUE, ha llevado a este, al menos en una ocasión, a tener que declarar la anulación de un acto por no disponer de las pruebas sobre las que se había apoyado el Consejo al proceder a la designación. De ahí que el Consejo se guarde hoy en día mucho de contar con pruebas abiertas suficientes a la hora de adoptar una designación para protegerse ante potenciales recursos. *Cf.* Sentencia del Tribunal General de 3 de julio de 2014, Sharif University of Technology/Consejo, T-181/13, ECLI:EU:T:2014:607, apartados 54-74.

A este respecto hay que hacer una apreciación, el Consejo en todo caso ha de estar en posesión de las pruebas y no puede ampararse en que los Estados miembros declaren que provienen de fuentes clasificadas y, por ello, no las traslade. De ahí que los Estados miembros cuando se encargan de la formación de un «paquete de pruebas» saben que han de basarse en este tipo de fuentes abiertas porque el Consejo, si es necesario, está obligado a ponerlas a disposición del recurrente y del Tribunal[702].

En cuanto a la naturaleza de las pruebas utilizadas por el Consejo para sustentar las designaciones, la tipología a la que se está recurriendo es sumamente diversa —en origen y en potencial fiabilidad— y hasta ahora el TG las está aceptando, considerándolas en un conjunto.

Entre las pruebas utilizadas encontramos, en primer lugar, por ser la fuente original más fidedigna, páginas web públicas de los propios gobiernos donde, por ejemplo, se recojan nombramientos de cargos públicos, normas u organigramas de las instituciones[703]. También, en el caso del sector privado, una fuente evidente son las páginas web

---

702 En este sentido, la jurisprudencia ha dejado claro: «el Consejo no puede alegar que los elementos de que se trata proceden de fuentes confidenciales y que no pueden, por lo tanto, ser divulgados. En efecto, si bien esas circunstancias podrían justificar restricciones a la comunicación de dichos elementos [...] o a sus abogados, no es menos cierto que, habida cuenta del papel esencial del control jurisdiccional en el contexto de la adopción de las medidas restrictivas, el juez de la Unión debe poder controlar la legalidad y la procedencia de tales medidas, sin que se le puedan oponer el secreto o la confidencialidad de los elementos de prueba y de información utilizados por el Consejo. Además, el Consejo no puede fundamentar un acto por el que se adoptan medidas restrictivas en información o en elementos del expediente comunicados por un Estado miembro, si ese Estado miembro no está dispuesto a autorizar su comunicación al órgano jurisdiccional de la Unión al que incumbe el control de la legalidad de esa decisión». *Cf.* Sentencia del Tribunal de Justicia de 28 de noviembre de 2013, Consejo/Fulmen y Fereydoun Mahmoudian, C-280/12 P, ECLI:EU:C:2013:775, apartado 100; o sentencia del Tribunal General de 6 de septiembre de 2013, Europäisch-Iranische Handelsbank AG/Consejo, T-434/11, ECLI:EU:T:2013:405, apartado 108.

703 Sentencia del Tribunal General de 18 de mayo de 2022, Amer Foz/Consejo, T-296/20, ECLI:EU:T:2022:298, apartado 96.

de las propias entidades o de las cámaras de comercio respectivas o similares[704].

Hay otro tipo de pruebas y referencias que garantizan un cierto nivel de veracidad e independencia. Es el caso de los informes de organizaciones internacionales. Así se ha reconocido, por ejemplo, por el TJ, en la sentencia en casación *Ipatau* con respecto a informes de la OSCE[705] o del Secretario General de la ONU[706]. También se han utilizado como referencia otros informes de organizaciones internacionales como la Organización de Estados Americanos[707], la Comisión Inter-Americana de Derechos Humanos[708], o especialmente, de organismos dependientes de las Naciones Unidas. En un caso reciente, se hacía referencia a un informe del Panel de Expertos de Naciones Unidas de sanciones sobre Libia que, aunque no público, sí había sido filtrado a la prensa[709]. Hay que subrayar, no obstante, que no en todos los casos estos informes son el resultado de una misión independiente de determinación de los hechos. Un documento de tales características daría, desde luego, mucho más peso a la información incluida. También afecta la situación de la organización y el

704 Sentencia del Tribunal General de 24 de mayo de 2016, Good Luck Shipping LLC/Consejo, asuntos acumulados T-423/13 y T-64/14, ECLI:EU:T:2016:308, apartados 58 y 64.

705 Sentencia del Tribunal de Justicia de 18 de junio de 2015, Vadzim Ipatau/Consejo, C-535/14 P, ya citada, apartado 48.

706 Referencia a un párrafo de un informe del Secretario General de Naciones Unidas de 25 de agosto de 2020 sobre la *United Nations Support Mission in Libya* (UNSMIL). *Cf.* sentencia del Tribunal General de 1 de junio de 2022, Yevgniy Viktorovich Prigozhin/Consejo, T-723/20, ya citada, apartado 41.

707 Por ejemplo, en el asunto *Oblitas Ruzza*, se utiliza un informe y tres comunicados de prensa emitidos por la OEA, así como declaraciones de su Secretario General. *Cf.* Sentencia del Tribunal General de 14 de julio de 2021, Sandra Oblitas Ruzza/Consejo, T-551/18, ECLI:EU:T:2021:453, apartados 57-61.

708 Sentencia del Tribunal General de 14 de julio de 2021, Maikel José Moreno Pérez/Consejo, T-246/18, ya citada, apartado 90. Este asunto se refiere a un comunicado de prensa de este órgano judicial que se pronuncia en un informe sobre la vinculación del designado como presidente del Tribunal Supremo de Venezuela y el menoscabo a la democracia y al Estado de Derecho.

709 Informe S/2021/229, de 8 de marzo de 2021 del Panel de Expertos de sanciones sobre Libia creado en virtud de la Resolución del CSNU 1973 (2011). *Cf.* sentencia del Tribunal General de 1 de junio de 2022, Yevgniy Viktorovich Prigozhin/Consejo, T-723/20, ya citada, apartados 39, 49 y 107.

peso de los Estados miembros en la misma y su posicionamiento con respecto a la situación concreta, aunque el TJUE no ha entrado a valorar esas cuestiones[710].

Igualmente, también las pruebas utilizadas por el Consejo se han referido a otras medidas restrictivas llevadas a cabo contra el mismo individuo por terceros Estados, por ejemplo, refiriéndose a notas de prensa de la OFAC[711]. En este contexto, nos podría llamar la atención que no se utilicen informes propios públicos de la UE, aunque sean públicos, subrayamos. En este sentido, el Tribunal constata en algunos casos cómo los resultados y contenido de estos informes concuerdan con las declaraciones y análisis de la UE, muchas veces recogidos de forma sucinta en la parte expositiva de la norma[712]. Es, sin duda, una forma de dar más fuerza a las informaciones que se tratan de hacer valer.

En cuando a fuentes relacionadas con medios de comunicación, nos encontramos que el Consejo también se ha basado en páginas web de información general que recogen lo que *a priori* son artículos periodísticos. Sin embargo, en ocasiones, son medios cuya reputación no puede ser contrastada o repiten la misma información. Además, es difícil dirimir si no son informaciones que se utilizan como *"vendette"* personales o simplemente son objeto de rumores que se ven recogidos en medios que no alcanzan un cierto nivel de rigor periodístico probado. Al mismo tiempo es muy difícil que el Consejo pueda realizar una labor clara de declarar qué medios sí son fiables y cuáles no. No puede ni le corresponde dar una especie de certificado de «fiabilidad» a estas fuentes. El Tribunal no ha sido ajeno a esta realidad y por eso se ampara, como veremos, en la necesidad de que las pruebas puedan ser valoradas como un abanico de indicios fiables, no centrarse solo en una prueba concreta y, en cualquier caso, que

---

710 Por ejemplo, en el caso de Venezuela y la Organización de Estados Americanos, este Estado formalizó su petición de retirada en abril del 2017 mientras que los informes a los que se hacen referencia datan de un momento posterior.

711 Sentencia del Tribunal General de 18 de mayo de 2022, Amer Foz/Consejo, T-296/20, ya citada, apartado 96.

712 Sentencia del Tribunal General de 14 de julio de 2021, Sandra Oblitas Ruzza/ Consejo, T-551/18, ya citada, apartado 62.

al menos no se demuestre *sensu contrario* la fiabilidad de la prueba[713]. Es decir, el TJUE parte de una presunción de veracidad de las pruebas aportadas por el Consejo. Igualmente, dentro del análisis que lleva a cabo el TJUE, se ha puesto énfasis en aquellos casos donde se recurre a medios internacionales, más fiables, cuya reputación sí es contrastable y cuyos artículos suelen ser fruto de trabajos periodísticos de investigación más rigurosos y están firmados por periodistas identificables. Por ejemplo, encontramos referencias a artículos de la agencia de prensa *Reuters*[714], de *Le Monde*[715], del *The New York Times*[716], de la *BBC*[717] o de *Der Spiegel*[718].

Adicionalmente, en otras ocasiones, el Consejo ha utilizado información o manifestaciones expresadas a través de la red social *Twitter*[719], vídeos en la plataforma *Youtube*[720] donde se recogen manifestaciones públicas de los designados o en la red social profesional *LinkedIn*[721].

También se ha recurrido a informes o artículos fruto del trabajo de centros de pensamiento e investigación (*think tanks*) internacionales. Este es el caso de algunos ejemplos como el recurso a artículos

---

713 Sentencia del Tribunal General de 2 de diciembre de 2020, Kalai/Consejo, T-178/19, ya citada, apartado 112.

714 Sentencia del Tribunal General de 16 de marzo de 2022, Abdelkader Sabra/Consejo, T-249/20, ya citada, apartado 46.

715 *Id.*

716 Sentencia del Tribunal General de 26 de octubre de 2016, Khaled Kaddour/Consejo (*Kaddour II*), T-155/15, ya citada, apartado 81.

717 Sentencia del Tribunal General de 1 de junio de 2022, Yevgniy Viktorovich Prigozhin/Consejo, T-723/20, ya citada, apartado 41.

718 *Id.*

719 Sentencia del Tribunal General de 14 de julio de 2021, Maikel José Moreno Pérez/Consejo, T-246/18, ya citada, apartado 103 o sentencia del Tribunal General de 18 de mayo de 2022, Amer Foz/Consejo, T-296/20, ya citada, apartado 96.

720 Sentencia del Tribunal General de 14 de julio de 2021, Maikel José Moreno Pérez/Consejo, T-246/18, *vid. supra*, apartado 110 o sentencia del Tribunal General de 18 de mayo de 2022, Amer Foz/Consejo, T-296/20, *vid. supra*, apartado 96.

721 Sentencia del Tribunal General de 22 de septiembre de 2021, Maher Al-Imam/Consejo, T-203/20, ya citada, apartado 103 o sentencia del Tribunal General de 24 de noviembre de 2021, Khaldoun Al Zoubi/Consejo, T-257/19, ECLI:EU:T:2021:819, apartado 55, guion 5.

del *Middle East Institute for Research and Strategic Studies (MEIRSS)*[722], *Human Rights Watch*[723], *Brookings Institute*[724], *The Atlantic Council*[725], que revisten también credibilidad y reconocimiento internacionales. No obstante, como apuntábamos, ni el Consejo ni el TJUE cuando examina las pruebas puede garantizar la fiabilidad total de las informaciones incluidas.

Por otro lado, aunque no se utilicen fuentes no públicas por las razones que ya se han explicado, resulta curioso que sí se han identificado casos donde se hacen referencias indirectas a informaciones de este tipo filtradas a la prensa, incluso de terceros Estados[726]. Es decir, se utiliza como prueba el artículo de prensa que confía en información de origen secreto pero dado a conocer. En estos casos, nos podemos preguntar cuál es la fiabilidad de estas informaciones si el Consejo no tiene la forma de cotejar la veracidad de esta información.

Sin embargo, el TJUE no ha admitido otro tipo de pruebas que son elementos comunes en el derecho procesal nacional como son los testimonios de testigos directamente llamados durante la vista. Lo más cercano que se ha podido observar en el contencioso de las medidas restrictivas —aunque de forma muy excepcional—, lo encontramos en la aceptación como prueba de testimonios escritos de personas creíbles y relevantes por su conocimiento del contexto donde se imponen esas medidas restrictivas. Por ejemplo, en el asunto *Sabra*, se reconoce el valor de cuatro declaraciones de este tipo, en concreto de un exembajador de la República Francesa y de la Sobe-

---

722 Sentencia del Tribunal General de 16 de marzo de 2022, Abdelkader Sabra/ Consejo, T-249/20, ya citada, apartado 46.

723 Sentencia del Tribunal General de 14 de julio de 2021, Tibisay Lucena Ramírez/Consejo, T-247/18, ECLI:EU:T:2021:449, apartado 89. Para la designación que se dirime en este asunto, el Consejo incluye como prueba un informe de *Human Rights Watch* de 2015 donde se pone en entredicho la independencia del Tribunal Supremo de Venezuela. Esta última institución es, a su vez, quien avala las decisiones del Consejo Nacional Electoral vinculadas a los hechos reprobables en estas medidas restrictivas en concreto.

724 Sentencia del Tribunal General de 18 de mayo de 2022, Amer Foz/Consejo, T-296/20, ya citada, apartado 96.

725 *Id.*

726 Sentencia del Tribunal General de 1 de junio de 2022, Yevgniy Viktorovich Prigozhin/Consejo, T-723/20, ya citada, apartados 99 y 100.

rana Orden de Malta y de personas de alto nivel en la jerarquía de organizaciones humanitarias que han dirigido al TG[727].

En otras situaciones, el TG ha reconocido la dificultad, si no imposibilidad, de recoger pruebas de testigos que permitan que se les identifique en contextos políticos muy difíciles como es, por ejemplo, el caso de Siria[728]. No obstante, podemos constatar que, en otros ámbitos del Derecho de la UE, como es el derecho de competencia, sí se permite en este caso a la Comisión —durante el proceso administrativo— recabar declaraciones de cualquier persona que acepte ser entrevistada, aunque no puede imponer audiencia de personas como testigos bajo juramento[729]. Quizá esta comparativa podría servir de guía y permitir que el Consejo amplíe, sobre todo en el caso de las revisiones de las listas de designados que no requieren estar dotadas de efecto sorpresa, las informaciones necesarias para completar los paquetes de pruebas y poder realizar una valoración con mayor profundidad.

En resumen, teniendo en cuenta las pruebas que, en la evolución actual del marco de las medidas restrictivas, sí son utilizadas para sustentar las designaciones, podemos concluir que difieren mucho tanto en su naturaleza como en su potencial fiabilidad. A falta de capacidad por el Tribunal para determinar la veracidad y la fiabilidad de la fuente, la práctica jurisprudencial ha optado por hacer una valoración en conjunto de los diferentes elementos y ha renunciado a tener un enfoque más restrictivo[730]. Como los jueces manifiestan

---

727 Sentencia del Tribunal General de 16 de marzo de 2022, Abdelkader Sabra/Consejo, T-249/20, ya citada, apartados 157-171.

728 Sentencia del Tribunal General de 18 de mayo de 2022, Amer Foz/Consejo, T-296/20, ya citada, apartado 106.

729 Sentencia del Tribunal de Primera Instancia de 15 de marzo de 2000, Cimenteries CBR SA y otros/Comisión, asuntos acumulados T-25/95, T-26/95, T-30/95, T-31/95, T-32/95, T-34/95, T-35/95, T-36/95, T-37/95, T-38/95, T-39/95, T-42/95, T-43/95, T-44/95, T-45/95, T-46/95, T-48/95, T-50/95, T-51/95, T-52/95, T-53/95, T-54/95, T-55/95, T-56/95, T-57/95, T-58/95, T-59/95, T-60/95, T-61/95, T-62/95, T-63/95, T-64/95, T-65/95, T-68/95, T-69/95, T-70/95, T-71/95, T-87/95, T-88/95, T-103/95 y T-104/95, ECLI:EU:T:2000:77, apartado 1838.

730 MOISEIENKO, A. (2021). Due Process and Unilateral Targeted Sanctions. En C. BEAUCILLON (ed.). *Research handbook on unilateral and extraterritorial sanctions* (pp. 405-423). Cheltenham: Edward Elgar Publishing Limited, p. 417.

constantemente, se trata de contar con «un cuerpo de indicios suficientemente específicos, precisos y consistentes» que apoyen la razón o razones por las que una persona ha sido designada[731]. Por ello, cuanto más variadas sean las fuentes utilizadas y la tipología de las mismas, mayor seguridad va a tener el Consejo de que estas se consideren como una buena base para sustentar la designación.

No obstante, creemos que la importancia de lo que está en juego (a pesar de no tratarse de un proceso penal y por lo tanto de no deber exigir el mismo rigor de la prueba) sí ha de conducir progresivamente a que el Consejo haga un mayor esfuerzo de discriminación de las fuentes y quizá se pueda centrar en otro tipo de fuentes menos controvertidas. Por parte del TJUE, también pensamos que el tratamiento de la veracidad y de la fiabilidad de las pruebas tiene margen para ser mejorado y el estándar de exigencia frente al Consejo elevado en cierta medida para que realmente se haga un esfuerzo serio por sustentar de manera sólida las designaciones. A un observador exterior podría parecerle que lo que más cuenta es que el Consejo presente una variedad amplia de pruebas de diferente origen para asegurar que el TJUE cuenta con ese «cuerpo de indicios», creando una especie de dinámica de «ensayo-error», que garantice que alguna de las pruebas aportadas sí será suficiente para justificar la designación del individuo o entidad que se esté dirimiendo.

Se debe destacar, no obstante, que hay algunas salas del TG que sí están comenzando a hacer estudios mucho más sistemáticos y pormenorizados de los paquetes de pruebas aportados por el Consejo, analizando prueba por prueba de forma individual y con un enfoque más riguroso en cuanto a su fiabilidad[732]. Es de esperar que esta práctica se extienda progresivamente ya que daría lugar a un mayor perfeccionamiento jurídico de las medidas restrictivas de la UE, re-

---

731 Sentencia del Tribunal de Justicia de 21 de abril de 2015, Issam Anbouba/Consejo (*Anbouba I*), C-605/13 P, ya citada, apartado 52; sentencia del Tribunal de Justicia de 21 de abril de 2015, Issam Anbouba/Consejo (*Anbouba II*), C-630/13 P, ya citada, apartado 53, o sentencia del Tribunal de Justicia de 7 de abril de 2016, Tarif Akhras/Consejo, C-193/15 P, ECLI:EU:C:2016:219, apartado 62.

732 Véase, por ejemplo, la sentencia del Tribunal General de 18 de mayo de 2022, Amer Foz/Consejo, T-296/20, ya citada, apartados 96-112, en la que se dedican 18 apartados de la misma a analizar la relevancia y la fiabilidad de las pruebas aportadas por el Consejo.

dundando como siempre, en un mayor grado de legitimidad de las mismas y de la conformidad con el Estado de Derecho de la UE.

B. DESIGNACIONES BASADAS EN INFORMACIONES NACIONALES Y LA CASUÍSTICA DERIVADA DE LOS SISTEMAS DE DOBLE NIVEL: LAS PARTICULARIDADES DEL CONTROL DE LA APRECIACIÓN

Una casuística particular surge cuando las designaciones provienen y se apoyan directamente sobre decisiones ya tomadas por autoridades de los Estados miembros o incluso de terceros Estados. El Consejo, en su autonomía para tomar decisiones en esta materia como parte de su Política Exterior, no tiene en principio limitaciones para adoptar designaciones ya tomadas por terceros Estados soberanos. De alguna forma, podemos decir que el Consejo está «externalizando» a un tercero su labor de apreciación de un comportamiento reprobable junto con la determinación de los elementos fácticos de esta vinculación y las pruebas que lo avalen. Tiene desde luego sus ventajas puesto que simplifica la labor de los Estados miembros y del Consejo, pero estas han de venir acompañadas de una serie de garantías.

A continuación, analizaremos los problemas que surgen en lo que se ha denominado «sistemas de doble nivel» que han dado lugar a una rica jurisprudencia. Igualmente, también se tratará en último lugar, las dificultades que surgen en el tratamiento de la prueba cuando las designaciones provienen de RCSNU.

Para empezar, huelga decir que el proceso de designación no es un proceso automático. En todo el mecanismo de adopción de medidas restrictivas, prevalece la soberanía y la independencia en la toma de decisiones, así como la valoración de las consideraciones del interés particular. Sin embargo, si esa medida va a ser replicada o servir como base para una designación por parte de la UE, se exige que la misma no sea incompatible con el Estado de Derecho.

Por ello, al confiar el Consejo en calificaciones y en pruebas que le vienen dadas por terceros, el TJUE ha puesto una serie de condiciones que hay que cumplir para respetar, en definitiva, las obligaciones derivadas del respeto a los derechos consagrados en el art. 47 CDFUE.

1. Sistemas de doble nivel: aspectos generales

Inicialmente esta situación se empezó a plantear con las designaciones en los regímenes de terrorismo que se habían ido alimentando por parte del Consejo siguiendo este esquema previsto en el art. 1.4 de la Posición Común 2001/931.

A través de esta disposición se establece lo que el Tribunal ha acuñado como «sistema de doble nivel»[733] o que la doctrina, que le ha dedicado cierta atención, ha asimilado a un «procedimiento administrativo compuesto»[734], salvando algunas distancias. Por su lado, la abogada general SHARPSTON ha recogido de manera clara en qué consiste este «sistema de doble nivel» con respecto a la cooperación exigida entre la UE y sus Estados miembros, que se da también en el momento de las revisiones periódicas obligatorias de las designaciones[735]. Sin embargo, el mayor problema jurídico emerge con respecto a decisiones que provienen de terceros Estados.

---

733 Sentencia del Tribunal General de 16 de octubre de 2014, Liberation Tigers of Tamil Eelam/Consejo (*LTTE*), asuntos acumulados T-208/11 y T-508/11, ECLI:EU:T:2014:885, apartado 206.

734 En este sentido, cabe destacar el interesante —y ya casi primitivo— estudio realizado por ECKES y MENDES en el que analizan el derecho a ser oído dentro de estos «procedimientos administrativos compuestos» que son utilizados en otras áreas del derecho de la UE, por su ingenio y visión para asimilarlos con la forma de designar prevista en la Posición Común 2001/931. *Cf.* ECKES, C. y MENDES, J. (2011). The Right to Be Heard in Composite Administrative Procedures: Lost in between Protection? *European Law Review*, 36, 651-670.

735 *Cf.* Conclusiones de la abogada general Sharpston, Consejo/Liberation Tigers of Tamil Eelam (*LTTE*), C-599/14 P, ECLI:EU:C:2016:723, apartado 30, que merece la pena reproducir: «Con arreglo al sistema de doble nivel, corresponde a los Estados miembros transmitir periódicamente al Consejo, y a este último recopilar, las decisiones de autoridades competentes adoptadas en dichos Estados miembros, así como las exposiciones de motivos de tales decisiones. Si, pese a dicha transmisión de información, el Consejo no disponía de una decisión de una autoridad competente relativa a un hecho concreto que pudiese constituir un acto de terrorismo, el Tribunal General consideró que le incumbía, a falta de medios de investigación propios, solicitar la apreciación de una autoridad nacional competente sobre tal hecho, con objeto de obtener una decisión de

En primer lugar, el problema que surge a los ojos de los jueces es determinar si la decisión de un tercero en la que el Consejo se basa proviene de una autoridad competente.

Ya en el 2006, en la sentencia *OMPI*, el TPI establece que «la lista en cuestión debe, pues, confeccionarse, de acuerdo con las disposiciones del art. 1, apartado 4, de la Posición Común 2001/931, sobre la base de informaciones concretas o de elementos del expediente que muestren que una autoridad competente ha adoptado una decisión respecto de las personas, grupos y entidades mencionados, tanto si se trata de la apertura de investigaciones o de procedimientos en relación con un acto terrorista, como de la tentativa de cometer, o de participar, o de facilitar dicho acto, basada en pruebas o en indicios serios y creíbles, como si se trata de una condena por dichos hechos». Continúa el TPI, con afán aclaratorio, «se entiende por "autoridad competente" una autoridad judicial o, cuando las autoridades judiciales no tengan competencia en el ámbito contemplado en la materia, una autoridad competente equivalente en dicho ámbito»[736].

Así, en el asunto *Al-Aqsa*[737], el TG tuvo la oportunidad de interpretar la Posición Común 2001/931 y reiteró que esta contempla

---

dicha autoridad. A tal fin, el Consejo puede dirigirse a los 28 Estados miembros de la Unión y más concretamente, entre ellos, a los Estados miembros que ya examinaron la situación de la persona o del grupo de que se trate, y a un tercer Estado que reúna los requisitos relativos a la protección del derecho de defensa y al derecho a una tutela judicial efectiva. El Tribunal General admitió que la decisión en cuestión no tenía que ser necesariamente la decisión de revisión periódica adoptada por la autoridad nacional sobre la inclusión de la persona o del grupo de que se trate en la lista nacional de congelación de fondos. En cualquier caso, la circunstancia de que el ritmo temporal de revisión a nivel nacional sea diferente del aplicable a escala de la Unión no justifica que el Estado miembro en cuestión aplace el examen del hecho en cuestión solicitado por el Consejo. El sistema de doble nivel y el principio de cooperación leal implican que los Estados miembros deben dar curso sin demora a las peticiones del Consejo dirigidas a obtener una apreciación y, en su caso, una decisión de la autoridad competente en el sentido de la Posición Común 2001/931, sobre un elemento de hecho que pueda constituir un acto de terrorismo».

736 Sentencia del Tribunal de Primera Instancia de 12 de diciembre de 2006, Organisation des Modjahedines du peuple d'Iran (OMPI)/Consejo, T-228/02, ya citada, apartado 116.

737 Sentencia del Tribunal General de 9 de septiembre de 2010, Stichting Al-Aqsa/Consejo, T-348/07, ECLI:EU:T:2010:373, apartado 88.

que la designación se base tanto en «una decisión de una autoridad administrativa y no de una autoridad judicial» puesto que la norma «contempla expresamente que una autoridad no judicial pueda también tener la consideración de autoridad competente en el sentido de esta disposición».

En el asunto *LTTE*[738], el TG se vuelve a enfrentar a esta cuestión de las designaciones terroristas y pudo pronunciarse sobre en qué medida unas decisiones ejecutivas del gobierno británico y del gobierno indio podían válidamente utilizarse como base para una designación por parte de la UE. Esta jurisprudencia que llevaba a anular las medidas restrictivas adoptadas contra la demandante fue refrendada en casación por el TJ en Gran Sala[739]. No obstante, lo más importante de esta jurisprudencia es que aclara y sienta la base del uso de estas decisiones para futuras designaciones puesto que es la que se utilizará como referencia cuando esta forma de designar se extienda a regímenes de diferente naturaleza.

De manera llamativa, esta cuestión fue estudiada en los momentos iniciales de la jurisprudencia y en los asuntos referidos a la Posición Común 2001/931 dentro del estudio llevado a cabo por los jueces de la obligación de motivación (y no dentro del error de apreciación como se hace actualmente). Ello es una manifestación más de las dificultades que se dan con respecto a ciertos elementos para determinar la fina línea divisoria que existe entre si pertenecen a la obligación de motivación (y a una cuestión formal) o a un error de apreciación relacionado con la prueba (y por lo tanto a una cuestión material). De hecho, a veces, a pesar de los esfuerzos pedagógicos de los jueces, ambos elementos terminan estando estrechamente entrelazados. Por ejemplo, el TJ en uno de los asuntos *PKK* intenta sistematizar esta cuestión, pero en la práctica es extremadamente difícil separar ambos elementos y así intenta precisar: «en lo relativo a los actos que incluyen el mantenimiento de la inscripción de una persona o entidad en la lista de congelación de fondos controverti-

---

738 Sentencia del Tribunal General de 16 de octubre de 2014, Liberation Tigers of Tamil Eelam/Consejo (*LTTE*), asuntos acumulados T-208/11 y T-508/11, ya citada.

739 Sentencia del Tribunal de Justicia (Gran Sala) de 26 de julio de 2017, Consejo/Liberation Tigers of Tamil Eelam (*LTTE*), C-599/14 P, ECLI:EU:C:2017:583.

da, el juez de la Unión debe verificar, por un lado, el cumplimiento de la obligación de motivación que impone el artículo 296 TFUE y, por tanto, que los motivos invocados son suficientemente precisos y concretos, y, por otro, que dichos motivos están respaldados por hechos, lo que implica que, al controlar la legalidad en cuanto al fondo de dichos motivos, ese juez se asegure de que tales actos disponen de unos fundamentos de hecho suficientemente sólidos y verifique los hechos alegados en el resumen de motivos en que se basan tales actos»[740].

Con el desarrollo de la jurisprudencia, esta exigencia de la comprobación del respeto a la tutela judicial efectiva y al derecho al recurso de las autoridades, sobre cuya decisión se basa una designación UE, va a pasar a ser parte del dominio del error de apreciación en otra saga de sentencias, ya fuera del régimen de medidas restrictivas de la Posición Común 2001/931. Desde nuestro punto de vista, es un cambio de enfoque acertado. En el fondo se trata de saber qué papel de verificación sobre la prueba ha tenido el Consejo, y, si son elementos probatorios determinados por un tercero, qué requisitos han de cumplir estos.

En concreto, la Gran Sala del TJ recuerda que «cuando el Consejo basa dicha inscripción en una decisión de un Estado tercero, la garantía de que se respetaron los derechos de defensa y de tutela judicial efectiva en la adopción de esta decisión es de una importancia fundamental en la sistemática de la susodicha inscripción y de las decisiones de congelación de fondos subsiguientes. El Consejo, por tanto, está obligado a incluir en las exposiciones de motivos relativas a tales decisiones los datos que indiquen que efectivamente ha verificado que se respetaron esos derechos»[741]. Para ello, indica también la Gran Sala «basta con que el Consejo, en la exposición de motivos relativa a una decisión de congelación de fondos, presente de manera sucinta las razones por las que considera que en la adopción de la decisión del Estado tercero en la que pretende basarse se

740 Sentencia del Tribunal de Justicia de 22 de abril de 2021, Consejo/Kurdistan Workers' Party (PKK), C-46/19 P, ya citada, apartado 52.

741 Sentencia del Tribunal de Justicia (Gran Sala) de 26 de julio de 2017, Consejo/Liberation Tigers of Tamil Eelam (*LTTE*), C-599/14 P, ya citada, apartado 31.

respetaron tanto el derecho de defensa como el derecho a la tutela judicial efectiva»[742].

Esto se ha ido matizando posteriormente y los requisitos han ido haciéndose más precisos gracias a jurisprudencia posterior. En el asunto *Hamas*, el TG establece que «la exigencia que incumbe al Consejo de verificar, antes de incluir el nombre de personas o de entidades en las listas de congelación de fondos sobre la base de decisiones tomadas por autoridades competentes, que tales decisiones están "basada[s] en pruebas o en indicios serios y creíbles" solo afecta a las decisiones de apertura de investigaciones o de procedimientos, no a las de condena»[743].

Además, el TJ también aclara la necesidad de revisar periódicamente esas designaciones y comprobar que efectivamente las razones (base fáctica) que llevaron a una primera inscripción siguen estando vigentes, han cambiado o han desaparecido[744]. Para ello, la Gran Sala ha enfatizado que «si en vista del tiempo transcurrido y en función de la evolución de las circunstancias del asunto en cuestión, el mero hecho de que la decisión nacional que sirvió de base a la inscripción inicial siga vigente ya no permite deducir que persiste el riesgo de implicación de la persona o entidad de que se trate en actividades de terrorismo, el Consejo estará obligado a justificar el mantenimiento del nombre de esa persona o entidad en la expresada lista mediante una valoración actualizada de la situación en la que se tengan en cuenta hechos más recientes que demuestren que subsiste tal riesgo»[745].

Asimismo, es interesante reseñar, ya que es un principio también aplicable para otro tipo de regímenes, que con respecto a aquellas designaciones que se basan en calificaciones por parte de las autoridades competentes —judiciales o administrativas— de los Estados miembros, existe una suerte de reconocimiento mutuo automático. Este reconocimiento mutuo lo entendemos en el sentido de que se

---

742 *Ibid.*, apartado 33.

743 Sentencia del Tribunal General de 4 de septiembre de 2019, Hamas/Consejo, T-308/18, ya citada, apartado 128.

744 Sentencia del Tribunal de Justicia (Gran Sala) de 26 de julio de 2017, Consejo/Liberation Tigers of Tamil Eelam (*LTTE*), C-599/14 P, ya citada, apartados 44-47.

745 *Ibid.*, apartado 54.

da por descontado que un Estado miembro cumple con los requisitos necesarios vinculados al derecho de defensa y al derecho a la tutela judicial efectiva como pilares esenciales del Estado de Derecho que se exige a todos los Estados miembros. Sin embargo, si la designación proviene de un tercer Estado, esta cuestión de respeto al derecho de defensa y al derecho a la tutela judicial efectiva hay que verificarla siempre.

La abogada general SHARPSTON[746] hace un análisis muy interesante sobre esta cuestión y se refiere a ello en un apartado que es importante reproducir literalmente: «cuando el Consejo invoca decisiones de autoridades competentes de Estados miembros dentro del ámbito del Derecho de la Unión, consta que estas autoridades están sujetas a una obligación de respetar los derechos fundamentales aplicables en la Unión Europea. Por tanto, los niveles de protección —con arreglo al Derecho de la Unión— están perfectamente delimitados y sujetos al control del Tribunal de Justicia. Al invocar estas decisiones está justificada la presunción del Consejo de que las mismas se adoptaron respetando los derechos fundamentales, en particular, el derecho de defensa y el derecho a una tutela judicial efectiva. No obstante, esta presunción no es absoluta. En el dictamen 2/13, el Tribunal de Justicia declaró que el principio de confianza mutua entre Estados miembros obliga a cada uno de los Estados miembros, en particular en lo que se refiere al espacio de libertad, seguridad y justicia, a considerar, *salvo en circunstancias excepcionales*[747], que todos los demás Estados miembros respetan el Derecho de la Unión y, muy especialmente, los derechos fundamentales reconocidos por ese Derecho. En otras palabras, el principio se basa en la confianza mutua, pero no en una confianza mutua ciega incondicional»[748].

746 El TJ se aparta de sus conclusiones puesto que no estima el recurso de casación interpuesto por el Consejo al contrario de lo que recomiendan las conclusiones de la abogada general. La cuestión que se está analizando en este punto de nuestro estudio, no obstante, no es discrepante, aunque el TJ no se pronuncia tan detalladamente sobre ella.

747 Cursiva incluida por la abogada general Sharpston.

748 Conclusiones de la abogada general Sharpston, Consejo/Liberation Tigers of Tamil Eelam (*LTTE*), C-599/14 P, ya citadas, apartado 62.

La abogada general entiende, por lo tanto, que hay una presunción de que en los Estados miembros se respetan los derechos de defensa y de tutela judicial efectiva. Esto lleva a que, en las designaciones en el marco de la Posición Común 2001/931, baste con indicar la decisión de la autoridad competente nacional de un Estado miembro sobre la que se basa la designación.

El propio TG posteriormente también encuadra este reconocimiento dentro del principio de cooperación leal «en virtud del cual el Consejo debe basar la inclusión de personas o de entidades terroristas en las listas de congelación de fondos en decisiones adoptadas por las autoridades nacionales, sin estar obligado a cuestionarlas o sin siquiera poder hacerlo»[749]. Esto se extiende no solo a decisiones judiciales condenatorias, sino también a aquellas de trámite o procedimentales.

En el mencionado asunto *Hamas*, por ejemplo, el TG sí reconoce la validez de las designaciones por haberse basado en una decisión de un tribunal británico (en ese momento aún Estado miembro de la UE) mientras que desecha como base válida unas decisiones de las autoridades estadounidenses por no haber el Consejo incluido en los actos jurídicos explicación relativa al hecho de que había comprobado el respeto a los derechos de defensa y de tutela judicial efectiva. Esto ya es una carencia suficiente para el Tribunal, que ni siquiera entra a valorar si esas decisiones de un tercer Estado cumplirían los requisitos. *A priori* podría parecer difícil ya que dichos actos solo estaban publicados en el Registro Federal y adolecían de una ausencia de motivación y de notificación por lo que menoscaban el derecho a la tutela judicial efectiva de la demandante[750]. Finalmente, el TJ[751] en casación anuló la sentencia del TG al estimar que este último había incurrido en un error de Derecho basado en la falta de autenticación de las exposiciones de motivos de los actos controvertidos[752] y no

---

749 Sentencia del Tribunal General de 4 de septiembre de 2019, Hamas/Consejo, T-308/18, ya citada, apartado 129.

750 *Ibid.*, apartados 52-77.

751 Sentencia del Tribunal de Justicia (Gran Sala) de 23 de noviembre de 2021, Consejo/Hamás, C-833/19 P, ECLI:EU:C:2021:950.

752 Para un análisis de esta cuestión, véase, CHALLET, C. (2021). Op-Ed.: All ends well for the Council: Lack of signature of the statement of reasons for sanctions

entró a pronunciarse sobre la cuestión de si las decisiones estadounidenses podían servir como base de la designación de la UE.

En el asunto más reciente *PKK*[753] el TJ en casación sí entra a examinar la materia, ratifica los principios establecidos en la jurisprudencia *LTTE* y reorienta la sentencia del TG[754] que establecía una línea jurisprudencial un tanto más exigente con el Consejo. Es reseñable que es el TJ el que tiene una posición más laxa con respecto a las exigencias que el TG ha tratado de ir estableciendo, habiendo de cumplir estas con un mayor rigor conforme se ha ido definiendo y desarrollando la jurisprudencia.

El TG pedía que, tras una declaración unilateral de alto el fuego en 2009 de la entidad designada, se hubiera actualizado la motivación con datos más recientes que probaran que seguía existiendo un riesgo terrorista, a pesar de que las decisiones nacionales (de Reino Unido y de Estados Unidos) sobre las que se había basado esta designación continuaran vigentes. Tampoco había el Consejo, a los ojos del TG, aportado de manera suficiente otros elementos adicionales, al margen de las decisiones nacionales, que pudieran justificar ese mantenimiento en las listas[755].

Esta idea de los elementos adicionales es otra muestra de cómo el TG intentó ir un poco más allá. Si tomamos literalmente el art. 1.4 de la Posición Común 2001/931, este dice que «la lista [...] se confeccionará sobre la base de informaciones concretas o de elementos del expediente que muestren que una autoridad competente ha adoptado una decisión [...]». Igualmente, también se refiere a las designaciones que provengan de RCSNU. Sin embargo, no dice nada con respecto a que bajo este régimen (recordemos que es un régimen autónomo de la UE) se puedan adoptar también designaciones basa-

---

is not a valid ground for annulment. *EU Law Live* [blog], 1-12-2021. Disponible en: https://eulawlive.com/op-ed-all-ends-well-for-the-council-lack-of-signature-of-the-statement-of-reasons-for-sanctions-is-not-a-valid-ground-for-annulment-by-celia-challet/.

753 Sentencia del Tribunal de Justicia de 22 de abril de 2021, Consejo/Kurdistan Workers' Party (PKK), C-46/19 P, ya citada.

754 Sentencia del Tribunal General de 15 de noviembre de 2018, Kurdistan Workers'Party (PKK)/Consejo, T-316/14, ECLI:EU:T:2018:788.

755 *Ibid.*, apartados 72-79 y 95-115.

das en una evaluación propia sin pasar por una decisión previa de un Estado miembro. No obstante, la jurisprudencia, como se puede observar, sí ha ido reconociendo la necesidad de que en ese «segundo nivel» también haya que llevar a cabo una cierta labor para completar tanto motivación como prueba. Es decir, el Tribunal entiende que el Consejo ha de tener una labor más activa con respecto a la prueba y a la constatación fáctica de los hechos. Anteriormente, esta labor de información adicional solo se había reconocido con respecto a las renovaciones de los listados que caen bajo el art. 1.6 de la Posición Común referida. Por ejemplo, en un asunto *Hamas*[756] anterior, ya lo dejó claro el TJ.

Asimismo, también en el asunto *PKK sub examine*, el TG precisa la condición de la obligación de actualizar o completar la información para justificar un mantenimiento en la lista. Esta condición subyacía en la sentencia *LTTE*[757] pero no está expresada de forma tan clara. Para el TJ, el Consejo debe señalar en la exposición de motivos elementos que permitan entender que «examinó efectivamente y trató de acreditar que los hechos alegados están fundados». Continúa, «el Consejo tampoco ha aportado durante el procedimiento elementos que acrediten que tales hechos están fundados». También explica que el Consejo no se puede limitar a repetir lo establecido por una decisión nacional, sino que él mismo tiene que examinar su fundamento y tiene que llevar a cabo una verificación («que permita al Tribunal en último caso ejercer su control sobre la exactitud material de los hechos alegados»)[758]. Más adelante, vuelve a repetir que «el Consejo no puede limitarse, [...], a repetir los motivos de una decisión de una autoridad competente, sin examinar él mismo su fundamento, máxime cuando la decisión en cuestión no ha sido adoptada por una autoridad competente de un Estado miembro»[759].

---

756 Sentencia del Tribunal de Justicia (Gran Sala) de 26 de julio de 2017, Consejo/Hamás, C-79/15 P, ECLI:EU:C:2017:584, apartados 40 y 50.

757 Sentencia del Tribunal de Justicia (Gran Sala) de 26 de julio de 2017, Consejo/Liberation Tigers of Tamil Eelam (*LTTE*), C-599/14 P, ya citada, apartado 71.

758 Sentencia del Tribunal General de 15 de noviembre de 2018, Kurdistan Workers'Party (PKK)/Consejo, T-316/14, ya citada, apartado 105.

759 *Ibid.*, apartado 109.

Sin embargo, el TJ anula la sentencia del TG recurrida por el Consejo —con Francia y Países Bajos como coadyuvantes— precisamente porque se había calificado como falta de motivación un problema que, a ojos del TJ, se deriva en realidad de las pruebas aportadas[760], o, más bien, de la falta de ellas. Este asunto es una manifestación más de la fina línea que separa ambas cuestiones. Por ello, se declaró la anulación de la sentencia, pero se devolvió la cuestión al TG para que la resolviera. En esta oportunidad, el TG ha hecho un esfuerzo por sistematizar cuáles son las exigencias a la hora de verificar la existencia de datos que lleven a un mantenimiento de las designaciones[761]. Sin embargo, a nuestros ojos, se sigue vinculando de manera algo confusa las obligaciones que le corresponden al Consejo bajo la obligación de motivación y bajo la obligación de la comprobación y aportación de pruebas que sustenten la justificación de la prolongación de las medidas.

Con independencia de que sería beneficioso tener un criterio técnico más riguroso, como indica CHALLET[762], es también interés en definitiva de los Estados miembros el retener cierto margen de discrecionalidad y margen de apreciación con respecto a las listas terroristas. Este margen que indicábamos que existía a la hora de inscribir por primera vez, también debería mantenerse a la hora de llevar a cabo las revisiones. El equilibrio está entre una obligación impuesta al Consejo para que esa verificación sea real y las limitaciones evidentes para poder llevarla a cabo de manera eficaz. De nuevo, volvemos a la dificultad de obtención y verificación de la prueba que, como anunciábamos, puede convertirse en el elemento central del contencioso de las medidas restrictivas.

---

760 Sentencia del Tribunal de Justicia de 22 de abril de 2021, Consejo/Kurdistan Workers' Party *(PKK)*, C-46/19 P, ya citada, apartados 62-67 y 83-92.

761 Sentencia del Tribunal General de 30 de noviembre de 2022, Kurdistan Workers'Party (PKK)/Consejo, asuntos acumulados T-316/14 RENV y T-148/19, ya citada, apartados 147-155.

762 CHALLET, C. (2021). Op.-Ed.: Court of Justice confirms Council's reliance on decisions of national authorities in order to renew counter-terrorism sanctions against the PKK. *EU Law Live* [blog], 26-04-2021. Disponible en: https://eulawlive.com/op-ed-court-of-justice-confirms-councils-reliance-on-decisions-of-national-authorities-in-order-to-renew-counter-terrorism-sanctions-against-the-pkk-by-celia-challet/.

Por último, tal y como se ha podido observar, la presunción de cooperación leal y de confianza mutua que existe entre la UE y los Estados miembros y entre los Estados miembros entre ellos no opera con respecto a terceros Estados por lo que el celo que se le exige al Consejo a la hora de considerar si esos derechos han sido respetados es mucho mayor. Basándonos en el estudio que hace la abogada general SHARPSTON[763] sobre esta cuestión, no solo bastaría con nombrar la decisión de la autoridad sobre la que se basa, sino que también hay que justificar que se ha procedido a este examen de comprobación de cumplimiento del derecho de defensa y de tutela judicial efectiva. Este enfoque que ya desarrollaba la abogada general de forma tan clara se ha convertido en una exigencia posterior del TJUE al Consejo, como veremos a continuación, y que supone el auténtico talón de Aquiles de una tipología de regímenes de medidas restrictivas como son los —así llamados en la jerga de la UE— regímenes por malversación.

2. *El sistema de doble nivel en los regímenes por malversación: del asunto LTTE a la revolución de la jurisprudencia Azarov*[764]

La problemática creada en torno al error de apreciación sobre las designaciones que se apoyan en decisiones de terceros Estados fue durante muchos años propia de los listados por terrorismo. Sin embargo, fruto de las revoluciones populares en Egipto y en Túnez en 2011 y en Ucrania en 2014, el Consejo adoptó sendos marcos de sanciones[765] cuya técnica consiste en hacer designaciones con base

---

763 Conclusiones de la abogada general Sharpston, Consejo/Liberation Tigers of Tamil Eelam (*LTTE*), C-599/14 P, ya citadas, apartados 65-67.

764 Sentencia del Tribunal de Justicia de 19 de diciembre de 2018, Mykola Yanovych Azarov/Consejo, C-530/17 P, ECLI:EU:C:2018:1031.

765 Decisión 2011/172/PESC del Consejo, de 21 de marzo de 2011, relativa a las medidas restrictivas dirigidas contra determinadas personas, entidades y organismos habida cuenta de la situación en Egipto, ya citada; Decisión 2011/72/PESC del Consejo, de 31 de enero de 2011, relativa a medidas restrictivas dirigidas contra determinadas personas y entidades habida cuenta de la situación en Túnez, ya citada; y Decisión 2014/119/PESC del Consejo, de 5 de marzo de 2014, relativa a medidas restrictivas dirigidas contra determinadas personas, entidades y organismos habida cuenta de la situación en Ucrania (DO L 66 de 6.3.2014, p. 26).

en las informaciones provenientes de los países respectivos. El Tribunal ha jugado un papel muy destacado en la modelación, evolución y tendencia a desaparición de los mismos. Es, posiblemente, uno de los campos en los que el TJUE más ha influido en la forma de adoptar sanciones del Consejo.

Aunque ha sido en el régimen ucraniano donde la jurisprudencia tuvo la oportunidad de marcar un cambio de rumbo, sus efectos se han visto con mayor claridad, si cabe, en el caso tunecino y en el egipcio. Hasta 2018, el Tribunal desestimó todos los recursos de anulación que se dieron en estos regímenes. Sin embargo, el asunto *Azarov* de diciembre de 2018 marcó un punto de inflexión.

Mykola Azarov, primer ministro de Ucrania hasta enero de 2014, fue incluido en las designaciones del régimen creado en 2014, habida cuenta de la situación en Ucrania. La motivación de la designación se sustanciaba en los siguientes términos: «persona incursa en una causa penal ante las autoridades ucranianas por apropiación indebida de fondos o activos públicos». El 5 de marzo de 2014, tras la conocida popularmente como la «revolución de Maidán» o «revolución naranja», el Consejo aprobó la adopción de un régimen de medidas restrictivas[766] que tenía como objetivo «concentrar las medidas restrictivas en la inmovilización y recuperación de activos de personas identificadas como responsables de la apropiación indebida de fondos del Estado ucraniano y de personas responsables de violaciones de los derechos humanos con vistas a la consolidación y apoyo del Estado de Derecho y el respeto de los derechos humanos en Ucrania»[767]. Estas medidas solo conllevaban la congelación de activos y la prohibición de puesta a disposición de fondos.

El designado interpuso un recurso de anulación ante el TG que fue desestimado[768]. Tras ello, interpuso un recurso de casación sobre

---

766 Decisión 2014/119/PESC del Consejo, de 5 de marzo de 2014, *vid. supra*; y Reglamento (UE) nº 208/2014 del Consejo de 5 de marzo de 2014, relativo a las medidas restrictivas dirigidas contra determinadas personas, entidades y organismos habida cuenta de la situación en Ucrania (DO L 66 de 6.3.2014, pp. 1-10).

767 Considerando 2 de la Decisión y considerando 4 del Reglamento

768 Sentencia del Tribunal General de 7 de julio de 2017, Mykola Yanovych Azarov/ Consejo (*Azarov II*), T-215/15, ECLI:EU:T:2017:479.

cinco motivos casacionales, de los cuales, se tuvo en cuenta el quinto referido a un error manifiesto de apreciación al adoptar los actos impugnados.

Como indica la motivación, el Sr. Azarov había sido designado por estar incurso en una causa penal ante las autoridades de un tercer Estado por una supuesta apropiación de fondos indebida. Esta información, por lo tanto, se basa en un hecho que proviene de la Administración ucraniana. El TJ en casación estima que «por lo que atañe a una decisión de una autoridad de un Estado tercero de esas características, incumbe al Consejo comprobar, antes de basarse en ella, si en su adopción se respetaron el derecho de defensa y el derecho a la tutela judicial efectiva», aplicando la jurisprudencia reciente, que acabamos de examinar y que hasta ese momento solo se había circunscrito a regímenes de sanciones relativos a terrorismo, en concreto, la jurisprudencia *LTTE*[769]. El TJ recuerda que cuando se adoptan medidas restrictivas, el Consejo está obligado a salvaguardar los derechos fundamentales de los afectados, en concreto el derecho de defensa y el derecho a la tutela judicial efectiva[770].

En el caso de medidas que además se basan en información proveniente de terceros Estados, eso exige que las designaciones se hagan sobre una base fáctica suficientemente sólida y se garantice que, en ese tercer Estado, para llegar a ello, se hayan cumplido con los derechos de defensa y el derecho a la tutela judicial efectiva y «el Consejo está obligado a presentar, aunque sea de manera sucinta, las razones por las que considera que en la adopción de la decisión del Estado tercero en la que pretende basarse se respetaron tanto el derecho de defensa como el derecho a la tutela judicial efectiva»[771].

Esta jurisprudencia ha llevado a numerosas sentencias estimatorias basándose en los mismos problemas con respecto a un error manifiesto de apreciación. Aunque el Consejo ha tratado de motivar con mejores argumentos y añadir disposiciones en los actos jurídicos que indiquen cómo se cumple con los requisitos de respeto de los

---

769 Sentencia del Tribunal de Justicia (Gran Sala) de 26 de julio de 2017, Consejo/Liberation Tigers of Tamil Eelam (*LTTE*), C-599/14 P, ya citada.

770 Sentencia del Tribunal de Justicia de 19 de diciembre de 2018, Mykola Yanovych Azarov/Consejo, C-530/17 P, ya citada, apartado 27.

771 *Ibid.*, apartado 29.

derechos de defensa y el derecho a la tutela judicial efectiva, en la mayor parte de los casos no ha sido suficiente, y la gran mayoría de los asuntos finaliza en anulación.

En el caso del régimen de medidas restrictivas dirigidas contra determinadas personas, entidades y organismos habida cuenta de la situación en Egipto, estas estuvieron vigentes durante diez años entre 2011 y 2021[772] y se revocaron al haber entendido el Consejo que el régimen había cumplido su objetivo[773]. En lo que se refiere a la evolución de los asuntos, habría que destacar la existencia de una excepcional anulación inicial previa a la jurisprudencia *Azarov*. Se trata del asunto *Ezz et al. I*[774] que analizaremos unas líneas más abajo.

En el caso de las medidas restrictivas dirigidas contra determinadas personas y entidades habida cuenta de la situación en Túnez, inicialmente hubo dos sentencias excepcionales también previas que anularon las designaciones: el asunto *Al Matri I*[775] y el asunto *Mehdi Ben Ali I*[776]. A título de ilustración, en el asunto *Al Matri I*, el TG determinó que, efectivamente, no se cumplía con los requisitos que establece la decisión[777] correspondiente en el art. 1.1 para las designaciones (personas responsables de malversación de fondos públicos tunecinos y a las personas físicas o jurídicas o entidades vinculadas a aquellas que se enumeran en el anexo) ya que la motivación solo

---

772 El régimen de sanciones fue establecido por la Decisión 2011/172/PESC, de 21 de marzo, relativa a las medidas restrictivas dirigidas contra determinadas personas, entidades y organismos habida cuenta de la situación en Egipto (DO L 76 de 22.3.2011, pp. 63-67) y derogado por la Decisión (PESC) 2021/449 del Consejo de 15 de marzo de 2021, (DO L 87 de 15.3.2021, p. 46).

773 Consejo de la Unión Europea (2021). *Egipto: la UE revoca el marco de sanciones y retira a nueve personas de la lista*, Comunicado de prensa, 12-03-2021. Disponible en: https://www.consilium.europa.eu/es/press/press-releases/2021/03/12/egypt-eu-revokes-sanctions-framework-and-delists-9-people/.

774 Sentencia del Tribunal General de 27 de febrero de 2014, Ahmed Abdelaziz Ezz *et al.*/Consejo (*Ezz et al. I*), T-256/11, ECLI:EU:T:2014:93.

775 Sentencia del Tribunal General de 28 de mayo de 2013, Fahed Mohamed Sakher Al Matri/Consejo (*Al Matri I*), T-200/11, ECLI:EU:T:2013:275.

776 Sentencia del Tribunal General de 2 de abril de 2014, Mehdi Ben Tijani Ben Hamda Ben Haj Hassen Ben Ali/Consejo *(Mehdi Ben Ali I)*, T-133/12, ECLI:EU:T:2014:176.

777 Decisión 2011/72/PESC del Consejo, de 31 de enero de 2011, relativa a medidas restrictivas dirigidas contra determinadas personas y entidades habida cuenta de la situación en Túnez, ya citada.

hace referencia a «persona que es objeto de una investigación judicial por parte de las autoridades tunecinas por adquisición de bienes muebles e inmuebles, apertura de cuentas bancarias y posesión de bienes en varios países en el marco de operaciones de blanqueo de capitales» en la decisión de ejecución[778] por la que se le incluye como designado. De acuerdo con los documentos que obraban en manos del Consejo en el momento de la designación, el TG estimó que no había ninguna prueba de que esta persona hubiera sido directamente vinculada con la malversación de fondos[779]. Todos los recursos siguientes[780] en el marco del régimen tunecino fueron desestimados hasta el momento en el que se cambió la posición del TJUE con el asunto *Azarov*.

Si la jurisprudencia *Azarov* es clave para homogeneizar el umbral de exigencia del sistema de doble nivel aplicado a los listados terroristas a otro tipo de regímenes, sería necesario destacar cómo también el TG ha tenido la oportunidad de identificar las dificultades jurídicas que se derivan de los problemáticos «regímenes por malversación», dentro del dominio del error de apreciación.

En este sentido, es necesario destacar dos asuntos relacionados *con Ezz et al.* El primero[781] llegó a ser objeto de recurso de apelación

778 Decisión de ejecución 2011/79/PESC del Consejo, de 4 de febrero de 2011, por la que se aplica la Decisión 2011/72/PESC relativa a medidas restrictivas dirigidas contra determinadas personas y entidades habida cuenta de la situación en Túnez (DO L 31 de 5.2.2011, pp. 40-47).

779 Sentencia del Tribunal General de 28 de mayo de 2013, Fahed Mohamed Sakher Al Matri/Consejo (*Al Matri I*), T-200/11, ya citada, apartado 66.

780 Sentencia del Tribunal General de 30 de junio de 2016, Fahed Mohamed Sakher Al Matri/Consejo (*Al Matri II*), T-545/13, ECLI:EU:T:2016:376; sentencia del Tribunal General de 14 de abril de 2016, Mehdi Ben Tijani Ben Haj Hamda Ben Haj Hassen Ben Ali/Consejo (*Mehdi Ben Ali II*), T-200/14, ya citada; sentencia del Tribunal General de 5 de octubre de 2017, Sirine Bent Zine El Abidine Ben Haj Hamda Ben Ali/Consejo, T-149/15, ECLI:EU:T:2017:693; sentencia del Tribunal General de 5 de octubre de 2017, Mohamed Marouen Ben Ali Ben Mohamed Mabrouk/Consejo (*Mabrouk I*), T-175/15, ya citada; y sentencia del Tribunal General de 15 de noviembre de 2018, Mohamed Marouen Ben Ali Ben Mohamed Mabrouk/Consejo (*Mabrouk II*), T-216/17, ECLI:EU:T:2018:779.

781 Sentencia del Tribunal General de 27 de febrero de 2014, Ahmed Abdelaziz Ezz *et al.*/Consejo (*Ezz et al. I*), T-256/11, ya citada.

ante el TJ[782], donde se reitera la decisión desestimatoria del TG. Interesante es la interpretación que se hace de las disposiciones de los actos jurídicos controvertidos al explicar que el artículo «en virtud del cual se inmovilizarán todos los capitales y recursos económicos de las personas o entidades identificadas como responsables de malversación de fondos públicos egipcios, debe interpretarse en el sentido de que permite apreciar la existencia de procedimientos judiciales conexos con una persecución penal por malversación de fondos públicos como fundamento de las medidas restrictivas, sin que sea necesario definir una participación individual de la persona afectada»[783].

Un punto destacable de este asunto, juzgado sin conclusiones del abogado general, es que la defensa de los recurrentes en algunos puntos se refiere a una especie de asimetría entre las decisiones del fiscal general egipcio y el automatismo replicado de la congelación de activos en forma de medidas restrictivas por parte de la UE. Incluso, se llega a decir explícitamente que lo que pide Egipto es una cooperación en materia judicial para garantizar la conservación de esos activos cuyo origen estaba bajo sospecha de haber sido obtenidos por malversación. Esta idea nos da algunas claves para entender el problema de este tipo de regímenes de medidas restrictivas, ya que parece que, en realidad, lo que se busca es una obligación de resultado, es decir, lo importante es controlar y congelar esos activos en el exterior como apoyo a los procesos judiciales internos.

Esta idea la conjuga el Consejo, —y el Tribunal al realizar el control de legalidad—, con el pretendido objetivo de las medidas expresadas en los considerandos 1 y 2 de la decisión[784]: «apoyar la transición pacífica y ordenada a un gobierno civil y democrático en Egipto basado en el [E]stado de [D]erecho, con pleno respeto de los derechos humanos y libertades fundamentales, así como su respaldo a los esfuerzos en favor de la creación de una economía que mejore la cohesión social y favorezca el crecimiento». Para ello, se adoptan

---

782 Sentencia del Tribunal de Justicia de 5 de marzo de 2015, Ahmed Abdelaziz Ezz *et al.*/Consejo, C-220/14 P, ECLI:EU:C:2015:147.

783 *Ibid.*, apartado 84.

784 Decisión 2011/172/PESC del Consejo, de 21 de marzo de 2011, relativa a las medidas restrictivas dirigidas contra determinadas personas, entidades y organismos habida cuenta de la situación en Egipto, ya citada.

«medidas restrictivas contra las personas que han sido identificadas como responsables de malversación de fondos públicos egipcios, que privan por tal motivo al pueblo de Egipto de las ventajas del desarrollo sostenible de su economía y de su sociedad y menoscaban el desarrollo de la democracia en ese país».

GARLICK[785], aunque defensor de la posición del TJ, se hace eco de algunas de las críticas expresadas con respecto a este tipo de sanciones en el que algunos verían al Consejo arrogarse funciones de juez penal al imponer este tipo de medidas restrictivas. Desde nuestro punto de vista, esta visión quizá es un poco exagerada puesto que las medidas restrictivas no equivalen a medidas penales, a pesar de su dureza. No obstante, se constata la confusión de utilizar, en definitiva, una herramienta PESC para lograr lo que en realidad se podría alcanzar con una cooperación en el ámbito judicial penal, aunque es cierto que el objetivo final que se busca con las medidas sí pudiera recaer también bajo el paraguas de los objetivos de la PESC[786].

El enfoque se repite en *Ezz et al. II*[787], donde el TG llega a decir expresamente: «en el marco de la cooperación con las autoridades egipcias, no corresponde al Consejo, en principio, apreciar la exactitud y la pertinencia de los elementos en los que se fundamentan los procedimientos judiciales en Egipto [...], pues esa apreciación corresponde a dichas autoridades»[788]. Como mucho, reconoce el TG, «el Consejo puede verse obligado, en particular, a la vista de las observaciones del demandante, a solicitar a esas mismas autoridades aclaraciones sobre tales elementos si dichas observaciones lo llevan a dudar sobre la suficiencia de las pruebas que ya se han aportado»[789].

En otro punto, el TG también incide en que «a la vista del conjunto de informaciones de que disponía en esa fecha, el Consejo podía,

---

785 GARLICK, P. (2015). The *Ezz* Case: what is All the Fuss About? *New Journal of European Criminal Law*, 6 (3), pp. 308-310.

786 Profundiza en esta idea un artículo de CROSBY. *Cf.* CROSBY, S. (2015). The *Ezz* case: Some Critical Observations. *New Journal of European Criminal Law*, 6 (3), 316-323.

787 Sentencia del Tribunal General de 27 de septiembre de 2018, Ahmed Abdelaziz Ezz *et al.*/Consejo (*Ezz et al. II*), T-288/15, ya citada.

788 *Ibid.*, apartado 66.

789 *Id.*

con razón, considerar que contaba con suficientes datos para llegar a la conclusión de que, por una parte, las vulneraciones de los derechos fundamentales [...] que se habían alegado, suponiéndolas probadas, no podían influir en el curso de los procedimientos penales en cuestión, y de que, por otra parte, no existían motivos legítimos para temer que el resultado de dichos procedimientos penales pudiera resultar alterado por tales vulneraciones en una fase posterior. Por consiguiente, el Consejo podía presumir, razonablemente, basándose en esos elementos, que dichos procedimientos penales eran fiables, sin necesidad de dirigirse a las autoridades egipcias para realizar otras comprobaciones complementarias a este respecto»[790]. De esta manera, el TG niega que el Consejo se basara en «una presunción *iuris et de iure* de que las autoridades egipcias habían respetado esos derechos y que vulnerara su obligación de garantizar ese respeto, especialmente, en relación con los derechos consagrados por los arts. 47 y 48 de la Carta»[791].

También en el marco de este régimen egipcio encontramos ejemplos de jurisprudencia relevante en la que el Tribunal ha evolucionado con respecto a su jurisprudencia y ha ido aumentando las exigencias de comprobación de la prueba que pone al Consejo. Así, en el asunto *Saleh Tabet et al*[792]., el TJ en casación, decide, en un asunto conjunto sobre la apelación de dos sentencias del TG[793], que procede anular los listados que afectaban a los designados. Siguiendo con la jurisprudencia ya establecida y explicada en este sentido, el TJ enumera varias conclusiones[794]. En primer lugar, insiste en la obligación del TG de verificar si el Consejo ha comprobado la observación de

---

790 *Ibid.*, apartado 227.

791 *Ibid.*, apartado 232.

792 Sentencia del Tribunal de Justicia de 3 de diciembre de 2020, Suzanne Saleh Thabet *et al.*/Consejo, asuntos acumulados C-72/19 P y C-145/19 P, ECLI:EU:C:2020:992.

793 Son la sentencia del Tribunal General de 22 de noviembre de 2018, Suzanne Saleh Thabet *et al.*/Consejo, asuntos acumulados T-274/16 y T-275/16, *vid. supra*; y la sentencia del Tribunal General de 12 de diciembre de 2018, Mohamed Hosni Elsayed Mubarak/Consejo, T-358/17, ECLI:EU:T:2018:905.

794 Sentencia del Tribunal de Justicia de 3 de diciembre de 2020, Suzanne Saleh Thabet *et al.*/Consejo, asuntos acumulados C-72/19 P y C-145/19 P, ya citada, apartados 43-45.

los derechos de defensa y de tutela judicial efectiva por parte de las autoridades egipcias en las decisiones nacionales que sirven como base a las designaciones. En segundo lugar, explica que el Consejo no puede limitarse a trasladar información sobre estos aspectos dada por las autoridades egipcias, sino que tiene que llevar a cabo una comprobación ulterior autónoma. En tercer lugar, indica que esta comprobación ha de hacerse sin perjuicio de que los demandantes intenten demostrar durante el proceso deficiencias en el respeto a dichos derechos. Todo esto al basarse en que es el Consejo el que tiene que demostrar que la designación está fundamentada y no exigir que sea el demandante el que tenga que demostrar que no es así, siguiendo un esquema clásico de que la prueba de la legalidad de la designación le corresponde a la autoridad responsable y que ya se había recalcado en jurisprudencia anterior[795].

A soluciones similares se ha llegado con el asunto reciente *Gamal Mubarak et al*[796]. En tres de estas designaciones, en concreto, se puede observar cómo el Consejo modificó las motivaciones y las hizo más completas en la revisión anual que resultó en actos jurídicos de 21 de marzo 2018. Asimismo, en la revisión de 2019 (post asunto *Azarov*), el Consejo añadió una parte B al anexo de la decisión referido a los «derechos de defensa y de tutela judicial efectiva en el derecho egipcio» con dos subsecciones dedicadas respectivamente a «los derechos de defensa y el derecho a la tutela judicial efectiva» y a la «aplicación de los derechos de defensa y el derecho a la tutela judicial efectiva», desglosando la situación de los designados (excepto de uno cuya actualización en este sentido se realizó en 2020). También,

---

795 Sentencia del Tribunal de Justicia (Gran Sala) de 18 de julio de 2013, Comisión Europea y otros contra Yassin Abdullah Kadi *(Kadi II)*, asuntos acumulados C-584/10 P, C-593/10 P y C-595/10 P, ya citada, apartado 121; sentencia del Tribunal de Justicia de 28 de noviembre de 2013, Consejo/Fulmen y Fereydoun Mahmoudian, C-280/12 P, ya citada, apartado 66; sentencia del Tribunal de Justicia de 19 de diciembre de 2018, Mykola Yanovych Azarov/Consejo, C-530/17 P, ya citada, apartado 39; y sentencia del Tribunal de Justicia de 11 de julio de 2019, Mykola Yanovych Azarov/Consejo, C-416/18 P, ECLI:EU:C:2019:602, apartado 40.

796 Sentencia del Tribunal General de 6 de abril de 2022, Gamal Mohamed Hosni Elsayed Mubarak *et al.*/Consejo, asuntos acumulados T-335/18, T-338/18 y T-327/19, ya citada.

durante el procedimiento, se hace referencia a los cuestionarios enviados por el SEAE a las autoridades egipcias para intentar completar la información necesaria para apuntalar mejor esas designaciones y la comprobación del respeto de los derechos mencionados. Independientemente de estos detalles, lo más relevante es tener en cuenta cómo el Consejo trató de materializar la jurisprudencia *Azarov* buscando demostrar que se había incorporado este análisis sobre estos dos derechos fundamentales a la hora de renovar las designaciones correspondientes. A pesar de ello, este esfuerzo ha sido insuficiente a los ojos de los jueces de Luxemburgo. El TG vuelve a repetir que una simple referencia por parte del Consejo a los documentos aportados por las autoridades egipcias explicando la observación de los derechos de defensa y de tutela judicial efectiva no es suficiente[797].

Además, como novedad en este tipo de asuntos, el TG se detiene para hacer un repaso compilatorio del contenido de estos derechos, haciendo referencias no solo a jurisprudencia propia, sino también del TEDH. Así, se refiere al derecho a tener un juicio justo que comprende el principio de igualdad de armas y un procedimiento contradictorio, al derecho a poder obtener un remedio efectivo ante un tribunal independiente e imparcial y al derecho al recurso de las decisiones jurídicamente vinculantes que tienen efectos sobre los derechos y libertades de la persona. También explica que, de acuerdo con la jurisprudencia de Estrasburgo, los errores de hecho o Derecho solo conducen a una anulación si las decisiones se consideran arbitrarias, manifiestamente irrazonables o conducen a una negación de justicia. Por último, se hace referencia al derecho a ser juzgado en un periodo de tiempo razonable, de acuerdo con las circunstancias del caso y de su complejidad[798].

De nuevo, en esta sentencia, el TG llega a la conclusión de que el Consejo no ha cumplido, o lo ha hecho de manera insuficiente o inadecuada, con la obligación de verificar por sí mismo si las autoridades egipcias habían respetado los derechos de defensa y de tutela judicial efectiva. En este ámbito, un elemento destacable de este asunto es que el TG, por primera vez en el sentido del detalle que

---

797 *Ibid.*, apartado 56.
798 *Ibid.*, apartados 59-63.

aporta, intenta responder a la pregunta de cómo tiene que ser esa actividad de comprobación ulterior por parte del Consejo.

Ante el argumento del Consejo de que no cuenta con los medios para llevar a cabo una revisión completa de todos los aspectos de los procedimientos penales, el TG dice que el Consejo se podría haber basado tanto en la información transmitida por las autoridades egipcias en los cuestionarios enviados, en las pruebas y datos aportados por los recurrentes —en tanto en que constituyesen pruebas objetivas, fiables, específicas y actualizadas—, así como las referencias del derecho nacional y en varios informes y documentos en relación con los procedimientos producidos tanto por las autoridades como por los designados. Continúa el TG que el Consejo puede complementar las pruebas con informes y otros documentos redactados por las instituciones de la UE o por otros servicios, especialmente el SEAE, pero también por los Estados miembros, por organizaciones internacionales o por ONGs[799].

En definitiva, al igual que con los asuntos de terrorismo, los jueces del TJUE creen que el Consejo sí puede hacer más para complementar la información que viene de autoridades de terceros Estados a pesar de las evidentes limitaciones de no tener poder de investigación, como tal, con carácter extraterritorial. Esta jurisprudencia nos pone de manifiesto varias cuestiones a modo de conclusión.

En primer lugar, un afán de homogeneización del tratamiento de las medidas restrictivas y de los principios que su diseño y adopción deben respetar, con independencia de la naturaleza del ilícito al que respondan, sea terrorismo, malversación de fondos o, quizá, en el futuro lo veamos aplicado a otro tipo de regímenes. No obstante, como se observó con la sentencia del recurso de casación del *PKK*, también de 2021, el TJ en las sanciones terroristas ha tomado una posición ligeramente menos exigente con respecto al Consejo de lo que inicialmente buscó el TG al exigir un mayor esfuerzo en la sustanciación de la prueba.

Más allá del primer asunto *Azarov* del 2018 y de los recursos por casación que había pendientes previos a la publicación de dicha sentencia, no ha habido casos nuevos en los regímenes de malversación

---

799 *Ibid.*, apartados 168 y 169.

que hayan llegado en casación al TJ. Quizá podría haber sido una oportunidad para matizar los requisitos que se le están exigiendo al Consejo cuando basa sus medidas restrictivas, relacionadas con malversación de fondos públicos, en las decisiones de terceros Estados.

Otra razón para esta diferencia podría ser que, aunque desde el plano del análisis se ha querido homogeneizar las exigencias de los regímenes por terrorismo con las exigencias por los regímenes por malversación, el valor político de los regímenes y los hechos sobre los que se reacciona son diferentes. Tampoco son iguales los intereses de la Unión que están en juego. Aunque estas son cuestiones subyacentes, cuasi ideológicas, que no permean a las sentencias, es un sustrato que de manera innegable determina el desarrollo de los regímenes y los resultados que existen sobre su control. Es otra prueba más de que los jueces de Luxemburgo forman parte de una dinámica —con cierto grado de activismo— que enriquece el sistema de la UE.

En segundo lugar, es una muestra clara de cómo los pronunciamientos del TJUE han modificado la forma de diseñar las sanciones por parte del Consejo. Con las enmiendas introducidas en los textos jurídicos que hacen referencia al respeto de derechos, el Consejo trata de satisfacer y justificar de antemano para protegerse ante potenciales recursos.

En tercer lugar, se pone de manifiesto también la dificultad que tienen este tipo de regímenes dedicados a la malversación de fondos, de los que hoy solo se mantienen el de Ucrania y el de Túnez con muy pocas designaciones. Desde 2018, todos los recursos por anulación han sido estimados pese a los esfuerzos del Consejo para mejorar los actos jurídicos, para fundamentar más sólidamente las designaciones, así como depurando las listas y mejorando la cooperación con estos terceros Estados. Pese a ello, la explicación más clara es que estos regímenes tienen una naturaleza *sui generis* si los observamos desde el punto de vista de la naturaleza de las sanciones. No buscan ni constreñir, ni coaccionar, ni cambiar de comportamiento. Se utilizan más que por la causa de las sanciones, por su consecuencia.

Es decir, con ello se consigue la congelación provisional de activos que presuntamente han sido desviados de manera fraudulenta y, por ende, se utilizan con una finalidad conservadora de esos activos. Esto se observa, aun de manera más clara, con las recientes modificaciones que se han realizado en los actos jurídicos del régimen sobre Túnez, donde se adoptan disposiciones incluso en el caso de fallecimiento de la persona designada[800].

Si el fin es colaborar con las nuevas autoridades locales para que los fondos que hayan sido malversados en épocas anteriores no desa-

---

800 Otro hito en la naturaleza *sui generis* de estos regímenes es la modificación de los criterios de designación en el régimen habida cuenta de la situación en Túnez por la que se establecen disposiciones para mantener retenidos los haberes de las personas fallecidas. Esto se debe a que el objetivo es la recuperación de los activos congelados en Europa una vez que se finalicen los procedimientos judiciales en curso, sin posibilidad de que los herederos puedan hacer uso de los mismos. Se daba la circunstancia de que seis individuos de los que estaban listados habían fallecido y esto generaba un problema para mantenerlos listados y conseguir el objetivo que era conservar los activos controlados y congelados. Por ello, la forma de solventarlo ha sido a través de una modificación de los criterios de designación. En concreto, la Decisión (PESC) 2022/154 del Consejo de 3 de febrero de 2022 por la que se modifica la Decisión 2011/72/PESC relativa a medidas restrictivas dirigidas contra determinadas personas y entidades habida cuenta de la situación en Túnez (DO L 25 de 4.2.2022, pp. 18 y 19), a través de su art. 1, se insertan los siguientes criterios de designación en el régimen:
«2 *bis*. Sin perjuicio de lo dispuesto en el artículo 5, en caso de fallecimiento de una de las personas enumeradas en el anexo:
a) cuando se haya dictado condena penal por malversación de fondos públicos contra dicha persona antes de su fallecimiento, los fondos y recursos económicos cuya propiedad, posesión, tenencia o control hubieran correspondido a esa persona continuarán inmovilizados hasta que se hayan ejecutado las órdenes judiciales relativas a la recuperación de los fondos públicos malversados y al pago de multas;
b) cuando no se haya dictado tal condena penal contra dicha persona antes de su fallecimiento, los fondos y recursos económicos cuya propiedad, posesión, tenencia o control hubieran correspondido a esa persona continuarán inmovilizados durante un plazo razonable, con sujeción a lo dispuesto en el apartado 4. Si dentro de ese plazo se interpone una acción civil o administrativa para la recuperación de los fondos públicos malversados, los fondos y recursos económicos cuya propiedad, posesión, tenencia o control hubieran correspondido a esa persona continuarán inmovilizados hasta que dicha acción se desestime o, en caso de que se estime, hasta que se haya ejecutado la orden judicial para la recuperación de los fondos malversados.
2 *ter*. El Consejo modificará la lista que figura en el anexo según sea necesario una vez haya determinado que han dejado de cumplirse las condiciones establecidas en el apartado 2 *bis* para mantener la inmovilización de los fondos y recursos económicos cuya propiedad, posesión, tenencia o control hubieran correspondido a la persona fallecida».

parezcan, parece que hay otras medidas más adecuadas, en ese caso, como pueden ser unos buenos acuerdos de cooperación judicial en materia civil y penal que faciliten el reconocimiento de las medidas cautelares de congelación de activos en terceros Estados o zonas —como la UE—. En el TFUE existe base jurídica para ello.

Otra manifestación adicional de la naturaleza especial de estos regímenes es que, cuando se produjo la salida de Reino Unido de la UE, estos fueron los únicos regímenes de sanciones que no fueron «transpuestos» a la nueva legislación británica que se fue adoptando para mantener las sanciones que, hasta ese momento, tenían como parte de la UE. Más tarde sí lo hicieron convirtiéndolos a un nuevo régimen por corrupción que tienen otros actores internacionales como Estados Unidos o Canadá. Parece un poco más lógica y coherente esta solución ya que al menos establecen una causa o un supuesto de hecho para la creación del régimen. No obstante, el hecho de que la corrupción sea una causa que pueda (o deba) ser tratada con sanciones nos genera numerosas dudas.

En cualquier caso, también se ha de señalar que, en toda la jurisprudencia analizada, el Tribunal nunca ha hecho una referencia al objetivo del régimen en sí. Esto es, nunca ha juzgado si es conforme a Derecho que el Consejo actúe dentro del ámbito de su Política Exterior con un objetivo de perseguir la malversación de fondos en terceros Estados. El núcleo de la jurisprudencia del TJUE ha versado sobre la forma en que se ha de definir la designación y los hechos que se utilizan para apuntalarla. Eso deja, sin duda, una salida al Consejo, puesto que el Tribunal no obstaculiza completamente la posibilidad de atacar este tipo de comportamientos en terceros Estados a través de medidas restrictivas.

En cuarto lugar, esta forma de articular las designaciones, establecer la motivación y aportar las pruebas resulta también interesante de analizar desde el punto de vista de la naturaleza de la prueba que estudiamos en este capítulo. Mientras que, como se ha repetido, el Consejo se ha limitado a utilizar fuentes de naturaleza abierta en aquellos expedientes que se conforman siguiendo el procedimiento que podríamos calificar de ordinario, cuando se utiliza este sistema de doble nivel, el Consejo sí confía en pruebas cuyo origen es una fuente no abierta. Se podría argumentar que esta situación de designación de doble nivel limita en parte la capacidad de defensa de los designados ya que solo pueden acogerse a argumentos casi procesales sobre cómo el Consejo se ha basado en una decisión de un tercero. En algunos casos, hemos visto que las motivaciones son mixtas en parte y se añaden también descripciones de, por ejemplo, las actividades terroristas de un designado en concreto. Si bien, esta motivación y pruebas no se analizan de forma aislada, sino que siempre se toman en consideración como información adicional[801] o como soporte de la decisión del tercero. En el caso de los regímenes de malversación, ni siquiera se ha entrado a estudiar elementos adicionales por lo que entendemos que, en los expedientes, las pruebas están estrictamente vinculadas a esa decisión del tercero.

Para el designado, la única forma de poder refutar la validez material de las pruebas vinculantes es yendo a la fuente, es decir, ejerciendo el derecho al recurso ante la autoridad nacional competente del Estado miembro o del tercer Estado. De ahí que no sea una cuestión para nada menor las exigencias con las que tiene que cumplir el Consejo al utilizar este sistema de doble nivel puesto que, solo si la autoridad nacional de origen garantiza un estándar equivalente del respeto al derecho de defensa y al derecho de tutela judicial efectiva, se estará dando el mismo tratamiento a los designados independientemente del régimen de medidas restrictivas por el que hayan sido incluidos en una lista.

3. El error de apreciación en designaciones provenientes de Resoluciones del Consejo de Seguridad de Naciones Unidas: limitaciones del acceso a la prueba

Por último, hemos de hacer alusión también a otra importante situación jurídica compleja a la que tiene de hacer frente el sistema de medidas restrictivas de la UE. Se trata de aquellos casos en los que las medidas restrictivas de la UE son transposiciones directas de medidas

---

801 Por ejemplo, en el asunto *PKK* el TG se refiere a que los elementos adicionales en los que se ha basado el Consejo son tan breves que «la información contenida en la exposición de motivos no permite al Tribunal ejercer su control judicial respecto de los incidentes cuestionados por el demandante». *Cf.* Sentencia del Tribunal General de 15 de noviembre de 2018, Kurdistan Workers'Party (PKK)/ Consejo, T-316/14, ya citada, apartado 78.

adoptadas al nivel de Naciones Unidas. Ya se han examinado algunos de los problemas que generaban en el ámbito de la obligación de motivación. En el caso del error manifiesto de apreciación, las dificultades se incrementan más, si cabe.

En el asunto *Badica y Kardiam*[802], el Consejo de la UE adoptó medidas restrictivas en aplicación de las RCSNU 2134 (2014) y 2196 (2015). En ellas se sancionaba a ambas sociedades «por prestar apoyo a grupos armados o a redes delictivas mediante la explotación o el comercio ilícitos de recursos naturales, como los diamantes, el oro, las especies silvestres y los productos de especies silvestres, en la República Centroafricana»[803]. Ante la petición al Consejo, por parte de las entidades designadas, de la información que había servido de base para la inclusión en la lista, el Consejo «señaló que se había dado traslado de la solicitud de acceso a los documentos del expediente al Presidente del Comité de Sanciones y adjuntó la respuesta de éste, de fecha 8 de octubre de 2015. En su respuesta, el Presidente del Comité de Sanciones indicaba que se había dado traslado del contrainforme a los miembros del Comité de Sanciones. En relación con la petición de información de las demandantes acerca de la designación de estas, se remitió al informe final de las Naciones Unidas y al resumen de motivos del Comité de Sanciones»[804].

Al margen del interés de la jurisprudencia *Kadi*[805] sobre la protección del derecho de defensa y de tutela judicial efectiva de los designados, en lo que se refiere a la sustanciación de la prueba que nos ocupa, se ha bendecido por parte de la jurisprudencia que «el Consejo debe adoptar su decisión "basándose en el resumen de motivos facilitado por el Comité de Sanciones". En efecto, no está previsto que dicho Comité ponga espontáneamente a disposición de la autoridad competente de la Unión datos distintos de ese resumen de motivos, a fin de que esta adopte su decisión»[806].

---

802 Sentencia del Tribunal General de 20 de julio de 2017, Bureau d'achat de diamant Centrafrique (Badica) y Kardiam/Consejo, T-619/15, ECLI:EU:T:2017:532.

803 *Ibid.*, apartado 16.

804 *Ibid.*, apartado 31.

805 Véase nota al pie nº 15.

806 *Ibid.*, apartado 86 y sentencia del Tribunal de Justicia de 18 de julio de 2013, Comisión *et al.*/Kadi, asuntos acumulados C-584/10 P, C-593/10 P y C-595/10 P,

Sobre la apreciación de los fundamentos de la designación, el TG recuerda que el Consejo se puede basar en la información proporcionada por la ONU. Además, el Grupo de Expertos de la ONU comunicó e hizo públicos los elementos del expediente y dio la posibilidad de presentar alegaciones a las dos entidades designadas. El TG se detiene, asimismo, a examinar varias de las pruebas contenidas en el informe y las observaciones realizadas en el proceso por parte de las designadas. En consecuencia, se determinó que no había error de apreciación.

A una solución diferente es a la que llega el TG en el asunto, que ya hemos estudiado por otras razones, *Aisha El-Qaddafi II*[807]. No obstante, el Consejo ha recurrido en casación esta decisión y, por lo tanto, hemos de esperar a la sentencia final del Tribunal de Justicia para valorar si realmente estamos ante una tendencia de cambio de jurisprudencia con respecto a las situaciones en las que se da un error de apreciación en designaciones que trasladan listados adoptados en virtud de una resolución del CSNU.

En cualquier caso, merece la pena resaltar los elementos esenciales del análisis del TG para llegar a la anulación de las medidas restrictivas controvertidas contra la Sra. El-Qaddafi. La designada estaba sometida a medidas restrictivas de la UE desde marzo de 2011[808] en cumplimiento de la RCSNU 1970 (2011) de 26 de febrero de 2011. Sucesivamente, se fueron renovando y actualizando las designaciones a través de las resoluciones pertinentes. En la segunda parte del tercer motivo de recurso, la demandante esgrime una falta de fundamentos de hecho que justificaran mantener a la demandante en las listas controvertidas. Subrayamos la constatación del TG en la que explica que «desde la adopción de los actos de inclusión de 2011 y los subsiguientes, [...], la demandante ya no residía en Libia y en autos

---

ya citada, apartado 107, y sentencia del Tribunal General de 13 de diciembre de 2016, Al-Ghabra/Comisión, T-248/13, EU:T:2016:721, apartado 73.

807 Sentencia del Tribunal General de 21 de abril de 2021, Aisha Muammer Mohamed El-Qaddafi/Consejo, (*Aisha El-Qaddafi II*) T-322/19, ya citada.

808 Decisión 2011/137/PESC del Consejo, de 28 de febrero de 2011, relativa a la adopción de medidas restrictivas en vista de la situación existente en Libia (DO L 58 de 3.3.2011, pp. 53-62), y el Reglamento (UE) 204/2011, de 2 de marzo, relativo a las medidas restrictivas habida cuenta de la situación en Libia (DO L 58 de 3.3.2011, pp. 1-13).

no se constatan ninguna participación por su parte en la vida política libia ni más declaraciones que las que se le atribuyeron en 2011 y 2013. Pese a esos cambios en relación con la situación individual de la demandante, el Consejo no explica las razones por las que en 2017 y 2020 (es decir, cuando se adoptaron los actos impugnados) suponía una amenaza para la paz y seguridad internacionales de la región»[809]. Por ello, se decide la anulación de los actos impugnados.

El problema que subyace en esta situación concreta es que el Consejo no contaba con mayor información que la transmitida por el propio CSNU. Con esta sentencia, el TG —ratificada por el TJ en casación[810]— viene a decir al Consejo que este se ha de encargar de sustanciar los fundamentos de hecho o pruebas que llevan a mantener una persona en una lista de medidas restrictivas. Esto sería un mandato para el Consejo con independencia de que él no tenga margen de maniobra para "deslistar" a un designado puesto que está obligado, en virtud de los compromisos derivados de la CNU, a dar cumplimiento a las RCSNU.

Por un lado, podemos aplaudir esta decisión del TJUE que eleva el umbral de responsabilidad del Consejo para cumplir con los criterios más esenciales del Estado de Derecho como es no poder aplicar o prorrogar sanciones contra alguien si no hay elementos fácticos que vinculen al individuo o entidad con la actividad reprobable en ese momento. Por otro lado, sitúa al Consejo en una posición muy difícil ya que, en esta situación actúa con un margen de maniobra mínimo puesto que está obligado a cumplir con las resoluciones del CSNU. Esta dificultad se hace incluso más compleja cuando ya entramos en el dominio del error de apreciación y las pruebas y hechos fácticos que sirven como base para las designaciones. Esta es otra de las situaciones en las que se pone de manifiesto la clara diferencia

---

809 Sentencia del Tribunal General de 21 de abril de 2021, Aisha Muammer Mohamed El-Qaddafi/Consejo, (*Aisha El-Qaddafi II*) T-322/19, ya citada, apartado 115.

810 Sentencia del Tribunal de Justicia de 20 de abril de 2023, Consejo/Aisha Muammer Mohamed El-Qaddafi, C-413/21 P, ECLI:EU:C:2023:306.

existente entre las garantías que aporta el sistema multilateral del CSNU en sus sanciones y el sistema de la UE[811].

En definitiva, tras un análisis en detalle de los problemas que surgen con los sistemas de doble nivel a la hora de sustanciar y valorar la prueba, hay que subrayar la destacable labor del TJUE para tratar de adaptar las reglas generales que veíamos con respecto a la prueba con el fin de no crear grupos de designados con más o menos derechos dependiendo del régimen de sanciones concreto. Los requisitos fijados por el Tribunal reflejan la importancia de salvaguardar la legalidad interna o material de las medidas restrictivas en un esfuerzo por garantizar el máximo nivel de protección de los derechos fundamentales de los designados, así como ajustar la PESC a los más altos estándares del Estado de Derecho.

C. LA VULNERACIÓN DE LOS DERECHOS FUNDAMENTALES DE CARÁCTER MATERIAL: EL TEST DE PROPORCIONALIDAD

Como subraya LUGATO[812], las sanciones individuales tienen un fuerte impacto en los derechos personales de los designados y es por ello que este tema se ha convertido en un serio motivo de preocupación. A nuestros ojos, más que un motivo de preocupación en abstracto, supone un elemento muy concreto que los actores decisores de las sanciones deben tener especialmente en cuenta. Asimismo, son los jueces los que, en el estudio de legalidad, no pueden aislarse de las importantes consecuencias que tienen estas medidas en

---

811 Ello nos lleva a pensar en la reflexión de VON BOGDANDY cuando afirma: «*There should always be the possibility, at least in liberal democracies, to limit, legally, the effect of a norm or an act under international law within the domestic legal order if it severely conflicts with constitutional principles. This corresponds to the state of development of international law and the sometimes debatable legitimacy of international legal acts*». *Cf.* VON BOGDANDY, A. (2008). Pluralism, direct effect, and the ultimate say: on the relationship between international and domestic constitutional law, *Institutional Journal of Constitutional Law*, 6 (3-4), p. 412.

812 LUGATO, M. (2016). Sanctions and Individual Rights. En N. RONZITTI (ed.). *Coercive Diplomacy, Sanctions and International Law* (pp. 171-189). Leiden: Brill-Nijhoff Publishers, pp. 172 y 173.

la esfera jurídica de los afectados. Desde la doctrina, siguiendo, por ejemplo, a HILLION[813], se ha recordado que la PESC no es una política particular ni diferente en lo que se refiere a su sumisión a los derechos, libertades y principios enunciados en la CDFUE, que forma parte del Derecho primario de la Unión, *ex* art. 6.1 TUE. También lo ha recogido claramente la abogada general ĆAPETA cuando indica que la PESC pertenece al marco constitucional de la Unión y se le aplican los principios básicos de su ordenamiento e identidad constitucional, como son el Estado de Derecho, la tutela judicial efectiva y la protección de los derechos humanos[814].

Sin embargo, una vez fijado el contexto, este análisis se ha de hacer sin perder de vista que las medidas restrictivas son medidas de Política Exterior de carácter hostil —por su propia razón de ser— y que, por lo tanto, se desnaturalizarían o no cumplirían con su objeto si no generaran consecuencias negativas para sus destinatarios. No obstante, incumbe a todos los que participan en su diseño, adopción, ejecución y control de legalidad velar porque la lesión a los derechos fundamentales no exceda de lo estrictamente necesario para lograr los objetivos buscados.

A lo largo de todo este estudio, se ha abordado en numerosas ocasiones cómo se ha entendido la protección los derechos fundamentales de carácter procesal, especialmente, los derivados del derecho a la defensa y a la tutela judicial efectiva. Sin embargo, en la abrumadora mayoría de los asuntos en los que se recurren en anulación medidas restrictivas, los demandantes incluyen como argumento la violación de otro tipo de derechos fundamentales que podríamos calificar de carácter material.

Antes de todo, hasta donde llega nuestro conocimiento, es necesario señalar que en ninguno de los asuntos de los que han conocido bien sea el TG o el TJ, se ha declarado la anulación de medidas restrictivas con base en la violación de derechos fundamentales de carácter material. Es importante, por lo tanto, entender por qué ha

---

813 HILLION, C. (2016). Decentralised Integration? Fundamental Rights Protection in the EU Common Foreign and Security Policy, *op. cit.*, p. 58.

814 Conclusiones de la abogada general Ćapeta, KS y KD/Consejo, Comisión y SEAE y Comisión/KS y KD, Consejo y SEAE (*KS y KD*), asuntos acumulados C-29/22 P y C-44/22 P, ya citadas, apartado 77.

sido así y poder, con ello, aventurar si hay alguna posibilidad de que esto pueda cambiar *a futuro*.

En el asunto *Abdulrahim*[815], el TJ recogía lo que de manera fragmentada se había ido reconociendo en jurisprudencia anterior: «procede recordar que las medidas restrictivas adoptadas [...] tienen consecuencias negativas considerables y una incidencia importante sobre los derechos y libertades de las personas a las que se refieren. Además de la propia congelación de fondos que, por su gran alcance, tiene una amplia repercusión en la vida profesional y familiar de las personas a las que se refiere y dificulta la celebración de numerosos actos jurídicos hay que tener en cuenta el oprobio y la desconfianza que lleva consigo la designación pública de las personas a las que se refiere como asociadas a una organización terrorista». Este asunto versaba sobre una designación en el marco de sanciones por terrorismo, pero el estigma se extiende, sin duda, a los designados por otro tipo de regímenes.

Todo ello, unido a que las designaciones se suelen renovar y perpetuar durante años antes de que proceda un «deslistado», si llega —bien sea por una decisión política del Consejo, o como consecuencia de una sentencia estimatoria del TJUE—, lleva a que la afectación sobre los derechos fundamentales de la persona o entidad sea aún más gravosa.

Para estudiar esta cuestión, haremos a continuación referencia a los derechos fundamentales de carácter material invocados más frecuentemente, a la consideración del carácter no absoluto de los mismos en su mayoría, así como al test de proporcionalidad como principio del ordenamiento que debe regir toda toma de decisiones, especialmente de aquellas que son gravosas para sus destinatarios.

1. *La tipología de derechos fundamentales invocados: un elenco creciente y nuevos enfoques*

Recordemos, de antemano y para simplificar, que la materialización más frecuente de las medidas restrictivas individuales consiste

---

815 Sentencia del Tribunal de Justicia (Gran Sala) de 28 de mayo de 2013, Abdulbasit Abdulrahim/Consejo y Comisión, C-239/12 P, ya citada, apartado 70.

en la prohibición de entrada o tránsito por el territorio de los Estados miembros (excepto en los regímenes por malversación donde no se ha incluido) y la congelación y prohibición de puesta a disposición de activos financieros. Las entidades o personas jurídicas, por razones obvias, solo pueden ser objeto de las segundas. En algunos casos también se han podido aislar efectos de medidas sectoriales sobre entidades directamente, por cumplir estas con una serie de requisitos previstos en la norma. Hasta este momento, dichas medidas también son de carácter económico como las limitaciones de financiación o de carácter comercial mediante restricciones de exportaciones hacia esos operadores[816]. Asimismo, hay otro tipo de medida reciente que, aunque está tipificada también como medida sectorial, en realidad afecta a una serie de entidades designadas en un anexo. Son las suspensiones de licencias o autorizaciones de radiodifusión[817].

Esto lleva a entender cuáles serían los derechos fundamentales materiales más afectados. Como indica la jurisprudencia, «toda medida económica o financiera conlleva *ex hypothesi*, consecuencias que afectan el derecho de propiedad y el derecho a ejercer una actividad económica por parte de la persona o entidad sujeta a dicha medida, causando perjuicio a esa persona o entidad»[818].

---

816 Véase, por ejemplo, la sentencia del Tribunal General de 13 de septiembre de 2018, PAO Rosneft Oil Company *et al.*/Consejo, T-715/14, ya citada; y el resto de asuntos planteados similares (véase notas al pie nº 767 a 772).

817 Art. 4 *octies* de la Decisión 2014/512/PESC del Consejo de 31 de julio de 2014 relativa a medidas restrictivas motivadas por acciones de Rusia que desestabilizan la situación en Ucrania, ya citada, modificada por la Decisión (PESC) 2022/351 del Consejo de 1 de marzo de 2022, (DO L 65 de 2.3.2022, pp. 5-7) que establece: «1) Queda prohibido a los operadores difundir, permitir, facilitar o contribuir de otro modo a la emisión de cualquier contenido por parte de las personas jurídicas, entidades u organismos enumerados en el anexo IX, incluso mediante transmisión o distribución por cualesquiera medios tales como cable, satélite, IP-TV, proveedores de servicios de internet, plataformas o aplicaciones de intercambio de vídeos en internet, ya sean nuevas o previamente instaladas. 2) Se suspende cualquier licencia o autorización de radiodifusión, acuerdo de transmisión y distribución celebrado con las personas jurídicas, entidades u organismos enumerados en el anexo IX».

818 Sentencia del Tribunal de Primera Instancia de 9 de julio de 2009, Melli Bank plc/Consejo, T-246/08 y T-332/08, ECLI:EU:T:2009:266, apartado 111; o sentencia del Tribunal General de 18 de mayo de 2022, Amer Foz/Consejo, T-296/20, ya citada, apartado 188.

Por lo tanto, en primer lugar, nos encontramos con la afectación del derecho a la propiedad del art. 17 CDFUE, que es incoado en todos los recursos en los que se introducen argumentos relacionados con la violación de derechos fundamentales de carácter material hasta el momento actual[819]. Incluso esta limitación del recurso a los propios bienes se ha vinculado por parte de un recurrente en concreto[820] con otro tipo de consecuencias como es la privación de acceder a un tratamiento médico. Sin embargo, el TG ha aludido a la posibilidad, basada en excepciones humanitarias, que tiene la autoridad competente del Estado miembro concernido para autorizar la entrada al territorio y el acceso a los fondos necesarios para sufragar, por ejemplo, un tratamiento médico.

En segundo lugar, dentro del marco de los derechos de carácter económico, también nos encontramos, con cierta asiduidad, la invocación del derecho al ejercicio de una actividad económica o libertad de empresa del art. 16 —y también art. 15 en la vertiente del derecho de toda persona a la libertad profesional— CDFUE[821]. Igualmente, hay algunas personas físicas que han invocado la violación del derecho al trabajo del art. 15 CDFUE[822].

En tercer lugar, nos encontramos con otro grupo de derechos invocados también con relativa frecuencia. Se trata del derecho a la vida privada del art. 7 CDFUE, con su vertiente de derecho a la vida

---

819 Véase, por ejemplo, asuntos que han llegado hasta el Tribunal de Justicia en casación como la sentencia del Tribunal de Justicia de 15 de noviembre de 2012, Stichting Al-Aqsa/Consejo, asuntos acumulados C-539/10 P y C-550/10 P, ya citada; o la sentencia del Tribunal de Justicia de 15 de noviembre de 2012, Consejo/Nadiany Bamba, C-417/11 P, ya citada.

820 Sentencia del Tribunal General de 19 de junio de 2018, HX/Consejo, T-408/16, ECLI:EU:T:2018:355, apartados 96 y 106.

821 Se puede observar este argumento desde asuntos tan antiguos como la sentencia del Tribunal General de 7 de diciembre de 2010, Sofiane Fahas/Consejo, T-49/07, ya citada, apartados 73-74, hasta otros de fechas más recientes como la sentencia del Tribunal General de 24 de noviembre de 2021, Bashar Assi/Consejo, T-256/19, ya citada, apartados 188-201.

822 Véase, como ejemplos, la sentencia del Tribunal General de 30 de abril de 2015, Fares Al-Chihabi/Consejo, T-593/11, ya citada, apartado 90, aunque no se motiva de manera suficiente como para que el Tribunal pueda entrar a valorarlo, o la sentencia del Tribunal General de 30 de junio de 2016, CW/Consejo (*CW II*), T-224/14, ECLI:EU:T:2016:375, apartados 188-190.

familiar y lo que han llegado a llamar algunos demandantes como «derecho a la vida en condiciones normales». Esta afectación vendría explicada normalmente por la merma de la capacidad económica de los designados[823].

En algunos casos, se ha vinculado el argumento de la afectación a la vida privada y familiar con las limitaciones del derecho de circulación. Por ejemplo, en el asunto *Rami Makhlouf*, el demandante intenta argumentar que las medidas restrictivas que se le aplican suponen una violación a su derecho de circulación (*d'aller et venir*). En este caso, el TG es categórico (algo que no se pone en duda tampoco en casación)[824] y zanja explicando que un ciudadano de un tercer Estado no goza de la libertad de entrar en el territorio de la UE, cuya entrada está condicionada al cumplimiento de una serie de requisitos estrictos, los cuales el demandante no cumple[825].

En el caso de designados que tienen nacionalidad de un Estado miembro, la afectación de los derechos fundamentales tiene un efecto destacable también sobre la dimensión personal de los derechos vinculados a la ciudadanía de la UE que se ven de cierta manera también suspendidos. No obstante, el TG ha privilegiado las reglas generales en materia de nacionalidad sobre los derechos que se derivan para los ciudadanos de su pertenencia a la UE, por mucho que sean objeto de medidas restrictivas. Así, el TG ha explicado que «se debe observar que, no obstante las disposiciones sobre los nacionales, un ciudadano de un Estado miembro, y por tanto de la Unión, cuyo nombre figure en las listas de las personas afectadas por las disposiciones sobre las restricciones en materia de admisión, entra en el ámbito de aplicación de éstas en lo que concierne a los Estados

---

823 Véase, por ejemplo, la sentencia del Tribunal de Justicia de 11 de septiembre de 2019, HX/Consejo, C-540/18 P, ya citada, apartados 56-61; la sentencia del Tribunal General de 13 de septiembre de 2013, Eyad Makhlouf/Consejo, T-383/11, ECLI:EU:T:2013:431, apartados 88-106; o la sentencia del Tribunal General de 3 de julio de 2014, Mohamad Nedal Alchaar/Consejo, T-203/12, ya citada, apartados 182-188.

824 Sentencia del Tribunal de Justicia de 14 de junio de 2018, Rami Makhlouf/ Consejo, C-458/17 P, ECLI:EU:C:2018:441.

825 Sentencia del Tribunal General de 18 de mayo de 2017, Rami Makhlouf/Consejo, T-410/16, ya citada, apartado 130.

miembros distintos de aquel del que es nacional»[826], y, por lo tanto, esta restricción tampoco se ha entendido como una vulneración de los derechos fundamentales que pudiera venir sancionada por una anulación de la disposición. Como ya se ha observado, la designación de nacionales —con independencia de que ostenten otra nacionalidad— con medidas que en principio están pensadas para extranjeros suscita dificultades de encaje jurídico, sin duda.

En cuarto lugar, es otro argumento recurrente, la violación del derecho al honor, invocado tanto por las personas físicas[827] como por personas jurídicas o entidades[828]. En este contexto, el TG estima que las medidas restrictivas no determinan «la culpabilidad de éste en lo que se refiere a los hechos que se le imputan. En cualquier caso, en la medida en que la adopción de dichas medidas pueda suscitar el oprobio y la desconfianza con respecto al demandante y, por consiguiente, afectar a su honor, ha de señalarse que, [...] tales efectos no son desmesurados con respecto a los objetivos perseguidos»[829].

En este sentido podemos observar que, aunque *stricto sensu* las medidas restrictivas no determinan, como indica el Tribunal, la existencia definitiva de una responsabilidad como si se tratara de un proceso penal, la realidad es que, en muchos casos, sí generan efectos que se podrían asemejar a una «pena de banquillo». Es decir, la opinión pública y el contexto social no distinguen los matices de lo que implica una medida restrictiva. Sí que se han reconocido estos daños en cualquier caso, por ejemplo, cuando se permite que, aun no estando las medidas restrictivas en vigor, el afectado mantenga su derecho a la acción y un interés moral a que el TJUE declare, en

826 Sentencia del Tribunal General de 5 de noviembre de 2014, Adib Mayaleh/Consejo, asuntos acumulados T-307/12 y T-408/13, ya citada, apartado 190.

827 Sentencia del Tribunal General de 30 de abril de 2015, Fares Al-Chihabi/Consejo, T-593/11, ya citada, apartado 90. No obstante, en este caso, el argumento no es estudiado porque la alegación no está fundamentada de manera suficientemente clara y precisa.

828 Sentencia del Tribunal General de 25 de marzo de 2015, Central Bank of Iran/Consejo, T-563/12, ya citada, apartados 112-120; o la sentencia del Tribunal General de 8 de septiembre de 2015, Ministry of Energy of Iran/Consejo, T-564/12, ya citada, apartados 107 y 117.

829 Sentencia del Tribunal General de 15 de septiembre de 2016, Andriy Klyuyev/Consejo, T-340/14, ECLI:EU:T:2016:496, apartado 135.

su caso, la nulidad originaria de las mismas «dado el efecto que las medidas tienen para su reputación»[830]. Como indica MOISEIENKO, «la jurisprudencia del TJUE a este respecto ha demostrado que el impacto de las medidas restrictivas a la reputación de los individuos afectados es suficiente para dar lugar a una revisión independiente de las mismas»[831].

En quinto lugar, en una ocasión al menos, se ha invocado el derecho de reunión del art. 12 CDFUE en el contexto de designaciones de grupos terroristas, sin haber prosperado tampoco dicha alegación[832].

En sexto lugar, otro ángulo vinculado a la violación de los derechos fundamentales de carácter material se ha relacionado con el principio a la no discriminación o igualdad de trato del art. 21 CDFUE aunque, de nuevo por el propio concepto y toma de decisiones de las medidas restrictivas, es difícil de hacer prosperar dicha reclamación[833]. Desde el inicio, la jurisprudencia se ha amparado, en última instancia, en el margen de discrecionalidad del Consejo para elaborar las designaciones, así como la garantía de que cada caso es estudiado de manera individual basándose en sus propias motivaciones y pruebas[834]. Igualmente, se pueden inferir problemas vinculados a la igualdad de trato a la hora de garantizar y estructurar las excepciones que existan en determinados regímenes. Un caso así se suscitó con el asunto *IOC-UK*[835].

---

830 Sentencia del Tribunal de Justicia de 29 de noviembre de 2018, National Iranian Tanker Company/Consejo, C-600/16 P, ECLI:EU:C:2018:966, apartado 33.

831 MOISEIENKO, A. (2019). *Corruption and Targeted Sanctions: Law and Policy of Anti-Corruption Entry Bans*. Leiden: Brill-Nijhoff Publishers, p. 210. También, véase, reflexión más reciente del mismo autor sobre el daño reputacional de las sanciones, MOISEIENKO, A. (2021). Due Process and Unilateral Targeted Sanctions, *op. cit.*, p. 410.

832 Sentencia del Tribunal General de 24 de noviembre de 2021, European Political Subdivision of the Liberation Tigers of Tamil Eelam/Council, T-160/19, ya citada, apartados 302-319.

833 Sentencia del Tribunal de Primera Instancia de 9 de julio de 2009, Melli Bank plc/Consejo, asuntos acumulados T-246/08 y T-332/08, ya citada, apartados 130-139.

834 Sentencia del Tribunal General de 31 de mayo de 2018, Khaled Kaddour/Consejo *(Kaddour III)*, T-461/16, ya citada, apartado 150-154.

835 Sentencia del Tribunal General de 18 de septiembre de 2015, Iranian Oil Company UK Ltd (IOC-UK)/Consejo, T-428/13, ECLI:EU:T:2015:649, apartados

No obstante, en algunos casos, la argumentación ha sido un poco menos acertada, por ser quizá más forzada. Por ejemplo, en el asunto *Bank Melli Iran*, el TG explicaba su posición en el sentido de que «aun suponiendo que el Consejo haya omitido efectivamente adoptar medidas de congelación de fondos frente a determinados bancos iraníes que participan, mediante colaboración directa o prestando apoyo, en la proliferación nuclear, la demandante no puede invocar válidamente tal circunstancia, habida cuenta de que el principio de igualdad de trato debe conciliarse con el principio de legalidad, según el cual nadie puede invocar en su provecho una ilegalidad cometida en favor de otro»[836]. Sostenemos que una argumentación basada en la discrecionalidad del Consejo para valorar cada situación particular crearía menos problemas jurídicos ya que el Consejo no es un órgano con competencia para determinar la ilegalidad de una acción llevada a cabo por una persona incluso fuera de su territorio.

En séptimo lugar, también utilizado como argumento de forma aislada, pero con potencial para ser invocado en más ocasiones en el futuro, está el derecho a la libertad de expresión y de información del art. 11 CDFUE. Ya se hizo en el asunto *Sarafraz*, un individuo designado en su calidad de presidente de la *Islamic Republic of Iran Broadcasting* y de *Press TV* y vinculado al aparato de seguridad iraní y encargado de la difusión de las confesiones forzadas de prisioneros[837], o en el asunto *Kiselev*[838], designado por ser jefe de la agencia de noticias estatal federal *Rossiya Segodnya* y figura central de la propaganda gubernamental en apoyo del despliegue de fuerzas rusas en Ucrania. Otro asunto donde el TG ha podido hacer un estudio de dicho argumento es en el asunto más reciente *Diosdado Cabello*, vicepresidente primero del Partido Socialista Unido de Venezuela, integrante de la asamblea constituyente —no reconocida por la UE— y protagonista de un programa televisivo centrado en el descrédito y amenazas a la

---

118-122.

836 Sentencia del Tribunal de Primera Instancia de 14 de octubre de 2009, Bank Melli Iran/Consejo, T-390/08, ya citada, apartado 59.

837 Sentencia del Tribunal General de 4 de diciembre de 2015, Mohammad Sarafraz/Consejo, T-273/13, ECLI:EU:T:2015:939, apartados 170-192.

838 Sentencia del Tribunal General de 15 de junio de 2017, Dmitrii Konstantinovich Kiselev/Consejo, T-262/15, ya citada.

oposición, por lo que se considera que mediante sus actuaciones menoscaba la democracia y el Estado de Derecho en Venezuela[839]. El TG utiliza esta ocasión para traer a colación la interpretación del derecho de expresión llevada a cabo por el TEDH sobre el art. 10 CEDH. Lo más interesante es que, aparte de recordar también el carácter no absoluto del derecho, el Tribunal reconoce que las pruebas del Consejo demuestran que las declaraciones del designado en su programa de televisión constituyen «una incitación a la violencia, al odio y a la intolerancia» y, por lo tanto, no pueden beneficiarse de la libertad de expresión especial que protege a las manifestaciones realizadas en un contexto político[840]. Este fue uno de los primeros asuntos en los que el TG se detuvo con mayor detalle en la alegada violación de un derecho fundamental. Con las designaciones tras la invasión rusa a Ucrania en 2022, que sancionan a medios de comunicación que llevan a cabo desinformación, el Tribunal se ha vuelto a enfrentar a cuestiones derivadas de las limitaciones del derecho de expresión[841].

Por último, en ocasiones recurrentes los demandantes han invocado derechos vinculados al proceso penal que no tienen cabida en el ámbito de las medidas restrictivas y que, por lo tanto, han sido desestimados. Es el caso de la presunción de inocencia. Como ha repetido el TG en numerosas ocasiones «este principio no se opone a la adopción de medidas cautelares, que no constituyen sanciones y no prejuzgan en absoluto la inocencia o la culpabilidad de la persona de que se trate. Tales medidas cautelares deben estar previstas por la ley, ser adoptadas por una autoridad competente y tener un carácter limitado en el tiempo»[842].

---

839 Sentencia del Tribunal General de 14 de julio de 2021, Diosdado Cabello Rondón/Consejo, T-248/18, ECLI:EU:T:2021:450, apartados 96-132.

840 *Ibid.*, apartado 117.

841 Un ejemplo es la sentencia del Tribunal General (Gran Sala) de 27 de julio de 2022, RT France/Consejo, T-125/22, ya citada, desestimando la pretensión del demandante de anular las designaciones. Es posible que futuros casos den la oportunidad de enriquecer esta jurisprudencia y añadir nuevos ángulos al estudio de las consecuencias de este tipo de designaciones sobre el derecho de libertad de expresión y de información.

842 Sentencia del Tribunal General de 7 de diciembre de 2010, Sofiane Fahas/Consejo, T-49/07, ya citada, apartado 64; o, más recientemente, la sentencia del Tribunal General de 15 de septiembre de 2021, Ilunga Kampete/Consejo, T-102/20, ECLI:EU:T:2021:577, apartado 188.

En definitiva, hay una serie de derechos que se invocan y el TJUE ha ido progresivamente creando una jurisprudencia sobre el modo de abordar este tipo de argumentos. En algunos casos, la jurisprudencia está muy asentada, por ejemplo, en cuanto al derecho de propiedad. En otros casos, la argumentación jurídica tiene aún margen para refinarse, por ejemplo, situaciones con nacionales de la UE. La mayor complejidad que están adquiriendo los regímenes y la aparición de nuevas tipologías de criterios de designación pueden hacer que surjan nuevos derechos afectados dando lugar a un elenco creciente de derechos afectados o nuevas formas de enfocar la afectación de los derechos ya identificados. En cualquier caso, los principios aplicables continuarán siendo los mismos, como se verá a continuación: el carácter no absoluto de los derechos fundamentales y la exigencia del cumplimiento con el principio de proporcionalidad.

2. *El carácter no absoluto de los derechos fundamentales: el respeto del contenido esencial*

El carácter no absoluto de la gran parte de los derechos fundamentales es un elemento con tendencia a ser común a todos los ordenamientos jurídicos de los Estados miembros, conformando lo que se ha reconocido como teoría relativa de los derechos fundamentales. Este enfoque es, de diferentes formas, compartido además por todas las tradiciones jurídicas[843]. Si atendemos a la CDFUE, el art. 52 introduce las cuestiones relacionadas con el alcance e interpretación de los derechos y principios y, en concreto, en el párrafo 1, se exige que cualquier limitación deba ser establecida por ley y respete el contenido esencial de los mismos y determina que solo se podrán introducir limitaciones «cuando sean necesarias y respondan a objetivos de interés general o a la necesidad de protección de los derechos y libertades de los demás».

843 Por ejemplo, el art. 29.2 DUDH se refiere a las limitaciones establecidas por ley y la compatibilidad necesaria con las exigencias de «la moral, del orden público y del bienestar en una sociedad democrática». En el caso del CEDH nos encontramos, por ejemplo, con el art. 18 que se refiere a la limitación de la aplicación de las restricciones de derechos.

En este sentido y de manera concreta en el contencioso de las medidas restrictivas, aunque la compatibilidad con el respeto de los derechos fundamentales es un requisito de legalidad de las disposiciones de la UE[844], los jueces de Luxemburgo en todas las ocasiones en las que los demandantes presentan este argumento de recurso repiten la idea de que «estos derechos fundamentales no gozan, en el Derecho de la Unión, de una protección absoluta, sino que deben tomarse en consideración en relación con su función en la sociedad. [...]. Por consiguiente, pueden imponerse restricciones al ejercicio de estos derechos, siempre y cuando estas restricciones respondan efectivamente a objetivos de interés general perseguidos por la Unión y no constituyan, habida cuenta del objetivo perseguido, una intervención desmesurada e intolerable que afecte a la propia esencia de los derechos así garantizados»[845].

Incluso, algunos de los derechos invocados exigen una serie de requisitos adicionales para su pleno disfrute. Un ejemplo de ello es el derecho al trabajo con respecto a ciudadanos de fuera de la UE, de acuerdo con el art. 15.3[846]. Diferente es la situación cuando las medidas restrictivas recaen sobre nacionales de la UE, —y ya se ha señalado la problemática de los designados nacionales— como se da en el asunto *Mabrouk II*, que ostenta nacionalidad francesa. En este caso, el TG explica que una congelación de activos no afecta a su derecho para trabajar, a lo que podría afectar sería a poder recibir

---

844 Sentencia del Tribunal General de 18 de mayo de 2022, Amer Foz/Consejo, T-296/20, ya citada, apartado 189.

845 Sentencia del Tribunal de Justicia de 30 de julio de 1996, Bosphorus Hava Yollari Turizm ve Ticaret AS (*Bosphorus*), C-84/95, ECLI:EU:C:1996:312, apartado 21; sentencia del Tribunal de Justicia (Gran Sala) de 3 de septiembre de 2008, Yassin Abdullah Kadi y Al Barakaat International Foundation/Consejo *(Kadi I)*, asuntos acumulados C-402/05 P y C-415/05 P, ya citada, apartado 355; sentencia del Tribunal de Justicia de 15 de noviembre de 2012, Stichting Al-Aqsa/Consejo, asuntos acumulados C-539/10 P y C-550/10 P, ya citada, apartado 121; y sentencia del Tribunal General de 13 de septiembre de 2013, Eyad Makhlouf/Consejo, T-383/11, ya citada, apartado 97.

846 En este sentido, véase la jurisprudencia del TG en la sentencia del Tribunal General de 30 de junio de 2016, CW/Consejo (*CW II*), T-224/14, ya citada, apartados 189 y 190, que explica que los ciudadanos de terceros Estados están sometidos a un régimen de autorización para poder trabajar dentro de la UE.

una remuneración como fruto de su trabajo como consecuencia de la prohibición de puesta a disposición de fondos[847].

A partir de esta jurisprudencia, que reconoce y aplica este principio al ámbito de las medidas restrictivas queda, por lo tanto, amparada en la legalidad la limitación de los derechos como consecuencia de la imposición de medidas restrictivas.

Asimismo, las restricciones a los derechos fundamentales han siempre de garantizar el respeto al contenido esencial de los mismos[848]. Por ello, en el ámbito de las medidas restrictivas, la jurisprudencia recuerda siempre la existencia de disposiciones que permiten velar por la protección mínima o respeto del contenido esencial de los derechos fundamentales de los designados. Estas disposiciones se encuentran recogidas en los actos jurídicos por los que se establecen los diferentes regímenes. Por ejemplo, esta protección del contenido esencial se garantiza a partir de autorizaciones para acceder a los fondos necesarios para cubrir las necesidades mínimas vitales del designado y de su familia, incluyendo también, por ejemplo, los gastos derivados de su defensa legal. Como mencionamos, por ejemplo, en relación con el asunto *HX*, existen modalidades para que el Estado

---

847 Sentencia del Tribunal General de 15 de noviembre de 2018, Mohamed Marouen Ben Ali Ben Mohamed Mabrouk/Consejo (*Mabrouk II*), T-216/17, ya citada, apartados 92-105.

848 Art. 52 CDFUE. Esta idea ha sido estudiada en profundidad desde numerosas ópticas. Destaca la doctrina desarrollada por los constitucionalistas clásicos alemanes. Por ejemplo, es reseñable el trabajo de HÄBERLE, P. (1962). *Die Wesensgehaltgarantie des Art. 19 Abs. 2 Grundgesetz: zugleich ein Beitrag zum institutionellen Verständnis der Grundrechte und zur Lehre vom Gesetzesvorbehalt*. Karlsruhe: C. F. Müller Verlag. Destacamos también una obra básica en materia de derechos fundamentales de la doctrina italiana, FERRAJIOLI, L. *et al.* (2001). *Diritti fondamentali: un dibattito teorico* (coord. por E. VITALE). Roma: Laterza. Ya en el ámbito español nos podemos referir, *ex multis*, al gran trabajo de MARTÍNEZ-PUJALTE LÓPEZ, A.-L. (1997). *La garantía del contenido esencial de los derechos fundamentales*. Madrid: Centro de Estudios Constitucionales; o al detallado análisis que hacen del tratamiento de los derechos fundamentales en la fallida Constitución Europea pero que es de igual aplicación en la estructura jurídica actual de los Tratado *mutatis mutandis*: DE DOMINGO PÉREZ, T. y MARTÍNEZ-PUJALTE LÓPEZ, A.-L. (2004). La garantía del contenido esencial de los derechos fundamentales en la Constitución Europea. En V. GARRIDO MAYOL y E. ÁLVAREZ CONDE, (coords.) (pp. 1575-1602). *Comentarios a la Constitución Europea*, vol. 2. Valencia: Tirant lo Blanch.

miembro responsable de velar por la ejecución de las medidas permita el acceso al territorio o la disposición de fondos para sufragar las necesidades básicas de sí mismo y sus familiares dependientes. No obstante, en la práctica, son muchos los designados que se quejan de la compleja burocracia que varía de Estado miembro en Estado miembro para ver respetado ese contenido esencial del derecho.

En el caso de las prohibiciones de entrada o tránsito, ya se ha identificado que los problemas más relevantes pueden surgir con aquellos designados que ostentan la nacionalidad de un Estado miembro. Con respecto a estos, se recuerda que siempre podrán tener garantizado el acceso al país del que son nacionales y, en cualquier caso, de nuevo, el derecho a la libre circulación por la Unión de sus ciudadanos no es incondicional y se puede ver limitada, siempre que se respete el principio de proporcionalidad[849]. Como se indicó, en este caso concreto, se pone en un nivel secundario el disfrute de los derechos que vienen vinculados a la ciudadanía europea y se da prevalencia a la aplicación de las medidas restrictivas adoptadas por el Consejo.

La jurisprudencia no se ha movido de esta línea argumental en ningún asunto, tampoco han transcendido importantes contenciosos ante las jurisdicciones de los Estados miembros —responsables de la ejecución de las sanciones y de dar las autorizaciones necesarias— para hacer valer el respeto del contenido mínimo esencial de los derechos.

Adicionalmente, el hecho de que no sean derechos absolutos es la base para que, en un paso posterior, se tenga que plantear el examen de proporcionalidad con respecto al equilibrio entre la merma que se produce en su ejercicio y los objetivos que la aplicación de las medidas restrictivas pretende conseguir.

---

[849] Sentencia del Tribunal General de 5 de noviembre de 2014, Adib Mayaleh/Consejo, asuntos acumulados T-307/12 y T-408/13, ya citada, apartados 183-199.

3. El examen de proporcionalidad: una ponderación de intereses un poco desequilibrada

La lesión que se permite realizar en la esfera de los derechos fundamentales de los destinatarios de las medidas restrictivas ha de ajustarse, como cualquier otra norma del Derecho de la UE —por otro lado— a un examen de proporcionalidad[850] llevado a cabo por los tribunales[851]. En este ámbito de las medidas restrictivas, nos parece especialmente relevante la ponderación de intereses que se debe presentar para que daño o perjuicio generado sea proporcional al objetivo perseguido. Ya desde hace varias décadas, la jurisprudencia es clara con respecto al significado del principio de proporcionalidad en el Derecho de la Unión tal y como está contemplado en los

---

850 El examen o test de proporcionalidad es una técnica jurídica, utilizada como método para determinar que una medida respeta el principio de proporcionalidad. Este ha sido objeto de una pléyade de estudios desde las diferentes disciplinas del Derecho. En el área de nuestro trabajo podemos referirnos, como contextualización general, a la entrada que del *balancing test* se ha hecho en la Enciclopedia Max Planck de Derecho internacional, *cf.* PASQUALE DE SENA, L. A. y ACCONCIAMESSA, L. (2021). Balancing test. *Max Planck Encyclopedia of International Procedural Law, Oxford Public International Law.* Disponible en: https://opil.ouplaw.com/display/10.1093/law-mpeipro/e1257.013.1257/law-mpeipro-e1257, última actualización de mayo de 2021; o, desde la perspectiva de la UE, véase, DE BÚRCA, G. (1993). The Principle of Proportionality and its Application in EU Law. *Yearbook of European Law,* 13 (1), 105-150; HARBO, T.-I. (2010). The Function of Proportionality Principle in EU Law. *European Law Journal,* 16 (2), 158-185; o ROSS, M. (2006). Effectiveness in the European Legal Order(s): beyond Supremacy to Constitutional Proportionality? *European Law Review,* 31 (4), 476-498. Otros trabajos dignos de mención con carácter general en esta cuestión del examen de proporcionalidad serían: en la doctrina alemana, un trabajo antiguo pero muy completo, HIRSCHBERG, L. (1981). *Der Grundsatz der Verhältnismäßigkeit.* Göttingen: Schwarts; o desde Estados Unidos, BARAK, A. (2012). *Proportionality: Constitutional Rights and their Limitations.* Nueva York: Cambridge University Press; o STONE SWEET, A. y MATHEWS, J. (2008). Proportionality Balancing and Global Constitutionalism. *Columbia Journal of Transnational Law,* 47, 68-149.

851 En palabras de GUTIÉRREZ FONS y LENAERTS: «*given that no principle encapsulating an individual right or the general principle is absolute, the courts must engage in balancing to evaluate whether a legal norm is consistent with a general principle*». *Cf.* GUTIÉRREZ FONS, J. A. y LENAERTS, K. (2010). The constitutional allocation of powers and general principles of EU law. *Common Market Law Review,* 47 (6), p. 1650.

Tratados[852]. En el asunto *Fedesa*, el TJ afirmaba que «en virtud de este principio, la legalidad de la prohibición [...] está supeditada al requisito de que las medidas de prohibición sean apropiadas y necesarias para el logro de los objetivos legítimamente perseguidos por la normativa controvertida, entendiéndose que, cuando se ofrezca una elección entre varias medidas adecuadas, debe recurrirse a la menos onerosa y que las desventajas ocasionadas no deben ser desproporcionadas con respecto a los objetivos perseguidos»[853].

En definitiva, se trata de lo que la doctrina ha denominado el «test alemán»[854] de proporcionalidad en tres fases: control de adecuación o idoneidad, la necesidad o inexistencia de medidas menos onerosas y la ponderación o proporcionalidad de la medida *stricto sensu*.

Tal y como explica MEDINA GUERRERO[855], los dos primeros (adecuación y necesidad) pueden categorizarse como «*rechtsatzförmige Prinzipien*» —principios con forma de preceptos— mientras que el último se sitúa bajo los «*offene Prinzipien*» o principios abiertos, siguiendo la clasificación de LARENZ[856]. El carácter abierto del prin-

---

852 Recordemos que el art. 5.4 TUE establece que «en virtud del principio de proporcionalidad, el contenido y la forma de la acción de la Unión no excederán de lo necesario para alcanzar los objetivos de los Tratados».

853 Sentencia del Tribunal de Justicia de 13 de noviembre de 1990, The Queen contra Minister of Agriculture, Fisheries and Food y The Secretary of State for Health, *ex parte* Fedesa *et al.* (*Fedesa*), C-331/88, ECLI:EU:C:1990:391, apartado 13.

854 Se vincula con este ordenamiento jurídico ya que se atribuye su inicial desarrollo a los administrativistas alemanes del XIX. Después se ha ido adaptando por las diferentes tradiciones jurídicas, especialmente a través de la jurisprudencia de los tribunales constitucionales o supremos, con diferentes matices. Encontramos referencias a ello, por ejemplo, en: ROCA TRÍAS, E. (2013). *Los principios de razonabilidad y proporcionalidad en la jurisprudencia constitucional española.* [Presentación realizada con ocasión de la Reunión de Tribunales Constitucionales de Italia, Portugal y España]. Roma, 24/27-10-2013. Disponible en: https://www.tribunalconstitucional.es/es/trilateral/documentosreuniones/37/ponencia%20espaÑa%202013.pdf; BARNÉS, J. (1998). El principio de proporcionalidad: estudio preliminar. *Cuadernos de Derecho Público*, 5, 15-49; p. 24; o JACKSON, V. (2015). Constitutional Law in the Age of Proportionality. *The Yale Law Journal*, 124 (8), 3094-3196.

855 MEDINA GUERRERO, M. (1998). El principio de proporcionalidad y el legislador de los derechos fundamentales. *Cuadernos de Derecho Público*, 5, p. 129.

856 LARENZ, K. (1983). *Methodenlehre der Rechtswissenschaft*. Berlín: Springer, p. 462.

cipio, sumado al ámbito particular de la Política Exterior (uno de los mayores ámbitos de ejercicio de la soberanía donde los márgenes de valoración son especialmente amplios) y de las medidas restrictivas concebidas como actos hostiles frente a terceros, nos lleva a entender en parte la jurisprudencia del TJUE. Asimismo, los resultados que se buscan con las medidas restrictivas en muchas ocasiones son tan difíciles de cuantificar, de acuerdo con la descripción de los objetivos que se hace en los marcos jurídicos de los regímenes de sanciones —cuando se hacen expresos—, como ambiciosos de alcanzar. Por ello, podemos hablar de una ponderación de intereses que nace ya de antemano desequilibrada.

En cuanto a la primera fase, esto es, la de adecuación o idoneidad con respecto a los objetivos perseguidos o al interés protegido, la jurisprudencia referida a medidas restrictivas ha reconocido expresamente que: «la importancia de los objetivos perseguidos por la normativa objeto del litigio puede justificar las consecuencias negativas que de ella se deriven para ciertos operadores, aunque sean considerables»[857].

Así vemos que, por ejemplo, en todos los exámenes realizados por el TJUE, se reconoce que las consecuencias de las medidas restrictivas son compatibles con el objetivo de la protección del interés general. No obstante, más allá de la cuantificación del objetivo o de lo ambicioso del mismo, nos podemos preguntar cómo se lleva a cabo la determinación del interés general en el ámbito de la Política Exterior. ¿Se hace en referencia con un interés general global de acuerdo con los principios estrictos de la CNU? ¿Es con respecto al interés general de la Unión? Hay casos razonablemente claros, por ejemplo,

---

857 Sentencia del Tribunal de Primera Instancia de 9 de julio de 2009, Melli Bank plc/Consejo, asuntos acumulados T-246/08 y T-332/08, ya citada, apartado 111; o sentencia del Tribunal General de 18 de mayo de 2022, Amer Foz/Consejo, T-296/20, ya citada, apartado 188. Estas, a su vez, se remiten a jurisprudencia anterior como la sentencia del Tribunal de Justicia de 30 de julio de 1996, Bosphorus Hava Yollari Turizm ve Ticaret AS (*Bosphorus*), C-84/95, ya citada, apartados 21-23; y sentencia del Tribunal de Justicia (Gran Sala) de 3 de septiembre de 2008, Yassin Abdullah Kadi y Al Barakaat International Foundation/Consejo *(Kadi I)*, asuntos acumulados C-402/05 P y C-415/05 P, ya citada, apartados 354-361.

la protección de la población civil siria[858] o el mantenimiento de la paz y de la seguridad nacional como se alega en muchos casos. Por todo ello, todavía se podría esperar un desarrollo más claro de la jurisprudencia, aunque tal análisis lleve directamente a la revisión de la esencia misma de las medidas restrictivas de la UE.

Además, el examen de proporcionalidad se complica cuando añadimos elementos adicionales. En el asunto *Bank Kargoshaei*, por ejemplo, el TG se muestra claro al afirmar que el hecho de ir más allá de las medidas establecidas por el CSNU en materia de no proliferación no implica en absoluto que se esté infringiendo el principio de proporcionalidad[859]. Tampoco, por ejemplo, en el caso de que haya otras organizaciones internacionales, como la OSCE, que estén ocupándose políticamente de la situación[860]. De esta manera, se podría entender que el interés general es el que viene determinado por la institución responsable de las mismas —en este caso la UE—, incluso en casos en los que haya actuado la ONU u otras organizaciones internacionales.

En cuanto a la segunda fase, esto es, la de la necesidad o inexistencia de medios menos onerosos para alcanzar el objetivo legítimo, la jurisprudencia ha mantenido de manera continuada el mismo enfoque: «es jurisprudencia reiterada que el principio de proporcionalidad, que forma parte de los principios generales del Derecho de la Unión, exige que los medios que aplica una disposición del Derecho de la Unión sean aptos para alcanzar el objetivo legítimo propuesto por la normativa de la que se trata y no vayan más allá de lo que es necesario para alcanzarlo»[861].

---

858 Sentencia del Tribunal General de 13 de septiembre de 2013, Eyad Makhlouf/Consejo, T-383/11, ya citada, apartado 100; o sentencia del Tribunal General de 18 de mayo de 2022, Amer Foz/Consejo, T-296/20, ya citada, apartado 192.

859 Sentencia del Tribunal General de 16 de septiembre de 2013, Bank Kargoshaei *et al.*/Consejo, T-8/11, ECLI:EU:T:2013:470, apartados 170-178.

860 Sentencia del Tribunal de Justicia de 18 de junio de 2015, Vadzim Ipatau/Consejo, C-535/14 P, ya citada, apartados 53-58.

861 Sentencia del Tribunal de Justicia de 15 de noviembre de 2012, Stichting Al-Aqsa/Consejo, asuntos acumulados C-539/10 P y C-550/10 P, ya citada, apartado 122; o sentencia del Tribunal de Justicia (Gran Sala) de 13 de marzo de 2012, Melli Bank plc/Consejo, C-380/09 P, ECLI:EU:C:2012:137, apartado 52.

Asimismo, con respecto a la exigencia de que no haya alternativa menos gravosa posible, el TG se ha referido a ello en algunos asuntos como *Ezz et al. I*, y de forma repetida en *Rotenberg*. Así, indica: «procede recordar que, en cuanto principio general del Derecho de la Unión, este principio exige que los actos de las instituciones de la Unión no rebasen los límites de lo que resulta apropiado y necesario para el logro de los objetivos perseguidos por la normativa de que se trate. Así pues, cuando se ofrezca una elección entre varias medidas adecuadas, debe recurrirse a la menos gravosa y las desventajas ocasionadas no deben ser desmesuradas en comparación con los objetivos perseguidos»[862].

En el desarrollo de los asuntos de medidas restrictivas, a veces ha sido el TG el que *motu proprio* ha invocado la posibilidad de valorar la existencia de otras medidas menos gravosas[863] y, en otros casos, han sido los demandantes[864]. El resultado ha sido el mismo, sin hacer un estudio demasiado pormenorizado, se ha descartado que existan otras medidas que consigan los mismos resultados de manera menos gravosa para los derechos fundamentales de los designados. Incluso en situaciones en las que los demandantes han invocado la posibilidad de que existan medidas menos onerosas o gravosas, el TG se ha amparado en que la norma establece que los resultados se perseguirán a través de medidas individuales por lo que no se podría dar co-

---

862 Sentencia del Tribunal General de 27 de febrero de 2014, Ahmed Abdelaziz Ezz *et al.*/Consejo (*Ezz et al. I*), T-256/11, ya citada, apartado 205; y la sentencia del Tribunal General de 30 de noviembre de 2016, Arkady Romanovich Rotenberg/Consejo, T-720/14, ya citada, apartado 178.

863 Sentencia del Tribunal General de 5 de noviembre de 2014, Adib Mayaleh/Consejo, asuntos acumulados T-307/12 y T-408/13, ya citada, apartado 178; o la sentencia del Tribunal General de 20 de septiembre de 2016, Bashir Saleh Bashir Alsharghawi/Consejo, T-485/15, ya citada, apartado 84.

864 Sentencia del Tribunal General de 14 de julio de 2021, Katherine Nayarith Harrington Padrón/Consejo, T-550/18, ya citada, apartados 86 y 87; o la sentencia del Tribunal General de 14 de julio de 2021, Sandra Oblitas Ruzza/Consejo, T-551/18, ya citada, apartados 99 y 100. En ambos casos los demandantes plantean que unas medidas menos restrictivas con respecto a sus derechos que la congelación de sus activos podrían ser la prohibición de compra de deuda del Gobierno venezolano o de financiación por ciudadanos de la UE de participaciones de empresas propiedad en más de un 50% del Gobierno de Venezuela. Es decir, plantean la sustitución de medidas individuales por medidas sectoriales.

mo alternativa, como proponen los demandantes, otras medidas de carácter sectorial. No parece un argumento este muy sólido puesto que el análisis recae tanto sobre la designación como sobre el tipo de medida que se aplica, que es, en realidad, lo que es objeto del análisis de proporcionalidad.

En cuanto a la tercera fase, la de ponderación o proporcionalidad *stricto sensu*, es donde se entra a valorar el carácter manifiestamente inadecuado de la medida. En este punto, la labor del juez en el examen del principio de proporcionalidad se hace, si cabe, más importante ya que el margen de valoración o análisis que lleva a cabo también es muy amplio fruto de, como ya se apuntaba, el gran margen de discrecionalidad que se le reconoce al Consejo para determinar medidas restrictivas. El TJ en casación ha venido, por lo tanto, afirmando que: «por lo que se refiere al control jurisdiccional del respeto del principio de proporcionalidad [...] debe reconocerse una amplia facultad discrecional al legislador de la Unión en ámbitos en los que deba tomar decisiones de naturaleza política, económica y social y realizar apreciaciones complejas. De lo antedicho resulta que solo el carácter manifiestamente inadecuado de una medida adoptada en esos ámbitos, con relación al objetivo que tiene previsto conseguir la institución competente, puede afectar a la legalidad de tal medida»[865]. Esta posición, que ha sido reiterada por la Gran Sala[866], —aunque es cierto que en línea con la jurisprudencia general del principio de proporcionalidad—, implica la consolidación de este criterio estableciendo que solo llevaría a una nulidad la determinación de que la medida restrictiva en concreto tenga un «carácter manifiestamente inadecuado». Creemos que, en este sentido, la jurisprudencia podría haber adaptado de manera un poco más precisa la aplicación del principio al ámbito de las medidas restrictivas. Con esta posición ac-

865 Sentencia del Tribunal de Justicia de 28 de noviembre de 2013, Consejo/Manufacturing Support & Procurement Kala Naft Co., Tehran, C-348/12 P, ya citada, apartado 120, en una posición que ya provenía de jurisprudencia anterior. Véase, sentencia del Tribunal de Justicia de 1 de febrero de 2007, José María Sisón/Consejo, C-266/05 P, ya citada, apartado 33.

866 Sentencia del Tribunal de Justicia (Gran Sala) de 28 de marzo de 2017, PJSC Rosneft Oil Company/ Her Majesty's Treasury *et al.*, C-72/15, ya citada, apartado 146.

tual, se hace prácticamente imposible que el principio de proporcionalidad pueda hacerse operativo y eficaz en este ámbito.

Asimismo, cabe preguntarse si no afecta al examen de proporcionalidad el elemento que ya ha sido suscitado de la prolongación de las medidas en el tiempo[867]. Sobre este aspecto, los jueces han estimado que el hecho de que el Consejo tenga una obligación de reexamen hace que todo mantenimiento esté justificado y, por lo tanto, respete el principio de proporcionalidad. También se insiste en que, por considerables que sean los efectos de las sanciones, son medidas en definitiva de carácter provisional, desprovistas de un carácter punitivo o penal.

Entendemos que, en la teoría, este argumento es válido, pero también hay que hacer un ejercicio crítico con respecto a los pocos deslistados que se producen mediante estos reexámenes, que son muy escasos, por lo que las medidas restrictivas se alargan en el tiempo y la provisionalidad se convierte en un concepto muy relativo. Quizá, una forma de compensar estos amplios márgenes que hay de cumplimiento del principio de proporcionalidad, sería que los reexámenes periódicos hicieran un análisis también en el aspecto de incidencia sobre los derechos fundamentales de los designados en el tiempo. Un elemento más de análisis que, por supuesto, habría que compaginarlo con la constatación de que muchos procesos internacionales se extienden durante décadas sin haber mejoras en la situación que permitan replantearse al Consejo una política determinada de medidas restrictivas[868].

En conclusión, tras un análisis sobre el tratamiento de las reclamaciones sobre la posible incidencia de la vulneración de los derechos fundamentales como consecuencia de la aplicación de medidas restrictivas, podemos afirmar que los únicos derechos fundamentales por los que se ha declarado la nulidad de medidas restrictivas han sido en virtud de derechos fundamentales de carácter procesal.

---

867 Sentencia del Tribunal General de 30 de junio de 2016, CW/Consejo (*CW I*), T-516/13, ya citada, apartado 172.

868 Véase, por ejemplo, en el caso de Zimbabue, la sentencia del Tribunal General de 22 de abril de 2015, Johannes Tomana/Consejo, T-190/12, ya citada, apartado 298.

Cuando nos referimos a los derechos fundamentales de carácter material, podemos considerar que la afectación es muy gravosa y, aunque las medidas restrictivas no tienen carácter punitivo en principio, en muchos casos el perjuicio es tan importante y se extiende a prácticamente tantos ámbitos de la vida de la persona que se empiezan a parecer casi a sanciones de carácter penal. Sin embargo, como hemos estudiado, el amplio reconocimiento de la discrecionalidad del Consejo para alcanzar el objetivo perseguido junto con una concepción clásica del principio de proporcionalidad hacen que el test de proporcionalidad sea prácticamente inoperante —por desequilibrado—. Quizá, por ello, sería deseable que el TJUE encontrara fórmulas de aplicación del principio de proporcionalidad que se conjuguen mejor con la naturaleza de las medidas restrictivas y hagan de este test una herramienta verdaderamente útil en el contexto de este contencioso particular.

Mientras tanto, la —esperamos— próxima adhesión de la UE al TEDH[869] creará, sin duda, nuevas oportunidades para conocer análisis más completos del impacto de las medidas restrictivas en la esfera de los derechos fundamentales —especialmente, los de carácter material— de los designados, así como para cerrar el círculo de protección de los derechos fundamentales también en el ámbito de la PESC[870], en una dinámica enriquecida del diálogo judicial en el espacio jurídico europeo[871].

Asimismo, también cabría esperar que, en las potenciales reclamaciones por responsabilidad extracontractual del Consejo, siempre y cuando se cumpla con los requisitos para que esta se genere, se busque poner más énfasis en el perjuicio que se da sobre los derechos fundamentales de carácter material.

---

869 *Cf.* nota al pie nº 104.

870 CORTÉS MARTÍN, J. M. (2018). The Long Walk to Strasbourg: About the Insufficient Judicial Protection in some Areas of the Common Foreign and Security Policy before the European Union's Accession to the ECHR. *The Law and Practice of International Courts and Tribunals*, 17, 393-414.

871 Un brillante y exhaustivo trabajo sobre esta cuestión la encontramos en GONZÁLEZ HERRERA, D. (2021). *El diálogo judicial en el espacio jurídico europeo*. Valencia: Tirant lo Blanch.

En definitiva, se trata de hacer madurar la política exterior materializada en forma de medidas restrictivas sobre una sólida delimitación de cuánto y cómo se pueden ver afectados los derechos fundamentales de carácter material de las personas designadas.

CONCLUSIONES

I. En los últimos años, la UE ha experimentado un destacable crecimiento de su categoría y protagonismo como actor internacional. En paralelo, se ha tenido que ajustar a un marco de relaciones menos guiadas por el idealismo que antaño marcó la actuación internacional de la Unión, y más por unos parámetros mayormente realistas y adaptados al nuevo «lenguaje de poder» imperante. En este contexto, se ha producido un aumento exponencial del recurso a las medidas restrictivas como clara expresión de una Política Exterior de la UE en expansión y mucho más asertiva.

Las medidas restrictivas son decisiones políticas materializadas en actos jurídicos y que, especialmente como consecuencia de los cambios introducidos por el Tratado de Lisboa, están sometidas a un control de legalidad llevado a cabo por el TJUE con destacables particularidades.

II. En cuanto a la competencia del TJUE para conocer la materia de medidas restrictivas, los Tratados prevén un control jurisdiccional excepcional y modulado sobre la PESC. Este control limitado se ha recogido en los Tratados a través de la cláusula de exclusión de competencia en materia PESC, («*carve-out*»), y la cláusula de atribución excepcional («*claw-back*») de competencia con respecto a dos materias (siendo las medidas restrictivas una de ellas), con una redacción problemática. Al analizar la exclusión general y la atribución excepcional de competencia, se observan sus límites difusos tanto en el sentido material como en el sentido de las vías procedimentales abiertas.

En el ámbito material, se ha consolidado la jurisprudencia con respecto al reconocimiento de la competencia sobre cuestiones que no son propias de la PESC con carácter general, a pesar de ser actos adoptados sobre base jurídica PESC en materia de conclusión de tratados y aspectos administrativos y de gestión —como son los temas de contratación pública o de personal—. La jurisprudencia ha adoptado un enfoque muy próximo a la distinción de actos de *iure imperii* y *iure gestionis* reservando solo para los primeros la inmunidad de jurisdicción por parte del TJUE (al margen de los actos por los que se adoptan las medidas restrictivas).

En relación con las vías procesales previstas, la remisión del art. 275 TFUE al art. 263.4 TFUE ha generado la duda jurídica de si solo es el recurso de anulación el que se prevé expresamente o si, en realidad, la referencia al art. 263.4 TFUE se circunscribe a la determinación del *locus standi.* Visto que la interpretación más extendida es la primera, y entendiendo —como se ha demostrado en la práctica— que el recurso de anulación no cubre toda la casuística generada en el contencioso de las medidas restrictivas, defendemos que se habría ganado en claridad si se hubiera permitido expresamente el recurso a través de cualquiera de las vías procesales previstas en Derecho de la UE.

III. Esta redacción problemática de la cláusula «*claw-back*» o de atribución excepcional de competencia en lo que se refiere a las vías procesales contempladas ha sido forzosamente objeto de interpretación por parte del TJUE. La jurisprudencia del TJUE ha ampliado las vías de recurso admitiendo la cuestión prejudicial de validez, la cuestión prejudicial de interpretación, así como la acción de compensación por daños. Igualmente, también se ha entendido que tiene la competencia para conocer de la excepción de ilegalidad referida a medidas restrictivas al interpretar esta vía como una extensión natural del recurso de nulidad. El principal argumento que ha servido en general como motor para esta interpretación expansiva ha sido el garantizar la tutela judicial efectiva de los afectados por las medidas restrictivas.

Asimismo, a pesar de que parte de la doctrina haya descrito la interpretación extensiva de las vías de recurso admisibles como revolucionaria —especialmente en lo que se refiere a la cuestión prejudicial—, las limitaciones procesales para su ejercicio han hecho que el número de situaciones que se han podido beneficiar de la misma no haya sido especialmente reseñable. De cualquier modo y con independencia del impacto real, es subrayable el valor del trabajo del TJUE para encontrar una lectura del Tratado en este sentido que extendiera la tutela judicial efectiva en estos contenciosos.

En el caso de la demanda por daños por responsabilidad extracontractual, la jurisprudencia también ha puesto de manifiesto la artificial diferenciación de tratamiento con respecto a la protección de los efectos derivados del contenido de una decisión y un reglamento, y ha terminado superando la jurisprudencia anterior en la que el derecho a la indemnización existía o no dependiendo de la base jurídica sobre la que se asentase la medida, a pesar de que versara sobre el mismo acto lesivo. El reconocimiento de la acción por daños también podría tener implicaciones potenciales a favor de los recurrentes ya que tanto el plazo para interponerlo como la legitimación activa son más amplios que en el recurso de anulación. En esta línea, no se puede excluir que con el desarrollo de la jurisprudencia no se den nuevas situaciones en las que el TJUE pueda llegar a admitir otras vías de recurso. Incluso se podría defender que, llegado el momento de madurez necesario del desarrollo de las medidas restrictivas, el TJUE pudiera plantearse la aceptación del recurso por incumplimiento o incluso el recurso por omisión del art. 265.

IV. Las referencias a la legitimación activa también demuestran que la redacción de los Tratados es pobre con respecto a la complejidad de la realidad jurídica de las medidas restrictivas. El TJUE ha adoptado, también en este ámbito, un enfoque práctico con respecto al concepto de persona jurídica incluyendo el reconocimiento de la legitimación activa a formaciones asimiladas a pesar de que no tengan el reconocimiento de persona desde el punto de vista jurídico. La jurisprudencia ha considerado que, si una entidad puede ser destinataria de medidas restrictivas, ha de verse reconocida también su legitimación activa. En esta línea, el TJUE ha sido claro desde un inicio en aceptar la admisibilidad de los recursos planteados por personas jurídicas de carácter público.

La legitimación activa en el contencioso de las medidas restrictivas presenta, asimismo, una dificultad adicional al tratarse estas de medidas de alcance general con aplicación particular. La admisibilidad se asienta sobre una dependencia muy estrecha entre el acto atacado y el recurrente, de tal manera que la disposición objeto de recurso es solo aquella claramente individualizable. La jurisprudencia ha avanzado en cómo se ha de considerar el requisito de afectación directa e individual, así como la de los actos reglamentarios que no requieren de ejecución en este ámbito. Siguiendo la tendencia de una interpretación expansiva de la legitimación activa para recurrir medidas restrictivas, se le ha llegado a reconocer a terceros Estados en una decisión que ha generado mayor controversia.

V. En relación con los aspectos procesales particulares y formalidades del propio desarrollo del contencioso, el TJUE ha ido desarrollando progresivamente los criterios de aplicación de las reglas generales al contencioso de las medidas restrictivas. En esta materia, cobra especial importancia la necesidad de la adaptación de la demanda por la particular naturaleza de los actos por los que se establecen medidas restrictivas ya que incorporan la singular característica de que tienen una vigencia limitada en el tiempo, así como el hecho de que sobre ellos pese una obligación de revisión periódica. Por ello, la situación más frecuente es que se den sucesivos actos jurídicos que versen sobre el mismo sujeto y objeto y de ahí la importancia de establecer una jurisprudencia clara sobre la adaptación de la demanda.

Asimismo, el TG y el TJ han tenido oportunidad de adentrarse en la cuestión del cómputo de los plazos muy vinculada al principio de publicidad. Este ha de conjugarse con la necesidad del «efecto sorpresa» que se le ha de reservar a las medidas restrictivas en una primera imposición. En lo que se refiere a la notificación, aparte de la publicación en el DOUE prevista por los Tratados, la jurisprudencia ha dejado claro que, en el caso de medidas restrictivas, siempre que se pueda, se exigirá y priorizará, además, la comunicación individualizada.

Siguiendo la línea del estudio jurisprudencial en relación con este contencioso, hemos de subrayar que también en estas cuestiones el TJUE ha adoptado una postura siempre favorecedora a facilitar y ampliar la tutela judicial efectiva de los recurrentes, debiendo concurrir como mínimo en todo caso el principio de justicia rogada.

La sentencia en un asunto de medidas restrictivas también pone de manifiesto ciertas singularidades. En un marco en el que la retención en las listas de una persona es esencial para mantener la presión política establecida por el Consejo, la cuestión de la aplicación de la sentencia en el tiempo y que el TJUE haya tradicionalmente admitido, siempre que se solicite por una de las partes, un margen de dos meses a la sentencia para desplegar sus efectos ejecutivos es clave para mantener un equilibrio entre la protección jurídica de los demandantes y la satisfacción de sus pretensiones y la conservación de las medidas hasta que la sentencia no sea definitivamente firme.

Igualmente, el efecto de cosa juzgada de la sentencia lleva a la desaparición del acto anulado con efectos *ex tunc* del ordenamiento. El efecto de cosa juzgada no impide de ningún modo que se puedan realizar nuevas designaciones sobre el mismo destinatario siempre y cuando se basen en nuevas motivaciones o pruebas. No obstante, el contenido de la sentencia y la individualización y determinación de los elementos que llevaron a que el acto fuera anulable son posicionamientos jurídicos de gran valor para guiar al Consejo en la posterior elaboración de medidas restrictivas de acuerdo con criterios de legalidad ya definidos.

VI. El alcance, la intensidad y la efectividad del control judicial son los elementos básicos de la actividad jurisprudencial para que el TJUE pueda llevar a cabo su labor de control de legalidad. Ciertos aspectos particulares de esta triple dimensión de la actividad jurisdiccional, que se han desarrollado y aplicado de forma específica en referencia con el contencioso de las medidas restrictivas, permiten ejercer una «jurisdicción suficiente» para garantizar la protección del derecho a la tutela judicial efectiva y un control completo, efectivo y real. En cuanto al alcance de la actividad jurisdiccional, el Tribunal ha reconocido la amplia facultad de apreciación por parte del Consejo para adoptar medidas restrictivas, así como para incluir designaciones. La intensidad del control judicial permite estudiar la vinculación de la medida con su objetivo, la motivación concreta para la adopción y la existencia de pruebas que sustenten la designación. La efectividad del control jurisdiccional es el corolario de la tutela judicial efectiva y sirve como patrón de medida para controlar el respeto de los derechos fundamentales. Este control jurisdiccional completo refuerza la legitimidad de las medidas restrictivas y fortalece su fundamentación jurídica.

VII. El TJUE ha reconocido un amplio margen de discrecionalidad al Consejo para adoptar decisiones en materia de medidas restrictivas. De acuerdo con la jurisprudencia, el margen de discrecionalidad del Consejo se extiende a la decisión, al diseño y a la elaboración de las listas de designados concretos por las medidas restrictivas. El margen de discrecionalidad, no obstante, está limitado por tres elementos: por un lado, la obligación de motivación y la sustentación de la designación con pruebas, por otro lado, la proporcionalidad de la medida, y, por último, la prohibición de la desviación de poder (o interdicción de la arbitrariedad de los poderes públicos). El TJUE ha interpretado la discrecionalidad de manera suficientemente amplia y los límites de manera suficientemente estricta para que la capacidad de toma de decisiones soberanas del Consejo en materia de Política Exterior sea ejercida con gran libertad. Aunque todavía el TJUE no los haya utilizado en muchas ocasiones, otros principios como el del criterio pertinente podrían ser aplicados en el futuro en el control de la legalidad de las medidas restrictivas, en concreto, en relación con el estudio de los criterios de designación.

VIII. La especial técnica jurídica de las medidas restrictivas de la UE hace que los regímenes se construyan a partir de la definición de los criterios de designación. En este sentido, el control del TJUE sobre la legalidad de los criterios de designación ha sido hasta el momento muy limitada. De hecho, no se ha determinado en todo el período de análisis la ilegalidad de ningún criterio de designación. Esto se debe, en primer lugar, a un obstáculo de carácter procesal, ya que las reglas de legitimación activa solo permiten *grosso modo* que se recurra la designación individual. Sin embargo, no es imposible procesalmente y puede que el desarrollo de la jurisprudencia lleve a centrar el objetivo en algún momento en la legalidad de los criterios de designación. En segundo lugar, esta ausencia de la declaración de ilegalidad de los criterios de designación se debe también al reconocimiento genérico de la discrecionalidad del Consejo, ya mencionada, para determinar los criterios de designación, solo limitado por una determinación por parte de los jueces del carácter manifiestamente inapropiado. No obstante, referencias indirectas de la jurisprudencia han mostrado valoraciones con respecto a criterios de designación que pueden ser potencialmente problemáticos como son los que se basan en vínculos familiares y el de «destacados empresarios» que operan en un contexto concreto.

IX. El TJUE ha sido esencialmente activo en lo que se refiere al control sobre los aspectos formales relativos a las medidas restrictivas, de tal manera que los derechos de defensa y de tutela judicial efectiva se han convertido en el pilar articulador del contencioso de las medidas restrictivas y centro gravitatorio de la jurisprudencia en la mayoría de los casos. En este sentido, la jurisprudencia se ha pronunciado con minuciosidad sobre la obligación de la comunicación de las informaciones y de los elementos de prueba, sobre el acceso al expediente y sobre el derecho a ser oído. No obstante, los resultados no siempre han sido coherentes y se ha ido bendiciendo una suerte de procedimiento administrativo llevado a cabo por el Consejo en relación con las personas que se mantienen en las listas. Sería deseable que, más allá de las líneas que ha ido dando el TJUE —que tiene margen para ser más sistemático a la hora de abordar esta cuestión—, el procedimiento ante el Consejo se formalice o al menos se estandarice, ya que redundaría en una mejor protección de los derechos fundamentales de los designados sin suponer una merma en el margen de discrecionalidad del Consejo y la consecución de los objetivos PESC.

X. Las medidas restrictivas están sometidas a una obligación de reexamen periódico, de acuerdo con lo establecido por la jurisprudencia. Esta obligación de reexamen periódico es una característica diferencial del sistema de la UE y supone una garantía para los designados en el ejercicio del Consejo de una potestad no reglada. La obligación de revisión es la consecuencia lógica de la naturaleza provisional de las medidas. En términos generales, la revisión o reexamen se garantiza al incluir los actos por los que se establecen medidas restrictivas una «*sunset clause*» o fecha de vigencia máxima, sin perjuicio de que se decidan revisar antes por producirse un cambio en la situación general que afecta al régimen o específica que afecte al designado. Sin embargo, más problemáticos son los regímenes que transponen sanciones derivadas de RCSNU ya que estas no cuentan con esa cláusula de expiración. En este caso, el Consejo se ve limitado para cumplir con su propia práctica derivada de la exigencia de reexamen periódico exigido por el TJUE.

De acuerdo con la jurisprudencia, el reexamen obliga a que el Consejo verifique que siguen concurriendo los elementos que llevaron a adoptar las medidas restrictivas, así como a actualizar las motivaciones y las pruebas que sustentan una designación. En el proceso de reexamen se abre una comunicación con el designado y se le da la oportunidad de manifestarse sobre los motivos que apuntalan la designación, en una expresión clara de un proceso que favorece la defensa de los designados.

XI. Sobre la obligación de motivación de las designaciones, hay una rica jurisprudencia que ha dado lugar a un *corpus* suficiente que orienta al Consejo sobre cómo ha de hacerse. A través de todas las características de las que debe adolecer la motivación, los jueces han establecido un test de suficiencia de la motivación, que ha sido consistente, pero a veces no del todo coherente. Sobre todo, cuando se conjuga la posibilidad de que sea una motivación comprensible desde el contexto, pero a la vez debe ser individual y específica. Como resultado de la jurisprudencia, el Consejo ha mejorado las motivaciones y la prueba de ello es que la motivación ya no está generando situaciones de nulidad en líneas generales. No obstante, en aras de una mejor técnica legislativa, entendemos que la motivación de ciertas designaciones, aun superando el umbral de suficiencia marcado por el TJUE, puede mejorar, ya que la motivación es la única base para la sustentación posterior en pruebas.

XII. La obligatoriedad de aportar pruebas, como apoyo de las designaciones, es otra de las particularidades distintivas del sistema de medidas restrictivas de la UE, y estas están sometidas también al control de los jueces. Se reconoce la libertad de los medios de prueba y en la práctica se utilizan fuentes abiertas de múltiples naturalezas y también diferentes grados de fiabilidad. La jurisprudencia ha ido estableciendo orientaciones sobre elementos cualitativos y cuantitativos de la prueba, las reglas de la carga de la prueba y al momento de disponibilidad de las mismas. Vinculados a algunos criterios de designación, se puede observar que hay situaciones donde se parte de presunciones *iuris tantum* en las que se está próximo a la inversión de la carga de la prueba, esencialmente en aquellos casos de designaciones basados en la ocupación de un cargo público, en vínculos familiares y de empresarios con posición económica prominente. La jurisprudencia se está mostrando crecientemente exigente en relación con la sustentación de estas designaciones y con garantizar que haya mecanismos para poder romper la presunción.

El examen de los jueces, desde el principio de la libre apreciación de la prueba, se ha reducido a comprobar la existencia de un cuerpo de indicios suficientemente específicos, precisos y consistentes. Sin embargo, se empieza a apreciar un aumento del rigor del examen individual de cada una de las pruebas aportadas y un mayor acento en la fiabilidad de las fuentes. Por ello, podemos aventurar que la prueba es el ámbito donde mayor desarrollo de la jurisprudencia se puede prever.

XIII. Algunas designaciones se construyen a partir de los denominados «sistemas de doble nivel». Estos consisten en que la designación, y también las motivaciones y las pruebas, en algunos casos, se basan sobre las realizadas por otras autoridades, bien sean nacionales de Estados miembros, de terceros Estados o por el propio CSNU. La jurisprudencia sobre este tipo de designaciones ha evolucionado y se ha ido haciendo más exigente. En relación con las designaciones realizadas sobre decisiones de autoridades de un Estado miembro, se ha adoptado el enfoque del reconocimiento mutuo automático. Sin embargo, en relación con las provenientes de autoridades de terceros Estados, los jueces han establecido el requisito, sin distinción entre regímenes de sanciones, de que se haga una comprobación activa por parte del Consejo (tanto en la primera designación como en las renovaciones posteriores) que verifique, en primer lugar, que se trata de una autoridad competente y, posteriormente, el cumplimiento de la tutela judicial efectiva y del derecho de defensa.

Sin embargo, vuelven a ser problemáticas en este aspecto las sanciones provenientes del CSNU, donde no se da un acceso regular a las pruebas, pero, sobre las que, desde el punto de vista del sistema jurídico de la UE se han de aplicar plenamente los estándares propios en relación con la prueba. El objetivo de esta jurisprudencia es no dar lugar a grupos de designados con más o menos derechos dependiendo de cuál sea el origen de la decisión de sancionar.

XIV. La violación de derechos fundamentales de carácter material como causa de nulidad es incluida casi sistemáticamente en los recursos planteados por los designados. Sin embargo, hasta la fecha, el TJUE no ha admitido la nulidad de una designación por violación de este tipo de derechos en el marco del análisis realizado en esta investigación. La jurisprudencia ha ido asentando una técnica de estudio sistemático de la violación alegada, que, defendemos, todavía es susceptible de ser refinada.

Los principales argumentos jurídicos para no declarar una violación de derechos fundamentales son los principios del carácter no absoluto de los derechos fundamentales, el respeto al contenido esencial de los mismos y el principio de proporcionalidad. La construcción jurídica del principio de proporcionalidad en el Derecho de la UE (ponderación para alcanzar el objetivo legítimo de la medida y falta de alternativa menos onerosa) y la aplicación práctica por parte de los jueces en relación con el contencioso de medidas restrictivas hace que, en la práctica, la invocación de una potencial violación del principio sea inoperativa ya que, en teoría, solo quedaría desvirtuada en el caso de una medida manifiestamente inadecuada.

No obstante, se podría sostener que la creciente sofisticación de las medidas restrictivas pueda llevar a generar una afectación aún mayor sobre los derechos fundamentales de carácter material de los designados. Esta mayor afectación podría conducir también a que la jurisprudencia se separara de las líneas argumentales utilizadas de manera sostenida y llegue a declarar violaciones de derechos fundamentales de carácter material como consecuencia de la imposición de medidas restrictivas.

XV. En definitiva, el TJUE contribuye de manera destacable, como motor de integración, a la formación y desarrollo de políticas de la UE y, al igual que sucedió en décadas pasadas en ámbitos propiamente comunitarios, hoy también sucede con la PESC. En esta labor, el TJUE busca permanentemente el equilibrio entre la protección de los derechos fundamentales de los designados por medidas restrictivas y la salvaguarda de la potestad discrecional del Consejo en el ámbito de la Política Exterior y la efectividad de la PESC. El juez de la UE se consagra como máximo responsable del control del pasado con proyección hacia el futuro, velando porque el umbral de exigencia marcado en la legalidad de las medidas restrictivas redunde en un fortalecimiento, a fin de cuentas, del Estado de Derecho, que es enseña y distintivo por antonomasia del ordenamiento jurídico de la UE

REFERENCIAS BIBLIOGRÁFICAS

1. Monografías y obras colectivas

ALTER, K. J. (2009). *The European Court's Political Power: Selected Essays*, Oxford: Oxford University Press.

BARAK, A. (2012). *Proportionality: Constitutional Rights and their Limitations*. Nueva York: Cambridge University Press.

BIONDI, A, EECKHOUT, P. y RIPLEY, S. (eds.) (2012). *EU Law after Lisbon*. Oxford: Oxford University Press.

CARDWELL, P. J. (ed.) (2012). *EU External Relations Law and Policy in the Post-Lisbon Era*. La Haya: T.M.C. Asser Press.

CORTÉS MARTÍN, J. M. (2018). *Avatares del proceso de adhesión de la Unión Europea al Convenio Europeo de Derechos Humanos*. Madrid: Reus S. A.

CORTRIGHT, D. y LOPEZ, G. A. (dir.) (2002). *Smart Sanctions: Targeting Economic Statecraft*. Lanham: Rowman & Littlefield Publishers, Inc.

DE VITORIA, F. (edición de 1975). *Relecciones sobre los Indios y el Derecho de Guerra*, Madrid: Espasa Calpe S. A.

ECKES, C. (2009). *EU Counter-Terrorist Policies and Fundamental Rights: The Case of Individual Sanctions*. Oxford: Oxford University Press.

FERRAJIOLI, L. *et al.* (2001). *Diritti fondamentali: un dibattito teorico* (coord. por E. VITALE). Roma: Laterza.

GARRIDO MUÑOZ, A. (2013). *Garantías judiciales y sanciones antiterroristas del Consejo de Seguridad de Naciones Unidas: de la técnica jurídica a los valores*. Valencia: Tirant lo Blanch.

GIUMELLI, F. (2011). *Coercing, Constraining and Signalling: Explaining UN and EU Sanctions after the Cold War*. Colchester: ECPR Press, Colchester.

GONZÁLEZ HERRERA, D. (2021). *El diálogo judicial en el espacio jurídico europeo*. Valencia: Tirant lo Blanch.

HÄBERLE, P. (1962). *Die Wesensgehaltgarantie des Art. 19 Abs. 2 Grundgesetz: zugleich ein Beitrag zum institutionellen Verständnis der Grundrechte und zur Lehre vom Gesetzesvorbehalt*. Karlsruhe: C. F. Müller Verlag.

HIRSCHBERG, L. (1981). *Der Grundsatz der Verhältnismäßigkeit*. Göttingen: Schwarts.

HUFBAUER, G. C. *et al.* (2009). *Economic Sanctions Reconsidered* (3ª ed.). Washington D. C.: Peterson Institute for International Economics.

KUIJPER, P. J., WOUTERS, J. *et al.* (2015). *The Law of EU External Relations: Cases, Materials, and Commentary on the EU as an International Legal Actor* (2ª ed.). Oxford: Oxford University Press.

LARENZ, K. (1983). *Methodenlehre der Rechtswissenschaft*. Berlín: Springer.

LENAERTS, K., MASELIS, I. y GUTMAN, K. (2015). *EU Procedural Law.* Oxford: Oxford University Press.
LONARDO, L. (2023). *EU Common Foreign and Security Policy after Lisbon: between Law and Geopolitics.* Cham: Springer.
MARTÍNEZ-PUJALTE LÓPEZ, A. L. (1997). *La garantía del contenido esencial de los derechos fundamentales.* Madrid: Centro de Estudios Constitucionales.
MERON, T. (2006). *The Humanization of International Law.* Leiden: Martinus Nijhoff Publishers.
MOISEIENKO, A. (2019). *Corruption and Targeted Sanctions: Law and Policy of Anti-Corruption Entry Bans.* Leiden: Brill-Nijhoff Publishers.
PURSIAINEN, A. (2017). *Targeted EU Sanctions and Fundamental Rights.* Helsinki: Solidplan Consulting.
SAURUGGER, S. y TERPAN, F. (2017). *The Court of Justice of the European Union and the Politics of Law.* Hampshire: Palgrave MacMillan.
SCHMIDT, S. K. (2018). *The European Court of Justice and the Policy Process.* Oxford: Oxford University Press.
TUCÍDIDES (1991). *Historia de la guerra del Peloponeso* (Libros III y IV) (traducción de J. J. Torres Esbarranch). Madrid: Gredos.
WOUTERS, J., NOLLKAEMPER, A. y DE WET, E. (eds.) (2008). *The Europeanisation of International Law: The Status of International Law in the EU and its Member States.* La Haya: T.M.C. Asser Press.

2. *Artículos y capítulos de obras colectivas*[872]

ALÌ, A. (2019). The Challenges of a Sanctions Machine: Some Reflections on the Legal Issues of EU Restrictive Measures in the Field of Common Foreign and Security Policy. En L. ANTONIOLLI *et al.* (eds.). *Highs and Lows of European Integration: Sixty Years after the Treaty of Rome* (pp. 49-62). Cham: Springer International Publishing AG.
ANDRÉS SÁENZ DE SANTA MARÍA, P. (2017). Mejorando la *lex imperfecta*: tutela judicial efectiva y cuestión prejudicial en la PESC (a propósito del asunto *Rosneft*). *Revista de Derecho Comunitario Europeo,* 58, 871-903.
BALTHASAR, S. (2010). *Locus standi* Rules for Challenges to Regulatory Acts by Private Applicants: The New Art. 263 (4) TFEU. *European Law Review,* 35 (4), 542-550.
BARENTS, R. (2010). The Court of Justice after the Treaty of Lisbon. *Common Market Law Review,* 47 (3), 709-728.
BARNÉS, J. (1998). El principio de proporcionalidad: estudio preliminar. *Cuadernos de Derecho Público,* 5, 15-49.
BEAUCILLON, C. (2018). Opening Up the Horizon: the ECJ's New Take on Country Sanctions. *Common Market Law Review,* 55 (2), 387-415.

[872] Todas las fuentes electrónicas han sido recuperadas el 6 de agosto de 2025.

BERTRAND, B. (2015). La particularité du contrôle juridictionnel des mesures restrictives: les «considérations impérieuses touchant à la sûreté ou à la conduite des relations internationales de l'Union et de ses États membres». *Revue Trimestrielle de droit européen,* 3, 555-577.

BESTAGNO, F. (2020). Danni derivanti da misure restrittive in ambito PESC e azioni di responsabilità contro l'UE. *Rivista Eurojus,* 4, 280-289.

BICCHI, F. y CARTA, C. (2012). The COREU Network and the Circulation of Information within EU Foreign Policy. *Journal of European Integration,* 34 (5), 465-484.

BOSSE-PLATIÈRE, I. (2017). Le juge de l'Union, artisan de la cohérence du système de contrôle juridictionnel au sein de l'Union européenne, y compris en matière de PESC. *Revue Trimestrielle de droit européen,* 3, 555-563.

BOUSTA, R. (2013). Who Said There is a «Right to Good Administration»? A Critical Analysis of Article 41 of the Charter of Fundamental Rights of the European Union. *European Public Law,* 19 (3), 481-488.

BUCHANAN, C. y BOLZONELLO, L (2015). Towards a Definition of «Implementing Measures» under Article 263, Paragraph 4, TFEU. *European Journal of Risk Regulation,* 6 (4), 671-676.

BUTLER, G. (2017). A Question of Jurisdiction: Art. 267 TFEU Preliminary References of a CFSP Nature. *European Papers,* 2 (1), 201-208. Disponible en: https://www.europeanpapers.eu/en/europeanforum/a-question-of-jurisdiction-art-267-tfeu-preliminary-references-of-a-cfsp-nature.

BUTLER, G. (2017). The Coming of Age of the Court's Jurisdiction in the Common Foreign and Security Policy. *European Constitutional Law Review,* 13 (4), 673-703.

BUTLER, G. (2018). In Search of the Political Question Doctrine in EU Law. *Legal Issues of Economic Integration,* 45 (4), 329-354.

BUTLER, G. (2020). Op.-Ed.: Non-contractual liability and actions for damages regarding restrictive measures through CFSP Decisions: Jurisdictions of the CJEU confirmed. *EU Law Live* [blog], 7-10-2020. Disponible en: https://eulawlive.com/op-ed-non-contractual-liability-and-actions-for-damages-regarding-restrictive-measures-through-cfsp-decisions-jurisdiction-of-the-cjeu-confirmed-by-graham-butler/.

BUTLER, G. (2023). Op-Ed: Jurisdiction of the EU Courts in the Common Foreign and Security Policy: Reflections on the Opinions of AG Ćapeta in KS and KD, and Neves 77 Solutions. *EU Law Live* [blog], 29-11-2023. Disponible en: https://eulawlive.com/op-ed-jurisdiction-of-the-eu-courts-in-the-common-foreign-and-security-policy-reflections-on-the-opinions-of-ag-capeta-in-ks-and-kd-and-neves-77-solutions-by-graham-butler/.

CALLEJA CRESPO, D. (2023). La adopción de sanciones contra Rusia por la guerra de Ucrania: la perspectiva de la Comisión Europea. *Revista de Derecho Comunitario Europeo,* 75, 69-90.

CALLEJA CRESPO, D. y ROLLNERT PELLICER, B. (2025). Las medidas restrictivas de la Unión Europea: un instrumento en evolución. *Revista Española de Derecho Europeo,* 94, 9-29.

CELLERINO, C. (2017). EU External Action and the Rule of Law: Ensuring the Judicial Protection of Human Rights beyond the Right of Access to Judicial Protection. *Il diritto dell'Unione Europea*, 4, 669-693.

CHALLET, C. (2020). Reflections on Judicial Review of EU Sanctions Following the Crisis in Ukraine by the Court of Justice of the European Union. *Research Papers in Law, College of Europe*, 4/2020. Disponible en: https://www.coleurope.eu/sites/default/files/research-paper/researchpaper_4_2020_celia_challet_0.pdf.

CHALLET, C. (2021). Op-Ed.: All ends well for the Council: Lack of signature of the statement of reasons for sanctions is not a valid ground for annulment. *EU Law Live* [blog], 1-12-2021. Disponible en: https://eulawlive.com/op-ed-all-ends-well-for-the-council-lack-of-signature-of-the-statement-of-reasons-for-sanctions-is-not-a-valid-ground-for-annulment-by-celia-challet/.

CHALLET, C. (2021). Op.-Ed.: Court of Justice confirms Council's reliance on decisions of national authorities in order to renew counter-terrorism sanctions against the PKK. *EU Law Live* [blog], 26-04-2021. Disponible en: https://eulawlive.com/op-ed-court-of-justice-confirms-councils-reliance-on-decisions-of-national-authorities-in-order-to-renew-counter-terrorism-sanctions-against-the-pkk-by-celia-challet/

CHALLET, C. (2021). The Impact of the Adjudication of Sanctions against Russia before the Court of Justice of the EU. En F. BUSSUYT P. y VAN ELSUWEGE, P. (eds.). *Principled pragmatism in practice: the EU's policy towards Russia after Crimea* (pp. 125-140). Leiden: Brill-Nijhoff Publishers.

CHALLET, C. (2022). The judgment of the General Court in *RT France v Council*: takeaways from the first ruling on EU sanctions linked to the war in Ukraine. *EU Law Live Weekend Edition* [blog], nº 114, 1-11-2022. Disponible en: https://eulawlive.com/weekend-edition/weekend-edition-no114/.

CHALLET, C. (2023). Op. Ed.: Judgment in *Prigozhina v Council* (T-212/22): some serious sanctions homework is needed from the Council. *EU Law Live* [blog], 27-3-2023. Disponible en: https://eulawlive.com/op-ed-judgment-in-prigozhina-v-council-t-212-22-some-serious-sanctions-homework-is-needed-from-the-council-by-celia-challet/.

CORTÉS MARTÍN, J. M. (2015). Autonomía *versus* sumisión a un control externo en materia de derechos fundamentales: consideraciones sobre el Dictamen TJUE nº 2 /13 relativo a la adhesión al CEDH. *Revista General de Derecho Europeo*, 37, 1-45.

CORTÉS MARTÍN, J. M. (2018). The Long Walk to Strasbourg: About the Insufficient Judicial Protection in some Areas of the Common Foreign and Security Policy before the European Union's Accession to the ECHR. *The Law and Practice of International Courts and Tribunals*, 17, 393-414.

CREMONA, M. (2017). Effective Judicial Review is of the Essence of the Rule of Law: Challenging Common Foreign and Security Policy Measures before the Court of Justice. *European Papers*, 2 (2), 671-697. Disponible en: https://www.europeanpapers.eu/en/system/files/pdf_version/EP_eJ_2017_2_11_Article_Marise_Cremona_00173.pdf.

CROSBY, S. (2015). The *Ezz* case: Some Critical Observations. *New Journal of European Criminal Law,* 6 (3), 316-323.

CUYVERS, A. (2008) Case C-229/05 P, *PKK & KNK v. Council,* Judgment of the Court of Justice (First Chamber) of 18 January 2007, [2007] ECR I-439. *Common Market Law Review,* 45 (5), 1487-1505.

DE BÚRCA, G. (1993). The Principle of Proportionality and its Application in EU Law. *Yearbook of European Law,* 13 (1), 105-150.

DE DOMINGO PÉREZ, T. y MARTÍNEZ-PUJALTE LÓPEZ, A.-L. (2004). La garantía del contenido esencial de los derechos fundamentales en la Constitución Europea. En V. GARRIDO MAYOL y E. ÁLVAREZ CONDE, (coords.) (pp. 1575-1602). *Comentarios a la Constitución Europea,* vol. 2. Valencia: Tirant lo Blanch.

DE WITTE, B. (2012). The European Union as an international legal experiment. En G. DE BÚRCA, G. y J. H. H. WEILER (eds.). *The Worlds of European Constitutionalism* (pp. 19-56). Cambridge: Cambridge University Press.

DÍEZ-HOCHLEITNER, J. (2023). A vueltas con la responsabilidad extracontractual de la Unión Europea en el ámbito de la PESC. *Revista General de Derecho Europeo,* 61.

ECKES, C. (2006). How *Not* Being Sanctioned by a Community Instrument Infringes a Person's Fundamental Rights: The Case of *Segi. King's Law Journal,* 17 (1), 144-154.

ECKES, C. (2014). EU Restrictive Measures against Natural and Legal Persons: From Counterterrorism to Third Country Sanctions. *Common Market Law Review,* 51 (3), 869-906.

ECKES, C. (2016). Common Foreign and Security Policy: The Consequences of the Court's Extended Jurisdiction. *European Law Journal,* 22 (4), 492-518.

ECKES, C. (2020). The ECJ accepts jurisdiction over claims for damages under the Common Foreign and Security Policy (CFSP). *Verfassungsblog* [blog], 18-10-2020. Disponible en: https://verfassungsblog.de/constitutionalising-the-eu-foreign-and-security-policy/.

ECKES, C. y MENDES, J. (2011). The Right to Be Heard in Composite Administrative Procedures: Lost in between Protection? *European Law Review,* 36, 651-670.

EDITORIAL COMMENTS (2024). From Opinion 2/13 to KS and KD: Confronting a legacy of constitutional tensions. *Common Market Law Review,* 61 (6), 1455-1468.

ENTIN, K. (2021). The EU-Russia Sanctions Regime before the Court of Justice of the EU. En F. BOSSUYT y P. VAN ELSUWEGE (eds.). *Principled Pragmatism in Practice: the EU's Policy towards Russia after Crimea* (pp. 104-124). Leiden: Brill-Nijhoff Publishers.

FERRER LLORET, J. (2010). El control judicial de la Política Exterior de la Unión Europea». *Cursos de derecho internacional y relaciones internacionales de Vitoria-Gasteiz,* 97-157.

FILPO, F. (2020). Evidence standards in the judicial review of restrictive measures. *Europäische Rechtsakademie (ERA) Forum,* 20, 615-635.

FRAGOSO MARTINS, P. (2018). Restrictive Measures and the Fight against Terrorism in the European Union: Recent Lessons from the Court of Justice of the EU. *Revista Electrónica de Direito Público,* 5 (2), 42-51. Disponible en: http://scielo.pt/scielo.php?script=sci_arttext&pid=S2183-184X2018000200004&lng=en&tlng=en.

GARBEN, S. (2019). Competence Creep Revisited. *Journal of Common Market Studies,* 57 (2), 205-222.

GARCÍA ANDRADE, P. (2025). El control judicial de la PESC tras los asuntos Neves 77 Solutions y KS y KD: los principios constitucionales del derecho de la UE como fundamento y límite de la jurisdicción del TJUE. *Revista de Derecho Comunitario Europeo,* 80, 61-96.

GARCÍA DE ENTERRÍA MARTÍNEZ-CARANDE, E. (1962). La lucha contra las inmunidades del poder en el Derecho administrativo (poderes discrecionales, poderes de gobierno, poderes normativos). *Revista de administración pública,* 38, 159-208.

GARLICK, P. (2015). The *Ezz* Case: what is All the Fuss About? *New Journal of European Criminal Law,* 6 (3), 307-315.

GARRIDO MUÑOZ, A. (2019). Droit de l'Etat vs droit de l'individu dans l'excercice de la protection diplomatique: la réparation des violations des droits de l'homme et du droit international humanitaire. En M. KAMTO y Y. TYAGI (eds.). *The Access of Individuals to International Justice / L'accès de l'individu à la justice international* (pp. 177-207). Leiden: Brill-Nijhoff Publishers.

GERGONDET, E. (2023). Op.-Ed.: Is family off limit in EU sanctions law? (Cases T-743/22 R *Mazepin* and T-212/22 *Prigozhina. EU Law Live* [blog], 22-03-2023. Disponible en: https://eulawlive.com/op-ed-is-family-off-limit-in-eu-sanctions-law-cases-t-743-22-r-mazepin-and-t-212-22-prigozhina-by-edouard-gergondet/.

GESTRI, M., (2016). Sanctions Imposed by the European Union: Legal and Institutional Aspects. En N. RONZITTI (ed.). *Coercive Diplomacy, Sanctions and International Law.* Leiden: Brill-Nijhoff Publishers.

GONZÁLEZ ALONSO, L. N. (2022). La Unión Europea, su futuro y el de Ucrania: ¿un destino en adelante compartido? En F. Aldecoa y L. N. González (eds.). *La Unión Europea frente a la agresión a Ucrania* (pp. 247-257). Madrid: Catarata.

GROSSIO, L. (2024). Ai confini del sistema completo di rimedi: le attuali vie di tutela giurisdizionale nell'ambito della PESC e l'opportunità di una loro revisione. *Quaderni AISDUE,* fasciscolo speciale 3/2024. Disponible en: https://www.aisdue.eu/lorenzo-grossio-ai-confini-del-sistema-completo-di-rimedi-le-attuali-vie-di-tutela-giurisdizionale-nellambito-della-pesc-e-lopportunita-di-una-loro-revisione/.

GROSSIO, L. (2024). One step too far, one step too close. The Rocky road towards defining the scope of judicial review in Common Foreign Security Policy matters in light of *KS and KD v. Council and others* and *Neves77 Solutions. Review of European Litigation,* 3. Disponible en: https://europeanlitigation.eu/en/2024/12/06/one-step-too-far-one-step-too-close-the-rocky-road-towards-defining-the-scope-of-judicial-review-in-cfsp-matters-in-light-of-ks-and-kd-v-council-and-others-and-neves77-solutions-2/.

GUILD, E. (2010). EU Counter-terrorism Action: a fault line between law and politics? *Centre for European Policy Studies —Liberty and Security in Europe*. Disponible en: https://www.ceps.eu/download/publication/?id=6624&pdf=Guild%20on%20EU%20Counter-Terrorism.pdf.

GUNDEL, J. (2023). Europäischer Grundrechtsschutz für (dritt-)staatliche Propagandasender?: anmerkung zum Urteil des EuG v. 27.7.2022, Rs T-125/22 / RT France/Rat. *Europarecht*, 58 (1), 110-118.

GUTIÉRREZ FONS, J. A. y LENAERTS, K. (2010). The constitutional allocation of powers and general principles of EU law. *Common Market Law Review*, 47 (6), 1629-1669.

HALBERSTAM, D. (2015). It's the Autonomy, Stupid!: A Modest Defense of *Opinion 2/13* on EU Accession to the ECHR, and the Way Forward. *German Law Journal*, 16 (1), 105-146.

HARBO, T. I. (2010). The Function of Proportionality Principle in EU Law. *European Law Journal*, 16 (2), 158-185.

HERNÁNDEZ SIERRA, A. (2021). El nuevo régimen global de sanciones de la Unión Europea en materia de derechos humanos: una aproximación normativa. *Revista General de Derecho Europeo*, 54, 255-282.

HICKEY JR., J. E. (1997). The Source of International Legal Personality in the 21st Century. *Hofstra Law and Policy Symposium*, 2, 1-18.

HILLION, C. (2014). A Powerless Court? The European Court of Justice and the Common Foreign and Security Policy. En M. CREMONA, M. y A. THIES, A. (ed.). *The European Court of Justice and External Relations Law: Constitutional Challenges* (pp. 47-70). Oxford y Portland: Hart Publishing.

HILLION, C. (2016). Decentralised Integration? Fundamental Rights Protection in the EU Common Foreign and Security Policy. *European Papers*, 1 (1), 55-66. Disponible en: https://www.europeanpapers.eu/it/system/files/pdf_version/EP_eJ_2016_1_6_Article_Christophe_Hillion_00005.pdf.

HINOJOSA MARTÍNEZ, L. M. (2021). La relevancia de la conducta individual en la tutela judicial de las sanciones políticas en la UE: una compleja construcción jurisprudencia. *Anuario de los Cursos de Derechos Humanos de Donostia-San Sebastián*, 21, 115-153.

IGLESIAS SÁNCHEZ, S. (2025). The Jurisdiction of European Courts in the CFSP: Between Exceptionalism and Consistency of Legal Remedies in a Union based on the Rule of Law. *EU Law Live Weekend Edition* [blog], nº 229, 10-5-2025. Disponible en: https://eulawlive.com/weekend-edition/weekend-edition-no229/.

IGLESIAS SÁNCHEZ, S. y ORÓ MARTÍNEZ, C. (2019). La cuestión prejudicial (I). Elementos esenciales de la jurisprudencia del Tribunal de Justicia. En J. I. SIGNES DE MESA (dir.). *Derecho Procesal Europeo* (pp. 135-167). Madrid: Iustel.

JACKSON, V. (2015). Constitutional Law in the Age of Proportionality. *The Yale Law Journal*, 124 (8), 3094-3196.

JACQUÉ, J.-P. (2014). L'avis 2/13 CJUE. Non à l'adhésion à la Convention européenne des droits de l'homme? *FREE Group* [Blog]. Disponible en: https://free-group.eu/2014/12/26/j-p-jacque-lavis-213-cjue-non-a-ladhesion-a-la-convention-europeenne-des-droits-de-lhomme/.

JOHANSEN, S. O. (2024). The (Im)possibility of a Common Foreign and Security Policy «Internal Solution». *European Papers*, 9 (2), 783-800. Disponible en: https://www.europeanpapers.eu/en/system/files/pdf_version/EP_eJ_2024_2_SS2_10_Stian_Obi_Johansen_00783.pdf.

JURET, J. (2017). L'arrêt *Rosneft* (C-72/15): vers une normalisation ou une complexification du contrôle juridictionnel de la Politique étrangère et de sécurité commune? *Case Note - College of Europe*, 3/2017. Disponible en: https://www.coleurope.eu/sites/default/files/research-paper/case_note_3_2017_julien_juret_0.pdf.

KOUTRAKOS, P. (2018). Judicial review in the EU's Common Foreign and Security Policy. *International and Comparative Law Quarterly*, 67 (1), 1-35.

KÜBEK, G. y LONARDO, L. (2022). Op.-Ed.: Revisiting the question of responsibility of EU CSDP missions: Case C-283/20, Eulex-Kosovo. *EU Law Live* [blog], 15-03-22. Disponible en: https://eulawlive.com/op-ed-revisiting-the-question-of-responsibility-of-eu-csdp-missions-case-c-283-20-eulex-kosovo-by-gesa-kubek-and-luigi-lonardo/.

KUIJPER, P. J. (2014). The Case Law of the Court of Justice of the EU and the Allocation of External Relations Powers. En M. CREMONA y A. THIES, A. (ed.) (2014). *The European Court of Justice and External Relations Law: Constitutional Challenges* (pp. 95-114). Oxford y Portland: Hart Publishing.

KUISMA, M. (2018). Jurisdiction, Rule of Law, and Unity of EU law in *Rosneft*, *Yearbook of European Law*, 37 (1), 3-26.

KUNOY, B. y DAWES, A. (2009). Plate tectonics in Luxembourg: the *ménage à trois* between EC Law, International Law and the European Convention on Human Rights following the UN Sanctions Cases. *Common Market Law Review*, 46 (1), 73-104.

LONARDO, L. (2017). The Political Question Doctrine as Applied to Common Foreign and Security Policy. *European Foreign Affairs Review*, 22 (4), 571-587.

LONARDO, L. (2018). Law and Foreign Policy before the Court: Some Hidden Perils of *Rosneft*. *European Papers*, 3 (2), 547-561. Disponible en: https://www.europeanpapers.eu/en/e-journal/law-and-foreign-policy-hidden-perils-rosneft.

LONARDO, L. (2024). How the Court Tries to Deliver Justice in Common Foreign and Security Policy, where the Need for Judicial Protection Clashes with the Principles of Conferral and Institutional Balance. Joined Cases C-29/22 P and C-44/22 P *KS and KD*. *European Papers*, 9 (2), 830-844. Disponible en: https://www.europeanpapers.eu/europeanforum/how-court-tries-deliver-justice-common-foreign-security-policy-where-need-judicial-protection-clashes-principles-conferral-institutional-balance-joined-cases-ks-kd.

LONARDO, L. y RUIZ CAIRÓ, E. (2022). The European Court of Justice allows third countries to challenge European Union restrictive measures. Case C-872/19 P, *Venezuela v Council. European Constitutional Law Review,* 18 (1), 114-131.

LÓPEZ ESCUDERO, M. (2019). El juez nacional como juez de la Unión y la aplicación del Derecho de la UE en los Derechos internos. En J. I. SIGNES DE MESA (dir.). *Derecho Procesal Europeo* (pp. 69-102). Madrid: Iustel.

LUGATO, M. (2016). Sanctions and Individual Rights. En N. RONZITTI (ed.). *Coercive Diplomacy, Sanctions and International Law* (pp. 171-189). Leiden: Brill-Nijhoff Publishers.

MAGEN, A. y PECH, L. (2018). The Rule of Law and the European Union. En C. MAY y A. WINCHESTER (eds.). *Handbook on the Rule of Law* (pp. 235-256). Cheltenham: Edward Elgar Publishing Limited.

MARTÍN Y PÉREZ NANCLARES, J. (2015). El TJUE pierde el rumbo en el Dictamen 2/13: ¿merece todavía la pena la adhesión de la UE al CEDH? *Revista de Derecho Comunitario Europeo,* 52, 825-869.

MARTÍN Y PÉREZ DE NANCLARES, J. (2023). El control jurisdiccional del TJUE en materia de medidas restrictivas adoptadas en el ámbito de la PESC: el equilibrio entre *efectividad* y *legalidad. Revista de Derecho Comunitario Europeo,* 75, 91-129.

MARTINELLI, T. (2023). The Limited Jurisdiction of the Court of Justice of the EU over CFSP and EU Accession to the ECHR: A Hard Nut About to Be Cracked? *EU Law Live Weekend Edition* [blog], nº 160, 28-10-2023. Disponible en: https://eulawlive.com/weekend-edition/weekend-edition-no160/.

MARTÍNEZ CAPDEVILA, C. (2005). El recurso de anulación, la cuestión prejudicial de validez y la excepción de ilegalidad: ¿vías complementarias o alternativas? *Revista de Derecho Comunitario Europeo,* 20, 135-176.

MARTÍNEZ CAPDEVILA, C. (2018). La sentencia en el asunto Rosneft: el TJUE maximiza su jurisdicción en la PESC (a costa de la coherencia con su propia jurisprudencia). *Revista Española de Derecho Europeo,* 67, 95-110.

MARTÍNEZ CAPDEVILA, C. (2020). The jurisdiction of the ECJ to give preliminary rulings on the validity of CFSP Decisions: The Rosneft Judgment. *MPILux Research Paper Series,* 2, 95-104.

MARTÍNEZ CAPDEVILA, C. (2021). El TJUE proclama su competencia para conocer de los recursos de indemnización vinculados con medidas restrictivas PESC (STJ de 6.10.2020, As. Bank Refah Kargaran, C-134/19 P): ¿Maximización o extralimitación de su jurisdicción? *Revista General de Derecho Europeo,* 53, 209-226.

MARTÍNEZ CAPDEVILA, C. (2021). Plea of illegality: Court of Justice of the European Union (CJEU). *Max Planck Encyclopedia of International Law,* Oxford: Oxford University Press.

MARTÍNEZ CAPDEVILA, C. y BLÁZQUEZ NAVARRO, I. (2013). La incidencia del artículo 40 TUE en la Acción exterior de la UE. *Revista Jurídica de la Universidad Autónoma de Madrid,* 28 (II), 197-219.

MEDINA GUERRERO, M. (1998). El principio de proporcionalidad y el legislador de los derechos fundamentales. *Cuadernos de Derecho Público*, 5, 119-141.

MESSINA, M. (2016). Il controllo giurisdizionale delle misure restrittive antiterrorismo ed il risarcimento del danno da «listing» nel diritto dell'Unione Europea. *Il diritto dell'Unione Europea*, 3, 605-633.

MIADZVETSKAYA, Y. (2022). Designing Sanctions: Lessons from EU Restrictive Measures against Belarus. *Policy Paper - ReThink: The German Marshall Fund of the United States*. Disponible en: https://www.gmfus.org/sites/default/files/2022-06/Designing%20Sanctions%20Lessons%20from%20EU%20Restrictive%20Measures%20against%20Belarus.pdf.

MOISEIENKO, A. (2021). Due Process and Unilateral Targeted Sanctions. En C. BEAUCILLON (ed.). *Research handbook on unilateral and extraterritorial sanctions* (pp. 405-423). Cheltenham: Edward Elgar Publishing Limited.

PASQUALE DE SENA, L. A. y ACCONCIAMESSA, L. (2021). Balancing test. *Max Planck Encyclopedia of International Procedural Law, Oxford Public International Law*. Disponible en: https://opil.ouplaw.com/display/10.1093/law-mpeipro/e1257.013.1257/law-mpeipro-e1257.

POLI, S. (2017). The Common Foreign Security Policy after *Rosneft*: Still imperfect but gradually subject to the rule of law. *Common Market Law Review*, 54 (6), 1799-1834.

POLI, S. (2017). The turning of non-state entities from objects to subjects of EU restrictive measures. En S. BARDUTZKY, S. y E. FAHEY, E. (eds.). *Framing the Subjects and Objects of Contemporary EU law* (pp. 158-181). Cheltenham: Edward Elgar Publishing Limited.

POLI, S. (2022). The right to effective judicial protection with respect to acts imposing restrictive measures and its transformative force for the Common Foreign and Security Policy. *Common Market Law Review*, 59 (4), 1045-1080.

PORTELA, C. (2021). Horizontal sanctions regimes: targeted sanctions reconfigured? En C. BEAUCILLON (ed.). *Research Handbook on Unilateral and Extraterritorial Sanctions* (pp. 441-457). Cheltenham: Edward Elgar Publishing Limited.

PORTELA, C. y ROMANET PERRUX, J.-L. (2022). UN Security Council Sanctions and Mediation in Libya: Synergy or Obstruction? *Global Governance*, 28, 228-250.

PUETTER, U. (2012). The Latest Attempt at Institutional Engineering: The Treaty of Lisbon and Deliberative Intergovernmentalism in EU Foreign and Security Policy Coordination. En P. J. CARDWELL (ed.). *EU External Relations Law and Policy in the Post-Lisbon Era* (pp. 17-34). La Haya: T.M.C. Asser Press.

ROCA TRÍAS, E. (2013). *Los principios de razonabilidad y proporcionalidad en la jurisprudencia constitucional española*. [Presentación realizada con ocasión de la Reunión de Tribunales Constitucionales de Italia, Portugal y España]. Roma, 24/27-10-2013. Disponible en: https://www.tribunalconstitucional.es/es/trilateral/documentosreuniones/37/ponencia%20espaÑa%202013.pdf.

RODRÍGUEZ ARANA, J. (2013). La buena Administración como principio y derecho fundamental en Europa. *Misión Jurídica: Revista de Derecho y Ciencias Sociales*, 6 (6), 23-56.

ROSAS, A. (2016). Restrictive Measures against Third States: Value Imperialism, Futile Gesture Politics or Extravaganza of Judicial Control? *Il diritto dell'Unione europea*, 4, 637-651.

ROSAS, A. (2018). EU Sanctions, Security Concerns and Judicial Control. En E. NEFRAMI, E. y M. GATTI. *Constitutional issues of EU external Relations* (pp. 307-318). Baden-Baden: Nomos.

ROSS, M. (2006). Effectiveness in the European Legal Order(s): beyond Supremacy to Constitutional Proportionality? *European Law Review*, 31 (4), 476-498.

ROVETTA, D. y BERETTA, L. C. (2017). EU Economic Sanctions Law against Russia after the «Rosneft» Judgment by the Grand Chamber of the Court of Justice of the European Union: Get me a Lawyer! *Global Trade and Customs Journal*, 12 (6), 240-246.

SANTOS VARA, J. (2008). El control judicial de la ejecución de las sanciones antiterroristas del Consejo de Seguridad en la Unión Europea. *Revista Electrónica de Estudios Internacionales*, 15, 1-23. Disponible en: http://www.reei.org/en/index.php/journal/num15/articles/control-judicial-ejecucion-sanciones-antiterroristas-consejo-seguridad-union-europea.

SANTOS VARA, J. (2021). El control judicial de la Política Exterior: hacia la normalización de la PESC en el ordenamiento jurídico de la Unión Europea (a propósito del asunto *Bank Refah Kargaran*). *Revista de Derecho Comunitario Europeo*, 68, 159-184.

SARMIENTO, D. y IGLESIAS, S. (2024). Insight: KS and Neves 77: Paving the Way to the EU's Accession to the ECHR. *EU Law Live* [blog], 12-09-2024. Disponible en: https://eulawlive.com/insight-ks-and-neves-77-paving-the-way-to-the-eus-accession-to-the-echr/.

STONE SWEET, A. y MATHEWS, J. (2008). Proportionality Balancing and Global Constitutionalism. *Columbia Journal of Transnational Law*, 47, 68-149.

VAN ELSUWEGE, P. (2017). Judicial Review of the EU's Common Foreign and Security Policy: Lessons from the Rosneft Case. *Verfassungsblog* [blog], 6-04-2017. Disponible en: https://verfassungsblog.de/judicial-review-of-the-eus-common-foreign-and-security-policy-lessons-from-the-rosneft-case/.

VAN ELSUWEGE, P. (2017). Upholding the Rule of Law in the Common Foreign and Security Policy: H v Council. *Common Market Law Review*, 54 (3), 842-858.

VAN ELSUWEGE, P. (2021). Judicial Review and the Common Foreign and Security Policy: Limits to the Gap-Filling Role of the Court of Justice. *Common Market Law Review*, 58 (6), 1731-1760.

VAN ELSUWEGE, P. y DE CONINCK, J. (2020). Action for damages in relation to CFSP decisions pertaining to restrictive measures: a revolutionary move by the Court of Justice in Bank Refah Kargaran? *EU Law Analysis Blogspot* [blog], 9-10-2020. Disponible en: http://eulawanalysis.blogspot.com/2020/10/action-for-damages-in-relation-to-cfsp.html.

VÁZQUEZ RODRÍGUEZ, B. (2021). El *locus standi* de terceros Estados para interponer recurso de anulación contra medidas restrictivas de la Unión Europea: el asunto C-872/19 P, «Venezuela/Consejo». *Revista de Derecho Comunitario Europeo,* 25 (70), 1037-1060.

VERELLEN, T. (2016). H v. Council: Strengthening the Rule of Law in the Sphere of the CFSP, One Step at a Time. *European Papers,* 1 (3), 1041-1053. Disponible en: https://www.europeanpapers.eu/en/europeanforum/h-v-council-strengthening-the-rule-of-law-in-the-sphere-of-the-cfsp.

VERELLEN, T. (2024). A Political Question Doctrine for the CFSP. *Verfassungsblog* [blog], 24-09-2024. Disponible en: https://verfassungsblog.de/political-question-doctrine/.

VIÑUALES FERREIRO, S. (2015). El artículo 41 de la Carta de los Derechos Fundamentales de la Unión Europea: una visión crítica. *Estudios de Deusto,* 63 (1), 423-435.

VON BOGDANDY, A. (2008). Pluralism, direct effect, and the ultimate say: on the relationship between international and domestic constitutional law. *Institutional Journal of Constitutional Law,* 6 (3-4), 397-413.

WATHELET, M. (2015). L'article 263, alinéa 4, du Traité sur le Fonctionnement de l'Union Européenne: bilan après cinq ans d'application. En A. TIZZANO *et al.* (dir.). *La Cour de Justice de l'Union européenne sous la présidence de Vassilios Skouris (2013-2015), liber amicorum Vassilios Skouris* (pp. 741-754). Bruselas: Bruyland.

WESSEL, R. A. (2016). *Lex Imperfecta*: Law and Integration in European Foreign and Security Policy. *European Papers,* 1 (2), 439-468. Disponible en: https://www.europeanpapers.eu/en/e-journal/lex-imperfecta-law-and-integration-european-foreign-and-security-policy.

ANEJOS

I. JURISPRUDENCIA CONSULTADA SOBRE MEDIDAS RESTRICTIVAS

1. *Sentencias y autos del Tribunal General (y sentencias y autos del Tribunal de Primera Instancia antes de la entrada en vigor del Tratado de Lisboa) por recursos de anulación*

Sentencia del Tribunal de Primera Instancia de 28 de abril de 1998, Dorsch Consult Ingenieurgesellschaft mbH/Consejo y Comisión, T-184/95, ECLI:EU:T:1998:74.

Auto del Tribunal de Primera Instancia de 15 de febrero de 2005, Congreso Nacional del Kurdistán (KNK)/Consejo, T-206/02, ECLI: EU:T:2005:47.

Auto del Tribunal de Primera Instancia de 15 de febrero de 2005, Kurdistan Workers' Party (PKK) y Kurdistan National Congress (KNK)/Consejo, T-229/02, ECLI: EU:T:2005:48.

Sentencia del Tribunal de Primera Instancia de 21 de septiembre de 2005, Ahmed Ali Yusuf y Al Barakaat International Foundation/Consejo y Comisión, T-306/01, ECLI: EU:T:2005:331.

Sentencia del Tribunal de Primera Instancia de 21 de septiembre de 2005, Yassin Abdullah Kadi/Consejo y Comisión, T-315/01, ECLI:EU:T:2005:332.

Sentencia del Tribunal de Primera Instancia de 12 de julio de 2006, Chafiq Ayadi/Consejo, T-253/02, ECLI:EU:T:2006:200.

Sentencia del Tribunal de Primera Instancia de 12 de julio de 2006, Faraj Hassan/Consejo y Comisión, T-49/04, ECLI:EU:T:2006:201.

Sentencia del Tribunal de Primera Instancia de 12 de diciembre de 2006, Organisation des Modjahedines du peuple d'Iran (OMPI)/Consejo, T-228/02, ECLI:EU:T:2006:384.

Sentencia del Tribunal de Primera Instancia de 31 de enero de 2007, Leonid Minin/Comisión, T-362/04, ECLI:EU:T:2007:25.

Sentencia del Tribunal de Primera Instancia de 11 de julio de 2007, José María Sisón/Consejo *(Sisón I)*, T-47/03, ECLI:EU:T:2007:207.

Sentencia del Tribunal de Primera Instancia de 11 de julio de 2007, Stichting Al-Aqsa/Consejo, T-327/03, ECLI:EU:T:2007:211.

Sentencia del Tribunal de Primera Instancia de 3 de abril de 2008, Osman Ocalan, en nombre del Partido de los Trabajadores del Kurdistan (PKK)/Consejo, T-229/02, ECLI:EU:T:2008:87.

Sentencia del Tribunal de Primera Instancia de 3 de abril de 2008, Kongra-Gel/Consejo, T-253/04, ECLI:EU:T:2008:88.

Sentencia del Tribunal de Primera Instancia de 23 de octubre de 2008, People's Mojahedin Organization of Iran (OMPI)/Consejo, T-256/07, ECLI:EU:T:2008:461.

Sentencia del Tribunal de Primera Instancia de 4 de diciembre de 2008, People's Mojahedin Organization of Iran (OMPI)/Consejo, T-284/08, ECLI:EU:T:2008:550.
Sentencia del Tribunal de Primera Instancia de 11 de junio de 2009, Omar Mohammed Othman/Consejo, T-318/01, ECLI:EU:T:2009:187.
Sentencia del Tribunal de Primera Instancia de 9 de julio de 2009, Melli Bank plc/Consejo, asuntos acumulados T-246/08 y T-332/08, ECLI:EU:T:2009:266.
Sentencia del Tribunal de Primera Instancia de 2 de septiembre de 2009, Mohamed El Morabit/Consejo, asuntos acumulados T-37/07 y T-323/07, ECLI:EU:T:2009:296.
Sentencia del Tribunal de Primera Instancia de 14 de octubre de 2009, Bank Melli Iran/Consejo, T-390/08, ECLI:EU:T:2009:401.
Sentencia del Tribunal General de 19 de mayo de 2010, Pye Phyo Tay Za/Consejo, T-181/08, ECLI:EU:T:2010:209.
Sentencia del Tribunal General de 9 de septiembre de 2010, Stichting Al-Aqsa/Consejo, T-348/07, ECLI:EU:T:2010:373.
Sentencia del Tribunal General de 29 de septiembre de 2010, Al-Bashir Mohammed Al-Faqih *et al.*/Consejo, asuntos acumulados T-135/06 a T-138/06, ECLI:EU:T:2010:412.
Sentencia del Tribunal General de 30 de septiembre de 2010, Yassin Abdullah Kadi/Comisión, T-85/09, ECLI:EU:T:2010:418.
Sentencia del Tribunal General de 7 de diciembre de 2010, Sofiane Fahas/Consejo, T-49/07, ECLI:EU:T:2010:499.
Sentencia del Tribunal General de 8 de junio de 2011, Nadiany Bamba/Consejo, T-86/11, ECLI:EU:T:2011:260.
Sentencia del Tribunal General de 16 de septiembre de 2011, Mathieu Kadio Morokro/Consejo, T-316/11, ECLI:EU:T:2011:484.
Sentencia del Tribunal General de 23 de noviembre de 2011, José María Sisón/Consejo *(Sisón II)*, T-341/07, ECLI:EU:T:2011:687.
Sentencia del Tribunal General de 7 de diciembre de 2011, HTTS Hanseatic Trade Trust & Shipping GmbH/Consejo (*HTTS I*), T-562/10, ECLI:EU:T:2011:716.
Auto del Tribunal General de 12 de diciembre de 2011, Tarif Akhras/Consejo, T-579/11 R, ECLI:EU:T:2011:729.
Auto del Tribunal General de 28 de febrero de 2012, Abdulbasit Abdulrahim/Consejo, T-127/09, ECLI:EU:T:2009:411.
Sentencia del Tribunal General de 21 de marzo de 2012, Fulmen y Fereydoun Mahmoudian/Consejo, asuntos acumulados T-439/10 y T-440/10, ECLI:EU:T:2012:142.
Sentencia del Tribunal General de 25 de abril de 2012, Manufacturing Support & Procurement Kala Naft Co., Tehran/Consejo (*Kala Naft*), T-509/10, ECLI:EU:T:2012:201.
Sentencia del Tribunal General de 27 de septiembre de 2012, Shell Petroleum NV *et al.*/Consejo, T-343/06, ECLI:EU:T:2012:478.
Sentencia del Tribunal General de 26 de octubre de 2012, CF Sharp Shipping Agencies Pte Ltd/Consejo, T-53/12, ECLI:EU:T:2012:578.

Sentencia del Tribunal General de 5 de diciembre de 2012, Qualitest FZE/Consejo, T-421/11, ECLI:EU:T:2012:646.

Sentencia del Tribunal General de 11 de diciembre de 2012, Sina Bank/Consejo, T-15/11, ECLI:EU:T:2012:661.

Auto del Tribunal General de 14 de enero de 2013, Ali Divandari/Consejo, T-497/10, ECLI:EU:T:2013:7.

Sentencia del Tribunal General de 29 de enero de 2013, Bank Mellat/Consejo, T-496/10, ECLI:EU:T:2013:39.

Sentencia del Tribunal General de 5 de febrero de 2013, Bank Saderat Iran/Consejo, T-494/10, ECLI:EU:T:2013:59.

Sentencia del Tribunal General de 20 de marzo de 2013, Bank Saderat plc/Consejo, T-495/10, ECLI:EU:T:2013:142.

Sentencia del Tribunal General de 17 de abril de 2013, Turbo Compressor Manufacturer (TCMFG)/Consejo, T-401/11, ECLI:EU:T:2013:194.

Sentencia del Tribunal General de 25 de abril de 2013, Simone Gbagbo/Consejo, T-119/11, ECLI:EU:T:2013:216.

Sentencia del Tribunal General de 25 de abril de 2013, Marcel Gossio/Consejo, T-130/11, ECLI:EU:T:2013:217.

Sentencia del Tribunal General de 16 de mayo de 2013, Iran Transfo/Consejo, T-392/11, ECLI:EU:T:2013:254.

Sentencia del Tribunal General de 28 de mayo de 2013, Mohamed Trabelsi *et al.*/Consejo, T-187/11, ECLI:EU:T:2013:273.

Sentencia del Tribunal General de 28 de mayo de 2013, Mohamed Slim Ben Mohamed Hassen Ben Salah Chiboub/Consejo, T-188/11, ECLI:EU:T:2013:274.

Sentencia del Tribunal General de 28 de mayo de 2013, Fahed Mohamed Sakher Al Matri/Consejo (*Al Matri I*), T-200/11, ECLI:EU:T:2013:275.

Sentencia del Tribunal General de 12 de junio de 2013, HTTS Hanseatic Trade Trust & Shipping GmbH/Consejo (*HTTS II*), asuntos acumulados T-128/12 y T-182/12, ECLI:EU:T:2013:312.

Sentencia del Tribunal General de 6 de septiembre de 2013, Bank Melli Iran/Consejo, asuntos acumulados T-35/10 y T-7/11, ECLI:EU:T:2013:397.

Sentencia del Tribunal General de 6 de septiembre de 2013, Persia International Bank plc/Consejo, T-493/10, ECLI:EU:T:2013:398.

Sentencia del Tribunal General de 6 de septiembre de 2013, Export Development Bank of Iran, asuntos acumulados T-4/11 y T-5/11, ECLI:EU:T:2013:400.

Sentencia del Tribunal General de 6 de septiembre de 2013, Iran Insurance Company/Consejo, T-12/11, ECLI:EU:T:2013:401.

Sentencia del Tribunal General de 6 de septiembre de 2013, Post Bank Iran/Consejo, T-13/11, ECLI:EU:T:2013:402.

Sentencia del Tribunal General de 6 de septiembre de 2013, Bank Refah Kargaran, T-24/11, ECLI:EU:T:2013:403.

Sentencia del Tribunal General de 6 de septiembre de 2013, Europäisch-Iranische Handelsbank AG/Consejo, T-434/11, ECLI:EU:T:2013:405.

Sentencia del Tribunal General de 6 de septiembre de 2013, Naser Bateni/Consejo, asuntos acumulados T-42/12 y T-181/12, ECLI:EU:T:2013:409.

Sentencia del Tribunal General de 6 de septiembre de 2013, Good Luck Shipping LLC, T-51/12, ECLI:EU:T:2013:410.
Sentencia del Tribunal General de 6 de septiembre de 2013, Iranian Offshore Engineering & Construction Co./Consejo, T-110/12, ECLI:EU:T:2013:411.
Sentencia del Tribunal General de 13 de septiembre de 2013, Eyad Makhlouf/Consejo, T-383/11, ECLI:EU:T:2013:431.
Sentencia del Tribunal General de 13 de septiembre de 2013, Issam Anbouba/Consejo *(Anbouba I)*, T-563/11, ECLI:EU:T:2013:429.
Sentencia del Tribunal General de 13 de septiembre de 2013, Issam Anbouba/Consejo *(Anbouba II)*, T-592/11, ECLI:EU:T:2013:427.
Sentencia del Tribunal General de 16 de septiembre de 2013, Islamic Republic of Iran Shipping Lines *et al.*/Consejo, T-489/10, ECLI:EU:T:2013:453.
Sentencia del Tribunal General de 16 de septiembre de 2013, Bank Kargoshaei *et al.*/Consejo, T-8/11, ECLI:EU:T:2013:470.
Sentencia del Tribunal General de 12 de noviembre de 2013, North Drilling Co./Consejo, T-552/12, ECLI:EU:T:2013:590.
Sentencia del Tribunal General de 12 de diciembre de 2013, Ghasem Nabipour *et al.*/Consejo, T-58/12, ECLI:EU:T:2013:640.
Sentencia del Tribunal General de 4 de febrero de 2014, Syrian Lebanese Commercial Bank SAL/Consejo, asuntos acumulados T-174/12 y T-80/13, ECLI:EU:T:2014:52.
Sentencia del Tribunal General de 27 de febrero de 2014, Ahmed Abdelaziz Ezz *et al.*/Consejo (*Ezz et al. I*), T-256/11, ECLI:EU:T:2014:93.
Sentencia del Tribunal General de 12 de marzo de 2014, Bouchra Al Assad/Consejo, T-202/12, ECLI:EU:T:2014:113
Sentencia del Tribunal General de 21 de marzo de 2014, Hani El Sayyed Elsebai Yusef/Comisión, T-306/10, ECLI:EU:T:2014:141.
Sentencia del Tribunal General de 2 de abril de 2014, Mehdi Ben Tijani Ben Hamda Ben Haj Hassen Ben Ali/Consejo (*Mehdi Ben Ali I*), T-133/12, ECLI:EU:T:2014:176.
Sentencia del Tribunal General de 4 de junio de 2014, Ali Sedghi y Ahmad Azizi/Consejo, T-66/12, ECLI:EU:T:2014:347.
Sentencia del Tribunal General de 11 de junio de 2014, Syria International Islamic Bank PJSC/Consejo, T-293/12, ECLI:EU:T:2014:439.
Sentencia del Tribunal General de 3 de julio de 2014, Mohamad Nedal Alchaar/Consejo, T-203/12, ECLI:EU:T:2014:602.
Sentencia del Tribunal General de 3 de julio de 2014, National Iranian Tanker Company/Consejo, T-565/12, ECLI:EU:T:2014:608.
Sentencia del Tribunal General de 3 de julio de 2014, Babak Zanjani/Consejo, T-155/13, ECLI:EU:T:2014:605.
Sentencia del Tribunal General de 3 de julio de 2014, Sorinet Commercial Trust Bankers Ltd/Consejo, T-157/13, ECLI:EU:T:2014:606.
Sentencia del Tribunal General de 3 de julio de 2014, Sharif University of Technology/Consejo, T-181/13, ECLI:EU:T:2014:607.

Sentencia del Tribunal General de 9 de julio de 2014, Mazen Al-Tabbaa, asuntos acumulados T-329/12 y T-74/13, ECLI:EU:T:2014:622.

Sentencia del Tribunal General de 10 de julio de 2014, Moallem Insurance Co./ Consejo, T-182/12, ECLI:EU:T:2014:624.

Sentencia del Tribunal General de 16 de julio de 2014, Samir Hassan/Consejo, T-572/11, ECLI:EU:T:2014:682.

Sentencia del Tribunal General de 16 de julio de 2014, National Iranian Oil Company/Consejo, T-578/12, ECLI:EU:T:2014:678.

Sentencia del Tribunal General de 18 de septiembre de 2014, Aguy Clement Georgias *et al.*/Consejo y Comisión, T-168/12, ECLI:EU:T:2014:781.

Sentencia del Tribunal General de 18 de septiembre de 2014, Central Bank of Iran/Consejo, T-262/12, ECLI:EU:T:2014:777.

Sentencia del Tribunal General de 23 de septiembre de 2014, Vadzim Ipatau/ Consejo, T-646/11, ECLI:EU:T:2014:800.

Sentencia del Tribunal General de 23 de septiembre de 2014, Aliaksei Mikhalchanka/Consejo (*Mikhalchanka I*), asuntos acumulados T-196/11 y T-542/12, ECLI:EU:T:2014:801.

Sentencia del Tribunal General de 24 de septiembre de 2014, Ahmed Mohammed Kadhaf Al Dam/Consejo, T-348/13, ECLI:EU:T:2014:806.

Sentencia del Tribunal General de 16 de octubre de 2014, Liberation Tigers of Tamil Eelam/Consejo (*LTTE*), asuntos acumulados T-208/11 y T-508/11, ECLI:EU:T:2014:885.

Sentencia del Tribunal General de 5 de noviembre de 2014, Adib Mayaleh/Consejo, asuntos acumulados T-307/12 y T-408/13, ECLI:EU:T:2014:926.

Sentencia del Tribunal General de 13 de noviembre de 2014, Aiman Jaber/Consejo, T-653/11, ECLI:EU:T:2014:948.

Sentencia del Tribunal General de 13 de noviembre de 2014, Khaled Kaddour/ Consejo (*Kaddour I*), T-654/11, ECLI:EU:T:2014:947.

Sentencia del Tribunal General de 13 de noviembre de 2014, Mohamad Hamcho y Hamcho International/Consejo, T-43/12, ECLI:EU:T:2014:946.

Sentencia del Tribunal General de 25 de noviembre de 2014, Safa Nicu Sepahan Co./Consejo, T-384/11, ECLI:EU:T:2014:986.

Sentencia del Tribunal General de 9 de diciembre de 2014, BelTechExport ZAO/Consejo (*BelTechExport ZAO I*), T-438/11, ECLI:EU:T:2014:1044.

Sentencia del Tribunal General de 9 de diciembre de 2014, Sport-pari ZAO/ Consejo, T-439/11, ECLI:EU:T:2014:1043.

Sentencia del Tribunal General de 9 de diciembre de 2014, BT Telecommunications PUE/Consejo, T-440/11, ECLI:EU:T:2014:1042.

Sentencia del Tribunal General de 9 de diciembre de 2014, Vladimir Peftiev/ Consejo, T-441/11, ECLI:EU:T:2014:1041.

Sentencia del Tribunal General de 17 de diciembre de 2014, Hamas/Consejo, T-400/10, ECLI:EU:T:2014:1095.

Sentencia del Tribunal General de 14 de enero de 2015, Abdulbasit Abdulrahim/Consejo, T-127/09 RENV, ECLI:EU:T:2015:4.

Sentencia del Tribunal General de 14 de enero de 2015, Marcel Gossio/Consejo, T-406/13, ECLI:EU:T:2015:7.

Sentencia del Tribunal General de 22 de enero de 2015, Bank Tejerat/Consejo, T-176/12, ECLI:EU:T:2015:43.

Sentencia del Tribunal General de 12 de febrero de 2015, Tarif Akhras/Consejo, T-579/11, ECLI:EU:T:2015:97.

Sentencia del Tribunal General de 26 de febrero de 2015, Bassam Sabbagh/Consejo, T-652/11, ECLI:EU:T:2015:112.

Sentencia del Tribunal General de 25 de marzo de 2015, Central Bank of Iran/Consejo, T-563/12, ECLI:EU:T:2015:187.

Sentencia del Tribunal General de 22 de abril de 2015, Johannes Tomana/Consejo, T-190/12, ECLI:EU:T:2015:222.

Sentencia del Tribunal General de 29 de abril de 2015, Bank of Industry and Mine/Consejo, T-10/13, ECLI:EU:T:2015:235.

Sentencia del Tribunal General de 30 de abril de 2015, Fares Al-Chihabi/Consejo, T-593/11, ECLI:EU:T:2015:249.

Sentencia del Tribunal General de 12 de mayo de 2015, Anatoly Ternavsky/Consejo, T-163/12, ECLI:EU:T:2015:271.

Sentencia del Tribunal General de 25 de junio de 2015, Iranian Offshore Engineering & Construction Co./Consejo, T-95/14, ECLI:EU:T:2015:433.

Sentencia del Tribunal General de 4 de septiembre de 2015, National Iranian Oil Company PTE Ltd *et al.*/Consejo (*NIOC et al.*), T-577/12, ECLI:EU:T:2015:596.

Sentencia del Tribunal General de 8 de septiembre de 2015, Ministry of Energy of Iran/Consejo, T-564/12, ECLI:EU:T:2015:599.

Sentencia del Tribunal General de 18 de septiembre de 2015, Iranian Oil Company UK Ltd (IOC-UK)/Consejo, T-428/13, ECLI:EU:T:2015:649.

Sentencia del Tribunal General de 18 de septiembre de 2015, HTTS Hanseatic Trade Trust & Shipping GmbH y Bateni/Consejo, T-45/14, ECLI:EU:T:2015:650.

Sentencia del Tribunal General de 22 de septiembre de 2015, First Islamic Investment Bank Ltd./Consejo, T-161/13, ECLI:EU:T:2015:667.

Sentencia del Tribunal General de 6 de octubre de 2015, Football Club «Dynamo-Minsk» ZAO/Consejo, T-275/12, ECLI:EU:T:2015:747.

Sentencia del Tribunal General de 6 de octubre de 2015, Yury Aleksandrovich Chyzh *et al.*/Consejo, T-276/12, ECLI:EU:T:2015:748.

Sentencia del Tribunal General de 23 de octubre de 2015, Oil Turbo Compressor Co. (Private Joint Stock)/Consejo, T-552/13, ECLI:EU:T:2015:805.

Sentencia del Tribunal General de 26 de octubre de 2015, Andriy Portnov/Consejo, T-290/14, ECLI:EU:T:2015:806.

Sentencia del Tribunal General de 28 de octubre de 2015, Al-Bashir Mohammed Al-Faqih *et al.*/Comisión, T-134/11, ECLI:EU:T:2015:812.

Sentencia del Tribunal General de 4 de diciembre de 2015, Mohammad Sarafraz/Consejo, T-273/13, ECLI:EU:T:2015:939.

Sentencia del Tribunal General de 4 de diciembre de 2015, Hamid Reza Emadi/Consejo, T-274/13, ECLI:EU:T:2015:938.

Sentencia del Tribunal General de 21 de enero de 2016, Mohammad Makhlouf/Consejo, T-443/13, ECLI:EU:T:2016:27.

Sentencia del Tribunal General de 28 de enero de 2016, Mykola Yanovych Azarov (*Azarov I*)/Consejo, T-331/14, ECLI:EU:T:2016:49.

Sentencia del Tribunal General de 28 de enero de 2016, Oleksii Mykolayovych Azarov, T-332/14, ECLI:EU:T:2016:48.

Sentencia del Tribunal General de 28 de enero de 2016, Sergiy Klyuyev/Consejo, T-341/14, ECLI:EU:T:2016:47.

Sentencia del Tribunal General de 28 de enero de 2016, Sergej Arbuzov/Consejo, T-434/14, ECLI:EU:T:2016:46.

Sentencia del Tribunal General de 28 de enero de 2016, Edward Stavytskyi/Consejo, T-486/14, ECLI:EU:T:2016:45.

Auto del Tribunal General de 15 de febrero de 2016, Ezz *et al.*/Consejo, T-279/13, ECLI:EU:T:2016:78.

Sentencia del Tribunal General de 18 de febrero de 2016, Mahmoud Jannatian/Consejo, T-328/14, ECLI:EU:T:2016:86.

Sentencia del Tribunal General de 14 de abril de 2016, Mehdi Ben Tijani Ben Haj Hamda Ben Haj Hassen Ben Ali/Consejo (*Mehdi Ben Ali II*), T-200/14, ECLI:EU:T:2016:216.

Sentencia del Tribunal General de 28 de abril de 2016, Sharif University of Technology/Consejo, T-52/15, ECLI:EU:T:2016:254.

Sentencia del Tribunal General de 3 de mayo de 2016, Iran Insurance Company/Consejo, T-63/14, ECLI:EU:T:2016:264.

Sentencia del Tribunal General de 3 de mayo de 2016, Post Bank Iran/Consejo, T-68/14, ECLI:EU:T:2016:263.

Sentencia del Tribunal General de 10 de mayo de 2016, Aliaksei Mikhalchanka/Consejo (*Mikhalchanka II*), T-693/13, ECLI:EU:T:2016:283.

Sentencia del Tribunal General de 24 de mayo de 2016, Good Luck Shipping LLC/Consejo, asuntos acumulados T-423/13 y T-64/14, ECLI:EU:T:2016:308.

Sentencia del Tribunal General de 2 de junio de 2016, HX/Consejo, T-723/14, ECLI:EU:T:2016:332.

Auto del Tribunal General de 10 de junio de 2016, Artem Viktorovych Pshonka/Consejo, T-380/14, ECLI:EU:T:2016:363.

Auto del Tribunal General de 10 de junio de 2016, Viktor Pavlovych Pshonka/Consejo, T-381/14, ECLI:EU:T:2016:361.

Auto del Tribunal General de 10 de junio de 2016, Oleksandr Klymenko/Consejo, T-494/14, ECLI:EU:T:2016:360.

Sentencia del Tribunal General de 30 de junio de 2016, CW/Consejo (*CW I*), T-516/13, ECLI:EU:T:2016:377.

Sentencia del Tribunal General de 30 de junio de 2016, Fahed Mohamed Sakher Al Matri/Consejo (*Al Matri II*), T-545/13, ECLI:EU:T:2016:376.

Sentencia del Tribunal General de 30 de junio de 2016, CW/Consejo (*CW II*), T-224/14, ECLI:EU:T:2016:375.

Sentencia del Tribunal General de 21 de julio de 2016, Bredekamp *et al.*/Consejo y Comisión, T-66/14, ECLI:EU:T:2016:430.

Sentencia del Tribunal General de 9 de septiembre de 2016, Tri-Ocean Trading/Consejo, T-709/14, ECLI:EU:T:2016:459.

Sentencia del Tribunal General de 14 de septiembre de 2016, National Iranian Tanker Company/Consejo, T-207/15, ECLI:EU:T:2016:471.

Sentencia del Tribunal General de 15 de septiembre de 2016, Andriy Klyuyev/Consejo, T-340/14, ECLI:EU:T:2016:496.

Sentencia del Tribunal General de 15 de septiembre de 2016, Viktor Fedorovych Yanukovych/Consejo, T-346/14, ECLI:EU:T:2016:497.

Sentencia del Tribunal General de 15 de septiembre de 2016, Oleksandr Viktorovych Yanukovych/Consejo, T-348/14, ECLI:EU:T:2016:508.

Sentencia del Tribunal General de 20 de septiembre de 2016, Bashir Saleh Bashir Alsharghawi/Consejo, T-485/15, ECLI:EU:T:2016:520.

Sentencia del Tribunal General de 18 de octubre de 2016, Sina Bank/Consejo, T-418/14, ECLI:EU:T:2016:619.

Sentencia del Tribunal General de 26 de octubre de 2016, Khaled Kaddour/Consejo (*Kaddour II*), T-155/15, ECLI:EU:T:2016:628.

Auto del Tribunal General de 9 de noviembre de 2016, Liam Jenkinson/Consejo *et al.*, T-602/15, ECLI:EU:T:2016:660.

Sentencia del Tribunal General de 30 de noviembre de 2016, Bank Refah Kargaran/Consejo, T-65/14, ECLI:EU:T:2016:692.

Sentencia del Tribunal General de 30 de noviembre de 2016, Export Development Bank of Iran/Consejo, T-89/14, ECLI:EU:T:2016:693.

Sentencia del Tribunal General de 30 de noviembre de 2016, Arkady Romanovich Rotenberg/Consejo, T-720/14, ECLI:EU:T:2016:689.

Sentencia del Tribunal General de 13 de diciembre de 2016, Mohammed Al-Ghabra/Comisión, T-248/13, ECLI:EU:T:2016:721.

Sentencia del Tribunal General de 25 de enero de 2017, Joint-Stock Company «Almaz-Antey» Air and Space Defence Corp., formerly OAO Concern PVO Almaz-Antey/Consejo (*Almaz-Antey I*), T-255/15, ECLI:EU:T:2017:25.

Sentencia del Tribunal General de 17 de febrero de 2017, Islamic Republic of Iran Shipping Lines/Consejo, asuntos acumulados T-14/14 y T-87/14, ECLI:EU:T:2017:102.

Sentencia del Tribunal General de 7 de marzo de 2017, Neka Novin Co., Private Joint Stock/Consejo, T— 436/14, ECLI:EU:T:2017:142.

Sentencia del Tribunal General de 14 de marzo de 2017, Bank Tejarat/Consejo, T-346/15, ECLI:EU:T:2017:164.

Sentencia del Tribunal General de 22 de marzo de 2017, George Haswani/Consejo, (*Haswani I*), T-231/15, ECLI:EU:T:2017:200.

Sentencia del Tribunal General de 28 de marzo de 2017, Aisha Muammer Mohamed El-Qaddafi, (*Aisha El-Qaddafi I*) T-681/14, ECLI:EU:T:2017:227.

Sentencia del Tribunal General de 6 de abril de 2017, Alkarim for Trade and Industry LLC/Consejo, T-35/15, ECLI:EU:T:2017:262.

Sentencia del Tribunal General de 11 de mayo de 2017, Ahmad Barqawi/Consejo, T-303/15, ECLI:EU:T:2017:328.

Sentencia del Tribunal General de 18 de mayo de 2017, Rami Makhlouf/Consejo, T-410/16, ECLI:EU:T:2017:349.

Sentencia del Tribunal General de 15 de junio de 2017, Dmitrii Konstantinovich Kiselev/Consejo, T-262/15, ECLI:EU:T:2017:392.

Sentencia del Tribunal General de 7 de julio de 2017, Mykola Yanovych Azarov / Consejo (*Azarov II*), T-215/15, ECLI:EU:T:2017:479.

Sentencia del Tribunal General de 7 de julio de 2017, Sergej Arbuzov/Consejo, T-221/15, ECLI:EU:T:2017:478.

Sentencia del Tribunal General de 20 de julio de 2017, Bureau d'achat de diamant Centrafrique (Badica) y Kardiam/Consejo, T-619/15, ECLI:EU:T:2017:532.

Sentencia del Tribunal General de 18 de septiembre de 2017, Uganda Commercial Impex Ltd/Consejo, T-107/15 y T-347/15, ECLI:EU:T:2017:628.

Sentencia del Tribunal General de 27 de septiembre de 2017, BelTechExport ZAO/Consejo (*BelTechExport ZAO II*), T-765/15, ECLI:EU:T:2017:669.

Sentencia del Tribunal General de 5 de octubre de 2017, Sirine Bent Zine El Abidine Ben Haj Hamda Ben Ali/Consejo, T-149/15, ECLI:EU:T:2017:693.

Sentencia del Tribunal General de 5 de octubre de 2017, Mohamed Marouen Ben Ali Ben Mohamed Mabrouk/Consejo (*Mabrouk I*), T-175/15, ECLI:EU:T:2017:694.

Sentencia del Tribunal General de 8 de noviembre de 2017, Oleksandr Viktorovych Klymenko/Consejo, T-245/15, ECLI:EU:T:2017:792.

Sentencia del Tribunal General de 8 de noviembre de 2017, Yury Volodymyrovych Ivanyushchenko/Consejo, T-246/15, ECLI:EU:T:2017:789.

Sentencia del Tribunal General de 13 de diciembre de 2017, HTTS Hanseatic Trade Trust & Shipping GmbH/Consejo, T-692/15, ECLI:EU:T:2017:890.

Sentencia del Tribunal General de 21 de febrero de 2018, Sergiy Klyuyev/Consejo, T-731/15, ECLI:EU:T:2018:90.

Sentencia del Tribunal General de 14 de marzo de 2018, Il-Su Kim *et al.*/Consejo, asuntos acumulados T-533/15 y T-264/16, ECLI:EU:T:2018:138.

Sentencia del Tribunal General de 22 de marzo de 2018, Edward Stavytskyi/ Consejo, T-242/16, ECLI:EU:T:2018:166.

Sentencia del Tribunal General de 26 de abril de 2018, Mykola Yanovych Azarov (*Azarov III*)/Consejo, T-190/16, ECLI:EU:T:2018:232.

Sentencia del Tribunal General de 31 de mayo de 2018, Khaled Kaddour/Consejo *(Kaddour III)*, T-461/16, ECLI:EU:T:2018:316.

Sentencia del Tribunal General de 6 de junio de 2018, Olena Lukash/Consejo, T-210/16, ECLI:EU:T:2018:332.

Sentencia del Tribunal General de 6 de junio de 2018, Sergej Arbuzov/Consejo, T-258/17, ECLI:EU:T:2018:331.

Sentencia del Tribunal General de 19 de junio de 2018, HX/Consejo, T-408/16, ECLI:EU:T:2018:355.

Sentencia del Tribunal General de 11 de julio de 2018, Andriy Klyuyev/Consejo, T-240/16, ECLI:EU:T:2018:433.

Sentencia del Tribunal General de 13 de septiembre de 2018, PAO Rosneft Oil Company *et al.*/Consejo, T-715/14, ECLI:EU:T:2018:544.

Sentencia del Tribunal General de 13 de septiembre de 2018, Sberbank of Russia OAO/Consejo, T-732/14, ECLI:EU:T:2018:541.

Sentencia del Tribunal General de 13 de septiembre de 2018, VTB Bank PAO/ Consejo, T-734/14, ECLI:EU:T:2018:542.

Sentencia del Tribunal General de 13 de septiembre de 2018, Gazprom Neft PAO/ Consejo, asuntos acumulados T-735/14 y T-799/14, ECLI:EU:T:2018:548.

Sentencia del Tribunal General de 13 de septiembre de 2018, Bank for Development and Foreign Economic Affairs (Vnesheconombank)/Consejo, T-737/14, ECLI:EU:T:2018:543.

Sentencia del Tribunal General de 13 de septiembre de 2018, PSC Prominvestbank, Joint-Stock Commercial Industrial & Investment Bank/Consejo, T-739/14, ECLI:EU:T:2018:547.

Sentencia del Tribunal General de 13 de septiembre de 2018, DenizBank A. Ş./ Consejo, T-798/14, ECLI:EU:T:2018:546.

Sentencia del Tribunal General de 13 de septiembre de 2018, Joint-Stock Company «Almaz-Antey» Air and Space Defence Corp., formerly OAO Concern PVO Almaz-Antey/Consejo (*Almaz-Antey I*), T-515/15, ECLI:EU:T:2018:545.

Sentencia del Tribunal General de 27 de septiembre de 2018, Ahmed Abdelaziz Ezz *et al.* /Consejo (*Ezz et al. II*), T-288/15, ECLI:EU:T:2018:619.

Sentencia del Tribunal General de 15 de noviembre de 2018, Kurdistan Workers'Party (PKK)/Consejo, T-316/14, ECLI:EU:T:2018:788.

Sentencia del Tribunal General de 15 de noviembre de 2018, Mohamed Marouen Ben Ali Ben Mohamed Mabrouk/Consejo (*Mabrouk II*), T-216/17, ECLI:EU:T:2018:779.

Sentencia del Tribunal General de 22 de noviembre de 2018, Suzanne Saleh Thabet *et al.*/Consejo, asuntos acumulados T-274/16 y T-275/16, ECLI:EU:T:2018:619.

Sentencia del Tribunal General de 10 de diciembre de 2018, Bank Refah Kargaran/Consejo, T-552/15, ECLI:EU:T:2018:897.

Sentencia del Tribunal General de 13 de diciembre de 2018, Iran Insurance Company/Consejo, T-558/15, ECLI:EU:T:2018:945.

Sentencia del Tribunal General de 13 diciembre de 2018, Post Bank Iran/Consejo, Post Bank Iran/Consejo, T-559/15, ECLI:EU:T:2018:948.

Sentencia del Tribunal General de 16 de enero de 2019, Bena Properties Co. SA/Consejo, T-412/16, ECLI:EU:T:2019:10.

Sentencia del Tribunal General de 16 de enero de 2019, Cham Holding/Consejo, T-413/16, ECLI:EU:T:2019:8.

Sentencia del Tribunal General de 13 de diciembre de 2018, Mykola Yanovych Azarov (*Azarov IV*) /Consejo, T-247/17, ECLI:EU:T:2018:931.

Sentencia del Tribunal General de 12 de diciembre de 2018, Mohamed Hosni Elsayed Mubarak/Consejo, T-358/17, ECLI:EU:T:2018:905.

Sentencia del Tribunal General de 16 de enero de 2019, George Haswani/Consejo, (*Haswani II*), T-477/17, ECLI:EU:T:2019:7.

Sentencia del Tribunal General de 30 de enero de 2019, Edward Stavytskyi/Consejo, T-290/17, ECLI:EU:T:2019:37.

Sentencia del Tribunal General de 31 de enero de 2019, Mouhamad Wael Abdulkarim/Consejo, T-559/17, ECLI:EU:T:2019:44.

Sentencia del Tribunal General de 31 de enero de 2019, Alkarim for Trade and Industry LLC/Consejo, T-667/17, ECLI:EU:T:2019:46.

Sentencia del Tribunal General de 28 de febrero de 2019, Drex Technologies SA/Consejo, T-414/16, ECLI:EU:T:2019:117.

Sentencia del Tribunal General de 28 de febrero de 2019, Almashreq Investment Fund/Consejo, T-415/16, ECLI:EU:T:2019:116.

Sentencia del Tribunal General de 28 de febrero de 2019, Souruh SA/Consejo, T-440/16, ECLI:EU:T:2019:115.

Sentencia del Tribunal General de 6 de marzo de 2019, Hamas/Consejo, T-289/15, ECLI:EU:T:2019:138.

Sentencia del Tribunal General de 26 de marzo de 2019, Évariste Boshab *et al.*/Consejo, T-582/17, ECLI:EU:T:2019:193.

Sentencia del Tribunal General de 4 de abril de 2019, Ammar Sharif/Consejo, T-5/17, ECLI:EU:T:2019:216.

Sentencia del Tribunal General de 10 de abril de 2019, Gamaa Islamya Egipto/Consejo, T-643/16, ECLI:EU:T:2019:238.

Sentencia del Tribunal General de 8 de mayo de 2019, Islamic Republic of Iran Shipping Lines/Consejo, T-434/15, ECLI:EU:T:2019:307.

Sentencia del Tribunal General de 16 de mayo de 2019, Bank Tejarat/Consejo, T-37/17, ECLI:EU:T:2019:337.

Sentencia del Tribunal General de 5 de junio de 2019, Bank Saderat plc/Consejo, T-433/15, ECLI:EU:T:2019:374.

Sentencia del Tribunal General de 2 de julio de 2019, Fulmen/Consejo, T-405/15, ECLI:EU:T:2019:469.

Sentencia del Tribunal General de 2 de julio de 2019, Fereydoun Mahmoudian/Consejo, T-406/15, ECLI:EU:T:2019:468.

Sentencia del Tribunal General de 11 de julio de 2019, Viktor Fedorovych Yanukovycg/Consejo, asuntos acumulados T-244/16 y T-285/17, ECLI:EU:T:2019:502.

Sentencia del Tribunal General de 11 de julio de 2019, Oleksandr Viktorovych Yanukovych/Consejo, asuntos acumulados T-245/16 y T-286/17, ECLI:EU:T:2019:505.

Sentencia del Tribunal General de 11 de julio de 2019, Oleksandr Viktorovych Klymenko/Consejo, T-274/18, ECLI:EU:T:2019:509.

Sentencia del Tribunal General de 11 de julio de 2019, Sergej Arbuzov/Consejo, T-284/18, ECLI:EU:T:2019:511.

Sentencia del Tribunal General de 11 de julio de 2019, Viktor Pavlovych Pshonka/Consejo, T-285/18, ECLI:EU:T:2019:512.

Sentencia del Tribunal General de 11 de julio de 2019, Artem Viktorovych Pshonka/Consejo, T-289/18, ECLI:EU:T:2019:504.

Sentencia del Tribunal General de 11 de julio de 2019, Andriy Klyuyev/Consejo, T-305/18, ECLI:EU:T:2019:506.

Sentencia del Tribunal General de 4 de septiembre de 2019, Hamas/Consejo, T-308/18, ECLI:EU:T:2019:557.

Auto del Tribunal General de 11 de septiembre de 2019, George Haswani/Consejo, T-231/15 RENV, ECLI:EU:T:2019:589.

Sentencia del Tribunal General de 11 de septiembre de 2019, Sergey Topor-Gilka y OOO WO Technopromexport/Consejo, asuntos acumulados T-721/17 y T-722/17, ECLI:EU:T:2019:579.

Sentencia del Tribunal General de 11 de septiembre de 2019, Mykola Yanovych Azarov (*Azarov V*)/Consejo, T-286/18, ECLI:EU:T:2019:577.

Sentencia del Tribunal General de 20 de septiembre de 2019, República Bolivariana de Venezuela/Consejo, T-65/18, ECLI:EU:T:2019:649.

Sentencia del Tribunal General de 24 de septiembre de 2019, Viktor Feodorovych Yanukovych/Consejo, T-300/18, ECLI:EU:T:2019:685.

Sentencia del Tribunal General de 24 de septiembre de 2019, Oleksandr Viktorovych Yanukovych/Consejo, T-301/18, ECLI:EU:T:2019:676.

Sentencia del Tribunal General de 12 de febrero de 2020, Gabriel Amisi Kumba/Consejo, T-163/18, ECLI:EU:T:2020:57.

Sentencia del Tribunal General de 12 de febrero de 2020, Ilunga Kampete/Consejo, T-164/18, ECLI:EU:T:2020:54.

Sentencia del Tribunal General de 12 de febrero de 2020, Delphin Kahimbi Kasagwe/Consejo, T-165/18, ECLI:EU:T:2020:52.

Sentencia del Tribunal General de 12 de febrero de 2020, Ferdinand Ilunga Luyoyo/Consejo, T-166/18, ECLI:EU:T:2020:50.

Sentencia del Tribunal General de 12 de febrero de 2020, Célestin Kanyama/Consejo, T-167/18, ECLI:EU:T:2020:49.

Sentencia del Tribunal General de 12 de febrero de 2020, John Numbi/Consejo, T-168/18, ECLI:EU:T:2020:47.

Sentencia del Tribunal General de 12 de febrero de 2020, Roger Kibelisa Ngambasai/Consejo, T-169/18, ECLI:EU:T:2020:58.

Sentencia del Tribunal General de 12 de febrero de 2020, Alex Kande Mupompa/Consejo, T-170/18, ECLI:EU:T:2020:60.

Sentencia del Tribunal General de 12 de febrero de 2020, Évariste Boshab/Consejo, T-171/18, ECLI:EU:T:2020:55.

Sentencia del Tribunal General de 12 de febrero de 2020, Muhindo Akili Mundos/Consejo, T-172/18, ECLI:EU:T:2020:53.

Sentencia del Tribunal General de 12 de febrero de 2020, Emmanuel Ramazani Shadary/Consejo, T-173/18, ECLI:EU:T:2020:48.

Sentencia del Tribunal General de 12 de febrero de 2020, Kalev Mutondo/Consejo, T-174/18, ECLI:EU:T:2020:63.

Sentencia del Tribunal General de 12 de febrero de 2020, Éric Ruhorimbere/Consejo, T-175/18, ECLI:EU:T:2020:62.

Sentencia del Tribunal General de 12 de febrero de 2020, Lambert Mende Omalanga/Consejo, T-176/18, ECLI:EU:T:2020:61.

Sentencia del Tribunal General de 12 de febrero de 2020, Jean-Claude Kazembe Musonda/Consejo, T-177/18, ECLI:EU:T:2020:59.

Sentencia del Tribunal General de 25 de junio de 2020, Oleksandr Viktorovych Klymenko/Consejo, T-295/19, ECLI:EU:T:2020:287.
Sentencia del Tribunal General de 8 de julio de 2020, Ocean Capital Administration *e.a.*/Consejo, T-332/15, ECLI:EU:T:2020:308.
Sentencia del Tribunal General de 8 de julio de 2020, Neda Industrial Group/ Consejo, T-490/18, ECLI:EU:T:2020:318.
Sentencia del Tribunal General de 8 de julio de 2020, Khaled Zubedi/Consejo, T-186/19, ECLI:EU:T:2020:317.
Sentencia del Tribunal General de 23 de septiembre de 2020, Khaled Kaddour/ Consejo *(Kaddour IV)*, T-510/18, ECLI:EU:T:2020:436.
Sentencia del Tribunal General de 23 de septiembre de 2020, Sergej Arbuzov, T-289/19, ECLI:EU:T:2020:445.
Sentencia del Tribunal General de 23 de septiembre de 2020, Viktor Pavlovych Pshonka/Consejo, T-291/19, ECLI:EU:T:2020:448.
Sentencia del Tribunal General de 23 de septiembre de 2020, Artem Viktorovych Pshonka, T-292/19, ECLI:EU:T:2020:449.
Sentencia del Tribunal General de 28 de octubre de 2020, Slim Ben Tijani Ben Haj Hamda Ben Ali, T-151/18, ECLI:EU:T:2020:514.
Sentencia del Tribunal General de 2 de diciembre de 2020, Kalai/Consejo, T-178/19, ECLI:EU:T:2020:580.
Sentencia del Tribunal General de 16 de diciembre de 2020, George Haswani/ Consejo, (*Haswani III*) T-521/19, ECLI:EU:T:2020:608.
Sentencia del Tribunal General de 3 de febrero de 2021, Jean-Claude Kazembe Musonda/Consejo, T-110/19, ECLI:EU:T:2021:53.
Sentencia del Tribunal General de 3 de febrero de 2021, Évariste Boshab/Consejo, T-111/19, ECLI:EU:T:2021:54.
Sentencia del Tribunal General de 3 de febrero de 2021, Ilunga Kampete/Consejo, T-113/19, ECLI:EU:T:2021:55.
Sentencia del Tribunal General de 3 de febrero de 2021, Alex Kande Mupompa/ Consejo, T-116/19, ECLI:EU:T:2021:56.
Sentencia del Tribunal General de 3 de febrero de 2021, Gabriel Amisi Kumba/ Consejo, T-118/19, ECLI:EU:T:2021:57.
Sentencia del Tribunal General de 3 de febrero de 2021, Kalev Mutondo/Consejo, T-119/19, ECLI:EU:T:2021:58.
Sentencia del Tribunal General de 3 de febrero de 2021, John Numbi/Consejo, T-120/19, ECLI:EU:T:2021:59.
Sentencia del Tribunal General de 3 de febrero de 2021, Éric Ruhorimbere/ Consejo, T-121/19, ECLI:EU:T:2021:60.
Sentencia del Tribunal General de 3 de febrero de 2021, Oleksandr Viktorovych Klymenko/Consejo, T-258/20, ECLI:EU:T:2021:52.
Sentencia del Tribunal General de 10 de febrero de 2021, Dalokay Şanli/Consejo, T-585/18, ECLI:EU:T:2021:73.
Sentencia del Tribunal General de 10 de febrero de 2021, Dalokay Şanli/Consejo, T-157/19, ECLI:EU:T:2021:75.

Sentencia del Tribunal General de 14 de abril de 2021, Mazen Al-Tarazi/Consejo, T-260/19, ECLI:EU:T:2021:187.
Sentencia del Tribunal General de 21 de abril de 2021, Aisha Muammer Mohamed El-Qaddafi/Consejo (*Aisha El-Qaddafi II*), T-322/19, ECLI:EU:T:2021:206.
Sentencia del Tribunal General de 28 de abril de 2021, Ammar Sharif/Consejo, T-540/19, ECLI:EU:T:2021:220.
Sentencia del Tribunal General de 9 de junio de 2021, Oleksandr Viktorovych Yanukovych/Consejo, T-302/19, ECLI:EU:T:2021:333.
Sentencia del Tribunal General de 9 de junio de 2021, Viktor Fedorovych Yanukovych/Consejo, T-303/19, ECLI:EU:T:2021:334.
Sentencia del Tribunal General de 9 de junio de 2021, Sayed Shamsuddin Borborudi/Consejo, T-580/19, ECLI:EU:T:2021:330.
Sentencia del Tribunal General de 7 de julio de 2021, HTTS Hanseatic Trade Trust & Shipping GmbH/Consejo, T-692/15 RENV, ECLI:EU:T:2021:410.
Sentencia del Tribunal General de 7 de julio de 2021, Naser Bateni/Consejo, T-455/17, ECLI:EU:T:2021:411.
Sentencia del Tribunal General de 7 de julio de 2021, Sergej Arbuzov/Consejo, T-267/20, ECLI:EU:T:2021:417.
Sentencia del Tribunal General de 7 de julio de 2021, Artem Viktorovych Pshonka/Consejo, T-268/20, ECLI:EU:T:2021:418.
Sentencia del Tribunal General de 7 de julio de 2021, Viktor Pavlovych Pshonka/Consejo, T-269/20, ECLI:EU:T:2021:419.
Sentencia del Tribunal General de 14 de julio de 2021, Antonio José Benavides Torres/Consejo, T-245/18, ECLI:EU:T:2021:447.
Sentencia del Tribunal General de 14 de julio de 2021, Maikel José Moreno Pérez/Consejo, T-246/18, ECLI:EU:T:2021:448.
Sentencia del Tribunal General de 14 de julio de 2021, Tibisay Lucena Ramírez/Consejo, T-247/18, ECLI:EU:T:2021:449.
Sentencia del Tribunal General de 14 de julio de 2021, Diosdado Cabello Rondón/Consejo, T-248/18, ECLI:EU:T:2021:450.
Sentencia del Tribunal General de 14 de julio de 2021, Tarek William Saab Halabi/Consejo, T-249/18, ECLI:EU:T:2021:451.
Sentencia del Tribunal General de 14 de julio de 2021, Katherine Nayarith Harrington Padrón/Consejo, T-550/18, ECLI:EU:T:2021:452.
Sentencia del Tribunal General de 14 de julio de 2021, Sandra Oblitas Ruzza/Consejo, T-551/18, ECLI:EU:T:2021:453.
Sentencia del Tribunal General de 14 de julio de 2021, Xavier Antonio Moreno Reyes, T-552/18, ECLI:EU:T:2021:455.
Sentencia del Tribunal General de 14 de julio de 2021, Delcy Eloina Rodríguez Gómez/Consejo, T-553/18, ECLI:EU:T:2021:458.
Sentencia del Tribunal General de 14 de julio de 2021, Socorro Elizabeth Hernández Hernández/Consejo, T-554/18, ECLI:EU:T:2021:461.
Sentencia del Tribunal General de 14 de julio de 2021, Katherine Nayarith Harrington Padrón/Consejo, T-32/19, ECLI:EU:T:2021:463.

Sentencia del Tribunal General de 14 de julio de 2021, Antonio José Benavides Torres/Consejo, T-35/19, ECLI:EU:T:2021:466.
Sentencia del Tribunal General de 15 de septiembre de 2021, Jean-Claude Kazembe Musonda/Consejo, T-95/20, ECLI:EU:T:2021:570.
Sentencia del Tribunal General de 15 de septiembre de 2021, Tareg Ghaoud/Consejo, T-700/19, ECLI:EU:T:2021:576.
Sentencia del Tribunal General de 15 de septiembre de 2021, Alex Kande Mupompa/Consejo, T-97/20, ECLI:EU:T:2021:573.
Sentencia del Tribunal General de 15 de septiembre de 2021, Ferdinand Ilunga Luyoyo/Consejo, T-101/20, ECLI:EU:T:2021:575.
Sentencia del Tribunal General de 15 de septiembre de 2021, Ilunga Kampete/Consejo, T-102/20, ECLI:EU:T:2021:577.
Sentencia del Tribunal General de 15 de septiembre de 2021, Kalev Mutondo/Consejo, T-103/20, ECLI:EU:T:2021:578.
Sentencia del Tribunal General de 15 de septiembre de 2021, Emmanuel Ramazani Shadary/Consejo, T-104/20, ECLI:EU:T:2021:579.
Sentencia del Tribunal General de 15 de septiembre de 2021, Éric Ruhorimbere/Consejo, T-105/20, ECLI:EU:T:2021:581.
Sentencia del Tribunal General de 15 de septiembre de 2021, Gabriel Amisi Kumba/Consejo, T-106/20, ECLI:EU:T:2021:582.
Sentencia del Tribunal General de 15 de septiembre de 2021, Évariste Boshab/Consejo, T-107/20, ECLI:EU:T:2021:583.
Sentencia del Tribunal General de 15 de septiembre de 2021, John Numbi/Consejo, T-109/20, ECLI:EU:T:2021:584.
Sentencia del Tribunal General de 15 de septiembre de 2021, Célestin Kanyama/Consejo, T-110/20, ECLI:EU:T:2021:585.
Sentencia del Tribunal General de 22 de septiembre de 2021, Maher Al-Imam/Consejo, T-203/20, ECLI:EU:T:2021:605.
Sentencia del Tribunal General de 10 de noviembre de 2021, Waseem Alkattan/Consejo, T-218/20, ECLI:EU:T:2021:765.
Auto del Tribunal General de 10 de noviembre de 2021, KS y KD/Consejo, Comisión y SEAE, T-771/20, ECLI:EU:T:2021:798.
Sentencia del Tribunal General de 24 de noviembre de 2021, European Political Subdivision of the Liberation Tigers of Tamil Eelam/Council, T-160/19, ECLI:EU:T:2021:817.
Sentencia del Tribunal General de 24 de noviembre de 2021, Bashar Assi/Consejo, T-256/19, ECLI:EU:T:2021:818.
Sentencia del Tribunal General de 24 de noviembre de 2021, Khaldoun Al Zoubi/Consejo, T-257/19, ECLI:EU:T:2021:819.
Sentencia del Tribunal General de 24 de noviembre de 2021, Samer Foz/Consejo, T-258/19, ECLI:EU:T:2021:820.
Sentencia del Tribunal General de 24 de noviembre de 2021, Aman Dimashq JSC/Consejo, T-259/19, ECLI:EU:T:2021:821.
Sentencia del Tribunal General de 21 de diciembre de 2021, Oleksandr Viktorovych Klymenko/Consejo, T-195/21, ECLI:EU:T:2021:925.

Sentencia del Tribunal General de 16 de marzo de 2022, Abdelkader Sabra/Consejo, T-249/20, ECLI:EU:T:2022:140.

Sentencia del Tribunal General de 30 de marzo de 2022, Viktor Fedorovych Yanukovych/Consejo, T-291/20, ECLI:EU:T:2022:187.

Sentencia del Tribunal General de 30 de marzo de 2022, Oleksandr Viktorovych Yanukovych, T-292/20, ECLI:EU:T:2022:188.

Auto del presidente del Tribunal General de 30 de marzo de 2022, RT France/Consejo, T-125/22 R, ECLI:EU:T:2022:199.

Sentencia del Tribunal General de 6 de abril de 2022, Gamal Mohamed Hosni Elsayed Mubarak *et al.*/Consejo, asuntos acumulados T-335/18, T-338/18 y T-327/19, ECLI:EU:T:2022:226.

Sentencia del Tribunal General de 27 de abril de 2022, Évariste Boshab/Consejo, T-103/21, ECLI:EU:T:2022:248.

Sentencia del Tribunal General de 27 de abril de 2022, Alex Kande Mupompa/Consejo, T-104/21, ECLI:EU:T:2022:249.

Sentencia del Tribunal General de 27 de abril de 2022, Célestin Kanyama/Consejo, T-105/21, ECLI:EU:T:2022:250.

Sentencia del Tribunal General de 27 de abril de 2022, Jean-Claude Kazembe Musonda/Consejo, T-106/21, ECLI:EU:T:2022:251.

Sentencia del Tribunal General de 27 de abril de 2022, Gabriel Amisi Kumba/Consejo, T-107/21, ECLI:EU:T:2022:252.

Sentencia del Tribunal General de 27 de abril de 2022, Ferdinand Ilunga Luyoyo/Consejo, T-108/21, ECLI:EU:T:2022:253.

Sentencia del Tribunal General de 27 de abril de 2022, Kalev Mutondo/Consejo, T-109/21, ECLI:EU:T:2022:254.

Sentencia del Tribunal General de 27 de abril de 2022, Ilunga Kampete/Consejo, T-110/21, ECLI:EU:T:2022:255.

Sentencia del Tribunal General de 27 de abril de 2022, John Numbi/Consejo, T-112/21, ECLI:EU:T:2022:256.

Sentencia del Tribunal General de 27 de abril de 2022, Emmanuel Ramazani Shadary/Consejo, T-119/21, ECLI:EU:T:2022:257.

Sentencia del Tribunal General de 27 de abril de 2022, Éric Ruhorimbere/Consejo, T-120/21, ECLI:EU:T:2022:258.

Sentencia del Tribunal General de 18 de mayo de 2022, Amer Foz/Consejo, T-296/20, ECLI:EU:T:2022:298.

Sentencia del Tribunal General de 1 de junio de 2022, Yevgniy Viktorovich Prigozhin/Consejo, T-723/20, ECLI:EU:T:2022:317.

Sentencia del Tribunal General de 22 de junio de 2022, George Haswani (*Haswani IV*), T-479/21, ECLI:EU:T:2022:383.

Sentencia del Tribunal General (Gran Sala) de 27 de julio de 2022, RT France/Consejo, T-125/22, ECLI:EU:T:2022:483.

Sentencia del Tribunal General de 28 de septiembre de 2022, Libyan African Investment Company (LAICO)/Consejo, T-627/20, ECLI:EU:T:2022:590.

Sentencia del Tribunal General de 26 de octubre de 2022, Dmitry Vladimirovich Ovsyannikov/Consejo, T-714/20, ECLI:EU:T:2022:674.

Sentencia del Tribunal General de 30 de noviembre de 2022, Kurdistan Workers'Party (PKK)/Consejo, asuntos acumulados T-316/14 RENV y T-148/19, ECLI:EU:T:2022:727.

Sentencia del Tribunal General de 14 de diciembre de 2022, Kurdistan Workers' Party (PKK)/Consejo, T-182/21, ECLI:EU:T:2022:807.

Sentencia del Tribunal General de 21 de diciembre de 2022, Artem Viktorovych Pshonka/Consejo, T-242/21, ECLI:EU:T:2022:839.

Sentencia del Tribunal General de 21 de diciembre de 2022, Viktor Pavlovych Pshonka/Consejo, T-243/21, ECLI:EU:T:2022:840.

Sentencia del Tribunal General de 15 de febrero de 2023, Belaeronavigatsia/Consejo, T-536/21, ECLI:EU:T:2023:66.

Auto del Presidente del Tribunal General de 1 de marzo de 2023, Nikita Dmitrievich Mazepin/Consejo, T-743/22 R, ECLI:EU:T:2023:102.

Sentencia del Tribunal General de 8 de marzo de 2023, Violetta Prigozhina/Consejo, T-212/22, ECLI:EU:T:2023:104.

Sentencia del Tribunal General de 8 de marzo de 2023, Nizar Assaad/Consejo, T-426/21, ECLI:EU:T:2023:114.

Auto del Presidente del Tribunal General de 19 de julio de 2023, Mazepin/Consejo, T-743/22 RII, ECLI:EU:T:2023:406.

Sentencia del Tribunal General (Gran Sala) de 13 de septiembre de 2023, República Bolivariana de Venezuela/Consejo, T-65/18 RENV, ECLI:EU:T:2023:529.

Auto del Presidente del Tribunal General 19 de septiembre de 2023, Mazepin/Consejo, T-743/22 RIII.

2. *Sentencias del Tribunal de Justicia por recursos de anulación*

Sentencia del Tribunal de Justicia (Gran Sala) de 19 de julio de 2012, Parlamento Europeo/Consejo, C-130/10, ECLI:EU:C:2012:472.

3. *Sentencias del Tribunal de Justicia por recursos casación*

Sentencia del Tribunal de Justicia de 15 de junio de 2000, Dorsch Consult Ingenieurgesellschaft mbH/Consejo y Comisión, C-237/98 P, ECLI:EU:C:2000:321.

Sentencia del Tribunal de Justicia de 1 de febrero de 2007, José María Sisón/Consejo, C-266/05 P, ECLI:EU:C:2007:75.

Sentencia del Tribunal de Justicia de 18 de enero de 2007, Osman Ocalan, en nombre del Partido de los Trabajadores del Kurdistan (PKK) y Serif Vanly, en nombre del Congreso Nacional del Kurdistan (KNK)/Consejo, Reino Unido de Gran Bretaña e Irlanda del Norte y Comisión, C-229/05 P, ECLI:EU:C:2007:32.

Sentencia del Tribunal de Justicia (Gran Sala) de 27 de febrero de 2007, Gestoras Pro Amnistía *et al.*/Consejo, C-354/04 P, ECLI:EU:C:2007:115.

Sentencia del Tribunal de Justicia (Gran Sala) de 27 de febrero de 2007, Segi *et al.*/Consejo, C-355/04 P, ECLI:EU:C:2007:116.

Sentencia del Tribunal de Justicia (Gran Sala) de 3 de septiembre de 2008, Yassin Abdullah Kadi y Al Barakaat International Foundation/Consejo *(Kadi I)*, asuntos acumulados C-402/05 P y C-415/05 P, ECLI:EU:C:2008:461.

Sentencia del Tribunal de Justicia de 3 de diciembre de 2009, Faraj Hassan/Consejo, C-399/06 P, y Chafiq Ayadi/Consejo, C-403/06 P, ECLI:EU:C:2009:748.

Sentencia del Tribunal de Justicia (Gran Sala) de 16 de noviembre de 2011, Bank Melli Iran/Consejo, C-548/09 P, ECLI:EU:C:2011:735.

Sentencia del Tribunal de Justicia (Gran Sala) de 21 de diciembre de 2011, República Francesa/ People's Mojahedin Organization of Iran (OMPI), C-27/09 P, ECLI:EU:C:2011:853.

Sentencia del Tribunal de Justicia (Gran Sala) de 13 de marzo de 2012, Melli Bank plc/Consejo, C-380/09 P, ECLI:EU:C:2012:137.

Sentencia de Tribunal de Justicia (Gran Sala) de 13 de marzo de 2012, Pye Phyo Tay Za/Consejo, C-376/10 P, ECLI:EU:C:2012:138.

Auto del Presidente del Tribunal de Justicia de 19 de julio de 2012, Tarif Akhras/ Consejo, C-110/12 P(R), ECLI:EU:C:2012:507.

Sentencia del Tribunal de Justicia de 15 de noviembre de 2012, Stichting Al-Aqsa/ Consejo, asuntos acumulados C-539/10 P y C-550/10 P, ECLI:EU:C:2012:711.

Sentencia del Tribunal de Justicia de 15 de noviembre de 2012, Consejo/Nadiany Bamba, C-417/11 P, ECLI:EU:C:2012:718.

Sentencia de Tribunal de Justicia (Gran Sala) de 23 de abril de 2013, Laurent Gbagbo *et al.*/Consejo, asuntos acumulados, C-478/11 P a C-482/11 P, ECLI:EU:C:2013:258.

Sentencia del Tribunal de Justicia (Gran Sala) de 28 de mayo de 2013, Abdulbasit Abdulrahim/Consejo y Comisión, C-239/12 P, ECLI:EU:C:2013:331.

Sentencia del Tribunal de Justicia (Gran Sala) de 18 de julio de 2013, Comisión Europea *et al.*/Yassin Abdullah Kadi *(Kadi II)*, asuntos acumulados C-584/10 P, C-593/10 P y C-595/10 P, ECLI:EU:C:2013:518.

Sentencia del Tribunal de Justicia de 28 de noviembre de 2013, Consejo/Fulmen y Fereydoun Mahmoudian, C-280/12 P, ECLI:EU:C:2013:775.

Sentencia del Tribunal de Justicia de 28 de noviembre de 2013, Consejo/Manufacturing Support & Procurement Kala Naft Co., Tehran, C-348/12 P, ECLI:EU:C:2013:776.

Sentencia del Tribunal de Justicia de 5 de marzo de 2015, Europäisch-Iranische Handelsbank AG/Consejo, C-585/13 P, ECLI:EU:C:2015:145.

Sentencia del Tribunal de Justicia de 5 de marzo de 2015, Ahmed Abdelaziz Ezz *et al.*/Consejo, C-220/14 P, ECLI:EU:C:2015:147.

Sentencia del Tribunal de Justicia de 21 de abril de 2015, Issam Anbouba/Consejo (*Anbouba I*), C-605/13 P, ECLI:EU:C:2015:248.

Sentencia del Tribunal de Justicia de 21 de abril de 2015, Issam Anbouba/Consejo (*Anbouba II*), C-630/13 P, ECLI:EU:C:2015:247.

Sentencia del Tribunal de Justicia de 18 de junio de 2015, Vadzim Ipatau/Consejo, C-535/14 P, ECLI:EU:C:2015:407.

Sentencia del Tribunal de Justicia de 1 de diciembre de 2015, Aguy Clement Georgias *et al.*/Consejo y Comisión, C-545/14 P, ECLI:EU:C:2015:791.

Sentencia del Tribunal de Justicia de 18 de febrero de 2016, Consejo/Bank Mellat, C-176/13 P, ECLI:EU:C:2016:96.

Sentencia del Tribunal de Justicia (Gran Sala) de 1 de marzo de 2016, National Iranian Oil Company/Consejo, C-440/14 P, ECLI:EU:C:2016:128.

Sentencia del Tribunal de Justicia de 7 de abril de 2016, Tarif Akhras/Consejo, C-193/15 P, ECLI:EU:C:2016:219.

Sentencia del Tribunal de Justicia de 7 de abril de 2016, Central Bank of Iran/Consejo, C-266/15 P, ECLI:EU:C:2016:208.

Sentencia del Tribunal de Justicia de 21 de abril de 2016, Consejo/Bank Saderat Iran, C-200/13 P, ECLI:EU:C:2016:284.

Sentencia del Tribunal de Justicia de 12 de mayo de 2016, Bank of Industry and Mine/Consejo, C-358/15 P, ECLI:EU:C:2016:338.

Sentencia del Tribunal de Justicia de 28 de julio de 2016, Johannes Tomana *et al.*/Consejo, C-330/15 P, ECLI:EU:C:2016:601.

Sentencia del Tribunal de Justicia de 8 de septiembre de 2016, Iranian Offshore Engineering & Construction Co./Consejo, C-459/15 P, ECLI:EU:C:2016:646.

Sentencia del Tribunal de Justicia (Gran Sala) de 30 de mayo de 2017, Safa Nicu Sepahan Co./Consejo, C-45/15 P, ECLI:EU:C:2017:402.

Sentencia del Tribunal de Justicia de 15 de junio de 2017, Al Bashir Mohammed Al-Faqih *et al.*/Consejo, C-19/16 P, ECLI:EU:C:2017:466.

Sentencia del Tribunal de Justicia (Gran Sala) de 26 de julio de 2017, Consejo/Liberation Tigers of Tamil Eelam (*LTTE*), C-599/14 P, ECLI:EU:C:2017:583.

Sentencia del Tribunal de Justicia (Gran Sala) de 26 de julio de 2017, Consejo/Hamás, C-79/15 P, ECLI:EU:C:2017:584.

Sentencia del Tribunal de Justicia de 19 de octubre de 2017, Viktor Fedorovych Yanukovych/Consejo, C-598/16 P, ECLI:EU:C:2017:786.

Sentencia del Tribunal de Justicia de 19 de octubre de 2017, Oleksandr Viktorovych Yanukovych/Consejo, C-599/16 P, ECLI:EU:C:2017:785.

Sentencia del Tribunal de Justicia de 9 de noviembre de 2017, HX/Consejo, C-423/16 P, ECLI:EU:C:2017:848.

Sentencia del Tribunal de Justicia de 14 de junio de 2018, Rami Makhlouf/Consejo, C-458/17 P, ECLI:EU:C:2018:441.

Sentencia del Tribunal de Justicia de 6 de septiembre de 2018, Bank Mellat/Consejo, C-430/16 P, ECLI:EU:C:2018:668.

Sentencia del Tribunal de Justicia de 29 de noviembre de 2018, National Iranian Tanker Company/Consejo, C-600/16 P, ECLI:EU:C:2018:966.

Sentencia del Tribunal de Justicia de 29 de noviembre de 2018, Bank Tejarat/Consejo, C-248/17 P, ECLI:EU:C:2018:967.

Sentencia del Tribunal de Justicia de 19 de diciembre de 2018, Mykola Yanovych Azarov/Consejo, C-530/17 P, ECLI:EU:C:2018:1031.

Sentencia del Tribunal de Justicia de 24 de enero de 2019, George Haswani/Consejo, C-313/17 P, ECLI:EU:C:2019:57.

Sentencia del Tribunal de Justicia de 31 de enero de 2019, Islamic Republic of Iran Shipping Lines *et al.*/Consejo, C-225/17 P, ECLI:EU:C:2019:82.

Sentencia del Tribunal de Justicia de 11 de julio de 2019, Mykola Yanovych Azarov/Consejo, C-416/18 P, ECLI:EU:C:2019:602.

Sentencia del Tribunal de Justicia (Gran Sala) de 10 de septiembre de 2019, HTTS Hanseatic Trade Trust & Shipping GmbH/Consejo, C-123/18 P, ECLI:EU:C:2019:694.

Sentencia del Tribunal de Justicia de 11 de septiembre de 2019, HX/Consejo, C-540/18 P, ECLI:EU:C:2019:707.

Sentencia del Tribunal de Justicia de 26 de septiembre de 2019, Oleksandr Viktorovych Klymenko, C-11/18 P, ECLI:EU:C:2019:786.

Sentencia del Tribunal de Justicia de 25 de junio de 2020, VTB Bank PAO/Consejo, C-729/18 P, ECLI:EU:C:2020:499.

Sentencia del Tribunal de Justicia de 25 de junio de 2020, Bank for Development and Foreign Economic Affairs (Vnesheconombank)/Consejo, C-731/18 P, ECLI:EU:C:2020:500.

Sentencia del Tribunal de Justicia de 9 de julio de 2020, George Haswani/Consejo, C-241/19 P, ECLI:EU:C:2020:545.

Sentencia del Tribunal de Justicia de 1 de octubre de 2020, Almashreq Investment Fund/Consejo, C-349/19 P, ECLI:EU:C:2020:783.

Sentencia del Tribunal de Justicia de 1 de octubre de 2020, Souruh SA/Consejo, C-350/19 P, ECLI:EU:C:2020:784.

Sentencia del Tribunal de Justicia (Gran Sala) de 6 de octubre de 2020, Bank Refah Kargaran/Consejo, C-134/19 P, ECLI:EU:C:2020:793.

Sentencia del Tribunal de Justicia de 3 de diciembre de 2020, Suzanne Saleh Thabet *et al.*/Consejo, asuntos acumulados C-72/19 P y C-145/19 P, ECLI:EU:C:2020:992.

Sentencia del Tribunal de Justicia de 22 de abril de 2021, Consejo/Kurdistan Workers' Party (PKK), C-46/19 P, ECLI:EU:C:2021:316.

Sentencia del Tribunal de Justicia (Gran Sala) de 22 de junio de 2021, República Bolivariana de Venezuela/Consejo, C-872/19 P, ECLI:EU:C:2021:507.

Sentencia del Tribunal de Justicia de 18 de noviembre de 2021, Fulmen/Consejo, C-680/19 P, ECLI:EU:C:2021:932.

Sentencia del Tribunal de Justicia de 18 de noviembre de 2021, Fereydoun Mahmoudian/Consejo, C-681/19 P, ECLI:EU:C:2021:933.

Sentencia del Tribunal de Justicia (Gran Sala) de 23 de noviembre de 2021, Consejo/Hamás, C-833/19 P, ECLI:EU:C:2021:950.

Sentencia del Tribunal de Justicia de 12 de mayo de 2022, Évariste Boshab/Consejo, C-242/21 P, ECLI:EU:C:2022:375.

Sentencia del Tribunal de Justicia de 20 de abril de 2023, Consejo/Aisha Muammer Mohamed El-Qaddafi, C-413/21 P, ECLI:EU:C:2023:306.

4. *Sentencias del Tribunal de Justicia en cuestiones prejudiciales*

Sentencia del Tribunal de Justicia de 30 de julio de 1996, Bosphorus Hava Yollari Turizm ve Ticaret AS (*Bosphorus*), C-84/95, ECLI:EU:C:1996:312.

Sentencia del Tribunal de Justicia de 27 de febrero de 1997, Ebony Maritime SA y Loten Navigation Co. Ltd., (*Ebony Maritime*), C-177/95, ECLI:EU:C:1997:89.

Sentencia del Tribunal de Justicia de 11 de octubre de 2001, Gerda Möllendorf y Christiane Möllendorf-Niehuus, C-117/06, ECLI:EU:C:2007:596.

Sentencia del Tribunal de Justicia de 29 de abril de 2010, M *et al.*/Her Majesty's Treasury, C-340/08, ECLI:EU:C:2010:232.

Sentencia del Tribunal de Justicia (Gran Sala) de 29 de junio de 2010, E y F, C-550/09, ECLI:EU:C:2010:382.

Sentencia del Tribunal de Justicia de 21 de diciembre de 2011, Mohsen Afrasiabi *et al.*, C-72/11, ECLI:EU:C:2011:874.

Sentencia del Tribunal de Justicia de 12 de junio de 2014, Užsienio reikalų ministerija y Finansinių nusikaltimų tyrimo tarnyba/Vladimir Peftiev *et al.*, C-314/13, ECLI:EU:C:2014:1645.

Sentencia del Tribunal de Justicia (Gran Sala) de 14 de marzo de 2017, A *et al.*, C-158/14, ECLI:EU:C:2017:202.

Sentencia del Tribunal de Justicia (Gran Sala) de 28 de marzo de 2017, PJSC Rosneft Oil Company/ Her Majesty's Treasury *et al.*, C-72/15, ECLI:EU:C:2017:236.

Sentencia del Tribunal de Justicia de 17 de enero de 2019, SH/TG, C-168/17, ECLI:EU:C:2019:36.

Sentencia del Tribunal de Justicia de 20 de junio de 2019, K.P., C-458/15, ECLI:EU:C:2019:522.

Sentencia del Tribunal de Justicia de 11 de noviembre de 2021, Bank Sepah/Overseas Financial Limited y Oaktree Finance Limited, C-340/20, ECLI:EU:C:2021:903.

Sentencia del Tribunal de Justicia (Gran Sala) de 21 de diciembre de 2021, Bank Melli Iran, Aktiengesellschaft nach iranischem Recht/Telekom Deutschland GmbH, C-124/20, ECLI:EU:C:2021:1035.

Sentencia del Tribunal de Justicia (Gran Sala) de 10 de septiembre de 2024, Neves 77 Solutions SRL y Agenţia Naţională de Administrare Fiscală - Direcţia Generală Antifraudă Fiscală, C-351/22, ECLI:EU:C:2024:723.

5. *Conclusiones del abogado general en procedimientos por recurso de anulación*

Conclusiones del abogado general Bot, Parlamento Europeo/Consejo, C-130/10, ECLI:EU:C:2012:50.

6. *Conclusiones del abogado general en procedimientos de recurso de casación*

Conclusiones del abogado general La Pergola, Dorsch Consult Ingenieurgesellschaft mbH/Consejo y Comisión, C-237/98 P, ECLI:EU:C:1999:606.

Conclusiones de la abogada general Kokott, Osman Ocalan, en nombre del Partido de los Trabajadores del Kurdistan (PKK) y Serif Vanly, en nombre del Congreso Nacional del Kurdistan (KNK)/Consejo, C-229/05 P, ECLI:EU:C:2006:606.
Conclusiones del abogado general Poiares Maduro, Yassin Abdullah Kadi y Al Barakaat International Foundation/Consejo *(Kadi I)*, asuntos acumulados C-402/05 P y C-415/05 P, ECLI:EU:C:2008:11.
Conclusiones del abogado general Mengozzi, Melli Bank plc/Consejo, C-380/09 P, ECLI:EU:C:2011:424.
Conclusiones del abogado general Mengozzi, Bank Melli Iran/Consejo, C-548/09 P, ECLI:EU:C:2011:426.
Conclusiones del abogado general Mengozzi, Pye Phyo Tay Za/Consejo, C-376/10 P, ECLI:EU:C:2011:786.
Conclusiones de la abogada general Trstenjak/Consejo, Stichting Al-Aqsa/Consejo, asuntos acumulados C-539/10 P y C-550/10 P, ECLI:EU:C:2012:321.
Conclusiones del abogado general Bot, Abdulbasit Abdulrahim/Consejo, C-239/12 P, ECLI:EU:C:2013:30.
Conclusiones del abogado general Bot, Comisión Europea *et al.*/Yassin Abdullah Kadi *(Kadi II)*, asuntos acumulados C-584/10 P, C-593/10 P y C-595/10 P, ECLI:EU:C:2013:176.
Conclusiones del abogado general Bot, Consejo/Manufacturing Support & Procurement Kala Naft Co., Tehran, C-348/12 P, ECLI:EU:C:2013:470.
Conclusiones del abogado general Mengozzi, Europäisch-Iranische Handelsbank AG/Consejo, C-585/13 P, ECLI:EU:C:2014:2365.
Conclusiones del abogado general Bot, Issam Anbouba/Consejo, C-605/13 P, ECLI:EU:C:2015:1.
Conclusiones del abogado general Bot, Issam Anbouba/Consejo, C-630/13 P, ECLI:EU:C:2015:2.
Conclusiones de la abogada general Sharpston, Consejo/Bank Mellat, C-176/13 P y Consejo/Bank Saderat Iran, C-200/13 P, ECLI:EU:C:2015:130.
Conclusiones del abogado general Cruz Villalón, National Iranian Oil Company/Consejo, C-440/14 P, ECLI:EU:C:2015:545.
Conclusiones del abogado general Mengozzi, Safa Nicu Sepahan Co./Consejo, C-45/15 P, ECLI:EU:C:2016:658.
Conclusiones de la abogada general Sharpston, Consejo/Hamás, C-79/15 P, ECLI:EU:C:2016:722.
Conclusiones de la abogada general Sharpston, Consejo/Liberation Tigers of Tamil Eelam (*LTTE*), C-599/14 P, ECLI:EU:C:2016:723.
Conclusiones de la abogada general Kokott, HX/Consejo, C-423/16 P, ECLI:EU:C:2017:493.
Conclusiones del abogado general Tanchev, National Iranian Tanker Company/Consejo, C-600/16 P, ECLI:EU:C:2018:227.
Conclusiones de la abogada general Sharpston, Islamic Republic of Iran Shipping Lines *et al.*/Consejo, C-225/17 P, ECLI:EU:C:2018:720.

Conclusiones del abogado general Mengozzi, George Haswani/Consejo, C-313/17 P, ECLI:EU:C:2018:748.
Conclusiones del abogado general Pitruzzella, HTTS Hanseatic Trade Trust & Shipping GmbH/Consejo, C-123/18 P, ECLI:EU:C:2019:173.
Conclusiones del abogado general Hogan, Bank Refah Kargaran/Consejo, C-134/19 P, ECLI:EU:C:2020:396.
Conclusiones del abogado general Hogan, República Bolivariana de Venezuela/ Consejo, C-872/19 P, ECLI:EU:C:2021:37.

7. *Conclusiones del abogado general en procedimientos relativos a cuestiones prejudiciales*

Conclusiones del abogado general Mengozzi, Gerda Möllendorf y Christiane Möllendorf-Niehuus, C-117/06, ECLI:EU:C:2007:267.
Conclusiones del abogado general Mengozzi, M. *et al.*/Her Majesty's Treasury, C-340/08, ECLI:EU:C:2010:13.
Conclusiones del abogado general Mengozzi, E y F, C-550/09, ECLI:EU:C:2010:272.
Conclusiones del abogado general Bot, Mohsen Afrasiabi *et al.*, C-72/11, ECLI:EU:C:2011:737.
Conclusiones del abogado general Wathelet, PJSC Rosneft Oil Company/ Her Majesty's Treasury *et al.*, C-72/15, ECLI:EU:C:2016:381.
Conclusiones de la abogada general Sharpston, A *et al.*, C-158/14, ECLI:EU:C:2016:734.
Conclusiones del abogado general Mengozzi, SH/TG, C-168/17, ECLI:EU:C:2018:798.
Conclusiones de la abogada general Sharpston, K.P., C-458/15, ECLI:EU:C:2019:66.
Conclusiones del abogado general Hogan, Bank Melli Iran, Aktiengesellschaft nach iranischem Recht/Telekom Deutschland GmbH, C-124/20, ECLI:EU:C:2021:386.
Conclusiones del abogado general Pitruzzella, Bank Sepah/Overseas Financial Limited y Oaktree Finance Limited, C-340/20, ECLI:EU:C:2021:496.
Conclusiones de la abogada general Ćapeta, Neves 77 Solutions SRL y Agenția Națională de Administrare Fiscală - Direcția Generală Antifraudă Fiscală, C-351/22, ECLI:EU:C:2023:907.

II. JURISPRUDENCIA DEL TJUE MENCIONADA SOBRE OTRAS MATERIAS

1. *Sentencias y autos del Tribunal General (y sentencias del Tribunal de Primera Instancia antes de la entrada en vigor del Tratado de Lisboa)*

Sentencia del Tribunal de Primera Instancia de 15 de marzo de 2000, Cimenteries CBR SA *et al.*/Comisión, asuntos acumulados T-25/95, T-26/95,

T-30/95, T-31/95, T-32/95, T-34/95, T-35/95, T-36/95, T-37/95, T-38/95, T-39/95, T-42/95, T-43/95, T-44/95, T-45/95, T-46/95, T-48/95, T-50/95, T-51/95, T-52/95, T-53/95, T-54/95, T-55/95, T-56/95, T-57/95, T-58/95, T-59/95, T-60/95, T-61/95, T-62/95, T-63/95, T-64/95, T-65/95, T-68/95, T-69/95, T-70/95, T-71/95, T-87/95, T-88/95, T-103/95 y T-104/95, ECLI:EU:T:2000:77.

Sentencia del Tribunal de Primera Instancia de 8 de julio 2004, Dalmine/Comisión, T-50/00, ECLI:EU:T:2004:220.

Sentencia del Tribunal de Primera Instancia de 4 de febrero de 2009, Omya AG/Comisión, T-145/06, ECLI:EU:T:2009:27.

Sentencia del Tribunal General de 11 de julio de 2013, BVGD/Comisión, asuntos acumulados T-104/07 y T-339/08, ECLI:EU:T:2013:366.

Sentencia del Tribunal General de 25 de octubre de 2018, KF/Centro de Satélites de la Unión Europea (CSUE), T-286/15, ECLI:EU:T:2018:718.

Sentencia del Tribunal General de 12 de diciembre de 2019, Marco Montanari/SEAE, T-692/18, ECLI:EU:T:2019:850.

Sentencia del Tribunal General de 6 de febrero de 2020, Compañía de Tranvías de la Coruña, S. A./Comisión, T-485/18, ECLI:EU:T:2020:35.

Auto del Tribunal General de 10 de septiembre de 2020, Camboya y CRF/Comisión, T-246/19, ECLI:EU:T:2020:415.

2. *Sentencias y autos del Tribunal de Justicia*

Sentencia del Tribunal de Justicia de 28 de octubre de 1982, Groupement des Agences de voyages/Comisión, C-135/81, ECLI:EU:C:1982:371.

Sentencia del Tribunal de Justicia de 23 de abril de 1986, Parti écologiste Les Verts/ Parlamento Europeo (*Les Verts*), C-294/83, ECLI:EU:C:1986:166.

Sentencia del Tribunal de Justicia de 22 de octubre de 1987, Foto-Frost/Hauptzollamt Lübeck-Ost, C-314/85, ECLI:EU:C:1987:452.

Sentencia del Tribunal de Justicia de 13 de noviembre de 1990, The Queen contra Minister of Agriculture, Fisheries and Food y The Secretary of State for Health, *ex parte* Fedesa *et al.* (*Fedesa*), C-331/88, ECLI:EU:C:1990:391.

Sentencia del Tribunal de Justicia de 9 de marzo de 1994, TWD Textilwerke Deggendorf GmbH/República Federal Alemana (*TWD*), C-188/92, ECLI:EU:C:1994:90.

Auto del Tribunal de Justicia de 28 de noviembre de 1996, Erika y Volker Lenz/Comisión, C-277/95 P, ECLI:EU:C:1996:456.

Sentencia del Tribunal de Justicia de 23 de marzo de 2000, Met-Trans y Sagpol, asuntos acumulados C-310/98 y C-406/98, ECLI:EU:C:2000:154.

Sentencia del Tribunal de Justicia de 16 de mayo de 2002, Francia/Comisión (*Stardust*), C-482/99, ECLI:EU:C:2002:294.

Sentencia del Tribunal de Justicia de 25 de julio de 2002, Unión de Pequeños Agricultores/Consejo, C-50/00 P, ECLI:EU:C:2002:462.

Auto del Tribunal de Justicia de 14 de julio de 2005, Suiza/Comisión, C-70/04, ECLI:EU:C:2005:468.

Sentencia del Tribunal de Justicia (Gran Sala) de 12 de septiembre de 2006, R.J. Reynolds Tobacco Holdings, Inc. *et al.*/Comisión, C-131/03 P, ECLI:EU:C:2006:541.

Sentencia del Tribunal de Justicia (Gran Sala) de 23 de octubre de 2007, República de Polonia/Consejo, C-273/04, ECLI:EU:C:2007:622.

Sentencia del Tribunal de Justicia de 13 de marzo de 2008, Comisión/Infront WM, C-125/06 P, ECLI:EU:C:2008:159.

Sentencia del Tribunal de Justicia de 15 de mayo de 2008, Reino de España/Consejo, C-442/04, ECLI:EU:C:2008:276.

Sentencia del Tribunal de Justicia (Gran Sala) de 20 de mayo de 2008, Comisión/Consejo (*ECOWAS*), C-91/05, ECLI:EU:C:2008:288.

Sentencia del Tribunal de Justicia de 11 de noviembre de 2010, Comisión/Portugal, C-543/08, ECLI:EU:C:2010:669.

Sentencia del Tribunal de Justicia (Gran Sala) de 29 de marzo de 2011, ThyssenKrupp Nirosta GmbH/Comisión, C-352/09 P, ECLI:EU:C:2011:191.

Sentencia del Tribunal de Justicia (Gran Sala) de 3 de octubre de 2013, Inuit Tapiriit Kanatami *et al.*/Parlamento y Consejo, C-583/11 P, ECLI:EU:C:2013:625.

Sentencia del Tribunal de Justicia (Gran Sala) de 24 de junio de 2014, Parlamento Europeo/Consejo (*Acuerdo UE-Mauricio sobre entrega de sospechosos de piratería*), C-658/11, ECLI:EU:C:2014:2025.

Sentencia del Tribunal de Justicia de 3 de septiembre de 2015, Inuit Tapiriit Kanatami e. a./Comisión, C-398/13 P, ECLI:EU:C:2015:535.

Sentencia del Tribunal de Justicia de 12 de noviembre de 2015, Elitaliana SpA/EULEX Kosovo, C-439/13 P, ECLI:EU:C:2015:753.

Sentencia del Tribunal de Justicia (Gran Sala) de 14 de junio de 2016, Parlamento Europeo/Consejo (*Acuerdo UE-Tanzania sobre entrega de sospechosos de piratería*), C-263/14, ECLI:EU:C:2016:435.

Sentencia del Tribunal de Justicia (Gran Sala) de 19 de julio de 2016, H/Consejo *et al.*, C-455/14 P, ECLI:EU:C:2016:569.

Sentencia del Tribunal de Justicia de 13 de septiembre de 2017, Salvatore Aniello Pappalardo *et al.*/Comisión, C-350/16 P, ECLI:EU:C:2017:672.

Sentencia del Tribunal de Justicia de 5 de julio de 2018, Liam Jenkinson/Consejo *et al.*, C-43/17 P, ECLI:EU:C:2018:531.

Sentencia del Tribunal de Justicia de 25 de junio de 2020, Centro de Satélites de la Unión Europea (CSUE)/KF, C-14/19 P, ECLI:EU:C:2020:492.

Sentencia del Tribunal de Justicia de 24 de febrero de 2022, CO *et al.*/MJ, Comisión, SEAE, Consejo, EULEX Kosovo (*EULEX Kosovo*), C-283/20, ECLI:EU:C:2022:126.

Sentencia del Tribunal de Justicia (Gran Sala) de 10 de septiembre de 2024, KS y KD/Consejo, Comisión y SEAE y Comisión/KS y KD, Consejo y SEAE (*KS y KD*), asuntos acumulados C-29/22 P y C-44/22 P, ECLI:EU:C:2024:725.

3. Conclusiones del abogado general

Conclusiones del abogado general Jacobs, Unión de Pequeños Agricultores/Consejo, C-50/00 P, ECLI:EU:C:2002:197.

Conclusiones del abogado general Poiares Maduro, República de Polonia/Consejo, C-273/04, ECLI:EU:C:2007:361.

Conclusiones del abogado general Mengozzi, Archer Daniels Midland Co./Comisión, C-511/06 P, ECLI:EU:C:2008:604.

Conclusiones del abogado general Bot, Parlamento Europeo/Consejo (*Acuerdo UE-Mauricio sobre entrega de sospechosos de piratería*), C-658/11, ECLI:EU:C:2014:41.

Conclusiones de la abogada general Kokott, en procedimiento de dictamen sobre la Adhesión de la Unión Europea al Convenio Europeo para la Protección de los Derechos Humanos y de las Libertades Fundamentales, dictamen 2/2013, ECLI:EU:C:2014:2475.

Conclusiones de la abogada general Kokott, Parlamento Europeo/Consejo (*Acuerdo UE-Tanzania sobre entrega de sospechosos de piratería*), C-263/14, ECLI:EU:C:2015:729.

Conclusiones del abogado general Wahl, H/Consejo y Comisión, C-455/14 P, ECLI:EU:C:2016:212.

Conclusiones del abogado general Szpunar, Liam Jenkinson/Consejo *et al.*, C-43/17 P, ECLI:EU:C:2018:231.

Conclusiones del abogado general Bobek, Centro de Satélites de la Unión Europea (CSUE)/KF, C-14/19 P, ECLI:EU:C:2020:220.

Conclusiones del abogado general Tanchev, CO, ME, GC *et al.*/MJ, Comisión, SEAE, Consejo, EULEX Kosovo (*EULEX Kosovo*), C-283/20, ECLI:EU:C:2021:781.

Conclusiones de la abogada general Ćapeta, KS y KD/Consejo, Comisión y SEAE y Comisión/KS y KD, Consejo y SEAE (*KS y KD*), asuntos acumulados C-29/22 P y C-44/22 P, ECLI:EU:C:2023:901.

4. Dictámenes

Dictamen del Tribunal de Justicia de 18 de diciembre de 2014 (Pleno), sobre la Adhesión de la Unión Europea al Convenio Europeo para la Protección de los Derechos Humanos y de las Libertades Fundamentales, dictamen 2/2013, ECLI:EU:C:2014:2454.

5. Recursos pendientes de resolución al cierre de esta obra

Recurso interpuesto el 19 de diciembre de 2024, Parlamento Europeo/Consejo, C-883/24.

III. ACTOS JURÍDICOS DE LA UNIÓN EUROPEA[873]

Decisión (PESC) 2013/255 del Consejo, de 31 de mayo de 2013, relativa a la adopción de medidas restrictivas contra Siria (DO L 147 1.6.2013, pp. 14-45), modificada por la Decisión (PESC) 2015/1836 del Consejo, de 12 de octubre de 2015 (DO L 266 13.10.2015, pp. 75-82).

Decisión (PESC) 2018/1656 del Consejo, de 6 de noviembre de 2018, por la que se modifica la Decisión (PESC) 2017/2074 relativa a medidas restrictivas habida cuenta de la situación en Venezuela (DO L276, 7.11.2018, pp. 10-119).

Decisión (PESC) 2019/1894 del Consejo, de 11 de noviembre de 2019, relativa a la adopción de medidas restrictivas habida cuenta de las actividades de perforación no autorizadas de Turquía en el Mediterráneo oriental (DO L 291 de 12.11.2019, pp. 47-53).

Decisión (PESC) 2020/373 del Consejo, de 5 de marzo de 2020, por la que se modifica la Decisión 2014/119/PESC relativa a medidas restrictivas dirigidas contra determinadas personas, entidades y organismos habida cuenta de la situación en Ucrania (DO L 71 de 6.3.2020, pp. 10-13).

Decisión (PESC) 2021/1252 del Consejo, de 29 de julio de 2021, por la que se modifica la Decisión 2010/413/PESC relativa a la adopción de medidas restrictivas contra Irán (DO L 272 de 30.7.2021, pp. 73-77).

Decisión (PESC) 2021/1965 del Consejo, de 11 de noviembre de 2021, por la que se modifica la Decisión (PESC) 2017/2074 relativa a medidas restrictivas habida cuenta de la situación en Venezuela (DO L 400 de 12.11.2021, pp. 148-156).

Decisión (PESC) 2021/55 del Consejo, de 22 de enero de 2021, por la que se modifica la Decisión 2011/72/PESC relativa a medidas restrictivas dirigidas contra determinadas personas y entidades habida cuenta de la situación en Túnez (DO L 23 de 25.1.2021, pp. 22 y 23).

Decisión (PESC) 2021/394 del Consejo, de 4 de marzo de 2021, por la que se modifica la Decisión 2014/119/PESC relativa a medidas restrictivas dirigidas contra determinadas personas, entidades y organismos habida cuenta de la situación en Ucrania (DO L 77 de 5.3.2021, pp. 29-34).

Decisión (PESC) 2021/449 del Consejo, de 12 de marzo de 2021, por la que se deroga la Decisión 2011/172/PESC relativa a las medidas restrictivas dirigidas contra determinadas personas, entidades y organismos habida cuenta de la situación en Egipto (DO L 87 de 15.3.2021, p. 46).

Decisión (PESC) 2022/154 del Consejo, de 3 de febrero de 2022, por la que se modifica la Decisión 2011/72/PESC relativa a medidas restrictivas dirigidas contra determinadas personas y entidades habida cuenta de la situación en Túnez (DO L 25 de 4.2.2022, pp. 18 y 19).

---

[873] La denominación de los actos jurídicos sigue la forma literal de cómo han sido designados en su publicación oficial.

Decisión (PESC) 2022/351 del Consejo, de 1 de marzo de 2022, por la que se modifica la Decisión 2014/512/PESC relativa a medidas restrictivas motivadas por acciones de Rusia que desestabilizan la situación en Ucrania (DO L 65 de 2.3.2022, pp. 5-7).

Decisión (PESC) 2022/849 del Consejo, de 30 de mayo de 2022, por la que se modifica la Decisión 2013/255/PESC, relativa a la adopción de medidas restrictivas contra Siria (DO L 148 de 31.5.2022, pp. 52-64).

Decisión (PESC) 2023/1094 del Consejo, de 5 de junio de 2023, por la que se modifica la Decisión 2014/145/PESC relativa a medidas restrictivas respecto de acciones que menoscaban o amenazan la integridad territorial, la soberanía y la independencia de Ucrania (DO L 146 de 6.6.2023, pp. 20-21).

Decisión 2010/573/PESC del Consejo, de 27 de septiembre de 2010, relativa a la adopción de medidas restrictivas contra los dirigentes de la región del Trans-Dniéster de la República de Moldova (DO L 253 de 28.9.2010, pp. 54-57).

Decisión 2011/72/PESC del Consejo, de 31 de enero de 2011, relativa a medidas restrictivas dirigidas contra determinadas personas y entidades habida cuenta de la situación en Túnez (DO L 28 de 2.2.2011, pp. 62-64).

Decisión 2011/137/PESC del Consejo, de 28 de febrero de 2011, relativa a la adopción de medidas restrictivas en vista de la situación existente en Libia (DO L 58 de 3.3.2011, pp. 53-62).

Decisión 2011/172/PESC del Consejo, de 21 de marzo de 2011, relativa a las medidas restrictivas dirigidas contra determinadas personas, entidades y organismos habida cuenta de la situación en Egipto (DO L 76 de 22.3.2011, pp. 63-67).

Decisión 2011/235/PESC del Consejo, de 12 de abril de 2011, relativa a medidas restrictivas dirigidas contra determinadas personas y entidades habida cuenta de la situación en Irán (DO L 100, 14.4.2011, pp. 51-57).

Decisión 2013/255/PESC del Consejo, de 31 de mayo de 2013, relativa a la adopción de medidas restrictivas contra Siria (DO L 147, 1.6.2013, pp. 14-45).

Decisión 2013/798/PESC del Consejo de 23 de diciembre de 2013 relativa a la adopción de medidas restrictivas contra la República Centroafricana (DO L 352 de 24.12.2013, pp. 51 y 52).

Decisión 2014/119/PESC del Consejo, de 5 de marzo de 2014, relativa a medidas restrictivas dirigidas contra determinadas personas, entidades y organismos habida cuenta de la situación en Ucrania (DO L 66 de 6.3.2014, p. 26).

Decisión 2014/145/PESC del Consejo, de 17 de marzo de 2014, relativa a medidas restrictivas respecto de acciones que menoscaban o amenazan la integridad territorial, la soberanía y la independencia de Ucrania (DO L 78, 17.3.2014, pp. 16-21).

Decisión 2014/512/PESC del Consejo, de 31 de julio de 2014, relativa a medidas restrictivas motivadas por acciones de Rusia que desestabilizan la situación en Ucrania (DO L 229 de 31.7.2014, pp. 13-17).

Decisión 2014/932/PESC del Consejo, de 18 de diciembre de 2014, relativa a medidas restrictivas en vista de la situación en Yemen (DO L 365 de 19.12.2014, pp. 147-151).

Decisión 2017/2074/PESC del Consejo, de 13 de noviembre de 2017, relativa a medidas restrictivas habida cuenta de la situación en Venezuela (DO L 295, 14.11.2017, pp. 60-68).

Decisión 2020/1999/PESC del Consejo, de 7 de diciembre de 2020, relativa a medidas restrictivas contra violaciones y abusos graves de los derechos humanos (DO L 410I de 7.12.2020, pp. 13-19).

Decisión de ejecución (PESC) 2021/585 del Consejo, de 12 de abril de 2021, por la que se aplica la Decisión 2011/235/PESC relativa a medidas restrictivas dirigidas contra determinadas personas y entidades habida cuenta de la situación en Irán (DO L 124I, 12.4.2021, pp. 7-11).

Decisión de ejecución (PESC) 2022/242 del Consejo, de 21 de febrero de 2022, por la que se aplica la Decisión 2013/255/PESC relativa a la adopción de medidas restrictivas contra Siria (DO L 40 de 21.2.2022, pp. 26 y 27).

Decisión de ejecución 2011/79/PESC del Consejo, de 4 de febrero de 2011, por la que se aplica la Decisión 2011/72/PESC relativa a medidas restrictivas dirigidas contra determinadas personas y entidades habida cuenta de la situación en Túnez (DO L 31 de 5.2.2011, pp. 40-47).

Posición común 2001/931/PESC del Consejo, de 27 de diciembre de 2001, sobre la aplicación de medidas específicas de lucha contra el terrorismo (DO L 344 de 28.12.2001, pp. 93-96).

Reglamento (CE) n° 1049/2001 del Parlamento Europeo y del Consejo, de 30 de mayo de 2001, relativo al acceso del público a los documentos del Parlamento Europeo, del Consejo y de la Comisión (DO L 145 de 31.5.2001, pp. 43-48).

Reglamento (UE) 2017/2063 del Consejo, de 13 de noviembre de 2017, relativo a medidas restrictivas habida cuenta de la situación en Venezuela (DO L 295, 14.11.2017, pp. 21-37).

Reglamento (UE) 2019/1716 del Consejo de 14 de octubre de 2019 relativo a medidas restrictivas habida cuenta de la situación en Nicaragua (DO L 262 de 15.10.2019, p. 1)

Reglamento (UE) 2020/1998 del Consejo de 7 de diciembre de 2020 relativo a medidas restrictivas contra violaciones y abusos graves de los derechos humanos (DO L 410I, 7.12.2020, pp. 1-12).

Reglamento (UE) 204/2011, de 2 de marzo, relativo a las medidas restrictivas habida cuenta de la situación en Libia (DO L 58 de 3.3.2011, pp. 1-13).

Reglamento (UE) nº 36/2012 del Consejo, de 18 de enero de 2012, relativo a las medidas restrictivas habida cuenta de la situación en Siria y por el que se deroga el Reglamento (UE) nº 442/2011 (DO L 16 de 19.1.2012, pp. 1-32), en su versión modificada por el Reglamento (UE) 2015/1828 del Consejo, de 12 de octubre de 2015 (DO L 266 de 13.10.2012. p. 1).

Reglamento (UE) nº 208/2014 del Consejo de 5 de marzo de 2014, relativo a las medidas restrictivas dirigidas contra determinadas personas, entidades y organismos habida cuenta de la situación en Ucrania (DO L 66 de 6.3.2014, pp. 1-10).

Reglamento (UE) nº 401/2013 del Consejo, de 2 de mayo, relativo a medidas restrictivas habida cuenta de la situación en Myanmar/Birmania y por el que se deroga el Reglamento (CE) nº 194/2008 (DO L 121 de 3.5.2013, p. 1).

Reglamento (UE) nº 833/2014 del Consejo, de 31 de julio de 2014, relativo a medidas restrictivas motivadas por acciones de Rusia que desestabilizan la situación en Ucrania (DO L 229 de 31.7.2014, pp. 1-11).

Reglamento de Ejecución (UE) 2018/1653 del Consejo, de 6 de noviembre de 2018, por el que se aplica el Reglamento (UE) 2017/2063 relativo a medidas restrictivas habida cuenta de la situación en Venezuela (DO L 276, 7.11.2018, pp. 1 y 2).

Reglamento de Ejecución (UE) 2020/370 del Consejo, de 5 de marzo de 2020, por el que se aplica el Reglamento (UE) nº 208/2014 relativo a las medidas restrictivas dirigidas contra determinadas personas, entidades y organismos habida cuenta de la situación en Ucrania (DO L 71 de 6.3.2020, pp. 1-4).

Reglamento de Ejecución (UE) 2021/49 del Consejo, de 22 de enero de 2021, por el que se aplica el Reglamento (UE) nº 101/2011 relativo a medidas restrictivas dirigidas contra determinadas personas, entidades y organismos habida cuenta de la situación en Túnez (DO L 23 de 25.1.2021, pp. 5 y 6).

Reglamento de ejecución (UE) 2021/584 del Consejo, de 12 de abril de 2021, que ejecuta el Reglamento (UE) nº 359/2011 relativo a las medidas restrictivas dirigidas contra determinadas personas, entidades y organismos habida cuenta de la situación en Irán (DO L 124I, 12.4.2021, pp. 1-6).

IV. OTRAS FUENTES CONSULTADAS

1. Actos, documentos de trabajo y resoluciones de la UE

Comunicación de la Comisión al Parlamento Europeo, al Consejo, al Banco Central Europeo, al Comité Económico y Social y al Comité de las Regiones (2021). *Sistema económico y financiero europeo: fomentar la apertura, la fortaleza y la resiliencia,* 19-01-2021, COM/2021/32 final.

Comunicación de la Comisión relativa a las normas de acceso al expediente de la Comisión en los supuestos de aplicación de los artículos 81 y 82 del Tratado CE, los artículos 53, 54 y 57 del Acuerdo EEE, y el Reglamento (CE) nº 139/2004 del Consejo (DO C 325 de 22.12.2005, pp. 7-15).

Conclusiones de la reunión extraordinaria del Consejo Europeo, 24 de febrero de 2022, 24-02-2022, EUCO 18/22. Disponible en: https://www.consilium.europa.eu/media/54512/st00018-es22.pdf.

Conclusiones del Consejo de la Unión Europea sobre Venezuela, 13-11-2017, doc. 14096/17. Disponible en: https://data.consilium.europa.eu/doc/document/ST-14096-2017-INIT/es/pdf.

Conclusiones del Consejo de la Unión Europea sobre Venezuela, 28-05-2018, doc. 9167/18. Disponible en: https://data.consilium.europa.eu/doc/document/ST-9167-2018-INIT/es/pdf.

Consejo de la Unión Europea (2021). *Egipto: la UE revoca el marco de sanciones y retira a nueve personas de la lista*, Comunicado de prensa, 12-03-2021. Disponible en: https://www.consilium.europa.eu/es/press/press-releases/2021/03/12/egypt-eu-revokes-sanctions-framework-and-delists-9-people/.

Documento de trabajo 10 de la Convención para la redacción del Tratado por el que se establece una Constitución para Europa (2003). *Le contrôle juridictionnel portant sur la politique étrangère et de sécurité commune, Círculo I*, Bruselas, 12-03-2003.

Documento de trabajo 18 de la Convención para la redacción del Tratado por el que se establece una Constitución para Europa (2003). *Contribution of Mr Andrew Nicholas Duff, member of the Convention and Ms Maria Berger, Elena Paciotti, Mr Reinhard Rack and Mr Joachim Würmeling, alternate members of the Convention*, Bruselas, 14-03-2003.

Nota de la Secretaría General del Consejo a delegaciones (2024). *Medidas restrictivas (sanciones): Actualización de las mejores prácticas de la UE para la aplicación eficaz de medidas restrictivas*, versión actualizada de 3-07-2024, doc. 11623/24.

Nota de la Secretaría General del Consejo al Coreper/Consejo (2004). *Principios básicos sobre la aplicación de medidas restrictivas (sanciones)*, 7-06-2004, doc. 10198/1/04.

Nota de la Secretaría General del Consejo al Coreper/Consejo de la Unión Europea (2018). *Orientaciones sobre la aplicación y evaluación de las medidas restrictivas (sanciones) en el marco de la Política Exterior y de Seguridad Común de la UE*, 4-05-2018, doc. 5664/18.

Resultados del Consejo de Justicia y Asuntos de Interior de la Unión Europea, nº 3717, Luxemburgo, 7/8-10-2019, doc. 12837/19.

2. *Decisiones judiciales y arbitrales*

Opinion of the US Supreme Court, March 23 1964, Banco Nacional de Cuba v. Sabbatino, 376 U.S. 398 (1964).

Nota de la autora

Las opiniones expresadas son responsabilidad personal y exclusiva de esta autora y las conclusiones recogidas son únicamente resultado del trabajo de investigación llevado a cabo dentro del marco académico de elaboración de una tesis doctoral, adaptada en esta monografía.